［第2版］

医薬品の適正流通（GDP）ガイドライン解説

編集 日本製薬団体連合会 品質委員会

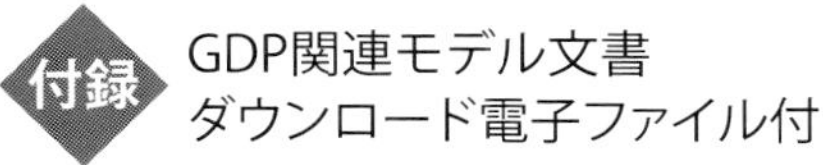

じほう

「医薬品の適正流通（GDP）ガイドライン解説 第２版」の発刊について

2018 年 12 月 28 日事務連絡にて厚生労働省医薬・生活衛生局総務課および監視指導・麻薬対策課より「医薬品の適正流通（GDP）ガイドラインについて」が発出されました。

日本製薬団体連合会品質委員会では，GDP は新たなガイドラインとなることから，今後，各企業が業務に適用するにあたって，具体的解釈や運用において，戸惑う場合も多いのではないかと考え，日本製薬工業協会品質委員会 GMP 部会の協力を得て，GDP を自社業務に適用しようとする各企業が，適切に GDP を理解し，適確な対応体制の構築に利用できるものとして，本解説を 2019 年 8 月に発刊いたしました。

また，本ガイドラインの国内実装推進を目的に，厚生労働行政推進調査事業「GMP，QMS 及び GCTP のガイドラインの国際整合化に関する研究」の分担研究「医薬品流通にかかるガイドラインの国際整合性に関する研究」（2019 年度 GDP 研究班活動）において，関連業界を通じて本ガイドラインの更なる解釈や疑問点，今後必要な取り組みについて把握し，調査結果が「GMP，QMS 及び GCTP のガイドラインの国際整合化に関する研究（H29- 医薬 - 指定 -004）」（研究代表者：櫻井信豪，研究分担者：木村和子）の分担研究報告書として公表されました。

今般，本解説の発刊から 3 年が経過し，この間に本ガイドラインの更なる解釈や疑問点，今後必要な取り組みについて多くの成果物が発出されたことから，これらを盛り込み，第 2 版を発行することといたしました。

本解説が，医薬品の流通に携わる企業において，ガイドラインの理解，社会実装の一助になることを願っております。

本解説の改訂にあたり，2019 年度 GDP 研究班に「倉庫および車両・コンテナの温度モニタリングと温度マッピング手法（参考情報）」を寄稿いただきました医薬品流通課題検討会に厚くお礼申し上げます。

2022 年 11 月

日本製薬団体連合会

品質委員会

本書は，日本製薬団体連合会 品質委員会，および日本製薬工業協会 品質委員会 GMP 部会により組織された「GDP ガイドライン解説プロジェクト」のメンバーがまとめた初版の改訂版である。第２版は，日本製薬団体連合会 品質委員会の「GDP 実装検討 WG」のメンバーによってまとめられた。

日本製薬団体連合会 品質委員会 GDP 実装検討 WG（2022 年 11 月現在）

大田　直樹（品質委員会委員長，塩野義製薬株式会社）
松本　欣也（GDP 実装検討 WG リーダー，日本通運株式会社）
冨塚　博之（日本医薬品原薬工業会）
栗村　勇治（アステラス製薬株式会社）
石橋　紀久（富士フイルム富山化学株式会社）
稲村　伸二（アサヒグループ食品株式会社）
清水　英美子（テルモ株式会社）
豊田　　弘（沢井製薬株式会社）
楢木　泰俊（ゼリア新薬工業株式会社）
西　　由香（ブリストル・マイヤーズ スクイブ株式会社）

── 目　次 ──

卸売販売業者及び薬局における記録及び管理の徹底について
（薬生総発0216第1号　H29.2.16） …… 153
医薬品，医療機器等の品質，有効性及び安全性の確保等に関する法律施行規則の一部を改正する省令（厚生労働省令第百六号　H29.10.5） …… 155
医薬品，医療機器等の品質，有効性及び安全性の確保等に関する法律施行規則の一部を改正する省令等の施行について（薬生発1005第1号　H29.10.5） …… 166
薬局等構造設備規則の一部を改正する省令（厚生労働省令第百七号　H29.10.5） …… 175
薬局並びに店舗販売業及び配置販売業の業務を行う体制を定める省令の一部を改正する省令（厚生労働省令第百八号　H29.10.5） …… 177
偽造医薬品の流通防止に係る省令改正に関するQ＆Aについて
（事務連絡　H30.1.10） …… 180
偽造医薬品等の不適正な医薬品の流通防止の徹底について
（薬生総発0119第3号・薬生監麻発0119第7号　H30.1.19） …… 185
【封関連】
医薬品の封の取り扱い等について（薬生発0801第1号　H30.8.1） …… 187
医薬品の確認等の徹底について（医政総発0129第2号・医政経発0129第1号・薬生総発0129第2号・薬生監麻発0129第1号　H31.1.29） …… 190
「医薬品の封の取り扱い等について」に関する質疑応答集（Q＆A）について
（日薬連発第245号　H31.3.29） …… 191
「医薬品の封・密閉性の確保に関するガイドライン」の見直しについて
（日薬連発第431号　H31.5.30） …… 196
【CSV関連】
医薬品・医薬部外品製造販売業者等におけるコンピュータ化システム適正管理ガイドラインについて（薬食監麻発1021第11号　H22.10.21） …… 200
【構造設備関連】
複数の卸売販売業者が共同で設置する発送センターの営業所における他の卸売販売業者の営業所の場所からの区別について（薬生総発1006第1号　R4.10.6） … 221
【法令遵守関連】
「薬局開設者及び医薬品の販売業者の法令遵守に関するガイドライン」について
（薬生発0625第13号　R3.6.25） …… 224

第五部　GDP関連モデル文書はダウンロードが可能です

■ URL：https://ser.jiho.co.jp/gdpglkaisetsu２

■ パスワード：gdpglkaisetsu２
（すべて半角・小文字で「ジー・ディー・ピー・ジー・エル・ケー・エー・アイ・エス・イー・ティー・エス・ユー・２」）

※ご利用はご購入者に限ります。
※必ず専用ウェブサイトの注意書きをよく読み，ご理解の上でご利用ください。

第一部
日本における「医薬品の適正流通（GDP）ガイドライン」作成の経緯

医薬品の適正流通基準であるGDP（Good Distribution Practice）ガイドラインは，まず欧州において1992年に指令（Council Directive 92/25/EEC）が発出され，この欧州指令に従って1994年にGDPの原理，原則を示すGDPガイドラインが発効された。

一方，世界保健機関（WHO）のGDPガイドラインはその後の1999年に発効され，2010年大幅に改定，さらに2014年に一部改定が行われ，現在に至っている。このWHOのガイドラインにおいて，GDPは高度な基準の品質保証，および医薬品の流通プロセスの完全性を保証するため，また，医薬品の卸売販売免許の統一を促進し，医薬品取引の障壁排除推進のため，採択されたことが規定されている。

欧州のGDPは，WHOの2010年改定版を基に2013年3月に大幅な改定が行われ，同年11月の改定を経て，現在の欧州GDPガイドラインが発効されている。

さらに，Pharmaceutical Inspection Convention and Pharmaceutical Inspection Co-operation Scheme（PIC/S：医薬品査察協定及び医薬品査察協働スキーム）委員会においては，欧州GDPガイドラインを基にGDPガイドラインを制定し，2014年5月に採択，同年6月1日付で発効された。

GDPはGood Manufacturing Practice（GMP：医薬品及び医薬部外品の製造管理及び品質管理の基準）を補完し，製造業者からユーザー（患者に供給するための認可あるいは資格を有する薬局またはその他の者）まですべての流通段階を通じて，医薬品が生産されたときの品質を維持することを保証し，また，偽造医薬品や改ざんされた製品がそのルートに混入することを防止するための基準である。

2015年に改訂された欧州のGMPガイドラインおよびPIC/SのGMPガイドラインの両Annex 15（Qualification and Validation：適格性評価及びバリデーション）には，「6. Verification of Transportation（輸送のベリフィケーション（検証））」の項目が追加され，最終製品，治験薬，バルク製品およびサンプルは製造販売承認や承認されたラベル，製品規格書等に従った条件で輸送されることが規定されている。また，輸送経路は明確に定められ，季節変動やその他の変動を考慮して輸送のベリフィケーションを実施しなければならないとされている。さらに，妥当性を示さない限り，製品が受ける重要な環境条件の連続モニタリングおよび記録を実施することが規定され，連続モニタリングをしない変動（輸送中の遅延，装置の故障，液体窒素の追加充填等）の影響を考慮するためにリスク評価を実施することも規定されている。このように近年では，GMPとGDPが区別されないで運用されることも増えてきており，GMDPと称されることもある。

アジア諸国においては，中国，インド，インドネシア他，多くの国においてGDP関連ガイドラインが制定，運用されている。

わが国においては，医薬品，医療機器等の品質，有効性及び安全性の確保等に関する法律施行規則や薬局等構造設備規則等に，卸売販売業者の医薬品の適正管理や営業所の構造設備の基準が規定されており，GMP省令やGood Quality Practice省令（GQP：医薬品，医薬部外品，化粧品及び医療機器の品質管理の基準）に，配送における製品品質の確保のために必要な措置や，当該製品の運搬および受け渡しにおける品質管理の方法等のGDPに関連する記載がある。

しかしながら，上述のような国際情勢の中，わが国においてはこれまでは医薬品の適正流通に関する公的に示された省令や基準等はなく，各々の企業において輸出先国の状況等に応じ，自主的にGDPへの対応が行われていたのが現状であった。

「医薬品産業強化総合戦略」（2015年9月4日策定）において，医療用医薬品の安全性確保のあり方については，PIC/SのGDPに準拠した国内GDPの策定の検討を行うこととされた。

これを受け，厚生労働科学研究「GMP，QMS及びGCTPのガイドラインの国際整合化に関する研究」の分担研究「医薬品流通にかかるガイドラインの国際整合性に関する研究」研究班が2016年3月に発足，日本版GDPガイドラインの研究を開始し，GDP先進国である欧州の実施状況等を参考に「GDPガイドライン2016素案」が作成された。

一方，2017年1月に発生したハーボニー配合錠の偽造品事案を受けて設置された「医療用医薬品の偽造品流通防止のための施策のあり方に関する検討会」の「最終とりまとめ」（2017年12月28日）においても「PIC/SのGDPガイドライン全般に準拠した国内向けGDPガイドラインを作成し，厚生労働省がそれを広く周知することで，卸売販売業者における自主的な取組を促すべきである」こととされた。これと同時期に「医薬品産業強化総合戦略」の内容が見直され（2017年12月22日一部改訂），医療用医薬品の安全性確保のあり方については，PIC/SのGDPに準拠した国内GDPの策定の検討を速やかに進めることとされた。

2017年度の厚生労働行政推進調査事業GDP研究班において，「医療用医薬品の偽造品流通防止のための施策のあり方に関する検討会最終とりまとめ」，偽造医薬品関連省令等の局長通知，研究班がPIC/S GDPガイドラインを基に作成した「GDPガイドライン2016素案」に対する国内の各種GDP関連活動実施状況のアンケート調査，意見および提案等をさまざまな角度から検討し，2016素案の見直しが行われ，2018年4月に「医薬品の適正流通（GDP）ガイドライン（案）」がとりまとめられ，厚生労働省に提出された。さらに，本ガイドライン案の説明会が7月に東京・大阪・富山で開催された。

これらを受け若干の修正が行われた後，本ガイドラインの対象である，卸売販売業者および製造販売業者をはじめ，医薬品の流通に係るすべての関係事業者において，本ガイドラインを参考に業務を実施するよう，厚生労働省医薬・生活衛生局総務課および監視指導・麻薬対策課より「医薬品の適正流通（GDP）ガイドラインについて」（2018年12月28日事務連絡）が事務連絡として発出された。

第二部
医薬品の適正流通（GDP）ガイドライン解説（逐条解説）

第二部の読み方

緒言

> 市場出荷後の医薬品の薬局，医薬品販売業者や医療機関などに対する卸売販売は，医薬品の仕入，保管及び供給等の流通経路全般を担う重要な業務である。今日の医薬品の流通経路はますます複雑になり，多くの人々が関与するようになってきた。
>
> **医薬品の適正流通（GDP）ガイドライン**[1]（以下：本ガイドライン）は，卸売販売業者及び製造販売業者（以下：卸売販売業者等）の業務を支援し，本ガイドラインを遵守することにより，流通経路の管理が保証され，その結果，**医薬品の完全性**[2]が保持されるための手法を定めるものである。さらに，偽造医薬品が正規流通経路へ流入するのを防止するための適切な手法を定めるものである。
>
> 本ガイドラインに使われているいくつかの用語は用語集に列挙した。

グレーの枠内にGDPガイドラインの条文を記載しています。

条文内，解説を行うポイント部分に，1)，2) と番号を振っています。

［解説］

1）医薬品の適正流通（GDP）ガイドライン

GDPとはGood Distribution Practiceの略である。通常GxPの訳文，例えば，GQP（Good Quality Practice）省令の場合は「医薬品，医薬部外品，化粧品及び再生医療等製品の品質管理の基準に関する省令」，GMP（Good Manufacturing Practice）省令の場合は「医薬品及び医薬部外品の製造管理及び品質管理の基準に関する省令」と表現されているが，本ガイドラインは省令ではなく，卸売販売業者および製造販売業者をはじめ，医薬品の流通に係るすべての関係事業者において業務の参考とするものであることから，「基準」を記載せず，「医薬品の適正流通（GDP）ガイドライン」とした。

条文内の番号に対応して解説文を記載しています。なお，解説対象が絞られる箇所については，対象のキーワードを太字で示しています（キーワードを書き出していない場合は，条文全体を対象に解説しています）。

［GDP Q&A］

> **Q0-1**（緒言）
> 卸売販売業者及び製造販売業者（以下：卸売販売業者等）…」と定義され，以降の文章は「卸売販売業者等は」と記載されている。卸売販売業者と製造販売業者の責務に違いはないのか。

A-01

本ガイドラインにおいて製造販売業者は，医薬品の市場出荷後から薬局および医薬品販売業者への納品，保管および供給業務に責任を有する。

卸売販売業者は，自社の倉庫に医薬品を受入れた後から，薬局，医薬品販売業者および医療機関への納品までの保管および供給業務に責任を有する。

本ガイドラインにおいて，卸売販売業者等と表記した場合には，製造販売業者と卸売販売業者の本ガイドラインの運用にかかわる責務に相違はない。

流通過程において，いずれの者が責務を負うかについては，一般的に所有権の有無で責任範囲を判断すると理解しやすい。

（本ガイドラインにおいて，製造販売業者と卸売販売業者の責務が異なる場合は，それぞれ製造販売業者，または卸売販売業者と表記されている。）

GDP研究班で作成した条文のQ＆Aを記載しています。

緒言

> 市場出荷後の医薬品の薬局，医薬品販売業者や医療機関などに対する卸売販売は，医薬品の仕入，保管及び供給等の流通経路全般を担う重要な業務である。今日の医薬品の流通経路はますます複雑になり，多くの人々が関与するようになってきた。
>
> **医薬品の適正流通（GDP）ガイドライン** [1]（以下：本ガイドライン）は，卸売販売業者及び製造販売業者（以下：卸売販売業者等）の業務を支援し，本ガイドラインを遵守することにより，流通経路の管理が保証され，その結果，**医薬品の完全性** [2] が保持されるための手法を定めるものである。さらに，偽造医薬品が正規流通経路へ流入するのを防止するための適切な手法を定めるものである。
>
> 本ガイドラインに使われているいくつかの用語は用語集に列挙した。

[解説]

1） 医薬品の適正流通（GDP）ガイドライン

GDPとはGood Distribution Practiceの略である。通常GxPの訳文，例えば，GQP（Good Quality Practice）省令の場合は「医薬品，医薬部外品，化粧品及び再生医療等製品の品質管理の基準に関する省令」，GMP（Good Manufacturing Practice）省令の場合は「医薬品及び医薬部外品の製造管理及び品質管理の基準に関する省令」と表現されているが，本ガイドラインは省令ではなく，卸売販売業者および製造販売業者をはじめ，医薬品の流通に係るすべての関係事業者において，本ガイドラインを参考に業務を実施するよう，事務連絡（平成30年12月28日付）として発出されたことから，「基準」を記載せず，「医薬品の適正流通（GDP）ガイドライン」とした。

[GDP Q＆A]

> **Q0-1**（緒言）
>
> 「医薬品の適性流通（GDP）ガイドライン（以下：本ガイドライン）」は，「卸売販売業者及び製造販売業者（以下：卸売販売業者等）…」と定義され，以降の文章は「卸売販売業者等は」と記載されている。卸売販売業者と製造販売業者の責務に違いはないのか。

A0-1

本ガイドラインにおいて製造販売業者は，医薬品の市場出荷後から薬局および／または医薬品販売業者への納品，保管および供給業務に責任を有する。

卸売販売業者は，自社の貯蔵設備に医薬品を受入れた後から，薬局，医薬品販売業者および医療機関への納品までの保管および供給業務に責任を有する。

本ガイドラインにおいて，卸売販売業者等と表記した場合には，製造販売業者と卸売販売業者の本ガイドラインの運用にかかわる責務に相違はない。

流通過程において，いずれの者が責務を負うかについては，一般的に所有権の有無で責任範囲を判断すると理解しやすい。

（本ガイドラインにおいて，製造販売業者と卸売販売業者の責務が異なる場合は，それぞれ製造販売業者，または卸売販売業者と表記されている。）

2）医薬品の完全性

> **Q0-2**（緒言）
> 「医薬品の完全性」とは何か。

A0-2

医薬品の完全性とは「医薬品が製造販売承認に基づき製造され，市場出荷された状態を維持し，品質の劣化，改ざん，破壊されないことをいう」。

目的

> 高水準の品質保証の維持と医薬品の流通過程での完全性を保証するため，卸売販売業者等の業務の画一性を推進し，医薬品取引における障害をさらに除くための参考となる手法として，本ガイドラインを作成した。
> 本ガイドラインは，卸売販売業者等がそれぞれのニーズに合わせた規則を作るための根拠としても利用することを意図している。
> 本ガイドラインに規定した方法以外で，この原則を達成できる方法は受入れられる。

[解説]

本ガイドラインは製造販売業者や卸売販売業者が行う医療用医薬品の安全性確保策や偽造医薬品の混入防止，偽造医薬品を含む品質の疑わしい医薬品の検知体制の整備を図り，医薬品の保管や輸送活動の参考とするものであり，GMP 省令や GQP 省令のように法的拘束力のあるものではない。しかし，本ガイドラインには GQP 省令，GMP 省令，医薬品医療機器等法，薬局等構造設備規則，薬局並びに店舗販売業及び配置販売業の業務を行う体制を定める省令等が引用されているので，該当部分は当然法的拘束力がある。

適用範囲

> 本ガイドラインは**医薬品の市場出荷後**[1)]，薬局，医薬品販売業，医療機関に渡るまでの**医薬品**[2)]の仕入，保管及び供給業務に適用する。

[解説]

1）医薬品の市場出荷後

本ガイドラインにおける医薬品の市場出荷後とは，GQP 省令に基づき市場出荷判定された医薬品（最終製品（製剤））の保管場所から卸売販売業者へ出荷されて以降を想定している。

2）医薬品

「医薬品」の定義は医薬品医療機器等法第二条の（定義）を参照のこと。

また，適用範囲を業態ベースで作成したものを**図 2-1** に示す。

本ガイドラインは医薬品の市場出荷後，薬局，医薬品販売業，医療機関に渡るまでの医薬品の仕入れ，保管及び供給業務に適用する。

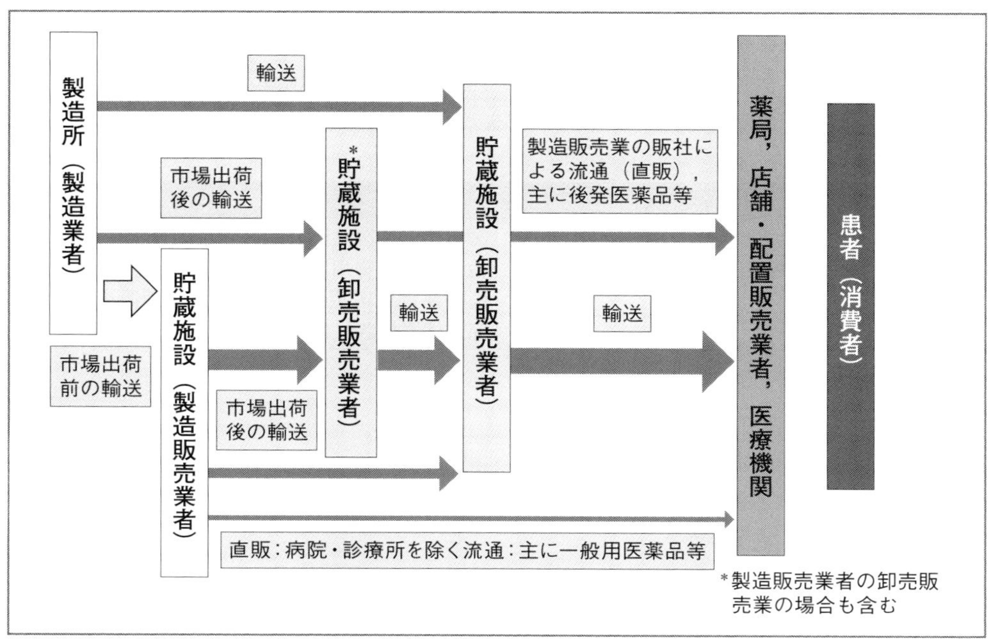

図2-1　ガイドラインの適用範囲

[GDP Q&A]

Q0-3（適用範囲）

医薬品を製造販売する製造販売業者（特に薬局・医薬品販売業に対して製品を直接販売している企業）は本ガイドラインではどのような適用を受けるのか。

A0-3

医薬品を直接販売している製造販売業者においては，市場出荷後，薬局および医薬品販売業者へ納品されるまでが適用範囲となる。

なお，卸売販売業許可を取得している場合は A0-1 を参照されたい。

Q0-4（適用範囲）

業として製品を輸入した場合の国内物流は適用範囲に含まれることは理解したが，海外からの海上輸送中は適用範囲に含まれないのか。

A0-4

日本では，海外からの医薬品の輸送は，GMP で管理されるべき事項である。

Q0-5（適用範囲）
本ガイドラインの適用となる医薬品とは何か。

A0-5

医薬品は「医薬品，医療機器等の品質，有効性及び安全性の確保に関する法律（第二条）」に規定されており，再生医療等製品の他に医薬部外品及び化粧品は医薬品から除くとされている。また，動物用医薬品及び原薬は適用外である。本ガイドラインの適用となる医薬品を以下に示す

適用	適用外
医療用医薬品（医療用ガス含む），要指導医薬品，一般用医薬品，体外診断用医薬品	医療機器，医薬部外品，化粧品，再生医療等製品，治験薬，動物用医薬品，原薬（製造専用の原薬たる医薬品は，医療機関，薬局，店舗販売業者等に販売又は授与されるものではないため）

Q0-6（適用範囲：試用医薬品）
卸売販売業における試用医薬品（製剤見本及び臨床試用医薬品）は，保管・輸送時に温度管理が不要と考えてよいか。

A0-6

製剤見本については服用を目的としないものであることから，保管・輸送時の温度管理は必要はない。ただし，色，味，におい等外観的特性の変化を避けるために製造販売業者が温度管理が必要と判断する場合には，それに従うこと。

一方，臨床試用医薬品は医師が当該医療用医薬品の使用に先立って，品質，有効性，安全性，製剤的特性等について確認，評価するために臨床試用することを目的とするものであることから，貯法に従った温度管理が必要である。

1．医薬品の貯法は該当製品の承認書に記載があるが，製剤見本は有効成分を含有する場合でも製造販売承認申請書に記載する必要がないため，その貯法については該当製品の承認書に記載がなく，法的な規制はない。
2．製剤見本は医療担当者が当該医療用医薬品の使用に先立って，剤形及び色，味，におい等外観的特性について確認することを目的とするもので，服用を目的としていない。

なお，体外診断用医薬品のサンプル（体外診断用医薬品形状見本及び体外診断用医薬品試用品）も同様の考え方となる。

（根拠資料）

1．医薬品の貯法は該当製品の製造販売承認書に記載されるが，製剤見本は製造販売承認申請書に記載する必要がないため，その貯法については該当製品の承認書に記載がないため，法的な規制はない。
　a）「医療用医薬品の添付文書等の記載要領について」（厚生労働省医薬・生活衛生局長　薬生発0608第1号　平成29年6月8日）

第 3　記載要領
エ．　貯法，有効期間貯法，有効期間
（1）　貯法及び有効期間は，製剤が包装された状態での貯法及び有効期間を製造販売承認書に則り記載すること。

b) 「医薬品の承認申請等に関する質疑応答集（Q＆A）について」事務連絡平成 28 年 10 月 27 日

Q5　製剤見本（有効成分を含有する臨床試用医薬品は除く。）は「医療用医薬品製造販売業における景品類の提供の制限に関する公正競争規約施行規則(平成23年 1 月21日改正)」において，「医療担当者が当該医療用医薬品の使用に先立って，剤型及び色，味，におい等外観的特性について確認することを目的とするもの」とされているが，当該製品は有効成分を含有しないため，製造する製造所を製造販売承認申請書に記載する必要があるか。

A5　製造販売承認申請書に記載する必要はない。なお，既に製剤見本について記載製造販売承認申請書に記載する必要はない。なお,既に製剤見本について記載している場合には,別途，軽微変更届出時に当該記載を削除することで差し支えしている場合には，別途，軽微変更届出時に当該記載を削除することで差し支えないこと。

2．製剤見本は剤型，色，味，におい等外観的特性について確認するためのもので，服用を目的としていない。

・「医薬品，医療機器等の品質，有効性及び安全性の確保等に関する法律施行規則の一部を改正する省令等の施行について」(厚生労働省医薬・生活衛生局長　薬生発 1005 第 1 号 平成 29 年 10 月 5 日)

第 2 改正施行規則関係

1　医薬品の譲受時及び譲渡時における薬局開設者等の書面記載事項の追加

（1）薬局開設者の書面記載事項の追加等改正施行規則第 14 条関係)

また，剤型，色，味，におい等外観的特性について確認するための製剤見本（以下単に「製剤見本」という。）については，譲受人の服用を目的としておらず，製剤見本である旨が明記されているため，記録義務の対象とならないこと。

第 1 章　品質マネジメント[1)]

1.1 原則

卸売販売業者等は，その業務に関連する責任，プロセス及びリスクマネジメントの原則を定めた品質システムを維持すること。

卸売販売業者等は，全ての流通業務の手順を明確に定義し，系統的にレビューすること。流通過程における全ての重大な段階及び重要な変更を正当化し，必要に応じてバリデートすること。

卸売販売業者等の**経営陣**[2)]には，品質システムに対する責任があり，リーダーシップと積極的な参画が求められること。また，職員はそれぞれの役割を果たすこと。

[解説]

1）品質マネジメント

品質マネジメントを実践するには，2010 年 2 月 19 日付け薬食監麻発 0219 第 1 号「医薬品品質システムに関するガイドラインについて（ICH Q10 医薬品品質システム）」を理解する必要がある。詳細は下記リンクからガイドラインを参照されたい。

（http://www.pmda.go.jp/files/000156141.pdf）

[GDP Q&A]

1）品質マネジメント

Q1-1（品質マネジメント）

本ガイドラインを充足できなければ，卸売販売の許可取得および更新はできないのか。

A1-1

本ガイドラインは厚生労働行政推進調査事業 GDP 研究班の成果として，医薬品の適正流通について，卸売販売業者等の自主的な取り組みを促すために示されたもので，GQP 省令や GMP 省令等のような法的拘束力のあるものではない。

本ガイドラインへの取り組みは，業許可取得や更新の要件ではない。

2）**経営陣**

Q1-2（品質マネジメント）

「経営陣」の定義について教えていただきたい。

A1-2

本ガイドラインでいう経営陣は，ICH Q10（医薬品品質システム）の上級経営陣および経営陣を想定している。ICH Q10 で上級経営陣は「企業又は製造サイトに対して，その企業又は製造サイトの資源を動員する責任と権限を持ち，最高レベルで指揮し，及び管理する人（々）。」と定義されている。

上級経営陣の責務としては，

・品質方針の確立，

・品質目標が規定され，および伝達されることを確実にすること，

・医薬品品質システムの継続する適切性および実効性を確実にするためマネジメントレビューを通じ，医薬品品質システムの統括管理に対して責任を有する等が規定されている。

本ガイドラインにおいては，上級経営陣は品質システムの実効性を定期的にレビューし，経営資源を適切に配分することが求められている。

> **Q1-3**（責任役員の責務）
> 「経営陣」のうち，薬事に関する業務に責任を有する役員（以下「責任役員」という。）の責務について教えていただきたい。

A1-3

医薬品医療機器等法の許可を受けて医薬品の販売を行う薬局開設者および販売業者（店舗販売業者，配置販売業者及び卸売販売業者をいう。）（以下，「薬局開設者等」という。）は，国民の生命・健康にかかわる医薬品の販売を行う事業者であり，薬局開設者等に薬事に関する法令の違反があった場合には，品質，有効性または安全性に問題のある医薬品の流通や，医薬品の不適正な使用等により，保健衛生上の危害が発生または拡大するおそれがある。薬局開設者等は，このような生命関連製品を取り扱う事業者として，高い倫理観をもち，薬事に関する法令を遵守して業務を行う責務がある。

また，薬局開設者等において法令遵守体制を構築し，薬事に関する法令を遵守するために主体的に行動し，薬局開設者等による法令違反に責任を負う者として，薬局開設者等の役員のうち，薬事に関する業務に責任を有する役員を責任役員として医薬品医療機器等法上に位置づけ，その責任を明確化した。

薬局開設者等は，薬事に関する法令の規定を遵守して医薬品の販売に関する業務を行わなければならない。薬局開設者等が薬局等における法令遵守を確保するためには，責任役員および従業者により法令を遵守して適正に業務が行われるための仕組み（法令遵守体制）を構築し運用する必要がある。責任役員は，薬局開設者等の法令遵守について責任を負う立場にあり，法令遵守体制の構築および運用は，責任役員の責務である。

責任役員の責務と法令遵守体制の構築については，「薬局開設者及び医薬品の販売業者の法令遵守に関するガイドライン」について（令和3年6月25日付薬生発0625第13号）。また，本ガイドラインに記載される内容の考え方については「薬局開設者及び医薬品の販売業者の法令遵守に関するガイドラインに関する質疑応答集（Q＆A）」について（令和3年6月25日付事務連絡）』を参照。

Q1-4（品質マネジメント）

本ガイドラインで求められる品質システムの構築は，QMS省令やGMP省令でも同様に品質システムの構築が求められていることから，例えば同一法人・同一経営者の製造販売業者が複数の製造業者や卸売販売業者を含む一体型の品質システムとして構築・運用しても差し支えないか。

A1-4

同一法人の中で，それらの事業が実施されているのであれば，品質方針の確立や品質マネジメントレビュー等，品質システムにおける経営者の責務とされる要素を一つの品質システムとして構築することは差し支えない。

ただし，変更管理や逸脱管理，CAPA等それぞれ運用において求められる事項が異なる場合，個々に運用手順を定める必要がある（**図2-2**）。

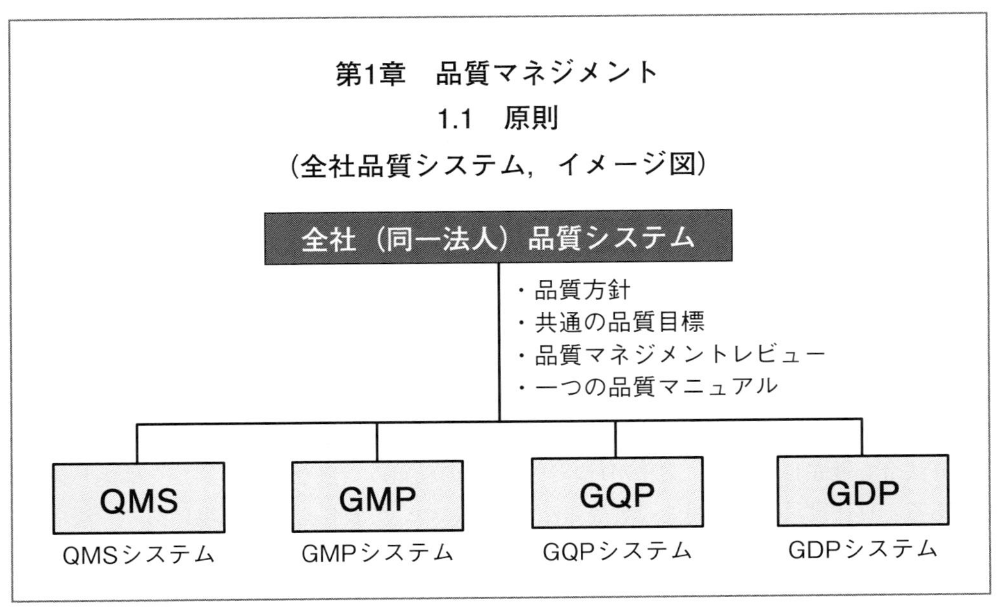

図2-2　GxP品質システム構築例

1.2 品質システム

1.2.1 品質を管理するシステムは，卸売販売業者等の構成，手順，プロセス，資源を包含し，輸送される製品に関わる完全性を維持し，輸送中や保管中に**正規流通経路**[3)]の範囲にあることを保証するために必要な活動に係る業務を含むこと。

1.2.2 品質システムを文書化し，その有効性を監視すること
品質システムに関連する全ての業務を定義し，文書化すること。
品質マニュアル[4)]を含む階層化された**文書体系**[1)]を確立すること。

1.2.3 卸売販売業者等の**経営陣**[2)]は，品質システムが履行され，維持されることを確実に保証するための明確に規定された**権限及び責任を有する者**[5)]を任命すること。

1.2.4 卸売販売業者等の経営陣は，品質システムの全ての分野において，適格性のある職員，並びに適切で十分な建物，施設及び機器の面で，十分なリソースが充てられることを確実に保証すること。

1.2.5 品質システムの構築又は修正の際には，**卸売販売業者等の業務の規模，構造等**[6)]を考慮すること。

1.2.6 変更管理システムを整備すること。
このシステムには品質リスクマネジメントの原則を取り入れ，バランスの取れた有効なものとすること。

1.2.7 品質システムは，以下を保証すること。
i.　医薬品は本ガイドラインの要求事項に適合するよう仕入，保管，供給すること
ii.　卸売販売業者等の経営陣の責任が明確に規定されていること
iii.　製品は，速やかに正当な受領者へ納入されること
iv.　記録が（作業と）同時に作成されていること
v.　あらかじめ定められた手順からの逸脱は記録され，調査されていること
vi.　品質リスクマネジメントの原則に従い，逸脱を適切に是正し，予防するため，適切な是正措置及び予防措置（Corrective Action and Preventive Action 以下：CAPA）が講じられていること

[解説]

1）文書体系

文書体系は**図 2-3** のように品質方針を頂点に階層化されなければならない。

また，GMP や GQP で同様の品質方針，品質マニュアル，手順書等をすでに作成している場合は，その手順書を GDP に準用することができる。

GDP の品質システムに必要な手順書を以下に記載する。

1. 文書管理手順書
2. 変更管理手順書
3. 逸脱管理手順書
4. 苦情処理，返品，偽造品，回収手順書
5. 是正措置及び予防措置（CAPA）手順書

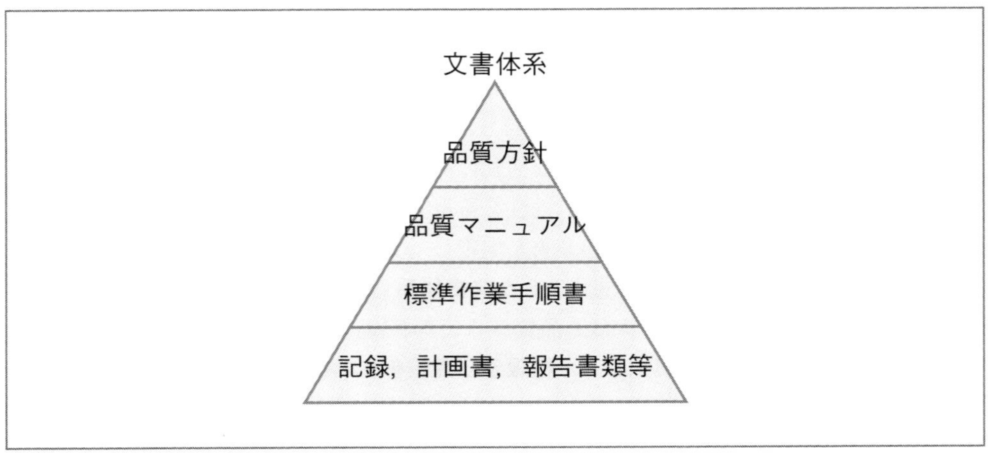

図2-3　品質システムの文書体系図

6. 自己点検手順書
7. 教育訓練手順書
8. 衛生管理手順書
9. 品質マネジメントレビュー実施手順書
10. 業務委託先管理手順書
11. 施設・設備管理手順書
12. 入出庫・保管業務手順書
13. 庫内温度管理手順書
14. 運送管理手順書　等

さらに，2017年7月7日付厚生労働省医薬・生活衛生局監視指導・麻薬対策課事務連絡「医薬品品質システムにおける品質リスクマネジメントの活用について」には，「医薬品製造所における品質マネジメントシステムの活用及び医薬品品質システムの取り組みに関する研究」の成果物として，品質リスクマネジメント概念図，医薬品品質システムの導入のための基本的な手順書である品質マニュアル，品質マネジメントレビュー手順書および品質リスクマネジメント手順書，また，品質リスクマネジメントの活用を促進させるためのツールとしてリスクアセスメントシートの事例が紹介されているので参考とされたい。

（https://www.pmda.go.jp/review-services/gmp-qms-gctp/gmp/0001.html）

2）経営陣

経営陣は2階層に分類できる。経営資源を配分するのは上級経営陣，方針を現場に伝達・理解させるのは経営陣と仮定すると，

上級経営陣：社長，流通本部長等

経営陣：物流部長，物流センター長等，のイメージとなる。

本ガイドラインの経営陣は上級経営陣に近い役割を担う必要がある。

[GDP Q＆A]

3）正規流通経路

Q1-5（品質システム）
1.2.1の「正規流通経路」とは何か。

A1-5

本ガイドラインでいう「正規流通経路」とは，流通経路全般を指すのではなく，製造販売業者や卸売販売業者が当該製品の流通経路として「あらかじめ想定した流通経路」をいう。

4）品質マニュアル

品質マニュアルの中には医薬品品質システムの記述を含まなければならない。それらの記述には以下のことを含まなければならない。

（1）品質方針
（2）品質システムの適用範囲
（3）品質システムにおける経営陣の責任
（4）品質システム

5）権限及び責任を有する者

Q1-6（品質システム）
1.2.3の「権限及び責任を有する者」とはどのような者か。

A1-6

特に規定はないが，品質システムを適切に運用できる能力，権限を持つ者であることが望ましい。

6）卸売販売業者等の業務の規模，構造等

Q1-7（品質システム）
1.2.5の「卸売販売業者等の業務の規模，構造等を考慮すること」とは，具体的にどのようなことを意図しているのか。

A1-7

卸売販売業者等の業務の規模，構造等を考慮して，品質システムを運用可能な組織や人員配置を行うことを意図している。

Q1-8（品質システム）
製造販売業者の品質保証責任者が本ガイドラインにおける責任者を兼務することは可能か。

A1-8

品質保証責任者が本ガイドラインにおける責任者を兼ねることは禁止されるものではないが，品質保証責任者は，医薬品等の販売に係る部門その他品質管理業務の適正かつ円滑な遂行に影響を及ぼす部門から独立する必要があるため，本ガイドラインにおける当該責任者が医薬品等の販売に係る部門等の業務を行うのであれば，兼務することは認められないと考えられる。

1.3 外部委託業務の管理

卸売販売業者等の品質システムの範囲は，医薬品の仕入，保管及び輸送に関連する全ての外部委託した業務の管理とレビューにも適用すること。

このようなプロセスには品質リスクマネジメントを取り入れ，さらに以下を含めること。

i. 契約受託者の業務，医薬品の完全性とセキュリティを保持する**能力の評価**[1)]，並びに文書化と保管，必要な場合，医薬品販売業等の許可取得状況の確認

ii. 関係業者・団体の品質関連業務に対する責任者及び情報伝達等の**取決め**[2)]

iii. 契約受託者の業務のモニタリングとレビュー，並びに定期的な，要求改善事項の確認と実施

[解説]

1） 能力の評価

契約受託者の能力を評価するためには，本ガイドラインに関する監査を定期的に実施する必要がある。監査の頻度は初回監査の結果からリスクに応じて 1 ～ 3 年に一回に設定するべきである。

2） 取決め

本ガイドラインの項目を含む品質に関する取決め（契約）を締結する必要がある。

品質取決めのテンプレートは本書の第五部 GDP 関連モデル文書を参照されたい。

[GDP Q&A]

2） 取決め

Q1-9（外部委託業務の管理）

1.3 ii の「取決め」については，本ガイドラインに特化した取決め書を新たに準備するということか，現契約に担当者一覧・情報の流れを添付するという形でよいか。

A1-9

取決めの方法については，新たに取決めを締結しても，従来からある取決めに必要な事項を追加しても問題ないが，取決め書は委託元として委託業務が適切に行われていることを確認・管理することができる情報を網羅している必要がある。

Q1-10（外部委託業務の管理）
1.3で規定している外部委託業者とはどのような業者を指すのか。

A1-10

1.3で規定している外部委託業者とは，卸売販売業者等が直接運用を委託している，倉庫会社，輸送会社を指す。

なお，医薬品の流通過程において，卸売販売業者等が代理店へ医薬品を販売する場合は，医薬品の所有権が代理店に移るため，代理店の卸売販売業者は，1.3に規定している外部委託業者には該当しない。

Q1-11（外部委託業務の管理）
契約受託者の業務，医薬品の完全性とセキュリティを保持する能力の評価とは，具体的にどのような手法か。

A1-11

監査による評価結果（実地や書面），調査機関等からの報告書，業界他社やインターネット等からの情報が考えられる。

Q1-12（外部委託業務の管理）
取決めの締結と定期的なレビューが要求されているが，取決め書の中でレビュー頻度を定めることでよいか。

A1-12

よい。

1.4 マネジメントレビュー及びモニタリング

1.4.1 卸売販売業者等の経営陣は，定期的な品質システムのレビューに関する正式なプロセスを定めること。レビューには以下を含めること。

i. 品質システムの目標達成状況の評価

ii. 例えば，苦情，回収，返品，逸脱，CAPA，プロセスの変更等，品質システムにおけるプロセスの有効性モニターに用いることができるKPI(重要業績評価指標)の評価，外部委託した業務に関するフィードバック，リスク評価，内部監査を含む自己評価プロセス，販売先からの監査並びに当局による検査[1]

iii. 品質マネジメントシステムに影響を及ぼす可能性のある新たな規制，ガイダンス，及び品質情報

iv. 品質システムを向上させる可能性のある技術革新

v. ビジネスの環境及び目的の変化

1.4.2 品質システムの各マネジメントレビューの結果を適時記録し，効率的に内部に伝達すること。

[解説]

本ガイドラインに関連するKPIを設定し(**表 2-1** 参照)，定期的に品質マネジメントレビュー会議を実施し，年度ごとに上級経営陣に報告することが望ましい。

表2-1　GDP関連KPI（重要業績評価指標）例示

分類	指標	計算式	年度目標		年度実績		上期実績	下期実績
			数値	単位	数値	単位		
安全	人身事故（倉庫）	—	0	件		件		
	人身事故（輸送）	—	0	件		件		
倉庫内品質	指定温度逸脱	—	0	件		件		
	破損	梱数／入出庫梱数	10	ppm		ppm		
	誤出荷	—	0	件		件		
	紛失	—	0	件		件		
	納期遅延	—	0	件		件		
	在庫（棚卸）差異	—	0	件		円		
輸送時品質	指定温度逸脱	—	0	件		件		
	破損	梱数／入出庫梱数	10	ppm		ppm		
	誤出荷	—	0	件		件		
	紛失	—	0	件		件		
	納期遅延	—	0	件		件		
苦情	受注クレーム	—	0	件		件		
	物流クレーム	—	0	件		件		
事務品質	受注事務ミス	—	0	件		件		
	物流事務ミス	—	0	件		件		
衛生	補虫数（倉庫）	—	0	匹		匹		

1.5 品質リスクマネジメント

1.5.1 品質リスクマネジメントは，医薬品の品質に対するリスクの評価，管理，コミュニケーション及びレビューの系統的なプロセスである。それは予測的及び回顧的にも適用可能である。

1.5.2 品質リスクマネジメントでは，品質に対するリスクの評価を科学的知見及びプロセスでの経験に基づいて行い，最終的には患者の保護につながることを保証すること。取り組み内容，正式な手順及びプロセスの文書化レベルは，リスクレベルに見合っていること。

[解説]

品質リスクマネジメントを実践するには2006年9月1日付「品質リスクマネジメントに関するガイドライン（ICH Q9 品質リスクマネジメント）」を理解する必要がある。

（https://www.pmda.go.jp/files/000155974.pdf）

[GDP Q&A]

Q1-13（1.5 品質リスクマネジメント）

輸送に関するリスクマネジメントは何を行えばよいのか。

A1-13

輸送・配送，積み込み・積み替え，輸送中の一時保管，返品等のプロセスにおける，医薬品の完全性に与える影響を考慮した事項に対してリスク分析を実施し，品質リスクマネジメント（ICH Q9）に従った手順で検討を行うことが考えられる。

第２章　職員

2.1 原則

医薬品の適正な流通は，それに関わる人々に依存する。このことから，卸売販売業者等が責任を有する全ての業務について，職務を遂行できる職員を十分な人数置かなければならない。当該職員は個々の責任を明確に理解すること。また，その責務を文書化すること。

［解説］

適切な品質システムの維持と医薬品の完全性が保持されるために，各企業は本ガイドラインに係る業務を確実に実行できる組織を構築しなければならない。重要な地位の職員を任命し，さらに各職員の役割や責任等を理解させるために，文書化が重要である。

2.2 一般

2.2.1 医薬品の仕入，保管及び供給業務の全ての段階について適切な数の適格な職員を従事させること。
必要な職員の数は業務の量と範囲による。

2.2.2 卸売販売業者等は組織体制を**組織図**[1]に記載し，全ての職員の役割，責任及び相互関係を明確に指定すること。

2.2.3 卸売販売業者等は重要な地位の職員を任命し，その役割と責任を**職務記述書**[2]に記載すること。なお，代行者も同様とする。

［解説］

1）組織図

組織図に上級経営陣および経営陣を含めると，権限および責任範囲が明確になる。

2）職務記述書

職務記述書は各職員の職務を明記した文書。具体的な職務内容，難易度，求められるスキルや資格等を記載し，職務自体を定義するもの。

［GDP Q＆A］

Q2-1（職員）

2.2.3に記載の重要な地位の職員とはどのような人員を指すのか。

A2-1

例えば，当該施設の責任者，保管業務，輸送業務，品質システムに関する業務等，本ガイドラインに規定された業務の各責任者を指す。

2.3 責任者の任命

2.3.1 卸売販売業者等は，本ガイドライン遵守のための責任者を任命する必要がある。
該当する職員は，本ガイドラインに関する知識を有し，必要な教育訓練を受けているだけでなく，適切な能力及び経験を有すること。

2.3.2 卸売販売業者等は時間外であっても（例えば緊急及び／又は回収発生時）に連絡が取れる体制を構築すること。[1)]

2.3.3 責任者の職務記述書には，具体的な責務・権限等を規定すること。
卸売販売業者等は，責任者に対し，その業務を遂行するために必要な権限，経営資源及び責任を付与すること。

2.3.4 責任者は，本ガイドラインに関する業務を適切に遂行すること。

2.3.5 責任者の責務は以下に示すが，これに限定されない。

i. 品質マネジメントシステムが実施され，維持されることを保証する
ii. 権限を与えられた業務の管理及び記録の正確さと記録の質を保証する
iii. 本ガイドラインに関連する全ての職員に対して導入及び継続的教育訓練プログラムが実施され，維持されていることを保証する
iv. 卸売販売業者等が実施する医薬品の回収作業の実務を取り仕切り，迅速に実施する
v. 関連する販売先からの苦情を適切に処理することを保証する
vi. 仕入先及び販売先が必要な医薬品販売業等の許可等を有していることを保証する[2)]
vii. 本ガイドラインに関連する可能性のある全ての外部業者等に委託する業務を確認する
viii. **自己点検**[3)]があらかじめ定められたプログラムに従い，適切かつ定期的な間隔で実施され，必要な是正措置が講じられることを保証する
ix. 委任した業務については，適切な記録を保管する
x. 返品，出荷できなくなった製品，回収された製品又は偽造医薬品の処理を決定する[4)]
xi. 返却品を販売可能在庫に戻す際には，その承認を行う
xii. 国の規制により特定の製品に課せられた追加要件が遵守されることを保証する

［解説］

1） 自然災害を想定して，連絡手段は携帯電話だけでなくLINE等のSNSも検討すること。

2） 定期的に仕入れ先および販売先の業許可番号と有効期限を確認すること。

3） **自己点検**

原則として，自己点検を行う者自ら従事している業務に係る点検に充てるべきではない。

4） 回収された製品，偽造医薬品の処理は製造販売業者の指示に従うこと。

［GDP Q＆A］

Q2-2（責任者の任命）

責任者に求められる能力および経験，必要な教育訓練について，具体的に示してほしい。また，責任者の資格要件はどのようになるのか。

A2-2

責任者の資格要件について，本ガイドラインは自主的な取り組みであることから，卸売販売業者等が，当該の責任者の責務や業務内容を勘案して，適切に資格要件を定め，その達成に必要な教育訓練を実施することが必要である。

Q2-3（責任者の任命）

2.3.1項には，本ガイドライン遵守のための責任者は，「本ガイドラインに関する知識を有し，必要な教育訓練を受けているだけでなく，適切な能力及び経験を有すること。」とあるが，適切な能力とは，具体的にどのような能力が求められるのか。

A2-3

2.3.5項には，12項目の責任者の責務が示されており，これらの責務を遂行，または管理監督するための能力を備えていることが必要である。

（2.3.5　任命された責任者の責務）

i　品質マネジメントシステムが実施され，維持されることを保証する

ii　権限を与えられた業務の管理及び記録の正確さと記録の質を保証する

iii　本ガイドラインに関連する全ての職員に対して導入及び継続的教育訓練プログラムが実施され，維持されていることを保証する

iv　卸売販売業者等が実施する医薬品の回収作業の実務を取り仕切り，迅速に実施する

v　関連する販売先からの苦情を適切に処理することを保証する

vi　仕入先及び販売先が対象となる医薬品に関する業許可を有していることを保証する

vii　本ガイドラインに関連する可能性のあるすべての外部業者等に委託する業務を確認する

viii　自己点検があらかじめ定められたプログラムに従い，適切かつ定期的な間隔で実施され，必要な是正措置が講じられることを保証する

ix　委任した業務については，適切な記録を保管する

x　返品，出荷できなくなった製品，回収された製品または偽造医薬品の処理を決定する

xi　返却品を販売可能在庫に戻す際には，その承認を行う

xii　国の規制により特定の製品に課せられた追加要件が遵守されことを保証する

Q2-4（責任者の任命）

卸売販売業における医薬品営業所管理者（管理薬剤師）が本ガイドラインにおける責任者を兼務することは可能か。

A2-4

可能である。

なお，卸売販売業等の各責任者の兼務については，「医薬品に関する規制緩和について（平成7年12月28日，薬発第1177号　局長通知」等，関連の通知等に基づき，都道府県の判断により兼務が認められるので，必要に応じて相談すること。

なお，管理薬剤師が専任であるか兼務であるかにかかわらず，管理薬剤師による十分な管理が行われることが必要である。

Q2-5（責任者の任命）

本ガイドラインに関連する外部委託業者と取決めが必要であるか。また，各業者に対する評価表で代用することは可能か。

A2-5

外部委託業者とは本ガイドラインに関する項目を含む取決めを締結し，双方の責務を明確にすること。評価表は外部委託業者の評価には有用であるが，取決めと異なり双方の責務を含まないため，取決めの代用とすることはできない。

Q2-6（責任者の任命）

2.3.5 viおよび5.3.2に「販売先が対象となる医薬品に関する業許可を得ていることを保証する」とあるが，販売先1軒1軒の許可証を確認する必要があるのか。

A2-6

偽造医薬品の流通防止の観点からも，販売先の許可証を確認する必要がある。なお，常時取引関係の場合であっても，定期的な確認が必要であるが，その確認の方法については，許可証の写しの確認以外に，業者パンフレット，ホームページの確認（業許可番号，許可有効期限等）等が考えられる。

Q2-7（責任者の任命）

任命された責任者の責務として，2.3.5 ivには「卸売販売業者等が実施する医薬品の回収作業の実務を取り仕切り，迅速に実施する」と記載されているが，医薬品の回収の責務は製造販売業者にあると認識してよいか。

A2-7

卸売販売業者の責務は，製造販売業者の決定に協力することであり，その範疇で回収品の客先からの受領や一時的な保管，製造所への配送等の実務を行うことを想定している。

Q2-8（責任者の任命）
卸売販売業務を行わない製造販売業者も，本ガイドラインに関する責任者を任命する必要があるか。

A2-8
製造販売業者は，医薬品の市場出荷後，医薬品販売業者に渡るまでの医薬品の保管および供給業務に責任を有するため，本ガイドラインに関する責任者を任命することが必要である。

Q2-9（責任者の任命）
本ガイドラインで規定された責任者は，すべて同一の者を指すのか。

A2-9
一人で複数の責任者を兼ねることも可能であるが，企業の規模や業務の内容によっては，複数の責任者を置くことでもよい。その場合，業務量等を勘案して，適切に任命すること。

Q2-10（責任者の任命）
卸売販売業者においては，医薬品営業所管理者（管理薬剤師）が本ガイドラインにおける責任者か。

A2-10
卸売販売業者における本ガイドラインの責任者は，責任者の業務範囲および本ガイドラインに関する品質システムの維持を考慮して，2.3.5 項に示す責任者の責務の遂行に適した，または管理監督するための能力を備えている部門の者を本ガイドラインの責任者とすることでよい。また，医薬品医療機器等法（第三十六条）による卸売販売業者の営業所における医薬品の品質を含めた責任者である医薬品営業所管理者が，本ガイドラインについても営業所や物流センター等の現場での責任者になることが想定されることから，医薬品営業所管理者の役割を明確にしておくこと（製造販売業者の卸売販売業の場合も含む）。

（医薬品営業所管理者の義務）
第三十六条　医薬品営業所管理者は，保健衛生上支障を生ずるおそれがないように，その営業所に勤務する薬剤師その他の従業者を監督し，その営業所の構造設備及び医薬品その他の物品を管理し，その他その営業所の業務につき，必要な注意をしなければならない。
2　医薬品営業所管理者は，保健衛生上支障を生ずるおそれがないように，その営業所の業務につき，卸売販売業者に対し必要な意見を述べなければならない。

Q2-11（責任者の任命）
製造販売業者における本ガイドラインの責任者はだれか。

A2-11

製造販売業者における本ガイドラインの責任者は，医薬品等の販売に係る部門等の業務を行うのであれば品質保証責任者が兼務してはならないが，当該責任者の業務範囲および本ガイドラインに関する品質システムの維持を考慮して，2.3.5項に示す責任者の責務の遂行に適したまたは管理監督するための能力を備えている部門（品質部門，物流部門等）の者を本ガイドラインの責任者とすることでよい。なお，本ガイドラインの責任者は医薬品等の販売に係る部門その他品質管理業務の適正かつ円滑な遂行に影響を及ぼす部門から独立していること。

2.4 教育訓練

2.4.1 医薬品の仕入，保管及び供給業務に関与する全ての職員は，本ガイドラインの要求事項に関する教育訓練を受講すること。
職員は，各自の職務を遂行するために必要な能力及び経験を有すること。

2.4.2 職員は，手順書に基づき，また文書化された教育訓練プログラムに従い，各自の役割に関連のある導入及び継続的教育訓練を受けること。
責任者も，定期的な教育訓練を通じて本ガイドラインに関する能力を維持すること。
また，卸売販売業者等の経営陣も本ガイドラインに関する教育を受けること。

2.4.3 教育訓練には，製品の識別及び流通経路への偽造医薬品の侵入防止に関する事項も含めること。1)

2.4.4 より厳格な取扱い条件が求められる製品を取扱う職員は，特別な教育訓練を受けること。
そのような製品には，例えば，毒薬劇薬，放射性医薬品，乱用されるリスクのある製品(麻薬，覚せい剤原料及び向精神薬を含む)，及び温度の影響を受けやすい製品(冷蔵品等）がある。

2.4.5 全ての教育訓練記録を保管し，教育訓練の効果を定期的に評価し記録すること。2)

[解説]

1） 国内の偽造医薬品情報は以下から入手できる。
・あやしいヤクブツ連絡ネット（厚生労働省）の新着情報等
（https://www.yakubutsu.mhlw.go.jp/）

2） 教育訓練の習熟度をテスト形式とし，採点すると効果の評価が容易である。

[GDP Q&A]

Q2-12（教育訓練）

経営陣への教育について，どのレベルの経営陣が対象となるのか。

A2-12

当該業務を統括する役員等が対象となる。

一般的には，業許可の申請時に製造販売業者，卸売販売業者の薬事に関する業務を行う役員として登録した者がそれにあたる。

2.5 衛生

実施する業務に関連し，職員の衛生に関する適切な手順を作成し，それを遵守すること。この手順には，健康管理，衛生管理及び必要に応じて更衣に関する事項を含むこと。

［解説］

衛生管理手順書には以下のような項目を含める。

1. 構造設備の衛生管理
2. 職員の衛生管理
3. 立入り制限
4. 防虫防そ管理
5. 排水及び廃棄物の管理
6. 生物由来医薬品等に係る製品の衛生管理基準　等

第 3 章　施設及び機器

3.1 原則

卸売販売業者等は，薬局等構造設備規則を遵守するとともに，医薬品の適切な保管及び流通を保証することができるように，適切かつ十分な施設，設備及び機器を保有する必要がある。

特に，施設は清潔で乾燥し，許容可能な温度範囲に維持すること。

[解説]

施設の温度管理は保管する医薬品の貯法に従うこと。

通常，一般貯蔵設備は室温（1 ～ 30℃），保冷庫（2 ～ 8℃）管理が一般的であるが，取扱う製品の特性により，保管温度を配慮する必要がある。

3.2 施設

3.2.1 施設は求められる保管条件を維持するように設計するか，適合していること。

施設は適切に安全が確保され，構造的にも問題はなく，医薬品を安全に保管し取扱うだけの十分な広さを有すること。

保管場所は全ての作業を正確かつ安全に遂行できるように適切な照明と換気の設備を備えること。

3.2.2 卸売販売業者等は，外部施設を利用する場合は文書化された取決めを締結すること。[1)]

3.2.3 医薬品の貯蔵設備は，他の区域から明確に区別されていること。また，当該区域に立ち入ることができる者を特定すること。

コンピュータ化システムのような物理的な区別を補完するシステムを用いる場合にも，同等のセキュリティを確保し，バリデートすること。

3.2.4 処分保留の製品は，物理的に，又は同等の電子システムにより区別すること。

物理的な隔離及び専用保管場所の必要性についてはリスクベースで評価すること。

出荷できなくなった製品，偽造医薬品及び回収された製品は，物理的に隔離する必要がある。

そのような製品が販売可能在庫から隔離された状態で保管できるように，これらの区域には適切なセキュリティレベルを適用すること。これらの区域を明確に識別すること。[2)]

3.2.5 別に規定する特別な取扱い上の指示が定められた製品の保管（例えば，麻薬や向精神薬）については，関連法規により適正に保管すること。

3.2.6 放射性医薬品及び毒薬劇薬は，火災又は爆発の特別な安全上のリスクがある製品（例えば，医療用ガス，可燃性／引火性の液体及び固体）と同様，別途規定された法令により適切に保管すること。

3.2.7 受入れ場所及び発送場所は，気象条件の影響から医薬品を保護できること。
受入れ，発送及び保管は区域あるいは作業時間等により適切に分離すること。
製品の入出庫管理を維持するための手順を定めること。検品する区域を指定し，当該区域には適切な設備を備えること。[3)]

3.2.8 医薬品の貯蔵設備は，当該区域に立ち入ることができる者を特定し，立入りは権限を与えられた職員のみに限定し，立ち入る際の方法をあらかじめ定めておくこと。
なお，医薬品の貯蔵設備以外の区域に立ち入る場合についても，同様の措置を講ずることが望ましい。
通常，防止策としては，侵入者探知警報システム及び適切な入退室管理を含む。外部の者が区域に立ち入る際には，原則として職員を同行させること。[4)]

3.2.9 施設及び保管設備は清潔に保ち，ごみや塵埃がないようにすること。
清掃の手順書と記録を作成すること。
洗浄は汚染の原因を防止するよう実施すること。

3.2.10 施設は，昆虫，げっ歯類，又は他の動物の侵入を防止できるように設計し，設備を整備すること。
防虫及び防そ[5)] 管理手順を作成すること。
適切な防虫及び防そ管理記録を保持すること。

3.2.11 職員のための休憩・手洗場所を保管場所から適切に分離すること。
保管場所への飲食物，喫煙用品又は私用の医薬品の持ち込みを禁止すること。

[解説]

1）「1.3 外部委託業務の管理」を参照のこと。

2）施錠し，隔離保管ができる場所を確保し，表示を行うこと。

3）外気温の影響を低減するドックシェルターや雨天時の医薬品の水濡れを防止する屋根の設置等のハード対応だけでなく，時間による作業工程の区別等のソフト対応も考慮し，製品の品質劣化，紛失等を防止すること。

4）入退出口はカードキーや指紋認証でアクセスを制限するとともに，主要な搬入・発送場所にはCCTVや侵入感知センサー等を設置することが望ましい。

5）**防虫及び防そ**

虫やネズミを発生させない，侵入させない環境作りのため，管理を行う。

構造設備の防虫および防そに関するスケジュール，方法，結果，改善措置等を記録管理すること。外部に委託する場合は，計画書および結果の記録を保管すること。

[GDP Q＆A]

Q3－1（医薬品の貯法に関する管理温度幅）

医薬品の貯法（保管条件）が「室温」の場合，許容可能な温度範囲（管理温度幅）はどのように考えればよいか。また，管理温度幅を逸脱した場合の対応はどうすればよいか。

A3-1

日本薬局方通則 16 *および 25**に従うと，貯法が「室温」（1 ～ 30℃）の場合，0.5 ～ 30.4℃が許容可能な温度範囲（管理温度幅）である。したがって，測定に用いるデータロガー等の表示桁数を考慮し，適切な温度範囲（管理温度幅）を設定すること。

医薬品の保管や輸送においても貯法に従い管理するものであるが，データロガー等の測定温度が一時的に管理温度幅を外れた場合（保管や輸送空間の温度逸脱），製造販売業者はその製品を直ちに不適合と判断せず，逸脱処理は製品の品温に対する品質や有効期間への影響評価を製品ごとにあらかじめ実施し，基準を定めて，これに従い評価を行うことができる。

製品品質等への影響評価は，各製品の長期安定試験，加速試験結果だけでなく，可能であれば苛酷試験，サーマルサイクル試験等を実施してスタビリティ・バジェットを設定したり，リスクアセスメントに基づいたワーストケース環境下（例えば 40℃）に元梱包装単位等を置き，製品の品温が管理温度幅を超える時間を測定したりして，あらかじめ許容可能な温度や時間の範囲等を設定し，科学的根拠に基づいて処理手順を標準化する，または逸脱処理をすることが望ましい。

*：日本薬局方通則 16「試験又は貯蔵に用いる温度は，原則として，具体的な数値で記載する．ただし，以下の記述を用いることができる．標準温度は 20℃，常温は 15 ～ 25℃，室温は 1 ～ 30℃，微温は 30～ 40℃とする．冷所は，別に規定するもののほか，1～ 15℃の場所とする」

**：日本薬局方通則 25「医薬品の試験において，n 桁の数値を得るには，通例，（n ＋ 1）桁まで数値を求めた後，（n ＋ 1）桁目の数値を四捨五入する」

Q3-2（施設）
温度マッピングは，一定の大きさ以上の施設に対してのみ実施することでよいか。

A3-2

すべての保管施設に対して，温度マッピングを実施する必要がある。

Q3-3（施設）
「3.2.1　保管場所は全ての作業を正確かつ安全に遂行できるように適切な照明と換気の設備を備えること。」とあるが，照度や清浄度等の基準はあるのか。

A3-3

薬局等構造設備規則の第三条（卸売販売業の営業所の構造設備）に医薬品を通常交付する場所は，60 ルクス以上の明るさを有することとされている。

一方，労働安全衛生規則第 604 条では，作業の区分に応じて，照度が以下のように定められている。

作業の区分	基準
精密な作業	300 ルクス以上
普通の作業	150 ルクス以上
粗な作業	70 ルクス以上

清浄度については，保管品の汚染を防ぎ，作業に差し障りのない作業環境が必要である。

Q3-4（施設）

医薬品を貯蔵する場所について，例えば，貯蔵設備のフロアにビニールテープ等でラインを引き，区別して医薬品の貯蔵設備を設ける区域とすることで差し支えないか。

A3-4

貯蔵設備を設ける区域は，当該卸売販売業者等の従業員のみが立ち入ることができる，または手に取ることができる場所に設けられていることが前提であることに鑑み，何らかの判別できる形で他の区域と明確に区別されていればよく，ビニールテープ等で区別することでも差し支えない。ただし，区域間の製品混入を避けるため，従業員の動線が他区域を横断しないよう運用上の配慮を行うこと。

Q3-5（施設）

3.2.4の「適切なセキュリティレベル」はどのような基準で設定すべきか示してほしい。

A3-5

セキュリティ管理には，入退室の記録，施錠管理，ID，パスワード管理やIDカード，指紋や静脈等の生体認証，さらには監視カメラの設置やセキュリティ会社への委託等があげられる。取扱う製品の構成や当該の事業所で実施すべき業務等についてのリスク評価の結果として，適切なセキュリティレベルを定めることが好ましい。

3.3 温度及び環境管理

3.3.1 医薬品を保管する環境を管理するための適切な手順を定め，必要な機器を設置すること。
考慮すべき因子として，施設の温度，照明，湿度及び清潔さを含む。

3.3.2 保管場所の使用前に，適切な条件下で温度マッピングを実施すること。
温度モニタリング機器（例えばデータロガー）は，温度マッピングの結果に従って適切な場所に設置すること。
リスク評価の結果に依って，若しくは設備又は温度制御装置に大きな変更が行われた場合には，温度マッピングを再度実施すること。
数平方メートル程度の小規模な施設の室温については，潜在的リスク（例えば，ヒーターやエアコン）の評価を実施し，その結果に応じて温度センサーを設置すること。

[解説]

温度マッピングにより保管場所の温度分布を測定し，日常の温度モニタリングを行うためのワーストケースポイント（ホットおよびコールドポイント）を決定する。

通常，夏季のホットポイントや冬季のコールドポイントを温度モニタリング位置とすることが多い。

■温度マッピングの実施（参考1）

医薬品貯蔵設備の温度マッピングを実施する場合，管理温度幅，容積，棚やラックの有無や配置，製品の特性，空調機や空調制御用センサの位置，人の出入りの頻度，ドアや窓の数や位置，季節や外気温に対する影響度等を考慮する必要がある。

実際に貯蔵設備の温度マッピングを実施する際には次の点を考慮する必要がある。

・計測点の位置と箇所数（間隔，高さ）
・計測期間，計測周期
・計測方法（通常運転，停電時運転，ドア開放，非常時運転）
・計測時期（夏季，冬季）
・計測機器の種類（熱電対，データロガー等）

温度マッピングはほとんどの場合，貯蔵設備バリデーションの一部として実施するので，温度マッピングもバリデーション手法に則り計画書の作成→実施→報告書作成→承認という手続きが必要。

■温度マッピングに関する規定（参考 2）

・「< USP36 1079 > Good Storage And Distribution Practices For Drug Products」

米国薬局方協会（United States Pharmacopeial Convention, USPC）が発行。施設，専用コンテナ / 車両をマッピングする際に考慮すべき要因について記載されている。

・「Temperature mapping of storage areas」

Technical supplement to WHO Technical Report Series, No.961, 2011 第 2 章ガイダンス（Guidance）の 2.2 マッピング・プロトコル（The mapping protocol）にはマッピングに関する項目が記載されている。

[GDP Q&A]

Q3-6（温度及び環境管理）

具体的なマッピングのポイント，温度データの取得間隔（時間）等の具体例を示してほしい。

A3-6

具体的な温度マッピングの方法としては，“Temperature mapping of storage areas, Technical supplement to WHO Technical Report Series, No. 961, 2011”等が参考になる。

Q3-7（温度及び環境管理）

医薬品を保管する環境管理として温度と湿度があるが，今後湿度のモニタリングやコントロールを求められる可能性はあるのか。

A3-7

本ガイドラインでは，医薬品を保管する環境で考慮すべき因子として湿度の管理が記載されている。湿度についてはコントロールまでは求められないものの，保存される医薬品の品質特性や包装形態等を考慮し，必要に応じてモニタリングを行うことが望ましい。

3.4 機器

3.4.1 医薬品の保管及び流通に影響を及ぼす全ての機器は，それぞれの目的に応じた基準で設計，設置，保守及び洗浄を行うこと。

3.4.2 医薬品が保管される環境の制御又はモニタリングに使用される機器は，リスク及び要求精度に基づき定められた間隔で校正すること。校正は，国家計量標準でトレースできるものであること。[1)]

3.4.3 あらかじめ定められた保管条件からの逸脱が発生した際に警告を発する適切な**警報システム**[2)]を備えること。
警報のレベルを適切に設定し，適切な機能性を確保するため，警報は定期的に点検すること。

3.4.4 医薬品の完全性が損なわれることがない方法で，機器の修理，保守及び校正を実施すること。
機器故障時に医薬品の完全性が維持されることを保証する手順書を備えること。

3.4.5 主要機器の修理，保守及び校正業務の適切な記録を作成し，結果を保管すること。
主要機器には，例えば保冷庫，侵入者探知警報システム，入退室管理システム，冷蔵庫，温度計又はその他の温度記録装置，空調設備及び後続の流通経路と連動して使用される機器が含まれる。

[解説]

貯蔵設備内の温度を制御・モニタリングする温度センサー等は定期的に校正すること。

[GDP Q＆A]

1）

Q3-8（機器）
3.4.2 項に「校正は，国家計量標準でトレースできるものであること」とあるが，どのような機器が対象となるか。

A3-8

本項で示される校正対象となる機器には温度計等があげられる。

2）警報システム

Q3-9（機器）
3.4.3　警報システム設置は，室温で保管する医薬品のみを扱う場合も必要か。

A3-9

室温保管（1 ～ 30℃）の医薬品であっても，適切に保管することが求められている。それを踏まえ，警報システム設置の必要性については卸売販売業者等がリスク評価の結果として判断すべき事項である。

警報システムを設置する場合，管理温度幅（例えば0.5～30.4℃とした場合）を外れたことを示すレベル（実測値が0.4℃以下または30.5℃以上：アクション（警告）レベル）と管理温度幅から外れる可能性があることを示すレベル（例えば管理温度幅の±0.5℃と設定した場合は実測値が1.0～29.9℃：アラート（警報）レベル）を設定すると管理温度幅を逸脱する前に対処をとることが可能になる。

アクション（警告）レベルとアラート（警報）レベルの差は，施設の規模と日常温度変化の実績，ワーストケーススタディー等（停電，空調機器の故障，ドアの開閉等のシミュレーション）により，設定することが望ましい。

・アクションレベル

これを超えると，あるプロセスがその正常な運転範囲から外れたことを示すレベルや範囲（実測値）。アクションレベルを超えることは，そのプロセスをその正常な運転範囲に戻すために是正措置をとるべきであることを示す。

・アラートレベル

これを超えると，あるプロセスがその正常な運転範囲から外れる可能性があることを示すレベルや範囲（実測値）。アラートレベルは警告を示すものであり，必ずしも是正措置を必要とするとは限らない。

・アラートリミット

アクションリミットを超過する前に，通知し，適切な対処を行うことを目的として設定される基準。パラメータが運転範囲の限界値に向かって変化している時に，警報を発する限界。

・アラートリミット（警報発信境界）

アクションリミットに達する前の管理限界で，もし超えた場合には，正常な操作条件から外れかけた時に早めの警報を発する。

3.5 コンピュータ化システム

3.5.1 コンピュータ化システムの使用を開始する前に，適切なバリデーション又はベリフィケーションにより，当該システムによって正確に，一貫性及び再現性をもって，求められる結果が得られることを示すこと。

3.5.2 文書による詳細なシステムの記述（必要に応じて図を含む）を利用可能とすること。記述内容は最新の状態を維持すること。

文書には，原則，目的，セキュリティ対策，システムの範囲及び主な特徴，コンピュータ化システムの使用法，並びに他のシステムとの相互関係を記述すること。

3.5.3 コンピュータ化システムへのデータの入力及び変更は，権限を設定された者のみが行うこと。

3.5.4 データは物理的又は電子的手法によって保護し，偶発的又は承認されない変更から保護すること。

保管されたデータにアクセスできる状態を維持すること。

データを定期的にバックアップして保護すること。

バックアップデータを分離された安全な場所で国の規制に定められた期間保管すること。

3.5.5 システムが故障又は機能停止に至った場合の手順を定めること。これにはデータ復元のための手順を含むこと。

3.5.6 医薬品・医薬部外品製造販売業者等におけるコンピュータ化システム適正管理ガイドライン（薬食監麻発 1021 第 11 号　平成 22 年 10 月 21 日）を参考とすること。[1),2)]

[解説]

1） 医薬品・医薬部外品製造販売業者等におけるコンピュータ化システム適正管理ガイドライン（薬食監麻発 1021 第 11 号　平成 22 年 10 月 21 日）の詳細は本書の第三部「参考資料（関係通知）」を参照されたい。

2） 本ガイドライン関連施設では，自動ラック倉庫，受発注システム，在庫管理システム，ピッキングシステム，作業指図・伝票発行システム等が対象になる。

[GDP Q&A]

Q3-10（コンピュータ化システム）

すでに使用しているコンピュータ化システムについてはどのように検証するのか。

A3-10

過去の導入時のシステムテストの記録が入手可能であり，その記録からシステムテストが適切に実施されていることが確認可能であって，また，日常点検や保守点検の記録から，継続的かつ適切に稼働していることが確認できるのであれば，これらのレビューの結果にもとづき，評価することも可能である。

ただし，システムに大きな変更を加えた場合は，再バリデーションが必要である。

Q3-11（コンピュータ化システム）

3.5.3のシステムへの入力・変更において，変更の記録を残すことを求める必要はないか。

A3-11

変更の記録を残すことが求められる。

3.6 適格性評価及びバリデーション

3.6.1 卸売販売業者等は，正しい据付及び操作が行われることを保証するため，どのような主要機器の**適格性評価**[1]及び／又は主要なプロセスのバリデーションが必要かを特定すること。

適格性評価及び／又はバリデーション業務（例えば，保管，選別採集（ピッキング）梱包プロセス及び輸送）の範囲と度合は，リスクに応じて決定すること。

3.6.2 機器及びプロセスの使用開始前や重要な変更（例えば，修理又は保守等）があった場合には，それぞれ適格性評価及び／又はバリデーションを実施すること。[2]

3.6.3 バリデーション及び適格性評価の報告書は，得られた結果を要約し，観察されたいかなる逸脱に関してもコメントし，作成すること。

定められた手順からの逸脱は記録し，CAPAを行うこと。

プロセス又は個々の機器について，満足すべきバリデーション結果が得られた証拠を，適切な職員が作成し，承認すること。

[解説]

1）適格性評価

適格性評価とは，設備や機器の設計，据付，運用開始前後等（開発段階）での仕様がそれぞれ実現されていることをDQ（設計時適格性評価），IQ（据付時適格性評価），OQ（運転時適格性評価），PQ（性能適格性評価）の4つのステップで確認することである。

2）本ガイドライン業務に該当する機器（例えば空調システム）の修理，設置場所変更や交換を行う場合は変更管理プロセスを通じて，保管している医薬品の品質等に及ぼす影響を評価し，適格性評価やバリデーション実施の可否を判断する必要がある。

第４章　文書化

4.1 原則 [1)]

適切な文書化は品質システムに不可欠な要素である。文書とすることにより口頭でのコミュニケーションによる誤りが防止され，医薬品の流通過程における関連業務の追跡が可能になる。

各作業の記録は実施と同時に作成すること。

［解説］

1）原則

文書管理の原則や管理の要点は，GMP とほぼ同じと考えられる。

口頭でのコミュニケーションによる作業の場合，伝言ゲームのように指示が曖昧になり，誤った解釈を受ける可能性がある。一方，作業内容を適切に文書化することにより，業務の確実な実施が可能となり，また，作業のノウハウ等を蓄積することができるメリットがある。

手順の文書化（手順書）と手順書に従って作業した記録を保存することにより，実施された作業の追跡が可能となり，流通過程のトレーサビリティを確保することができる。このトレーサビリティがしっかりとしていると，回収が必要となった場合でも，速やかな回収対象の特定と回収の実施が可能となる。また，偽造医薬品が混入した場合も速やかに混入ルートを特定することや，偽造医薬品の混入そのものを抑制することも期待できる。

作業は手順書に従って，作業を行うと同時にその記録をつけることにより，作業漏れや確認漏れを防ぐことができる。なお，作業をまとめて実施した後，記録をまとめてつけるような方法では，作業漏れや確認漏れを防ぐことはできないので，作業を行うと同時にその記録をつけることを習慣化する必要がある。

4.2 一般

4.2.1 文書とは，紙又は電子媒体に関わらず全ての手順書，指図書，契約書，記録及びデータを指す。[1)]

文書は必要な時に利用可能な状態にしておくこと。

4.2.2 職員，苦情を申し出た人物，又はその他の全ての人物の個人データの処理に関しては，個人情報の保護に関する法律（個人情報保護法）等の関連法令が適用される。

4.2.3 文書は，卸売販売業者等の業務範囲を十分に包括しており，的確かつ理解しやすく記載されること。[2)]

4.2.4 文書は必要に応じて責任者が承認し，署名及び日付を記入すること。

4.2.5 文書に何らかの変更を加える場合，署名及び日付を記入すること。変更を行う場合，元の情報が読めるようにしておくこと。

適宜，変更の理由を記録すること。[3)]

4.2.6 文書は国の規制に定められた期間保管すること。

4.2.7 各職員が職務を遂行するために，必要な文書全てをいつでも閲覧できるようにすること。

4.2.8 有効かつ承認済みの手順を用いるよう注意すること。

文書は明白な内容とし，表題，性質及び目的を明確に示すこと。

文書を定期的にレビューし，最新の状態に保つこと。

手順書には版管理を適用すること。文書を改訂した後に旧版の誤使用を防ぐためのシステムを構築すること。[4)]

旧版又は廃版となった手順書は作業場所から撤去し，別途保管すること。

4.2.9 医薬品を購入し，又は譲り受けたとき及び販売し，又は授与したときには記録すること。当該記録は，原則として書面で国の規制に定められた期間保存することが求められているが，購入／販売送り状又は納品書の形で保存すること，若しくはコンピュータ又は他の何らかの形式で保存することができる。ただし，コンピュータ等で保存する場合は，記録事項を随時データとして引き出せるシステムが採用されていること。[5)]

手書きの場合は明瞭で読みやすく消せないよう記載すること。[6)]

記録には少なくとも以下の情報を含む必要がある：①品名，②ロット番号（ロットを構成しない医薬品については製造番号又は製造記号），③使用の期限，④数量，⑤購入若しくは譲受け又は販売若しくは授与の年月日，⑥購入者等の氏名又は名称，住所又は所在地，及び電話番号その他連絡先，⑦⑥の事項を確認するために提示を受けた資料，⑧医薬品の取引の任に当たる自然人が，購入者等と雇用関係にあること又は購入者等から取引の指示を受けたことを表す資料 [7)]

［解説］

1）本ガイドラインに記載されている文書は，紙媒体が対象であるが，電子記録が存在する場合は，電子媒体も対象に含まれるので注意が必要である。例えば，温度記録計のデータを印刷し，紙媒体として保存している場合でも，温度記録計に電子記録が保存されている場合は，その電子記録も本項の管理対象となる。

2）卸売販売業者等が実施すべきすべての手順が文書化されている必要がある。また，手順書は作業員等の使用者がわかりやすい手順とするため，必要に応じて，手順書に業務フロー，用語解説，図解化，写真の添付，注意点等を記載する。

3）変更箇所は，元の記載が読める必要があるため，修正液で消したり，黒塗りしたりしてはならない。一般的には，変更箇所に一重線や二重線を引き，その近傍に変更した内容，変更日の記載・変更者の署名／捺印を行い，必要な場合は変更の理由も記載する。軽微な手順等の変更以外は，手順書として改定することが必要である。

4）手順書の管理は，一旦制定すれば完了するものではなく，必要に応じて，また，定期的に手順書の内容を確認し，手順内容の見直しを行う必要がある。手順書の原本管理台帳を作成し，手順書の制定／改定，旧版の回収記録等を記入する。

5）コンピュータ等で保存される電子記録は，誤って削除されないように，コンピュータ等へのアクセス制限や必要時の確実な引き出しができるようなシステム管理が必要である。

6）手書きの記録は，鉛筆等の消せる筆記用具を用いることはできない。また，記録を訂正する場合も 4.2.5 に準拠する必要がある。

7）医薬品を購入・販売・譲受・授与した場合は，それらに対する記録を確実に残すこと。

これらの記録を適切に残すことで本ガイドライン業務のトレースが可能となり，回収発生時の速やかな対応や偽造医薬品等の混入リスクを低減することが期待できる。これらの記録を残す目的は患者等の安全･安心のためであるが，卸売販売業者としてのリスク回避にもつながる。特に，⑥～⑧の記録は，偽造医薬品の混入防止のために非常に効果的なものとなる。

第5章　業務の実施

5.1 原則

卸売販売業者等が実施する全ての行為は，医薬品の同一性が失われることなく，医薬品の仕入，保管及び供給業務が外装に表示された情報（取扱い上の注意等）に従って実施されていることを確実にすること。[1)]

卸売販売業者等は，可能な限りあらゆる手法を講じ，偽造医薬品が正規流通経路に混入する危険性を排除すること。[2)]

以下に記載した主要な作業は，品質システムにおける適切な文書に記載すること。

[解説]

1）卸売販売業者等が行うすべての行為は，外装に表示された情報，取り扱い上の注意点に従って実施されるようにするため，本ガイドライン業務に従事する職員に取扱い上の注意点等の重要性を理解させ，確実に実施される体制が必要であり，わかりやすい手順書の制定，効果的な教育訓練の実施，記録の徹底，特に，いつもと違う場合は詳細な記録を行うことを徹底することが必要となる。

2）卸売販売業者等の責務は，医薬品を必要なときに必要な量を供給するのみではなく，偽造医薬品が正規流通経路に混入することを防止することも重要な責務となっている。そのため，本章に規定されている種々の業務の意味・目的等を十分に理解し，卸売販売業者等の業務を適切に実施し，その記録を確実に残すことが求められる。

5.2 仕入先の適格性評価

5.2.1 卸売販売業者等は，卸売販売業の許可を受けた者，又は当該製品を対象とする製造販売承認を保有する者から医薬品の供給を受ける必要がある。[1)]

5.2.2 医薬品を他の卸売販売業者等から入手する場合，受領側の卸売販売業者等は仕入先が本ガイドラインを遵守していることを確認するとともに，医薬品販売業等の許可を受けていることを確認する必要がある。[2), 5)]

5.2.3 医薬品の購入に先立ち，仕入先の適切な適格性評価及び承認を行うこと。
この業務は手順書に従って管理し，その結果を記録し，リスクに応じて定期的に再確認すること。[3), 5)]

5.2.4 新規仕入先と新たに取引を開始する際には，適格性を評価すること。特に，以下の点に注意を払うこと。[4)]

i. 当該仕入先の評判又は信頼度
ii. 偽造医薬品である可能性が高い製品の供給の申し出
iii. 一般に入手可能な量が限られている医薬品の大量の供給の申し出
iv. 仕入先により取り扱われる製品の多様性（供給の安定性・偏り，種類の不安定さ等）
v. 想定外の価格（過大な値引き等）

[解説]

1）卸売販売業の許可を受けた者，または，製造販売承認を保有する者から医薬品の供給を受けることが求められているが，取引の都度，そのことを確認するのではなく，例えば業者認定リストを作成する方法が考えられる。常時取引関係のある業者は，名称・業許可番号・許可有効期限等をリスト化した上で認定リストとして承認する方法は効率的と考えられる。また，常時取引関係がある仕入先の場合であっても，本ガイドラインの発出を受けて，1 回は，業許可証の写し等を入手・保管することが望まれる。

2）この項は，製造販売業者⇒卸売販売業者⇒薬局・医療機関等の通常の流れに比べて，卸売販売業者間での流れはリスクが高くなる可能性があるための措置と考えられる。
　特に，新規や取引経験の乏しい仕入先に対しては，許可証等の確認に加えて，仕入先に対してヒアリングやアンケートを行うことは有効と考える。そのような確認を行うことにより，不良医薬品や偽造医薬品の購入リスクを低減することが期待できる。

3）仕入先の適格性評価および承認を行い，その結果を記録することが求められている。これに対しては，上記 1）に例示した業者認定リストに評価欄を追加し，例えば，過去，半年か 1 年程度の実績に基づいて納入品の間違いやトラブルがまったく発生していない業者は A ランク，そうではなく，納入品の間違いやトラブルが多く発生している業者は C ランクと評価付けを行う方法が考えられる。その後，リスクに応じて定期的に再確認することに対しては，例えば，A ランクは 3 年に 1 回，B ランクは 2 年に 1 回，C ランクは毎年等の頻度で，実績等を確認し，再評価付けを行う方法が合理的と考える。

4）新規仕入先と取引を開始する際の注意点が記載されている。新規仕入先は，リスクが高い（必ずしも問題があるとの意味ではない）と考えて，十分な評価を行い，取引開始後も第 i 項～ v

項に注意することが求められている。

[GDP Q&A]

5)

Q5-1（仕入先の適格性評価）

「5.2.2 医薬品を他の卸売販売業者等から入手する場合，受領側の卸売販売業者等は仕入先が本ガイドラインを遵守していることを確認する」，「5.2.3 医薬品の購入に先立ち，仕入先の適切な適格性評価及び承認を行うこと。」と記載されているが，すべての仕入れ先について監査等で適格性を確認する必要があるか。

A5-1

すべての入手先について，監査等で適格性を確認する必要がある。

初期評価として，実地による監査の他，他社情報やホームページを確認し，その後リスク評価の結果に基づいて，書面による調査，実地監査等の適切な確認方法を決定すること等が考えられる。

5.3 販売先の適格性評価

5.3.1 卸売販売業者等は，医薬品の販売先が，薬局開設者，医薬品の製造販売業者若しくは販売業者又は病院，診療所若しくは飼育動物診療施設の開設者その他厚生労働省令で定める者であることを確認する。[1)]

5.3.2 確認及び定期的な再確認を行う事項として，販売先の許可証の写し，国の規制に準拠した適格性又は資格を示す証拠の提示等がある。[2), 3)]

5.3.3 医薬品の横流し又は不適正使用の可能性があると思われる異常な販売パターンが見られる場合は調査し，必要な場合は所轄当局に報告すること。

[解説]

1) 適格な販売先であることの確認は，販売側に責任があることが明記されている。不適切な販売先に医薬品を販売した場合は，販売側にも責任を問われることを理解し，販売先の適格性評価を行う必要がある。

2) 確認を行う事項として，販売先の許可証の写し等が例示されているが，業者認定リストに登録されている業者に対しては,定期的に許可証の写しを確認するのではなく,業者のパンフレットやホームページ等で，業許可番号，許可有効期限を確認する方法は合理的と考えられる。

[GDP Q&A]

3)

Q5-2（販売先の適格性評価）

販売先の許可証の写しの確認の頻度は具体的にどれくらいなのか明示してほしい。

A5-2

卸売販売業等における業許可更新のタイミング等，定期的に確認する必要がある。その頻度についてはリスクに応じて各企業で定めることでよい。

5.4 医薬品の受領

5.4.1 受入業務の目的は，到着した積荷が正しいこと，医薬品が承認された仕入先から出荷されたものであり，輸送中に目視で確認できるような損傷を受けていないことを確実に保証することにある。[1)]

5.4.2 特別な取扱い，保管条件又はセキュリティのための措置を必要とする医薬品は，優先的に処理し，適切な確認を行った後，直ちに適切な保管設備に移送すること。[2)]

［解説］

1）医薬品を受領する際には輸送中に異常等がなかったかを確認するため，納品書等に合致した積荷であること，承認された仕入先であること，外観に異常がないこと等の確認を行う。輸送は，他の業務と異なり，ドライバー単独で行われる場合が多いため，リスクが高くなる可能性があり，受領時の確認は特に重要と考える必要がある。

2）向精神薬や麻薬等，特別な取扱いや高いセキュリティが必要な医薬品，保冷品，冷蔵品等，リスクの高い医薬品は優先的に受領確認を行い，所定の要件を満たす貯蔵設備・冷蔵庫・冷凍庫等に保管することが求められる。このような対応を確実にするために，特別な取扱いが必要な製品に対する手順を文書化する必要がある。

5.5 保管

5.5.1 医薬品は，品質に影響が及ばないように，他の製品と区分すること。さらに，光，温度，湿気，その他の外部要因による有害な影響から保護すること。
特別な保管条件を必要とする製品には特に注意を払うこと。[1)]

5.5.2 入荷した医薬品の梱包箱は，必要に応じて保管前に清浄化すること。
入庫品に対する全ての業務（例えば燻蒸）は医薬品の品質に影響を与えないようにすること。

5.5.3 保管は，適切に保管条件が維持され在庫品のセキュリティを確実にする必要がある。[2)]

5.5.4 在庫は使用の期限順先出し（FEFO）又は先入れ先出し（FIFO）の原則に従って管理すること。[7)]
例外は記録すること。[3)]

5.5.5 医薬品は，漏出，破損，汚染及び混同を防止するような方法で取り扱い，保管すること。一部の医療用ガス容器等，床の上で保管できるように包装が設計されている場合を除き，医薬品を直接床に置いて保管しないこと。

5.5.6 使用の期限が近づいている医薬品は，直ちに販売可能在庫から排除すること。[4),6)]

5.5.7 定期的に在庫の棚卸を実施すること。[5)]
在庫の異常は調査，記録し，必要な場合は所轄当局に報告すること。

［解説］

1）医薬品の湿度に対する保護は，包装形態で担保されているため，保管時の湿度管理を求めているのではなく，極端な高湿度，水濡れ，低温保存品の結露，保存庫内結露等によって生じる外装等の軟化等を避けることを目的としている。そのため，湿度管理までは不要であるが，湿度をモニタリングすることは考慮に値する。

2）効果的なセキュリティ対策としては，部外者等のアクセス制限であり，入室制限，施錠管理，部外者の記帳，セキュリティカメラの設置等が考えられる。

3）「逸脱」の用語とした場合，原因調査を行い，必要と判断した場合は再発防止を行うことが必要となるため，「逸脱」ではなく「例外」の用語を用いている。使用の期限順先出し（FEFO）または先入れ先出し（FIFO）の原則に従うことができなかった場合は，その理由等記録で残すことを求めている。

4）使用期限・保存期限が近づいている医薬品は直ちに販売可能在庫から排除することが求められており，その確実な実行のためには，排除基準を明確にした手順を制定する必要がある。

5）定期的な棚卸で，在庫の異常が確認された場合，調査した上で，大きな問題が確認された場合は当局報告行う旨を手順化する必要がある。また，向精神薬，麻薬等の厳重な管理が求められている医薬品の場合は，高頻度で在庫確認されることが望まれる。

[GDP Q＆A]

6）

> **Q5-3**（保管）
> 「5.5.6 使用の期限が近づいている医薬品は，直ちに販売可能在庫から排除すること。」とあるが，どの程度をもって使用の期限が近づいたと判断するのか。

A5-3

使用の期限の過ぎた医薬品が誤って使用されることのないよう，各医薬品の使用の期限，自社の在庫や納入先の状況等を勘案して適切に管理する必要がある。

7）

> **Q5-4**（保管）
> 入荷の状況によっては使用の期限順先出し（FEFO）で判断する場合と先入れ先出し（FIFO）で判断する場合とで，出荷すべき順序が逆転する可能性があるが，どちらを優先すべきか。

A5-4

商習慣や各社の考え方に基づいて適切に管理すること。

> **5.6 使用の期限が過ぎた製品の廃棄** [1)]
> 5.6.1 廃棄予定の医薬品は適切に識別し，隔離して一時保管し，手順書に従って取り扱うこと。
> 5.6.2 医薬品の廃棄は，関連法規に従って行うこと。
> 5.6.3 廃棄した全ての医薬品の記録を，定められた期間にわたって保管すること。

[解説]

1）使用の期限が過ぎた製品の廃棄

廃棄予定の医薬品は適切に識別，区分保管し，確実に廃棄を行うことが求められている。卸売販売業者等は，廃棄責任があることを再認識し，廃棄を確実に行い，その証として関連する記録を保管することが必要である。

不適切な廃棄となった場合，不正業者の手に渡り，医療機関等に環流される可能性がある。そのような事態に至った場合は，廃棄した卸売販売業者等が責任を問われることになる。

> **5.7 ピッキング**
> 正しい製品がピッキングされたことを確実に保証するため，管理を行うこと。
> 適切な使用期間が残った製品のみがピッキングされること。

[解説]

ピッキング作業は，人海戦術の様相であり，ヒューマンエラーのリスクが高い業務と言える。

そのため，作業員にわかりやすい手順とするため，作業フローの作成，図解化，写真の添付，注意点の記載等の工夫が必要となる。

さらに，ヒューマンエラーを低減するために，操作ボタンや作業ステージの色分けは有効な手段である。また，作業員に対して効果的な教育訓練を実施して，手順や指示に対する遵守徹底や作業ミス・異常時の速やかな連絡を定着させることが必要であり，特に，ミス等の報告に対しては，ミスしたことは責めずに，報告してくれたことを褒めるような対応が望まれる。

5.8 供給

全ての供給品は，品名，ロット番号又は（ロットを構成しない医薬品については製造番号又は製造記号），使用の期限，輸送条件，保管条件，数量，購入若しくは譲受け又は販売若しくは授与の年月日，購入者等の氏名又は名称，住所又は所在地，及び電話番号その他の連絡先等を記載又は他の方法で提供し，記録を保管すること。1)

実際の輸送先が譲受人の住所等と異なる場合には当該情報についても記載されていること。

[解説]

1）卸売販売業者等は，医薬品を供給する際にも，供給品に関わる情報を確実に販売側に伝え，その記録を保管することにより，供給者と販売者間のトレーサビリティを確実なものとすることができる。

第６章 苦情，返品，偽造の疑いのある医薬品及び回収

6.1 原則

全ての苦情，返品，偽造が疑われる医薬品及び回収については，卸売販売業者等は製造販売業者と適切に連携すること。

全ての項目は記録し，手順書に従って適切に保管する必要がある。記録は所轄当局による閲覧を可能にしておくこと。

譲受人から保管品質を保証され，返却された医薬品が再販売される場合，任命された職員によって事前に評価を実施すること。偽造医薬品を防止するためには，流通経路における全ての関係者による一貫したアプローチが必要である。

6.2 苦情及び品質情報

6.2.1 苦情は，全ての詳細な原情報を含めて記録すること。
医薬品の品質に関連する苦情（品質情報）と流通に関連する苦情とは区別すること。
品質情報及び製品欠陥の可能性がある場合，遅滞なく製造販売業者に通知すること。[1)]
製品の流通に関連する苦情は，苦情の原因又は理由を特定するために徹底的に調査すること。[2)]

6.2.2 医薬品の品質不良が見いだされた或いは疑われる場合，製品の他のロットも調査することを考慮すること。[3)]

6.2.3 苦情処理を行う担当を任命すること。

6.2.4 必要に応じ，苦情調査及び評価後に適切なフォローアップ措置（CAPA を含む）を講じること。また，必要な情報を所轄当局の要求に応じて報告すること。

[解説]

1） 品質に関する苦情は，製品に関する情報・データ等を保有する製造販売業者の判断が必要不可欠であるため，卸売販売業者は，遅滞なく製造販売業者に通知し，その判断に基づいた対応を行うことが求められる。

2） 再発防止のために，苦情の原因等を特定する必要があるが，再発防止を徹底するためには，苦情の「真の原因」を特定することが重要である。真の原因は，表面上の原因に隠れている場合は少なくなく，表面上の原因に基づく改善では，再発防止を図ることはできないので，徹底した原因の追究が必要である。

3） 苦情は，本ガイドライン業務の改善につながる有益な情報と考え，前向きに取り組み，当該苦情の再発防止のみならず，他の品目や他の事項に水平展開できないかとの考え方が必要である。

[GDP Q&A]

Q6-1（苦情）

流通に関する苦情は，卸売販売業者等がその対応業務を行うことになるのか。

A6-1

流通に起因する苦情（例えば，輸送に起因した製品の破損）については，苦情の対象となった流通を管理する卸売販売業者等が対応する必要がある。

6.3 返却された医薬品 1)

6.3.1 返却された製品は，該当製品の保管に関する特別な要求事項，当該医薬品が最初に出荷されてからの経過時間等を考慮して，文書化された，リスクに基づくプロセスに従って取り扱う必要がある。

返品は，関係者間の協議に従って行うこと。あらかじめ契約書で取り決めておくこと。記録 / 返品リストを保存する必要がある。

6.3.2 販売先から返却された医薬品は，以下の全てが確認された場合にのみ販売可能在庫に戻すことができる。

i. 当該医薬品の二次包装が未開封で損傷がなく，良好な状態であり，使用の期限内で回収品ではない場合

ii. 許容される期限内（例えば10日以内）に返品された場合 2)

iii. 当該医薬品の保管に関する特別な要求事項に従って輸送，保管及び取扱いが行われたことが販売先によって証明されている場合

iv. 教育訓練を受けた者によって検査され，評価されている場合

v. 当該流通業者は当該製品がその販売先に供給されたことを示す合理的な証拠（納品書の原本の写し又は送り状番号のロット番号又は製造番号等の参照）を有しており，その製品が偽造されたという理由がない場合

6.3.3 特別な保管条件が必要とされる医薬品の場合，販売された医薬品は原則販売可能在庫に戻すことはできない。ただし，当該製品が全期間にわたって承認された保管条件の下にあったことを示す文書化された証拠が存在する場合はこの限りではない。

6.3.4 製品を販売可能在庫に戻す場合，使用の期限順先出し / 先入れ先出し（FEFO/FIFO）システムが有効に機能する場所に収容すること。

6.3.5 盗難に遭い，回収された製品は，販売可能在庫に戻して販売先に販売することはできない。

[解説]

1）返却された医薬品

返却された製品に関しては，保管に関する特別な要求事項の有無，出荷されてからの経過時間等を考慮して，文書化されたリスクに基づいたプロセス，わかりやすく言えば，リスク評価に基づいた判断に従うことが求められている。

その具体的な事項として6.3.2～6.3.3が例示されている。これらの条項をまとめると，返

却された医薬品の保管温度等を考慮して，返品までの期間，保管・輸送時の証明，二次包装状態，盗難の履歴等を総合的に判断して販売可・不可を判断することが必要となる。

要は，返却された医薬品に関しては，出荷～返却までの流通履歴は，品質保証の一部であると認識する必要がある。また，返品に限ったことではなく，本ガイドライン業務全般に対しても，その流通履歴は，品質保証の一部と考える必要がある。

[GDP Q＆A]

2）

Q6-2（返却された医薬品）

販売先から返却された医薬品に関しては，5 項目を満たした場合のみ販売可能とされるが，6.3.2 ii に例示された許容される期間 10 日以内については何か判断根拠はあるか。

A6-2

ここで示された「10 日以内」は一つの例であり，許容される期間を明示したものではない。許容される期間は契約をもとに決定する必要がある。

6.4 偽造医薬品 1)

6.4.1　偽造の疑いのある医薬品の販売及び輸送は直ちに中断すること。

6.4.2　偽造医薬品又は偽造の疑いのある医薬品が発見された場合，直ちに製造販売業者に通知し，検体を確保・送付すること。製造販売業者は保存品と目視等による真贋判定を行う。偽造の可能性の高い場合は，その当該ロットを隔離するとともに，速やかに所轄当局に通知し，以後の対応策を協議すること。関係者は所轄当局及び製造販売業者により決定された指示（回収を含む）通りに行動する必要がある。2)

上記に関する手順を定めること。発見時の詳細情報を記録し，調査すること。

6.4.3　流通経路において発見された偽造医薬品は直ちに物理的に隔離し，他の全ての医薬品から離れた専用区域に保管し，適切に表示すること。3)

このような製品に関連する全ての業務を文書化し，記録を保管すること。

6.4.4　偽造医薬品だと認められた場合は，流通経路への混入の原因を特定し，必要に応じて適切な再発防止策を講じること。製造販売業者における当該品の保管を含め，これらの業務を文書化し，記録を保管すること。

[解説]

1）偽造医薬品

卸売販売業者等は，偽造医薬品グループが偽造医薬品を製造することを阻止することはできないが，偽造医薬品グループに偽造医薬品を正規ルートに混入させることは極めて困難であることを認識させることは可能である。

手順書等に基づいて，仕入先，受領時，保管時，販売先，供給時の確認を行い，その記録の完全性の程度は，偽造医薬品の混入に対するバリヤーの強さ・厚さに影響する。流通に関わるすべての業者が適切な手順書に従って業務を行い，その確認と記録を徹底することにより，偽造医薬品の混入をブロックすることが可能となる。そのためには，相互に確認や記録の重要性を再認識するとともに，進んで協力する姿勢，また，偽造医薬品に対する情報の共有と関係者の連携強化が重要となる。

2）偽造医薬品または，その疑いのある医薬品を発見した場合，直ちに製造販売業者に通知し，真贋判定を行い，偽造の可能性が高い場合は速やかに所轄当局に通知すること等が規定されている。これらの偽造医薬品に関する対応手順を制定されていない卸売販売業者等は，対応手順を追加する必要がある。

[GDP Q&A]

3）

> **Q6-3**（偽造医薬品）
>
> 6.4.3「流通経路において発見された偽造医薬品は直ちに物理的に隔離し，他の全ての医薬品から離れた専用区域に保管し，適切に表示すること。」とあるが，偽造医薬品用の専用区域をあらかじめ用意すべきか。また，通常の不合格品とも区別して隔離すべきか。

A6-3

あらかじめ偽造医薬品用の専用区域を用意することまでは必要ないが，偽造医薬品が発見された場合は，直ちに隔離する必要がある。その場合，通常の不合格品とも区別・表示して隔離する必要がある。

> **6.5 医薬品の回収**
>
> 6.5.1 製品回収を迅速に行うために受領及び輸送される製品のトレーサビリティーを保証するための文書と手順書を整備すること。
>
> 6.5.2 製品回収の際は製品が輸送された全ての販売先に適切な緊急度により，明確な行動指針とともに連絡すること。
>
> 6.5.3 製造販売業者は所轄当局に全ての回収を連絡すること。
>
> 6.5.4 必要に応じて製品回収に関する手順の有効性を評価すること。[1),2)]
>
> 6.5.5 回収業務は迅速に，いつでも開始できるようにしておくこと。
>
> 6.5.6 卸売販売業者等は回収要請に対応する必要がある。
>
> 6.5.7 全ての回収業務は，それが実施された時に記録すること。
>
> 6.5.8 流通の記録は回収の責任者がすぐに閲覧できるようにしておき，流通の記録には卸売販売業者又は直接供給した販売先に関する十分な情報（住所，常時連絡が可能な電話番号，メールアドレス，国の規制に基づく要件として医薬品の品名，ロット番号又は製造番号等，使用の期限，納入数量等）を含めること。
>
> 6.5.9 回収プロセスの進捗状況は回収製品の収支合せを含め最終報告として記録すること。

[解説]

1）製品回収に関する手順の有効性評価の方法としては，模擬回収の実施が一般的と考えられる。模擬回収を行うことにより，回収手順の実行性，整合性，迅速性等を評価することができ，また，回収業務関係者の訓練や，部門間連携を確認することができる。

「必要に応じて」の解釈は，模擬回収の実施頻度を例えば数年に 1 回とし，万一，本当の回収が発生した場合は，模擬回収としてカウントする方法が考えられる。

[GDP Q&A]

2)

Q6-4（医薬品の回収）

「6.5.4 必要に応じて製品回収に関する手順の有効性を評価すること。」とあるが，回収シミュレーションは医療機関を含めたすべての流通経路を対象に実施しなければならないのか。

A6-4

回収シミュレーションは回収の手順の有効性を確認するために有効である。その範囲に医療機関を含めるかどうかは，その目的を達成できるかどうかで考える必要がある。

第 7 章　外部業務 1)

7.1 原則

本ガイ象となる業務のうち外部委託する全ての業務は，製品の完全性に疑いを発生委託業務の内容について，正確に定義，合意，管理すること。契約委託者の間で，各当事者の義務を明確に定めた書面による契約を締結する必要が

［解

は，基本的に同一法人以外の会社に対して委託を行い，実施する業務をいう。別法人への委託はこれに該当する。

では，外部委託するすべての業務は，製品の完全性に疑いを発生させないよ内容について，正確に定義，合意，管理すること，契約委託者と契約受託者の義務を明確に定めた書面による契約を締結する必要があると記載されている。
者は業務を第三者へ再委託する場合，本ガイドラインに基づく業務および契約された業務について責任を持つこと，契約受託者における注意事項が記載され

で，国内で想定される典型的な本ガイドライン業務委託のスキームを**図 2-4** ～した。

，原契約者である製造販売業者が保管・輸送を同一企業の卸売販売業者へ一括委託するがあるが，この場合には契約受託者である X 物流は契約委託者（製造販売業者）との間

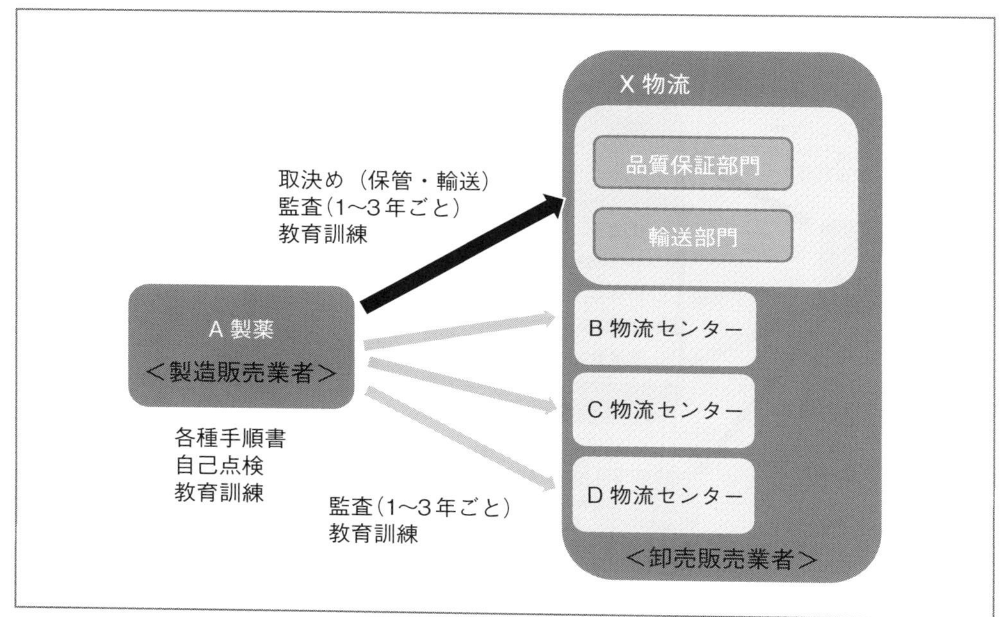

図 2-4　委受託関係と GDP 活動（保管・輸送を同一企業へ委託）

で保管と輸送を含む取決めを締結し，契約委託者は監査等で確認する なるが，第三者へ
の再委託は発生しない（**図 2−4**）。一方，**図 2−5** に示したように契約 である卸売販売
業者が輸送のみを子会社であるＹ運輸へ委託し，さらにＹ運輸は業務を E 運輸，さ
らにＦ・Ｇ運輸へ再委託する場合が考えられる。この場合，契約受託者は に関する
取決めを契約委託者と締結することから，子会社であるＹ運輸は第三者に が，Ｙ
運輸が別会社へ輸送を委託する場合には第三者への再委託となり，Ｙ運輸 務再
委託に関する取決を締結する必要がある。また，E 運輸がＦ･Ｇ運輸に業務を委

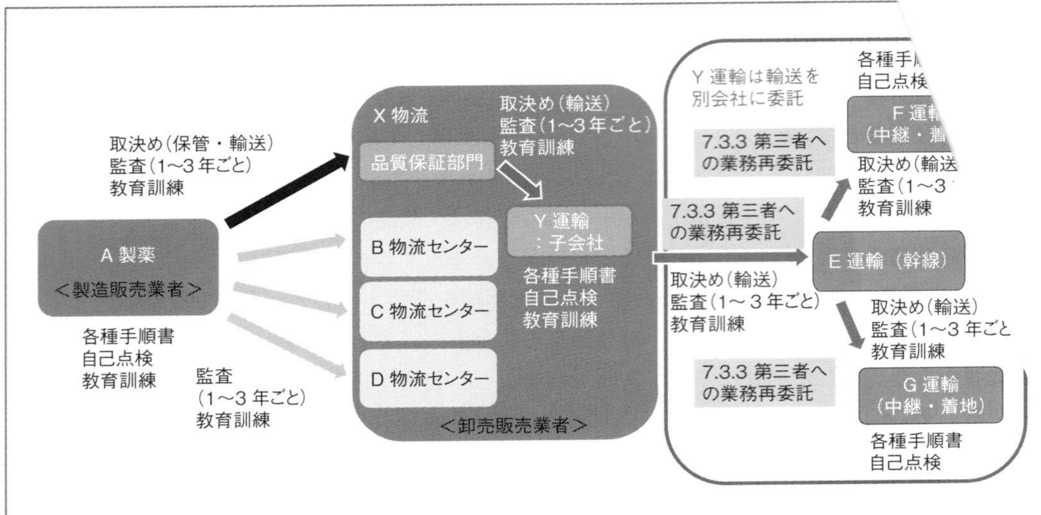

図2-5　委受託関係と GDP 活動（保管・輸送を一括委託）

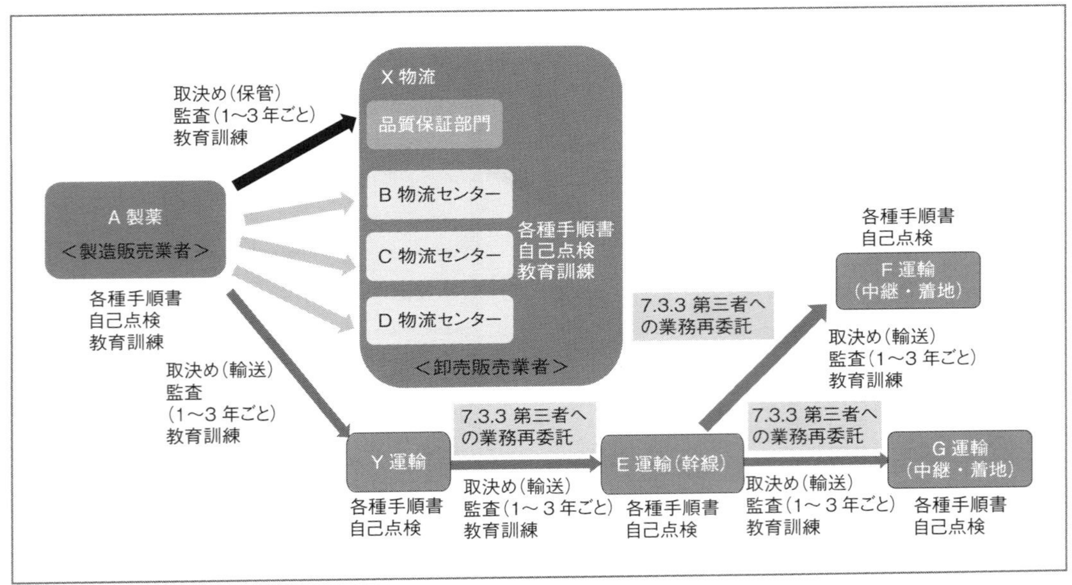

図2-6　委受託関係と GDP 活動（保管・輸送を別々に委託）

E運輸はF・G運輸と業務再委託の取決めを交わすことが必要となる。

三番目のケースとして，**図2-6**に示したように保管と輸送を別々の会社に外部委託する場合が考えられる。この場合，契約委託者は，X物流とY運輸，別々に取決めを締結し，契約受託者であるY運輸はE運輸へ輸送業務を再委託する場合には，Y運輸はE運輸との間で取決めを締結し，さらにF・G運輸へ業務を委託する場合には，E運輸は再委託の取決めを締結等する必要がある。

7.2 契約委託者

7.2.1 契約委託者は外部委託する業務に対して責任を負う。[1)]

7.2.2 契約委託者は，必要とされる業務を適切に遂行するという観点で契約受託者を評価し，契約書及び監査を通じて，本ガイドラインが遵守されることを保証する責任を負う。[4)]

監査の要求及び頻度は，外部委託する業務の性質に応じたリスクに基づいて定めること。監査は随時実施できるようにしておくこと。[2)]

7.2.3 契約委託者は，当該製品に関する特別な要求事項及びその他の関連の要求事項に従って委託した業務を実施するために必要とされる情報を，契約受託者に提供すること。[3)]

[解説]

1）契約委託者が委託するものはあくまでも業務であり，本ガイドラインならびに法的要件における責任は卸売販売業者等に帰する。

2）委託業務が適切かつ確実に実行されているかどうかは，その内容が明確に契約書に定義され，契約受託者への監査を実施し評価することによって，判断することが可能となる。

3）製品の保管条件や取扱いに関する注意事項等を契約委託者から契約受託者に明確に示すことにより，流通上での品質劣化や汚損，紛失等を防止できる。

[GDP Q&A]

4）

Q7-1（契約委託者）

「7.2.2 契約委託者は，必要とされる業務を適切に遂行するという観点で契約受託者の能力を評価し」とあるが，輸送業者および物流倉庫業者それぞれに求められる具体的な能力とは何か。

A7-1

委託しようとする業務に関し，本ガイドラインに規定された事項を遂行する能力を指す。具体的には温度マッピングやモニタリング等の適切な温度管理や，セキュリティ管理，輸送中の温度管理，医薬品の完全性を維持するための能力等が考えられる。

7.3 契約受託者

7.3.1 契約受託者は本ガイドラインに基づく業務及び契約委託者から委託された業務について責任を持つ。[1)]

7.3.2 契約受託者は，契約委託者から受託した業務を遂行できるように，適切な施設及び機器，手順，知識及び経験，及び適任な職員を有していること。[2)]

7.3.3 契約受託者は，第三者への業務の再委託に対する契約委託者による事前の評価及び認証を受け，かつ当該第三者が契約委託者又は契約受託者による監査を受けるまでは，契約書に基づいて委託されたいかなる業務も第三者に再委託しないこと。[6)]
契約受託者と第三者の間でなされる取決めは，医薬品の仕入，保管及び輸送業務に関する情報（委託した業務を実施するために必要とされる品質に関する情報）が原契約者と契約受託者の間と同じように利用できることを確実に保証すること。[3)]

7.3.4 契約受託者は，契約委託者のために取り扱う製品の品質に有害な影響を及ぼす可能性のある行為を行わないこと。[4)]

7.3.5 契約受託者は，製品の品質に影響を及ぼす可能性のあるいかなる情報も，契約書の要求事項に従って契約委託者に送付する必要がある。[5)]

[解説]

1）契約受託者の責任は，業務の遂行である。

2）医薬品の仕入，保管，輸送時において盗難，汚損を防ぎ，品質を維持し得るハード・ソフトを有し，業務を行う職員は製品の取り扱い，管理のために十分な知識や経験を有している必要がある。

3）業務の再委託に関する注意点である。特に，輸送において子請け，孫請けが使用される場合や，緊急輸送時に関わる。事前に契約委託者への通知，承認を得た上で，受託者による監査を行い，最終的な評価を踏まえて再委託が可能となる。
　業務の再委託においては，委託業務が適用される製品の品質に関する情報が，再委託先でも利用できるよう，契約書や仕様書に盛り込むことが必要である。

4）契約受託者は，指定の保管条件から外れる温湿度下や清掃状態が悪い塵埃等の多い場所での保管，強い衝撃，X 線等の照射，製品を取り違えるリスクのある保管方法等有害な影響を及ぼす可能性のある行為は行わない。

5）このような状況に製品が晒された場合や，その他契約受託者で判断ができないことは，速やかに契約委託者へ報告する。

[GDP Q＆A]

6）

Q7-2（契約委託者）
「7.3.3 当該第三者が契約委託者または契約受託者による監査を受けるまでは」とあるがこの監査には書面調査も含まれるか。

A7-2

書面調査も含まれる。

> **Q7-3**（契約受託者）
> 7.3.2に，「契約受託者は契約委託者から受託した業務を遂行できるように，適切な施設及び機器，手順，知識及び経験，及び適任な職員を有していること」とあるが，具体的にはどのようなことが必要か。

A7-3

契約受託者は，医薬品の仕入，保管，輸送時において盗難，汚損を防ぎ，品質を維持し得るハード・ソフトを有し，業務を行う職員は製品の取り扱い，管理のために十分な知識や経験，本ガイドラインについての理解を有している必要がある。

> **Q7-4**（契約受託者）
> 7.3.3に，「契約受託者は，第三者への業務の再委託に対する契約委託者による事前の評価及び認証を受け，かつ当該第三者が契約委託者又は契約受託者による監査を受けるまでは，契約書に基づいて委託されたいかなる業務も第三者に再委託しないこと」とあるが，第三者への業務の再委託は事前の評価や監査を受けるまで再委託してはならないのか。

A7-4

第三者への業務の再委託は事前の評価や監査を受けるまで再委託してはならない。偽造医薬品の混入防止や製品の完全性を確保するためには，再委託に関する業務，特に輸送における子請け，孫請けが使用される場合や緊急輸送時の対応に関する注意等も必要となることから，第三者への業務の再委託は，事前に契約委託者への通知，承認を得た上で，監査（書面監査可）を行い，最終的な評価を踏まえてから可能と考える。

> **Q7-5**（契約受託者）
> 7.3.3に，「契約受託者と第三者の間でなされる取決めは，医薬品の仕入，保管及び輸送業務に関する情報（委託した業務を実施するために必要とされる品質に関する情報）が原契約者と契約受託者の間と同じように利用できることを確実に保証すること」とあるが，確実に保証するとはどのような意味か。

A7-5

第三者への業務の再委託においては，委託業務が適用される製品の品質に関する情報が，再委託先でも利用できるようにすることが重要である。そのためには，契約受託者は原契約者（契約委託者）との間の取決めに，製品の品質に関する情報が再委託先でも利用できるように盛り込んでおく必要がある。

Q7-6（契約受託者）

7.3.4 に，「契約受託者は，契約委託者のために取り扱う製品の品質に有害な影響を及ぼす可能性のある行為を行わないこと」とあるが，具体的にはどのようなケースを想定すればよいか。

A7-6

指定の保管条件から外れる温湿度下や清掃状態が悪い塵埃等の多い場所での保管，強い衝撃を与えたり，X 線等の照射，製品を取り違えるリスクのある保管方法などが考えられる。また，このような状況に製品が晒された場合，その他受託者で判断できないことは，速やかに契約委託者へ報告することが重要である。

第 8 章　自己点検

8.1 原則

本ガイドラインの原則の実施及び遵守を監視し，必要な是正措置を提案するために，自己点検を実施すること。

[解説]

自己点検とは，法人内で自ら，該当する業務に係わる部署に対して，業務がガイドラインや自ら定めた手順書に従って適正に実施されているか，また，手順自体に抜け漏れはないか等，業務を遂行・実現する上でのリスクを発見し，必要に応じて，是正措置を策定，措置を実施し，その効果を確認するといったサイクルを回していくことである。そのため，対象の部署または業務に専ら携わっていない者が第三者的な目線で点検を行うことが望ましい。また，自己点検を実施することにより，外部監査，当局からの査察によらず，自社で早期にリスクを発見し，是正措置によってリスク低減を図ることが可能となる。

8.2 自己点検

8.2.1 自己点検プログラムは，定められた期間内において本ガイドライン及び該当手順に従って実施すること。自己点検は，限られた範囲に分割して実施してもよい。[1)]

8.2.2 自己点検は，あらかじめ指定した者が定期的に実施すること。

8.2.3 全ての自己点検を記録すること。報告書には自己点検で認められた全ての観察事項を含めること。[2)]

報告書の写しを卸売販売業者等の経営陣及びその他の関係者に提出すること。不備及び／又は欠陥が認められた場合，原因を明らかにし，手順に従ってCAPAを記録し，フォローアップを行うこと。[3)]

[解説]

1）実施すべき定められた期間については，自己点検がリスクの発見と是正措置によるリスク低減を目的としていることを鑑み，適切な頻度で実施する。

2）業務の内容を熟知した職員をあらかじめ当該業務の責任者として指定し，当該職員の責務等を文書において適切に規定しておく。

3）文書化により記録を残し，マネジメントへ報告することでガバナンスの強化にもつながる。

第９章　輸送

9.1 原則

9.1.1 医薬品を破損，品質劣化及び盗難から保護し，輸送中の温度条件を許容可能な範囲に維持することは卸売販売業者等の責任である。[1)，3)]

9.1.2 輸送方式を問わず，当該医薬品がその完全性を損なう可能性のある条件に曝されないようにリスクに基づき証明すること。[2)]

［解説］

1）貯蔵設備と比較して，輸送ではセキュリティ上の問題，製品の破損や品質劣化といったリスクが高い。そのため，そのようなリスクを取り除く，あるいは低減させる適正な輸送を実現しなければならない。本章でのキーポイントは次の通りである。

・輸送を管理する要件の定義

・医薬品が定められた条件によって輸送され，逸脱が報告される仕組み

・温度によって影響を受ける製品に対する詳細な要件

2）「医薬品の完全性」の定義については，第１章を参照されたい。輸送において完全性が欠如する可能性を事前にリスクとして評価し，それらを取り除く，あるいは最小化するような計画を立て，実施し，低減されたことを証明する。

［GDP Q&A］

3）

Q9-1（輸送）

輸送中の許容可能な温度を証明するために，配送ごとに温度ロガーの設置が求められているか。

A9-1

その製品に求められる温度条件や製品の特性等を考慮して，リスク評価を行い，適切に判断すること。

9.2 輸送

9.2.1 外装又は包装に記載された保管条件が輸送中も維持されていること。[1)]

9.2.2 温度逸脱や製品の損傷などが輸送中に生じた場合は，手順に従って卸売販売業者等にその旨を報告すること。

また，温度逸脱に関する調査や取扱いに関する手順も定めること。[2)]

9.2.3 医薬品の流通，保管又は取扱いに使用される車両及び機器は，その用途に適したものであること。

製品の品質及び包装の品質等に影響を及ぼさないよう適切に装備されていること。[3)]

9.2.4 清掃及び安全対策を含め，流通過程に関与する全ての車両，及び機器の操作及び保守のための手順書を作成すること。[4)]

9.2.5 どこで温度管理が必要とされるかを決めるために，輸送ルートのリスクアセスメントを用いること。

輸送中の車両及び／又は容器内の温度モニタリングに使用する機器は，定期的に保守及び校正すること。[5)]

9.2.6 医薬品を取り扱う際には，可能な限り，専用車両及び機器を使用すること。

専用ではない車両及び設備が使用される場合は，医薬品の完全性が損なわれないように手順書を整備すること。[6)]

9.2.7 定められた納品先の住所・施設以外に納品してはならない。[7)]

9.2.8 通常の就業時間外に行う緊急輸送については，担当者を任命し，手順書を備えること。[8)]

9.2.9 輸送が第三者によって行われる場合，第 7 章の要求事項を含めた契約書を作成すること。

卸売販売業者等は，積荷に関する輸送条件を輸送業者に知らせること。

輸送ルート中に輸送基地での積み替えが含まれる場合，温度モニタリング，清浄度及びセキュリティには，特に注意を払うこと。[9)]

9.2.10 輸送ルートの次の段階を待つ間の，一時保管の時間を最小限に抑えるための対策を講じること。

［解説］

1） 各貯蔵設備間の輸送中に，被包に記載された保管条件（温度や取扱い上の注意）を保つ。

2） 輸送時に得た温度逸脱や製品の損傷，盗難等に関する情報は，速やかに卸売販売業者等に報告し，指示を仰ぐ。また，連絡方法，逸脱の報告内容，調査や対応を含めた手順を文書化しておく必要がある。温度逸脱や損傷状態によっては，品質劣化や製品価値を失うことが考えられるため，自ら判断することなく，速やかに委託元に連絡を取り，取扱いについて指示を受けることが必要である。

3） 車両および機器は，医薬品の輸送中，保管条件を満たすことができ，必要に応じて空調や温度モニタリングができる仕様であること。荷崩れや落下防止，防塵，雨水を防ぐ措置が取れ，適切な施錠等により盗難を防止できること。

4） 手順書は，代表的なもののみがあればよいということではなく，医薬品の輸送に用いるすべての車両や関連機器に関する手順書が必要である。

5） 輸送ルートによって，通過地域，季節，手段(車両，船舶，飛行機）や物量等の要因に加え，積み替え，一次保管等，種々の作業が考えられる。製品特性を踏まえた上で，適切な評価項目を選定し，輸送上考え得る温度変動等のリスクを洗い出し，低減策をたて，適切な管理を実施する（輸送リスクアセスメント)。

また，温度が正確に測定され，逸脱の有無を判断し，必要に応じて適切な処置が施されるためにも，温度をモニタリングする機器は定期的に保守，校正することで，正常な機能を保つ。

6） 医薬品の特性，およびその流通や販売の特殊性から，輸送において医薬品専用の車両や設備が用いられることが望ましい。医薬品専用でない車両や設備を共用する場合においては，保管条件を満たし，かつ，製品そのものの所在や不正なアクセスがないことが検証可能なよう，手順書を整備する。

7）確実に定められた納品先に輸送する。

8）緊急輸送時には，通常の業務にあたる職員以外の者が担当する場合が想定されるため，あらかじめ担当者を任命して，通常の手順にない事項を含め，当該業務が円滑に実施されるよう手順を文書化しておく。

9）輸送を委託する場合，契約受託者は複数のメーカーの種々の製品を取り扱う場合が多いことから，契約委託者は，積荷の輸送に関する要件を契約受託者に明確に示す必要がある。また，積み替え作業時には外気や塵埃にさらされ，また，紛失や盗難のリスクも考えられるため，十分な注意が求められる。

一時保管時にも，温度逸脱，紛失，盗難等のリスクが想定されるため，それらのリスクを低減する対策が必要である。

［GDP Q＆A］

Q9-2（輸送）

輸送時の温度逸脱が生じた場合の品質保証上の方法について示してほしい。

A9-2

科学的根拠（安定性データ等）に基づき，製品ごとに適切に設定することが求められる。

Q9-3（輸送）

輸送を委託している場合は，手順書の作成は，卸売販売業者等が作成するのか，または委託先が作成するのか。

A9-3

委託先が作成することが原則である。委託元は作成された手順書の適切性を確認することが必要である。

Q9-4（輸送）

輸送時の一時的温度上昇の発生は避けられないと考えるが，許容される範囲を示してほしい。

A9-4

一時的な温度上昇が発生した際の状況を確認し，製品の品質への影響，当該医薬品の温度安定性や，一時的温度上昇の許容度等を勘案する必要がある。製品の品質に関する情報を有しているのは製造販売業者であるので，個々の製造販売業者で製品ごとに許容範囲を設定することが望ましい。

ただし，輸送業者の教育訓練も確実に実施し，極力温度上昇が生じないようなオペレーションに努めることも必要である。

Q9-5（輸送）
　輸送に関して，本ガイドラインを遵守するために必要とする設備・機器について示してほしい。

A9-5
　その製品の特性を考慮した温度管理に関する設備・機器（例えば，温度ロガー，警報システム等）や輸送中のセキュリティ確保に関する設備等があげられる。

Q9-6（輸送）
「9.2.4　流通過程に関与するすべての車両，及び機器の操作及び保守のための手順書を作成すること。」とあるが，車の運転手順まで作成する必要はあるのか。荷台の空調や開閉の手順のみに留めてもよいか。

A9-6
　運転手順まで手順書を作成することは求めないが，運送中のトラブルにより製品の品質に影響を与えることがないよう，車両についてもバッテリーや計器類の点検等始業時点検の手順は必要と思われる。
　さらに，製品の品質を保持するため，荷台の空調や開閉の手順，あるいは清掃等に関しての手順書の作成が必要である。

Q9-7（輸送）
　輸送中の温度管理等は卸売販売業者等と輸送業者のいずれが主体的に実施し，責任を持つと理解すればよいか。

A9-7
　最終責任は卸売販売業者等にあるが，温度逸脱等輸送中の不具合については，品質取決めによって，卸売販売業者等と輸送業者それぞれの責任を規定しておく必要がある。

9.3 輸送の容器，包装及びラベル表示

9.3.1 医薬品は，製品の品質に悪影響を及ぼさないような容器で輸送し，汚染を含む外部要因の影響から適切に保護すること。1)

9.3.2 輸送の容器及び包装の選択は，当該医薬品の保管と輸送の要求事項，医薬品の量に応じた大きさ，予想される外部温度の上下限，輸送の最長期間，包装及び輸送容器のバリデーションの状況に基づいて行うこと。2)

9.3.3 輸送の容器には，取扱いと保管の要求事項についての十分な情報に加え，製品が常時適切に取り扱われ安全であることを保証するための注意事項を記載したラベルを表示すること。

輸送の容器は，内容物と出荷元が識別できるようにすること。3),4)

[解説]

1）個包装を輸送ボックスやコンテナ等に入れて，個包装への汚損を防ぐほか，必要に応じて補強パッドや角あて等の緩衝材，雨水避けとしてのカバー等を用いる。また，外気変動による影響を抑えるため，保冷・保温用ケースが用いられることもある。

2）輸送のための容器および包装は，製品特性を踏まえた上，輸送時に考えられる種々の状況やリスク（輸送時の環境や改ざん，盗難防止も念頭に置く）を考慮の上設計され，品質を損なわず，輸送全行程に耐え得ることを検証する必要がある。容器および包装の検証は，輸送によって製品の品質が損なわれないこと，汚損を防げること，意図的な改ざんや盗難の有無を速やかに判断できることを保証し，安定供給に寄与するものである。

3）ラベルには輸送に携わる者が適切な取扱い，保管を実施し得る必要な事項が記載され，容器の中身が何であるか，出荷元である卸売販売業者等の名称を明確に示す必要がある。これはサプライチェーンに正規な製品以外のものが不正に混入することを防止する一つの手段としても有効である。

[GDP Q&A]

4）

Q9-8（輸送の容器，包装及びラベル表示）
「出荷元が識別できるようにすること」とは，住所の表記を含むのか。

A9-8
出荷元の名称だけで識別できるのであれば，必ずしも住所の表記が求められるわけではない。

9.4 特別な条件が必要とされる製品

9.4.1 麻薬や向精神薬のような特別な条件が必要とされる医薬品の輸送に関して，卸売販売業者等は，国の規制によって定められた要求事項に準拠して，安全で確実な流通経路を維持すること。

このような製品の輸送には，追加の管理システムを備えること。また，盗難，紛失等が発生した場合の手順を定めること。[1)]

9.4.2 高活性物質及び放射性物質を含む医薬品は，関係法規に従って輸送すること。[2)]

9.4.3 温度感受性の高い医薬品については，卸売販売業者等及び販売先の間で適切な輸送条件が維持されていることを確保するため，適格性が保証された機器（保温包装，温度制御装置付きの容器，温度制御装置付きの車両等）を使用すること。[3)]

9.4.4 温度制御装置付きの車両を使用する場合，輸送中に使用する温度モニタリング機器を，定期的に保守及び校正すること。

代表的な条件下で温度マッピングを実施し，必要であれば，季節変動要因も考慮すること。[4)]

9.4.5 要請があれば，製品が保管温度条件に適合していることが証明できる情報を，販売先に提供すること。[5)]

9.4.6 断熱ケースに保冷剤を入れて使用する場合，製品が保冷剤に直接触れないようにすること。

断熱ケースの組み立て（季節に応じた形態）及び保冷剤の再使用を担当する職員は手順の教育訓練を受ける必要がある。[6)]

9.4.7 冷却不足の保冷剤が誤って使用されないことを確実に保証するため，保冷剤の再使用に関する管理システムを構築すること。冷凍した保冷剤と冷却した保冷剤を，適切かつ物理的に隔離すること。[7)]

9.4.8 温度変化に対して感受性が高い製品の輸送及び季節ごとの温度変動を管理するプロセスを手順書に記述すること。[8)]

［解説］

1）国の規制によって定められた要求事項に準拠して，安全で確実な流通経路を維持する。盗難，紛失等が発生した場合には下記2）〜8）を踏まえ，速やかな手続き，対応がとれるように手順を定め，文書化しておく。

2）高活性物質および放射性物質を含む医薬品は，いずれも微量で生体への影響が考えられることから，輸送中の事故等による漏えい時の処置，盗難，紛失時の対応を手順として確立し，文書化しておく。

3）製品特性により，貯法として要求される温度域には種々のものがある。そのため，輸送によって品質が損なわれないように製品ごとの適切な輸送条件を検討する必要がある。輸送中，製品が要求される温度域内にあることを確保するため，どのような温度制御手段を用いるかを定め，適格性（この場合，温度制御装置を容器や車両で適切に据え付けることができ，仕様通りに作動し，作動させた際に実際に期待される結果が得られること）を確認し，文書に記録する。

4）温度モニタリング機器は定期的に標準器との比較による校正（専門業者による校正含む）がなされ，日常点検等適切な頻度で，正しく作動していることを確認する。車両の荷室内の位置によって温度分布は異なるため，温調を作動させた状態で，複数の位置において温度を計測し，目的の範囲が輸送温度条件に合致するような温調条件を見出す（車両温度マッピング）。また，同じ温調条件でも外気の影響を受けることが考えられるため，夏季，冬季といった高・低温条件で温調を変える必要があるか，検討しておく必要がある。

5）輸送，保管時における温度モニタリングデータは，媒体を問わず，適切に保管され，閲覧可能な状態にしておく。温度モニタリングが必要な製品については輸送ごとに評価し，記録を残すことで証明とすることが可能である。

6）断熱ケースは手順書に従って正しく組み立てを行わないと断熱効果が得られないことが考えられる。保冷剤外装に破損等があるとポリマー等の漏れにより，保冷効果が期待できない，また，保冷剤成分が製品に付着する恐れがある。保冷剤の再使用時には一定時間，冷却しないと仕様，あるいは検証した時間の保冷効果が得られないことも考えられる。

上記事項を鑑み，断熱ケースの組み立てや保冷剤の再使用をする職員は，留意点を含めた手順について教育を受けた上で作業に従事することが必要である。

7）保冷剤の再使用時には一定時間，冷却しないと仕様，あるいは検証した時間の保冷効果が得られないことが考えられる。そのため，再使用の取扱い方法が手順化され，携わる職員への教育訓練がなされ，再使用の記録が必要である。

8）温度変化に対して感受性が高い製品はリスト化され，製品特性に応じてどのような形態の輸送が必要か，また季節変動によって，その輸送形態を変える必要があるかを検討し，製品ごとに輸送条件を定めた手順を作成し，文書化する。

第三部
参考資料（関係通知等）

医薬品の適正流通（GDP）ガイドラインについ

平成30年12月28日　事務連絡
各都道府県，各保健所設置市，特別区
厚生労働省医薬・生活衛生局総務課，
部（局）あて
医薬対策課

日頃から薬事行政の推進に御尽力いただき，厚く御礼申し上げます。

さて，医薬品の流通については，医薬品産業強化総合戦略（平成27年9月
29年12月22日一部改訂）において，「医療用医薬品の安全性確保のあり方につ
※のGDP（Good Distribution　Practice：医薬品の流通に関する基準）に準拠
の策定の検討を速やかに進める。」こととしています。また，「医療用医薬品の偽造
ための施策のあり方に関する検討会最終とりまとめ」（平成29年12月28日）におい
SのGDPガイドライン全般に準拠した国内向けGDPガイドラインを作成し，厚生労働
を広く周知することで，卸売販売業者における自主的な取組を促すべきである。」こと
います。

これらを受け，今般，厚生労働行政推進調査事業において，PIC/SのGDPを踏まえた
品の適正流通（GDP）ガイドライン」が取りまとめられました。本ガイドラインの対象で
卸売販売業者及び製造販売業者をはじめ，医薬品の流通に係る全ての関係事業者において，
イドラインを参考に業務を実施いただくよう，貴管内の製造販売業者，卸売販売業者，関係団
等に対し周知いただくようお願いします。

※　PIC/S：Pharmaceutical Inspection Convention and Pharmaceutical Inspection Co-operation Scheme（医薬品査察協定及び医薬品査察共同スキーム）

医薬品の適正流通（GDP）ガイドライン

平成 30 年 12 月
平成 30 年度厚生労働行政推進調査事業
「GMP，QMS 及び GCTP のガイドラインの国際整合化に関する研究」
分担研究「医薬品流通にかかるガイドラインの国際整合性に関する研究」
分担研究者 木村　和子

目次

緒言

市場出荷後の医薬品の薬局，医薬品販売業者や医療機関などに対する卸売販売は，医薬品の仕入，保管及び供給等の流通経路全般を担う重要な業務である。今日の医薬品の流通経路はますます複雑になり，多くの人々が関与するようになってきた。

医薬品の適正流通基準（GDP）ガイドライン（以下：本ガイドライン）は，卸売販売業者及び製造販売業者（以下：卸売販売業者等）の業務を支援し，本ガイドラインを遵守することにより，流通経路の管理が保証され，その結果，医薬品の完全性が保持されるための手法を定めるものである。さらに，偽造医薬品が正規流通経路へ流入するのを防止するための適切な手法を定めるものである。

本ガイドラインに使われているいくつかの用語は用語集に列挙した。

目的

高水準の品質保証の維持と医薬品の流通過程での完全性を保証するため，卸売販売業者等の業務の画一性を推進し，医薬品取引における障害をさらに除くための参考となる手法として，本ガイドラインを作成した。

本ガイドラインは，卸売販売業者等がそれぞれのニーズに合わせた規則を作るための根拠としても利用することを意図している。

本ガイドラインに規定した方法以外で，この原則を達成できる方法は受け入れられる。

適用範囲

本ガイドラインは医薬品の市場出荷後，薬局，医薬品販売業，医療機関に渡るまでの医薬品の仕入，保管及び供給業務に適用する。

第１章　品質マネジメント

1.1 原則

卸売販売業者等は，その業務に関連する責任，プロセス及びリスクマネジメントの原則を定めた品質システムを維持すること。

卸売販売業者等は，全ての流通業務の手順を明確に定義し，系統的にレビューすること。流通過程における全ての重大な段階及び重要な変更を正当化し，必要に応じてバリデートすること。

卸売販売業者等の経営陣には，品質システムに対する責任があり，リーダーシップと積極的な参画が求められること。また，職員はそれぞれの役割を果たすこと。

1.2 品質システム

1.2.1 品質を管理するシステムは，卸売販売業者等の構成，手順，プロセス，資源を包含し，輸送される製品に関わる完全性を維持し，輸送中や保管中に正規流通経路の範囲にあることを保証するために必要な活動に係る業務を含むこと。

1.2.2 品質システムを文書化し，その有効性を監視すること
品質システムに関連する全ての業務を定義し，文書化すること。品質マニュアルを含む階層化された文書体系を確立すること。

1.2.3 卸売販売業者等の経営陣は，品質システムが履行され，維持されることを確実に保証するための明確に規定された権限及び責任を有する者を任命すること。

1.2.4 卸売販売業者等の経営陣は，品質システムの全ての分野において，適格性のある職員，並びに適切で十分な建物，施設及び機器の面で，十分なリソースが充てられることを確実に保証すること。

1.2.5 品質システムの構築又は修正の際には，卸売販売業者等の業務の規模，構造等を考慮すること。

1.2.6 変更管理システムを整備すること。
このシステムには品質リスクマネジメントの原則を取り入れ，バランスの取れた有効なものとすること。

1.2.7 品質システムは，以下を保証すること。

i. 医薬品は本ガイドラインの要求事項に適合するよう仕入，保管，供給すること

ii. 卸売販売業者等の経営陣の責任が明確に規定されていること

iii. 製品は，速やかに正当な受領者へ納入されること

iv. 記録が（作業と）　同時に作成されていること

v. あらかじめ定められた手順からの逸脱は記録され，調査されていること

vi. 品質リスクマネジメントの原則に従い，逸脱を適切に是正し，予防するため，適切な是正措置及び予防措置（Corrective Action and Preventive Action 以下：CAPA）が講じられていること

1.3 外部委託業務の管理

卸売販売業者等の品質システムの範囲は，医薬品の仕入，保管及び輸送に関連する全ての外部委託した業務の管理とレビューにも適用すること。

このようなプロセスには品質リスクマネジメントを取り入れ，さらに以下を含めること。

i. 契約受託者の業務，医薬品の完全性とセキュリティを保持する能力の評価，並びに文書化と保管，必要な場合，医薬品販売業等の許可取得状況の確認

ii. 関係業者・団体の品質関連業務に対する責任者及び情報伝達等の取決め

iii. 契約受託者の業務のモニタリングとレビュー，並びに定期的な，要求改善事項の確認と実施

1.4 マネジメントレビュー及びモニタリング

1.4.1 卸売販売業者等の経営陣は，定期的な品質システムのレビューに関する正式なプロセスを定めること。レビューには以下を含めること。

i. 品質システムの目標達成状況の評価

ii. 例えば，苦情，回収，返品，逸脱，CAPA，プロセスの変更等，品質システムにおけるプロセスの有効性モニターに用いることができる KPI（重要業績評価指標）の評価，外部委託した業務に関するフィードバック，リスク評価，内部監査を含む自己評価プロセス，販売先からの監査並びに当局による検査

iii. 品質マネジメントシステムに影響を及ぼす可能性のある新たな規制，ガイダンス，及び品質情報

iv. 品質システムを向上させる可能性のある技術革新

v. ビジネスの環境及び目的の変化

1.4.2 品質システムの各マネジメントレビューの結果を適時記録し，効率的に内部に伝達すること。

1.5 品質リスクマネジメント

1.5.1 品質リスクマネジメントは，医薬品の品質に対するリスクの評価，管理，コミュニケーション及びレビューの系統的なプロセスである。それは予測的及び回顧的にも適用可能である。

1.5.2 品質リスクマネジメントでは，品質に対するリスクの評価を科学的知見及びプロセスでの経験に基づいて行い，最終的には患者の保護につながることを保証すること。
取組み内容，正式な手順及びプロセスの文書化レベルは，リスクレベルに見合っていること。

第２章　職員

2.1 原則

医薬品の適正な流通は，それに関わる人々に依存する。このことから，卸売販売業者等が責任を有する全ての業務について，職務を遂行できる職員を十分な人数置かなければならない。当該職員は個々の責任を明確に理解すること。また，その責務を文書化すること。

2.2 一般

2.2.1 医薬品の仕入，保管及び供給業務の全ての段階について適切な数の適格な職員を従事させること。
必要な職員の数は業務の量と範囲による。

2.2.2 卸売販売業者等は組織体制を組織図に記載し，全ての職員の役割，責任及び相互関係を明確に指定すること。

2.2.3 卸売販売業者等は重要な地位の職員を任命し，その役割と責任を職務記述書に記載すること。なお，代行者も同様とする。

2.3 責任者の任命

2.3.1 卸売販売業者等は，本ガイドライン遵守のための責任者を任命する必要がある。
該当する職員は，本ガイドラインに関する知識を有し，必要な教育訓練を受けているだけでなく，適切な能力及び経験を有すること。

2.3.2 卸売販売業者等は時間外であっても（　　例えば緊急及び / 又は回収発生時）に連絡が取れる体制を構築すること。

2.3.3 責任者の職務記述書には，具体的な責務・権限等を規定すること。
卸売販売業者等は，責任者に対し，その業務を遂行するために必要な権限，経営資源及び責任を付与すること。

2.3.4 責任者は，本ガイドラインに関する業務を適切に遂行すること。

2.3.5 責任者の責務は以下に示すが，これに限定されない。

i. 品質マネジメントシステムが実施され，維持されることを保証する
ii. 権限を与えられた業務の管理及び記録の正確さと記録の質を保証する
iii. 本ガイドラインに関連する全ての職員に対して導入及び継続的教育訓練プログラムが実施され，維持されていることを保証する
iv. 卸売販売業者等が実施する医薬品の回収作業の実務を取り仕切り，迅速に実施する
v. 関連する販売先からの苦情を適切に処理することを保証する
vi. 仕入先及び販売先が必要な医薬品販売業等の許可等を有していることを保証する
vii. 本ガイドラインに関連する可能性のある全ての外部業者等に委託する業務を確認す

る

viii. 自己点検があらかじめ定められたプログラムに従い，適切かつ定期的な間隔で実施され，必要な是正措置が講じられることを保証する

ix. 委任した業務については，適切な記録を保管する

x. 返品，出荷できなくなった製品，回収された製品又は偽造医薬品の処理を決定する

xi. 返却品を販売可能在庫に戻す際には，その承認を行う

xii. 国の規制により特定の製品に課せられた追加要件が遵守されることを保証する

2.4 教育訓練

2.4.1 医薬品の仕入，保管及び供給業務に関与する全ての職員は，本ガイドラインの要求事項に関する教育訓練を受講すること。

職員は，各自の職務を遂行するために必要な能力及び経験を有すること。

2.4.2 職員は，手順書に基づき，また文書化された教育訓練プログラムに従い，各自の役割に関連のある導入及び継続的教育訓練を受けること。

責任者も，定期的な教育訓練を通じて本ガイドラインに関する能力を維持すること。

また，卸売販売業者等の経営陣も本ガイドラインに関する教育を受けること。

2.4.3 教育訓練には，製品の識別及び流通経路への偽造医薬品の侵入防止に関する事項も含めること。

2.4.4 より厳格な取扱い条件が求められる製品を取扱う職員は，特別な教育訓練を受けること。そのような製品には，例えば，毒薬劇薬，放射性医薬品，乱用されるリスクのある製品（麻薬，覚せい剤原料及び向精神薬を含む），及び温度の影響を受けやすい製品（冷蔵品等）がある。

2.4.5 全ての教育訓練記録を保管し，教育訓練の効果を定期的に評価し記録すること。

2.5 衛生

実施する業務に関連し，職員の衛生に関する適切な手順を作成し，それを遵守すること。

この手順には，健康管理，衛生管理及び必要に応じて更衣に関する事項を含むこと。

第３章　施設及び機器

3.1 原則

卸売販売業者等は，薬局等構造設備規則を遵守するとともに，医薬品の適切な保管及び流通を保証することができるように，適切かつ十分な施設，設備及び機器を保有する必要がある。

特に，施設は清潔で乾燥し，許容可能な温度範囲に維持すること。

3.2 施設

3.2.1 施設は求められる保管条件を維持するように設計するか，適合していること。施設は適切に安全が確保され，構造的にも問題はなく，医薬品を安全に保管し取扱うだけの十分な広さを有すること。

保管場所は全ての作業を正確かつ安全に遂行できるように適切な照明と換気の設備を備

えること。

3.2.2 卸売販売業者等は，外部施設を利用する場合は文書化された取決めを締結すること。

3.2.3 医薬品の貯蔵設備は，他の区域から明確に区別されていること。また，当該区域に立ち入ることができる者を特定すること。
コンピュータ化システムのような物理的な区別を補完するシステムを用いる場合にも，同等のセキュリティを確保し，バリデートすること。

3.2.4 処分保留の製品は，物理的に，又は同等の電子システムにより区別すること。物理的な隔離及び専用保管場所の必要性についてはリスクベースで評価すること。
出荷できなくなった製品，偽造医薬品及び回収された製品は，物理的に隔離する必要がある。
そのような製品が販売可能在庫から隔離された状態で保管できるように，これらの区域には適切なセキュリティレベルを適用すること。これらの区域を明確に識別すること。

3.2.5 別に規定する特別な取扱い上の指示が定められた製品の保管（例えば，麻薬や向精神薬）については，関連法規により適正に保管すること。

3.2.6 放射性医薬品及び毒薬劇薬は，火災又は爆発の特別な安全上のリスクがある製品（例えば，医療用ガス，可燃性／引火性の液体及び固体）と同様，別途規定された法令により適切に保管すること。

3.2.7 受入れ場所及び発送場所は，気象条件の影響から医薬品を保護できること。受入れ，発送及び保管は区域あるいは作業時間等により適切に分離すること。製品の入出庫管理を維持するための手順を定めること。検品する区域を指定し，当該区域には適切な設備を備えること。

3.2.8 医薬品の貯蔵設備は，当該区域に立ち入ることができる者を特定し，立入りは権限を与えられた職員のみに限定し，立ち入る際の方法をあらかじめ定めておくこと。
なお，医薬品の貯蔵設備以外の区域に立ち入る場合についても，同様の措置を講ずることが望ましい。
通常，防止策としては，侵入者探知警報システム及び適切な入退室管理を含む。外部の者が区域に立ち入る際には，原則として職員を同行させること。

3.2.9 施設及び保管設備は清潔に保ち，ごみや塵埃がないようにすること。清掃の手順書と記録を作成すること。
洗浄は汚染の原因を防止するよう実施すること。

3.2.10 施設は，昆虫，げっ歯類，又は他の動物の侵入を防止できるように設計し，設備を整備すること。
防虫及び防そ管理手順を作成すること。
適切な防虫及び防そ管理記録を保持すること。

3.2.11 職員のための休憩・手洗場所を保管場所から適切に分離すること。
保管場所への飲食物，喫煙用品又は私用の医薬品の持ち込みを禁止すること。

3.3 温度及び環境管理

3.3.1 医薬品を保管する環境を管理するための適切な手順を定め，必要な機器を設置すること。

考慮すべき因子として，施設の温度，照明，湿度及び清潔さを含む。

3.3.2 保管場所の使用前に，適切な条件下で温度マッピングを実施すること。
温度モニタリング機器（例えばデータロガー）は，温度マッピングの結果に従って適切な場所に設置すること。
リスク評価の結果に依って，若しくは設備又は温度制御装置に大きな変更が行われた場合には，温度マッピングを再度実施すること。
数平方メートル程度の小規模な施設の室温については，潜在的リスク（例えば，ヒーターやエアコン）の評価を実施し，その結果に応じて温度センサーを設置すること。

3.4 機器

3.4.1 医薬品の保管及び流通に影響を及ぼす全ての機器は，それぞれの目的に応じた基準で設計，設置，保守及び洗浄を行うこと。

3.4.2 医薬品が保管される環境の制御又はモニタリングに使用される機器は，リスク及び要求精度に基づき定められた間隔で校正すること。校正は，国家計量標準でトレースできるものであること。

3.4.3 あらかじめ定められた保管条件からの逸脱が発生した際に警告を発する適切な警報システムを備えること。
警報のレベルを適切に設定し，適切な機能性を確保するため，警報は定期的に点検すること。

3.4.4 医薬品の完全性が損なわれることがない方法で，機器の修理，保守及び校正を実施すること。
機器故障時に医薬品の完全性が維持されることを保証する手順書を備えること。

3.4.5 主要機器の修理，保守及び校正業務の適切な記録を作成し，結果を保管すること。
主要機器には，例えば保冷庫，侵入者探知警報システム，入退室管理システム，冷蔵庫，温度計又はその他の温度記録装置，空調設備及び後続の流通経路と連動して使用される機器が含まれる。

3.5 コンピュータ化システム

3.5.1 コンピュータ化システムの使用を開始する前に，適切なバリデーション又はベリフィケーションにより，当該システムによって正確に，一貫性及び再現性をもって，求められる結果が得られることを示すこと。

3.5.2 文書による詳細なシステムの記述（必要に応じて図を含む）を利用可能とすること。記述内容は最新の状態を維持すること。
文書には，原則，目的，セキュリティ対策，システムの範囲及び主な特徴，コンピュータ化システムの使用法，並びに他のシステムとの相互関係を記述すること。

3.5.3 コンピュータ化システムへのデータの入力及び変更は，権限を設定された者のみが行うこと。

3.5.4 データは物理的又は電子的手法によって保護し，偶発的又は承認されない変更から保護すること。

保管されたデータにアクセスできる状態を維持すること。データを定期的にバックアップして保護すること。

バックアップデータを分離された安全な場所で国の規制に定められた期間保管すること。

3.5.5 システムが故障又は機能停止に至った場合の手順を定めること。これにはデータ復元のための手順を含むこと。

3.5.6 医薬品・医薬部外品製造販売業者等におけるコンピュータ化システム適正管理ガイドライン（薬食監麻発 1021 第 11 号　平成 22 年 10 月 21 日）を参考とすること。

3.6 適格性評価及びバリデーション

3.6.1 卸売販売業者等は，正しい据付及び操作が行われることを保証するため，どのような主要機器の適格性評価及び／又は主要なプロセスのバリデーションが必要かを特定すること。

適格性評価及び／又はバリデーション業務（例えば，保管，選別採集（ピッキング）梱包プロセス及び輸送）の範囲と度合は，リスクに応じて決定すること。

3.6.2 機器及びプロセスの使用開始前や重要な変更（例えば，修理又は保守等）があった場合には，それぞれ適格性評価及び／又はバリデーションを実施すること。

3.6.3 バリデーション及び適格性評価の報告書は，得られた結果を要約し，観察されたいかなる逸脱に関してもコメントし，作成すること。

定められた手順からの逸脱は記録し，CAPA を行うこと。

プロセス又は個々の機器について，満足すべきバリデーション結果が得られた証拠を，適切な職員が作成し，承認すること。

第 4 章　文書化

4.1 原則

適切な文書化は品質システムに不可欠な要素である。文書とすることにより口頭でのコミュニケーションによる誤りが防止され，医薬品の流通過程における関連業務の追跡が可能になる。

各作業の記録は実施と同時に作成すること。

4.2 一般

4.2.1 文書とは，紙又は電子媒体に関わらず全ての手順書，指図書，契約書，記録及びデータを指す。

文書は必要な時に利用可能な状態にしておくこと。

4.2.2 職員，苦情を申し出た人物，又はその他の全ての人物の個人データの処理に関しては，個人情報の保護に関する法律（個人情報保護法）等の関連法令が適用される。

4.2.3 文書は，卸売販売業者等の業務範囲を十分に包括しており，的確かつ理解しやすく記載されること。

4.2.4 文書は必要に応じて責任者が承認し，署名及び日付を記入すること。

4.2.5 文書に何らかの変更を加える場合，署名及び日付を記入すること。変更を行う場合，元の情報が読めるようにしておくこと。

適宜，変更の理由を記録すること。

4.2.6 文書は国の規制に定められた期間保管すること。

4.2.7 各職員が職務を遂行するために，必要な文書全てをいつでも閲覧できるようにすること。

4.2.8 有効かつ承認済みの手順を用いるよう注意すること。

文書は明白な内容とし，表題，性質及び目的を明確に示すこと。文書を定期的にレビューし，最新の状態に保つこと。

手順書には版管理を適用すること。文書を改訂した後に旧版の誤使用を防ぐためのシステムを構築すること。

旧版又は廃版となった手順書は作業場所から撤去し，別途保管すること。

4.2.9 医薬品を購入し，又は譲り受けたとき及び販売し，又は授与したときには記録すること。

当該記録は，原則として書面で国の規制に定められた期間保存することが求められているが，購入／販売送り状又は納品書の形で保存すること，若しくはコンピュータ又は他の何らかの形式で保存することができる。ただし，コンピュータ等で保存する場合は，記録事項を随時データとして引き出せるシステムが採用されていること。

手書きの場合は明瞭で読みやすく消せないよう記載すること。

記録には少なくとも以下の情報を含む必要がある：①品名，②ロット番号（ロットを構成しない医薬品については製造番号又は製造記号），③使用の期限，④数量，⑤購入若しくは譲受け又は販売若しくは授与の年月日，⑥購入者等の氏名又は名称，住所又は所在地，及び電話番号その他連絡先，⑦⑥の事項を確認するために提示を受けた資料，⑧医薬品の取引の任に当たる自然人が，購入者等と雇用関係にあること又は購入者等から取引の指示を受けたことを表す資料

第５章　業務の実施

5.1 原則

卸売販売業者等が実施する全ての行為は，医薬品の同一性が失われることなく，医薬品の仕入，保管及び供給業務が外装に表示された情報（取扱い上の注意等）に従って実施されていることを確実にすること。

卸売販売業者等は，可能な限りあらゆる手法を講じ，偽造医薬品が正規流通経路に混入する危険性を排除すること。

以下に記載した主要な作業は，品質システムにおける適切な文書に記載すること。

5.2 仕入先の適格性評価

5.2.1 卸売販売業者等は，卸売販売業の許可を受けた者，又は当該製品を対象とする製造販売承認を保有する者から医薬品の供給を受ける必要がある。

5.2.2 医薬品を他の卸売販売業者等から入手する場合，受領側の卸売販売業者等は仕入先が本ガイドラインを遵守していることを確認するとともに，医薬品販売業等の許可を受けていることを確認する必要がある。

5.2.3 医薬品の購入に先立ち，仕入先の適切な適格性評価及び承認を行うこと。

この業務は手順書に従って管理し，その結果を記録し，リスクに応じて定期的に再確認すること。

5.2.4 新規仕入先と新たに取引を開始する際には，適格性を評価すること。特に，以下の点に注意を払うこと。

i. 当該仕入先の評判又は信頼度

ii. 偽造医薬品である可能性が高い製品の供給の申し出

iii. 一般に入手可能な量が限られている医薬品の大量の供給の申し出

iv. 仕入先により取り扱われる製品の多様性（供給の安定性・偏り，種類の不安定さ等）

v. 想定外の価格（過大な値引き等）

5.3 販売先の適格性評価

5.3.1 卸売販売業者等は，医薬品の販売先が，薬局開設者，医薬品の製造販売業者若しくは販売業者又は病院，診療所若しくは飼育動物診療施設の開設者その他厚生労働省令で定める者であることを確認する。

5.3.2 確認及び定期的な再確認を行う事項として，販売先の許可証の写し，国の規制に準拠した適格性又は資格を示す証拠の提示等がある。

5.3.3 医薬品の横流し又は不適正使用の可能性があると思われる異常な販売パターンが見られる場合は調査し，必要な場合は所轄当局に報告すること。

5.4 医薬品の受領

5.4.1 受入業務の目的は，到着した積荷が正しいこと，医薬品が承認された仕入先から出荷されたものであり，輸送中に目視で確認できるような損傷を受けていないことを確実に保証することにある。

5.4.2 特別な取扱い，保管条件又はセキュリティのための措置を必要とする医薬品は，優先的に処理し，適切な確認を行った後，直ちに適切な保管設備に移送すること。

5.5 保管

5.5.1 医薬品は，品質に影響が及ばないように，他の製品と区分すること。さらに，光，温度，湿気，その他の外部要因による有害な影響から保護すること。
特別な保管条件を必要とする製品には特に注意を払うこと。

5.5.2 入荷した医薬品の梱包箱は，必要に応じて保管前に清浄化すること。
入庫品に対する全ての業務（例えば燻蒸）は医薬品の品質に影響を与えないようにすること。

5.5.3 保管は，適切に保管条件が維持され在庫品のセキュリティを確実にする必要がある。

5.5.4 在庫は使用の期限順先出し（FEFO）　又は先入れ先出し（　FIFO）の原則に従って管理すること。
例外は記録すること。

5.5.5 医薬品は，漏出，破損，汚染及び混同を防止するような方法で取り扱い，保管すること。
一部の医療用ガス容器等，床の上で保管できるように包装が設計されている場合を除き，医薬品を直接床に置いて保管しないこと。

5.5.6 使用の期限が近づいている医薬品は，直ちに販売可能在庫から排除すること。

5.5.7 定期的に在庫の棚卸を実施すること。
在庫の異常は調査，記録し，必要な場合は所轄当局に報告すること。

5.6 使用の期限が過ぎた製品の廃棄

5.6.1 廃棄予定の医薬品は適切に識別し，隔離して一時保管し，手順書に従って取り扱うこと。

5.6.2 医薬品の廃棄は，関連法規に従って行うこと。

5.6.3 廃棄した全ての医薬品の記録を，定められた期間にわたって保管すること。

5.7 ピッキング

正しい製品がピッキングされたことを確実に保証するため，管理を行うこと。適切な使用期間が残った製品のみがピッキングされること。

5.8 供給

全ての供給品は，品名，ロット番号又は（ロットを構成しない医薬品については製造番号又は製造記号），使用の期限，輸送条件，保管条件，数量，購入若しくは譲受け又は販売若しくは授与の年月日，購入者等の氏名又は名称，住所又は所在地，及び電話番号その他の連絡先等を記載又は他の方法で提供し，記録を保管すること。

実際の輸送先が譲受人の住所等と異なる場合には当該情報についても記載されていること。

第６章　苦情，返品，偽造の疑いのある医薬品及び回収

6.1 原則

全ての苦情，返品，偽造が疑われる医薬品及び回収については，卸売販売業者等は製造販売業者と適切に連携すること。

全ての項目は記録し，手順書に従って適切に保管する必要がある。記録は所轄当局による閲覧を可能にしておくこと。

譲受人から保管品質を保証され,返却された医薬品が再販売される場合,任命された職員によって事前に評価を実施すること。偽造医薬品を防止するためには，流通経路における全ての関係者による一貫したアプローチが必要である。

6.2 苦情及び品質情報

6.2.1 苦情は，全ての詳細な原情報を含めて記録すること。
医薬品の品質に関連する苦情（品質情報）と流通に関連する苦情とは区別すること。
品質情報及び製品欠陥の可能性がある場合，遅滞なく製造販売業者に通知すること。
製品の流通に関連する苦情は，苦情の原因又は理由を特定するために徹底的に調査すること。

6.2.2 医薬品の品質不良が見いだされた或いは疑われる場合，製品の他のロットも調査するこ

とを考慮すること。

6.2.3 苦情処理を行う担当を任命すること。

6.2.4 必要に応じ，苦情調査及び評価後に適切なフォローアップ措置（CAPA を含む）を講じること。また，必要な情報を所轄当局の要求に応じて報告すること。

6.3 返却された医薬品

6.3.1 返却された製品は，該当製品の保管に関する特別な要求事項，当該医薬品が最初に出荷されてからの経過時間等を考慮して，文書化された，リスクに基づくプロセスに従って取り扱う必要がある。

返品は，関係者間の協議に従って行うこと。あらかじめ契約書で取り決めておくこと。記録 / 返品リストを保存する必要がある。

6.3.2 販売先から返却された医薬品は，以下の全てが確認された場合にのみ販売可能在庫に戻すことができる。

i. 当該医薬品の二次包装が未開封で損傷がなく，良好な状態であり，使用の期限内で回収品ではない場合

ii. 許容される期限内（例えば 10 日以内）に返品された場合

iii. 当該医薬品の保管に関する特別な要求事項に従って輸送，保管及び取扱いが行われたことが販売先によって証明されている場合

iv. 教育訓練を受けた者によって検査され，評価されている場合

v. 当該流通業者は当該製品がその販売先に供給されたことを示す合理的な証拠（納品書の原本の写し又は送り状番号のロット番号又は製造番号等の参照）を 有 しており，その製品が偽造されたという理由がない場合

6.3.3 特別な保管条件が必要とされる医薬品の場合，販売された医薬品は原則販売可能在庫に戻すことはできない。ただし，当該製品が全期間にわたって承認された保管条件の下にあったことを示す文書化された証拠が存在する場合はこの限りではない。

6.3.4 製品を販売可能在庫に戻す場合，使用の期限順先出し / 先入れ先出し（FEFO/FIFO）システムが有効に機能する場所に収容すること。

6.3.5 盗難に遭い，回収された製品は，販売可能在庫に戻して販売先に販売することはできない。

6.4 偽造医薬品

6.4.1 偽造の疑いのある医薬品の販売及び輸送は直ちに中断すること。

6.4.2 偽造医薬品又は偽造の疑いのある医薬品が発見された場合，直ちに製造販売業者に通知し，検体を確保･送付すること。製造販売業者は保存品と目視等による真贋判定を行う。偽造の可能性の高い場合は，その当該ロットを隔離するとともに，速やかに所轄当局に通知し，以後の対応策を協議すること。関係者は所轄当局及び製造販売業者により決定された指示（回収を含む）通りに行動する必要がある。

上記に関する手順を定めること。発見時の詳細情報を記録し，調査すること。

6.4.3 流通経路において発見された偽造医薬品は直ちに物理的に隔離し，他の全ての医薬品から離れた専用区域に保管し，適切に表示すること。
このような製品に関連する全ての業務を文書化し，記録を保管すること。

6.4.4 偽造医薬品だと認められた場合は，流通経路への混入の原因を特定し，必要に応じて適切な再発防止策を講じること。製造販売業者における当該品の保管を含め，これらの業務を文書化し，記録を保管すること。

6.5 医薬品の回収

6.5.1 製品回収を迅速に行うために受領及び輸送される製品のトレーサビリティーを保証するための文書と手順書を整備すること。

6.5.2 製品回収の際は製品が輸送された全ての販売先に適切な緊急度により，明確な行動指針とともに連絡すること。

6.5.3 製造販売業者は所轄当局に全ての回収を連絡すること。

6.5.4 必要に応じて製品回収に関する手順の有効性を評価すること。

6.5.5 回収業務は迅速に，いつでも開始できるようにしておくこと。

6.5.6 卸売販売業者等は回収要請に対応する必要がある。

6.5.7 全ての回収業務は，それが実施された時に記録すること。

6.5.8 流通の記録は回収の責任者がすぐに閲覧できるようにしておき，流通の記録には卸売販売業者又は直接供給した販売先に関する十分な情報(住所，常時連絡が可能な電話番号，メールアドレス，国の規制に基づく要件として医薬品の品名，ロット番号又は製造番号等，使用の期限，納入数量等）を含めること。

6.5.9 回収プロセスの進捗状況は回収製品の収支合せを含め最終報告として記録すること。

第７章　外部委託業務

7.1 原則

本ガイドラインの対象となる業務のうち外部委託する全ての業務は，製品の完全性に疑いを発生させない様，委託業務の内容について，正確に定義，合意，管理すること。契約委託者と契約受託者の間で，各当事者の義務を明確に定めた書面による契約を締結する必要がある。

7.2 契約委託者

7.2.1 契約委託者は外部委託する業務に対して責任を負う。

7.2.2 契約委託者は，必要とされる業務を適切に遂行するという観点で契約受託者を評価し，契約書及び監査を通じて，本ガイドラインが遵守されることを保証する責任を負う。
監査の要求及び頻度は，外部委託する業務の性質に応じたリスクに基づいて定めること。
監査は随時実施できるようにしておくこと。

7.2.3 契約委託者は，当該製品に関する特別な要求事項及びその他の関連の要求事項に従って委託した業務を実施するために必要とされる情報を，契約受託者に提供すること。

7.3 契約受託者

7.3.1 契約受託者は本ガイドラインに基づく業務及び契約委託者から委託された業務について責任を持つ。

7.3.2 契約受託者は，契約委託者から受託した業務を遂行できるように，適切な施設及び機器，手順，知識及び経験，及び適任な職員を有していること。

7.3.3 契約受託者は，第三者への業務の再委託に対する契約委託者による事前の評価及び認証を受け，かつ当該第三者が契約委託者又は契約受託者による監査を受けるまでは，契約書に基づいて委託されたいかなる業務も第三者に再委託しないこと。

契約受託者と第三者の間でなされる取決めは，医薬品の仕入，保管及び輸送業務に関する情報（委託した業務を実施するために必要とされる品質に関する情報）が原契約者と契約受託者の間と同じように利用できることを確実に保証すること。

7.3.4 契約受託者は，契約委託者のために取り扱う製品の品質に有害な影響を及ぼす可能性のある行為を行わないこと。

7.3.5 契約受託者は，製品の品質に影響を及ぼす可能性のあるいかなる情報も，契約書の要求事項に従って契約委託者に送付する必要がある。

第８章　自己点検

8.1 原則

本ガイドラインの原則の実施及び遵守を監視し，必要な是正措置を提案するために，自己点検を実施すること。

8.2 自己点検

8.2.1 自己点検プログラムは，定められた期間内において本ガイドライン及び該当手順に従って実施すること。自己点検は，限られた範囲に分割して実施してもよい。

8.2.2 自己点検は，あらかじめ指定した者が定期的に実施すること。

8.2.3 全ての自己点検を記録すること。報告書には自己点検で認められた全ての観察事項を含めること。

報告書の写しを卸売販売業者等の経営陣及びその他の関係者に提出すること。不備及び／又は欠陥が認められた場合，原因を明らかにし，手順に従ってCAPAを記録し，フォローアップを行うこと。

第９章　輸送

9.1 原則

9.1.1 医薬品を破損，品質劣化及び盗難から保護し，輸送中の温度条件を許容可能な範囲に維持することは卸売販売業者等の責任である。

9.1.2 輸送方式を問わず，当該医薬品がその完全性を損なう可能性のある条件に曝されないようにリスクに基づき証明すること。

9.2 輸送

9.2.1 外装又は包装に記載された保管条件が輸送中も維持されていること。

9.2.2 温度逸脱や製品の損傷などが輸送中に生じた場合は，手順に従って卸売販売業者等にその旨を報告すること。
また，温度逸脱に関する調査や取扱いに関する手順も定めること。

9.2.3 医薬品の流通，保管又は取扱いに使用される車両及び機器は，その用途に適したものであること。
製品の品質及び包装の品質等に影響を及ぼさないよう適切に装備されていること。

9.2.4 清掃及び安全対策を含め，流通過程に関与する全ての車両，及び機器の操作及び保守のための手順書を作成すること。

9.2.5 どこで温度管理が必要とされるかを決めるために，輸送ルートのリスクアセスメントを用いること。
輸送中の車両及び／又は容器内の温度モニタリングに使用する機器は，定期的に保守及び校正すること。

9.2.6 医薬品を取り扱う際には，可能な限り，専用車両及び機器を使用すること。専用ではない車両及び設備が使用される場合は，医薬品の完全性が損なわれないように手順書を整備すること。

9.2.7 定められた納品先の住所・施設以外に納品してはならない。

9.2.8 通常の就業時間外に行う緊急輸送については，担当者を任命し，手順書を備えること。

9.2.9 輸送が第三者によって行われる場合，第 7 章の要求事項を含めた契約書を作成すること。
卸売販売業者等は，積荷に関する輸送条件を輸送業者に知らせること。
輸送ルート中に輸送基地での積み替えが含まれる場合，温度モニタリング，清浄度及びセキュリティには，特に注意を払うこと。

9.2.10 輸送ルートの次の段階を待つ間の，一時保管の時間を最小限に抑えるための対策を講じること。

9.3 輸送の容器，包装及びラベル表示

9.3.1 医薬品は，製品の品質に悪影響を及ぼさないような容器で輸送し，汚染を含む外部要因の影響から適切に保護すること。

9.3.2 輸送の容器及び包装の選択は，当該医薬品の保管と輸送の要求事項，医薬品の量に応じた大きさ，予想される外部温度の上下限，輸送の最長期間，包装及び輸送容器のバリデーションの状況に基づいて行うこと。

9.3.3 輸送の容器には，取扱いと保管の要求事項についての十分な情報に加え，製品が常時適切に取り扱われ安全であることを保証するための注意事項を記載したラベルを表示すること。
輸送の容器は，内容物と出荷元が識別できるようにすること。

9.4 特別な条件が必要とされる製品

9.4.1 麻薬や向精神薬のような特別な条件が必要とされる医薬品の輸送に関して，卸売販売業

者等は，国の規制によって定められた要求事項に準拠して，安全で確実な流通経路を維持すること。

このような製品の輸送には，追加の管理システムを備えること。また，盗難，紛失等が発生した場合の手順を定めること。

9.4.2 高活性物質及び放射性物質を含む医薬品は，関係法規に従って輸送すること。

9.4.3 温度感受性の高い医薬品については，卸売販売業者等及び販売先の間で適切な輸送条件が維持されていることを確保するため，適格性が保証された機器（保温包装，温度制御装置付きの容器，温度制御装置付きの車両等）を使用すること。

9.4.4 温度制御装置付きの車両を使用する場合，輸送中に使用する温度モニタリング機器を，定期的に保守及び校正すること。

代表的な条件下で温度マッピングを実施し，必要であれば，季節変動要因も考慮すること。

9.4.5 要請があれば，製品が保管温度条件に適合していることが証明できる情報を，販売先に提供すること。

9.4.6 断熱ケースに保冷剤を入れて使用する場合，製品が保冷剤に直接触れないようにすること。

断熱ケースの組み立て（季節に応じた形態）及び保冷剤の再使用を担当する職員は手順の教育訓練を受ける必要がある。

9.4.7 冷却不足の保冷剤が誤って使用されないことを確実に保証するため，保冷剤の再使用に関する管理システムを構築すること。冷凍した保冷剤と冷却した保冷剤を，適切かつ物理的に隔離すること。

9.4.8 温度変化に対して感受性が高い製品の輸送及び季節ごとの温度変動を管理するプロセスを手順書に記述すること。

用語集

契約受託者

本ガイドラインにかかわる業務を行うことを契約委託者と契約した会社

契約委託者

本ガイドラインにかかわる業務を他の法人に外注する会社

偽造医薬品

固有性，組成又は起源に関して故意又は不正に虚偽表示した医薬品出典：
World Health Organization, Appendix 3 to the Annex to document A70/23, 20 March 2017

偽造の疑いのある医薬品

固有性，組成又は起源に関して故意又は不正に虚偽表示した疑いのある医薬品

温度

原則として，具体的な数値で記載する。ただし，以下の記述を用いることができる。

冷所：1 ～ 15℃

室温：1 ～ 30℃

二次包装

一次包装を補うための単一又は複数の包装であり，有効成分，添加剤又は製剤と直接接触しない。二次包装は，医薬品の品質を保持すると共に医薬品の使用時の過誤防止並びに利便性などの機能を付与することができる。

回収

製造販売業者等がその製造販売をし，製造をし，又は承認を受けた医薬品・医療機器等を引き取ることをいう。「改修」及び「患者モニタリング」を含み，「在庫処理」及び「現品交換」を除く。また，製造販売業者等が新製品の発売に当たり，品質，有効性及び安全性に問題のない旧製品を引き上げる行為を除く。（「医薬品・医療機器等の回収について」の一部改正について：引用）

医薬品の適正流通（GDP）ガイドライン日英対訳

（仮訳，厚生労働行政推進調査事業 GDP 研究班が2019年6月に作成したものである）

医薬品の適正流通（GDP）ガイドライン	JAPANESE GUIDELINE TO GOOD DISTRIBUTION PRACTICE FOR MEDICINAL PRODUCTS (June 2019 Tentative)
目次	CONTENTS
緒言	INTRODUCTION
目的	PURPOSE
適用範囲	SCOPE
第1章　品質マネジメント	CHAPTER 1　QUALITY MANAGEMENT
1.1　原則	1.1　PRINCIPLE
1.2　品質システム	1.2　QUALITY SYSTEM
1.3　外部委託業務の管理	1.3　MANAGEMENT OF OUTSOURCED ACTIVITIES
1.4　マネジメントレビュー及びモニタリング	1.4　MANAGEMENT REVIEW AND MONITORING
1.5　品質リスクマネジメント	1.5　QUALITY RISK MANAGEMENT
第2章　職員	CHAPTER 2　PERSONNEL
2.1　原則	2.1　PRINCIPLE
2.2　一般	2.2　GENERAL
2.3　責任者の任命	2.3　DESIGNATION OF RESPONSIBILITIES
2.4　教育訓練	2.4　TRAINING
2.5　衛生	2.5　HYGIENE
第3章　施設及び機器	CHAPTER 3　PREMISES AND EQUIPMENT
3.1　原則	3.1　PRINCIPLE
3.2　施設	3.2　PREMISES
3.3　温度及び環境管理	3.3　TEMPERATURE AND ENVIRONMENT CONTROL
3.4　機器	3.4　EQUIPMENT
3.5　コンピュータ化システム	3.5　COMPUTERISED SYSTEM
3.6　適格性評価及びバリデーション	3.6　QUALIFICATION AND VALIDATION
第4章　文書化	CHAPTER 4　DOCUMENTATION
4.1　原則	4.1　PRINCIPLE
4.2　一般	4.2　GENERAL
第5章　業務の実施（オペレーション）	CHAPTER 5　OPERATION
5.1　原則	5.1　PRINCIPLE
5.2　仕入先の適格性評価	5.2　QUALIFICATION OF SUPPLIERS
5.3　販売先の適格性評価	5.3　QUALIFICATION OF CUSTOMERS
5.4　医薬品の受領	5.4　RECEIPT OF MEDICAL PRODUCTS

5.5　保管	5.5　STORAGE
5.6　使用の期限が過ぎた製品の廃棄	5.6　DESTRUCTION OF OBSOLETE GOODS
5.7　ピッキング	5.7　PICKING
5.8　供給	5.8　SUPPLY
第6章　苦情，返品，偽造の疑いのある医薬品及び回収	CHAPTER 6　COMPLAINTS, RETURNS, SUSPECTED FALSIFIED MEDICAL PRODUCTS AND MEDICINAL PRODUCT RECALLS
6.1　原則	6.1　PRINCIPLE
6.2　苦情及び品質情報	6.2　COMPLAINTS AND QUALITY INFORMATION
6.3　返却された医薬品	6.3　RETURNED MEDICINAL PRODUCTS
6.4　偽造医薬品	6.4　FALSIFIED MEDICINAL PRODUCTS
6.5　医薬品の回収	6.5　MEDICINAL PRODUCT RECALL
第7章　外部委託業務	CHAPTER 7　OUTSOURCED ACTIVITIES
7.1　原則	7.1　PRINCIPLE
7.2　契約委託者	7.2　CONTRACT GIVER
7.3　契約受託者	7.3　CONTRACT ACCEPTOR
第8章　自己点検	CHAPTER 8　SELF-INSPECTIONS
8.1　原則	8.1　PRINCIPLE
8.2　自己点検	8.2　SELF-INSPECTIONS
第9章　輸送	CHAPTER 9　TRANSPORTATION
9.1　原則	9.1　PRINCIPLE
9.2　輸送	9.2　TRANSPORTATION
9.3　輸送の容器，包装及びラベル表示	9.3　SHIPPING CONTAINER, PACKAGING AND LABELLING
9.4　特別な条件が必要とされる製品	9.4　PRODUCTS REQUIRING CONTROLLED CONDITIONS
用語集	GLOSSARY

緒言	INTRODUCTION
市場出荷後の医薬品の薬局，医薬品販売業者や医療機関などに対する卸売販売は，医薬品の仕入，保管及び供給等の流通経路全般を担う重要な業務である。 今日の医薬品の流通経路はますます複雑になり，多くの人々が関与するようになってきた。 医薬品の適正流通基準（GDP）ガイドライン（以下：本ガイドライン）は，卸売販売業者及び製造販売業者（以下：卸売販売業者等）の業務を支援し，本ガイドラインを遵守することにより，流通経路の管理が保証され，その結果，医薬品の完全性が保持されるための手法を定めるものである。 さらに，偽造医薬品が正規流通経路へ流入するのを防止するための適切な手法を定めるものである。	The wholesale distribution of medicinal products to pharmacy and medical institution after market release of medicinal products is an important activity consisting of procuring, holding and supplying, etc. in integrated supply chain management. Today's distribution network for medicinal products is increasingly complex and involves many players. This Good Distribution Practice (GDP) (hereinafter referred to as "Guideline") lays down appropriate tools to assist wholesale distributors and marketing authorization holders (hereinafter referred to as "wholesale distributors etc.") in conducting their activities, and compliance with this Guideline will ensure control of the distribution chain and consequently maintain the quality and the integrity of medicinal products. This Guideline also lays down the appropriate tools to prevent falsified medicines from entering the legal supply chain.
本ガイドラインに使われているいくつかの用語は用語集に列挙した。	A glossary of some terms used in this Guideline has been incorporated as Glossary.
目的	PURPOSE
高水準の品質保証の維持と医薬品の流通過程での完全性を保証するため，卸売販売業者等の業務の画一性を推進し，医薬品取引における障害をさらに除くための参考となる手法として，本ガイドラインを作成した。	In order to ensure the maintaining of high standards of quality assurance and the integrity of the distribution processes of medicinal products, to promote uniformity in all activities of wholesale distributors etc. of medicinal products and to further facilitate the removal of barriers to trade in medicinal products, this Guideline has been adopted.
本ガイドラインは，卸売販売業者等がそれぞれのニーズに合わせた規則を作るための根拠としても利用することを意図している。 本ガイドラインに規定した方法以外で，この原則を達成できる方法は受け入れられる。	This Guideline is also intended to serve wholesale distributors etc. as a basis for the elaboration of specific rules adapted to their individual needs. It is recognised that there are acceptable methods, other than those described in this Guideline, which are capable of achieving the principles of this Guideline.
適用範囲	SCOPE
本ガイドラインは医薬品の市場出荷後，薬局，医薬品販売業，医療機関に渡るまでの医薬品の仕入，保管及び供給業務に適用する。	This Guideline applies to all activities consisting of procuring, holding and supplying medicinal products to pharmacy and medical institution after market release of medicinal products.

第1章　品質マネジメント	CHAPTER 1 — QUALITY MANAGEMENT
1.1　原則	1.1. PRINCIPLE
卸売販売業者等は，その業務に関連する責任，プロセス及びリスクマネジメントの原則を定めた品質システムを維持すること。 卸売販売業者等は，全ての流通業務の手順を明確に定義し，系統的にレビューすること。 流通過程における全ての重大な段階及び重要な変更を正当化し，必要に応じてバリデートすること。 卸売販売業者等の経営陣には，品質システムに対する責任があり，リーダーシップと積極的な参画が求められること。また，職員はそれぞれの役割を果たすこと。	Wholesale distributors etc. should maintain a quality system setting out responsibilities, processes and risk management principles in relation to their activities. Wholesale distributors etc. should clearly define all distribution activities in procedures and systematically review them. All critical steps of distribution processes and significant changes should be justified and where relevant validated. Management of wholesale distributors etc. has the responsibility of quality system and is required to have their leadership and active participation, and should be supported by staff commitment.
1.2　品質システム	1.2. QUALITY SYSTEM
1.2.1　品質を管理するシステムは，卸売販売業者等の構成，手順，プロセス，資源を包含し，輸送される製品に関わる完全性を維持し，輸送中や保管中に正規流通経路の範囲にあることを保証するために必要な活動に係る業務を含むこと。	1.2.1 The system for managing quality for wholesale distributor etc. should encompass the organisational structure, procedures, processes and resources, as well as activities necessary to ensure confidence that the product delivered maintains its quality and integrity and remains within the legal supply chain during storage and/or transportation.
1.2.2　品質システムを文書化し，その有効性を監視すること。 品質システムに関連する全ての業務を定義し，文書化すること。 品質マニュアルを含む階層化された文書体系を確立すること。	1.2.2 The quality system should be fully documented and its effectiveness monitored. All quality system related activities should be defined and documented. A quality manual or equivalent documentation approach should be established.
1.2.3　卸売販売業者等の経営陣は，品質システムが履行され，維持されることを確実に保証するための明確に規定された権限及び責任を有する者を任命すること。	1.2.3 The management of wholesale distributor etc. should appoint designated responsible person(s) who should have clearly specified authority and responsibility for ensuring that a quality system is implemented and maintained.
1.2.4　卸売販売業者等の経営陣は，品質システムの全ての分野において，適格性のある職員，並びに適切で十分な建物，施設及び機器の面で，十分なリソースが充てられることを確実に保証すること。	1.2.4 The management of wholesale distributors etc. should ensure that all parts of the quality system are adequately resourced with competent personnel, and suitable and sufficient premises, equipment and facilities.
1.2.5　品質システムの構築又は修正の際には，卸売販売業者等の業務の規模，構造等を考慮すること。	1.2.5 The size, structure and complexity of activities of wholesale distributor etc. should be taken into consideration when developing or modifying the quality system.

1.2.6　変更管理システムを整備すること。 このシステムには品質リスクマネジメントの原則を取り入れ，バランスの取れた有効なものとすること。	1.2.6 A change control system should be in place. This system should incorporate quality risk management principles, and be proportionate and effective.
1.2.7　品質システムは，以下を保証すること。	1.2.7 The quality system should ensure that:
i.　医薬品は本ガイドラインの要求事項に適合するよう仕入，保管，供給すること	i. medicinal products are procured, held and supplied in a way that is compliant with the requirements of this Guideline;
ii.　卸売販売業者等の経営陣の責任が明確に規定されていること	ii. management responsibilities are clearly specified;
iii.　製品は，速やかに正当な受領者へ納入されること	iii. products are delivered to the right recipients within a satisfactory time period;
iv.　記録が（作業と）同時に作成されていること	iv. records are made contemporaneously;
v.　あらかじめ定められた手順からの逸脱は記録され，調査されていること	v. deviations from established procedures are documented and investigated;
vi.　品質リスクマネジメントの原則に従い，逸脱を適切に是正し，予防するため，適切な是正措置及び予防措置（Corrective Action and Preventive Action 以下：CAPA）が講じられていること	vi. appropriate corrective and preventive actions (hereinafter referred to as "CAPA") are taken to correct deviations and prevent them in line with the principles of quality risk management.
1.3　外部委託業務の管理	1.3. MANAGEMENT OF OUTSOURCED ACTIVITIES
卸売販売業者等の品質システムの範囲は，医薬品の仕入，保管及び輸送に関連する全ての外部委託した業務の管理とレビューにも適用すること。	The quality system for wholesale distributors etc. should extend to the control and review of any outsourced activities related to the procurement, holding and supply, of medicinal products.
このようなプロセスには品質リスクマネジメントを取り入れ，さらに以下を含めること。	These processes should incorporate quality risk management and include:
i.　契約受託者の業務，医薬品の完全性とセキュリティを保持する能力の評価，並びに文書化と保管，必要な場合，医薬品販売業等の許可取得状況の確認	i. assessing the suitability and competence of the Contract Acceptor to carry out the activity, preserving the integrity and security of the medicinal products, and requesting, preserving documentation, and checking authorisation or marketing status, if required;
ii.　関係業者・団体の品質関連業務に対する責任者及び情報伝達等の取決め	ii. defining the responsibilities, communication processes and so on, and their responsible person(s) for the quality-related activities of the parties involved;
iii.　契約受託者の業務のモニタリングとレビュー，並びに定期的な，要求改善事項の確認と実施	iii. monitoring and review of the performance of the Contract Acceptor, and the identification and implementation of any required improvements on a regular basis.

1.4　マネジメントレビュー及びモニタリング	1.4. MANAGEMENT REVIEW AND MONITORING
1.4.1　卸売販売業者等の経営陣は，定期的な品質システムのレビューに関する正式なプロセスを定めること。レビューには以下を含めること。 i.　品質システムの目標達成状況の評価 ii.　例えば，苦情，回収，返品，逸脱，CAPA，プロセスの変更等，品質システムにおけるプロセスの有効性モニターに用いることができるKP I（重要業績評価指標）の評価，外部委託した業務に関するフィードバック，リスク評価，内部監査を含む自己評価プロセス，販売先からの監査並びに当局による検査 iii.　品質マネジメントシステムに影響を及ぼす可能性のある新たな規制，ガイダンス，及び品質情報 iv.　品質システムを向上させる可能性のある技術革新 v.　ビジネスの環境及び目的の変化	1.4.1 The management of wholesale distributors etc. should have a formal process for reviewing the quality system on a periodic basis. The review should include: i. measurement of the achievement of quality system objectives; ii. assessment of key performance indicators（KP I）that can be used to monitor the effectiveness of processes within the quality system, such as complaints, recalls, returns, deviations, CAPA, changes to processes; feedback on outsourced activities; self-assessment processes including risk assessments and self-inspections; and external assessments such as regulatory inspections and customer audits including their findings; iii. emerging regulations, guidance and quality issues that can impact the quality management system; iv. innovations that might enhance the quality system; v. changes in business environment and objectives.
1.4.2　品質システムの各マネジメントレビューの結果を適時記録し，効率的に内部に伝達すること。	1.4.2 The outcome of each management review of the quality system should be documented in a timely manner and effectively communicated internally.
1.5　品質リスクマネジメント	1.5. QUALITY RISK MANAGEMENT
1.5.1　品質リスクマネジメントは，医薬品の品質に対するリスクの評価，管理，コミュニケーション及びレビューの系統的なプロセスである。それは予測的及び回顧的にも適用可能である。	1.5.1 Quality risk management is a systematic process for the assessment, control, communication and review of risks to the quality of medicinal products. It can be applied both proactively and retrospectively.
1.5.2　品質リスクマネジメントでは，品質に対するリスクの評価を科学的知見及びプロセスでの経験に基づいて行い，最終的には患者の保護につながることを保証すること。 取組み内容，正式な手順及びプロセスの文書化レベルは，リスクレベルに見合っていること。	1.5.2 Quality risk management should ensure that the evaluation of the risk to quality is based on scientific knowledge, experience with the process and ultimately links to the protection of the patient. The level of effort, formality and documentation of the process should be commensurate with the level of risk.

第2章　職員	CHAPTER 2 — PERSONNEL
2.1　原則	2.1. PRINCIPLE
医薬品の適正な流通は，それに関わる人々に依存する。 このことから，卸売販売業者等が責任を有する全ての業務について，職務を遂行できる職員を十分な人数置かなければならない。 当該職員は個々の責任を明確に理解すること。また，その責務を文書化すること。	The correct distribution of medicinal products relies upon people. For this reason, there must be sufficient number of competent personnel to carry out all the tasks for which the wholesale distributors etc. is responsible. Individual responsibilities should be clearly understood by the staff and be recorded.
2.2　一般	2.2. GENERAL
2.2.1　医薬品の仕入，保管及び供給業務の全ての段階について適切な数の適格な職員を従事させること。 必要な職員の数は業務の量と範囲による。	2.2.1 There should be an adequate number of competent personnel involved in all stages of the wholesale distribution activities consisting of procuring, holding and supplying medicinal products. The number of personnel required will depend on the volume and scope of activities.
2.2.2　卸売販売業者等は組織体制を組織図に記載し，全ての職員の役割，責任及び相互関係を明確に指定すること。	2.2.2 The wholesale distributors etc. should set out the organisational structure in an organisation chart, and clearly indicate the role, responsibilities and interrelationships of all personnel.
2.2.3　卸売販売業者等は重要な地位の職員を任命し，その役割と責任を職務記述書に記載すること。 なお，代行者も同様とする。	2.2.3 The wholesale distributors etc. should designate responsible persons working in key positions and set out their role and responsibilities in written job descriptions. The same should apply to deputies for such responsible persons.
2.3　責任者の任命	2.3.DESIGNATION OF RESPONSIBILITIES
2.3.1　卸売販売業者等は，本ガイドライン遵守のための責任者を任命する必要がある。 該当する職員は，本ガイドラインに関する知識を有し，必要な教育訓練を受けているだけでなく，適切な能力及び経験を有すること。	2.3.1 The wholesale distributors etc. must designate personnel responsible for compliance with this Guideline. Relevant personnel should have appropriate competence and experience as well as knowledge of and training in this Guideline.
2.3.2　卸売販売業者等は時間外であっても（例えば緊急及び/又は回収発生時）に連絡が取れる体制を構築すること。	2.3.2 Wholesale distributors etc. should build a system for out of hours contact (e.g. emergencies and/or recall).
2.3.3　責任者の職務記述書には，具体的な責務・権限等を規定すること。 卸売販売業者等は，責任者に対し，その業務を遂行するために必要な権限，経営資源及び責任を付与すること。	2.3.3 Written job descriptions for responsible person(s) should define their authority to take decisions with regard to their responsibilities. Wholesale distributors etc. should give the designated responsible person(s) the defined authority, adequate resources and responsibility needed to fulfil their duties.
2.3.4　責任者は，本ガイドラインに関する業務を適切に遂行すること。	2.3.4 Designated responsible person(s) should carry out their duties for this Guideline as appropriate.

2.3.5　責任者の責務は以下に示すが，これに限定されない。 i.　品質マネジメントシステムが実施され，維持されることを保証する ii.　権限を与えられた業務の管理及び記録の正確さと記録の質を保証する iii.　本ガイドラインに関連する全ての職員に対して導入及び継続的教育訓練プログラムが実施され，維持されていることを保証する iv.　卸売販売業者等が実施する医薬品の回収作業の実務を取り仕切り，迅速に実施する v.　関連する販売先からの苦情を適切に処理することを保証する vi.　仕入先及び販売先が必要な医薬品販売業等の許可等を有していることを保証する vii.　本ガイドラインに関連する可能性のある全ての外部業者等に委託する業務を確認する viii.　自己点検があらかじめ定められたプログラムに従い，適切かつ定期的な間隔で実施され，必要な是正措置が講じられることを保証する ix.　委任した業務については，適切な記録を保管する x.　返品，出荷できなくなった製品，回収された製品又は偽造医薬品の処理を決定する xi.　返却品を販売可能在庫に戻す際には，その承認を行う xii.　国の規制により特定の製品に課せられた追加要件が遵守されることを保証する	2.3.5 The responsibilities of the designated responsible person(s) include but are not limited to: i. ensuring that a quality management system is implemented and maintained; ii. focusing on the management of authorised activities and ensuring the accuracy and quality of records; iii. ensuring that initial and continuous training programmes are implemented and maintained for all personnel who are involved in the activities in this Guideline; iv. coordinating and promptly performing any recall operations for medicinal products for the recall implemented by marketing authorization holder; v. ensuring that relevant customer complaints are dealt with effectively; vi. ensuring that suppliers and customers hold legally required licences etc. for drug selling business and so on. ; vii. confirm any subcontracted activities which may impact on this Guideline; viii. ensuring that self-inspections are performed at appropriate regular intervals following a prearranged programme and necessary corrective measures are put in place; ix. keeping appropriate records of any delegated duties; x. deciding on the final disposition of returned, rejected, recalled or falsified products; xi. approving any returns to saleable stock; xii. ensuring that any additional requirements imposed on certain products by national legislation are adhered to.
2.4　教育訓練	2.4. TRAINING
2.4.1　医薬品の仕入，保管及び供給業務に関与する全ての職員は，本ガイドラインの要求事項に関する教育訓練を受講すること。 職員は，各自の職務を遂行するために必要な能力及び経験を有すること。	2.4.1 All personnel involved in wholesale distribution activities consisting of procuring, holding and supplying medicinal products should be trained on the requirements of this Guideline. They should have the appropriate competence and experience prior to commencing their tasks.

2.4.2　職員は，手順書に基づき，また文書化された教育訓練プログラムに従い，各自の役割に関連のある導入及び継続的教育訓練を受けること。 責任者も，定期的な教育訓練を通じて本ガイドラインに関する能力を維持すること。 また，卸売販売業者等の経営陣も本ガイドラインに関する教育を受けること。	2.4.2 Personnel should receive initial and continuing training relevant to their role, based on written procedures and in accordance with a written training programme. Designated responsible person(s) should also maintain their competence in this Guideline through regular training. Management of wholesale distributors etc. should also receive training for this Guideline.
2.4.3　教育訓練には，製品の識別及び流通経路への偽造医薬品の侵入防止に関する事項も含めること。	2.4.3 In addition, training should include aspects of product identification and avoidance of falsified medicines entering the supply chain.
2.4.4　より厳格な取扱い条件が求められる製品を取扱う職員は，特別な教育訓練を受けること。 そのような製品には，例えば，毒薬劇薬，放射性医薬品，乱用されるリスクのある製品（麻薬，覚せい剤原料及び向精神薬を含む），及び温度の影響を受けやすい製品（冷蔵品等）がある。	2.4.4 Personnel dealing with any products which require more stringent handling conditions should receive specific training. Examples of such products include poisonous and deleterious drugs, radioactive materials, products presenting special risks of abuse (including narcotics, raw material for stimulants and psychotropic drugs), and temperature-sensitive products (e.g. refrigerated product).
2.4.5　全ての教育訓練記録を保管し，教育訓練の効果を定期的に評価し記録すること。	2.4.5 A record of all training should be kept, and the effectiveness of training should be periodically assessed and documented.
2.5　衛生	2.5. HYGIENE
実施する業務に関連し，職員の衛生に関する適切な手順を作成し，それを遵守すること。 この手順には，健康管理，衛生管理及び必要に応じて更衣に関する事項を含むこと。	Appropriate procedures relating to personnel hygiene, relevant to the activities being carried out, should be established and observed. Such procedures should cover health and hygiene, and clothing as necessary.
第3章　施設及び機器	CHAPTER 3 — PREMISES AND EQUIPMENT
3.1　原則	3.1. PRINCIPLE
卸売販売業者等は，薬局等構造設備規則を遵守するとともに，医薬品の適切な保管及び流通を保証することができるように，適切かつ十分な施設，設備及び機器を保有する必要がある。 特に，施設は清潔で乾燥し，許容可能な温度範囲に維持すること。	Wholesale distributors etc. must comply with Regulations for Buildings and Facilities for Pharmacies, etc., and have suitable and adequate premises, installations and equipment, so as to ensure proper storage and distribution of medicinal products. In particular, the premises should be clean, dry and maintained within acceptable temperature limits.

3.2　施設	3.2. PREMISES
3.2.1　施設は求められる保管条件を維持するように設計するか，適合していること。 施設は適切に安全が確保され，構造的にも問題はなく，医薬品を安全に保管し取扱うだけの十分な広さを有すること。 保管場所は全ての作業を正確かつ安全に遂行できるように適切な照明と換気の設備を備えること。	3.2.1 The premises should be designed or adapted to ensure that the required storage conditions are maintained. They should be suitably secure, structurally sound and of sufficient capacity to allow safe storage and handling of the medicinal products. Storage areas should be provided with adequate lighting and ventilation to enable all operations to be carried out accurately and safely.
3.2.2　卸売販売業者等は，外部施設を利用する場合は文書化された取決めを締結すること。	3.2.2 Where premises are not directly operated by the wholesale distributor, a written contract should be in place.
3.2.3　医薬品の貯蔵設備は，他の区域から明確に区別されていること。また，当該区域に立ち入ることができる者を特定すること。 コンピュータ化システムのような物理的な区別を補完するシステムを用いる場合にも，同等のセキュリティを確保し，バリデートすること。	3.2.3 Medicinal products should be stored in segregated areas which are clearly marked and have access restricted to authorised personnel. Any system replacing physical segregation, such as electronic segregation based on a computerised system, should provide equivalent security and should be validated.
3.2.4　処分保留の製品は，物理的に，又は同等の電子システムにより区別すること。 物理的な隔離及び専用保管場所の必要性についてはリスクベースで評価すること。 出荷できなくなった製品，偽造医薬品及び回収された製品は，物理的に隔離する必要がある。 そのような製品が販売可能在庫から隔離された状態で保管できるように，これらの区域には適切なセキュリティレベルを適用すること。 これらの区域を明確に識別すること。	3.2.4 Products pending a decision as to their disposition should be segregated either physically or through an equivalent electronic system. The requirement for physical segregation and storage in a dedicated area should be assessed using a risk based approach. At least, rejected products, falsified medicinal products and recalled products must always be physically segregated. The appropriate degree of security should be applied in these areas to ensure that such items remain separate from saleable stock. These areas should be clearly identified.
3.2.5　別に規定する特別な取扱い上の指示が定められた製品の保管（例えば，麻薬や向精神薬）については，関連法規により適正に保管すること。	3.2.5 The storage of products with specific handling instructions（e.g. narcotics and psychotropic substances）should be in accordance with related laws and regulations.
3.2.6　放射性医薬品及び毒薬劇薬は，火災又は爆発の特別な安全上のリスクがある製品（例えば，医療用ガス，可燃性／引火性の液体及び固体）と同様，別途規定された法令により適切に保管すること。	3.2.6 Radioactive materials, and poisonous and deleterious drugs as well as products presenting special safety risks of fire or explosion（e.g. medicinal gases, combustibles, flammable liquids and solids）should be appropriately stored in accordance with related national legislation and appropriate safety and security measures.

3.2.7　受入れ場所及び発送場所は，気象条件の影響から医薬品を保護できること。 受入れ，発送及び保管は区域あるいは作業時間等により適切に分離すること。 製品の入出庫管理を維持するための手順を定めること。 検品する区域を指定し，当該区域には適切な設備を備えること。	3.2.7 Receiving and dispatch bays should protect products from prevailing weather conditions. There should be adequate separation between the receipt and dispatch and storage areas. Procedures should be in place to maintain control of inbound/outbound goods. Reception areas where deliveries are examined following receipt should be designated and suitably equipped.
3.2.8　医薬品の貯蔵設備は，当該区域に立ち入ることができる者を特定し，立入りは権限を与えられた職員のみに限定し，立ち入る際の方法をあらかじめ定めておくこと。 なお，医薬品の貯蔵設備以外の区域に立ち入る場合についても，同様の措置を講ずることが望ましい。 通常，防止策としては，侵入者探知警報システム及び適切な入退室管理を含む。 外部の者が区域に立ち入る際には，原則として職員を同行させること。	3.2.8 Authorised personnel to access storage areas should be designated and access to the areas should be limited to them, and a procedure for access should be documented. The same procedure is desirable to be applied to access to other areas than the storage areas. Prevention measures for unauthorized access would usually include a monitored intruder alarm system and appropriate access control. Visitors should be accompanied by authorised personnel.
3.2.9　施設及び保管設備は清潔に保ち，ごみや塵埃がないようにすること。 清掃の手順書と記録を作成すること。 洗浄は汚染の原因を防止するよう実施すること。	3.2.9 Premises and storage facilities should be clean and free from litter and dust. Cleaning programmes, instructions and records should be in place. Cleaning should be conducted so as not to present a source of contamination.
3.2.10　施設は，昆虫，げっ歯類，又は他の動物の侵入を防止できるように設計し，設備を整備すること。 防虫及び防そ管理手順を作成すること。 適切な防虫及び防そ管理記録を保持すること。	3.2.10 Premises should be designed and equipped so as to afford protection against the entry of insects, rodents or other animals. A preventive pest control programme should be in place. Appropriate pest control records should be maintained.
3.2.11　職員のための休憩・手洗場所を保管場所から適切に分離すること。 保管場所への飲食物，喫煙用品又は私用の医薬品の持ち込みを禁止すること。	3.2.11 Rest, wash and refreshment rooms for employees should be adequately separated from the storage areas. The presence of food, drink, smoking material or medicinal products for personal use should be prohibited in the storage areas.
3.3　温度及び環境管理	3.3. TEMPERATURE AND ENVIRONMENT CONTROL
3.3.1　医薬品を保管する環境を管理するための適切な手順を定め，必要な機器を設置すること。 考慮すべき因子として，施設の温度，照明，湿度及び清潔さを含む。	3.3.1 Suitable equipment and procedures should be in place to check the environment where medicinal products are stored. Environmental factors to be considered include temperature, light, humidity and cleanliness of the premises.

3.3.2　保管場所の使用前に，適切な条件下で温度マッピングを実施すること。 温度モニタリング機器（例えばデータロガー）は，温度マッピングの結果に従って適切な場所に設置すること。 リスク評価の結果に依って，若しくは設備又は温度制御装置に大きな変更が行われた場合には，温度マッピングを再度実施すること。 数平方メートル程度の小規模な施設の室温については，潜在的リスク（例えば，ヒーターやエアコン）の評価を実施し，その結果に応じて温度センサーを設置すること。	3.3.2 An initial temperature mapping exercise should be carried out on the storage area before use, under representative conditions. Temperature monitoring equipment (e.g. data logger) should be located at appropriate position(s) according to the results of the mapping exercise. The mapping exercise should be repeated for significant changes according to the results of a risk assessment exercise. For small premises of a few square meters which are at room temperature, an assessment of potential risks (e.g. heater / air-conditioner) should be conducted and temperature monitors placed accordingly.
3.4　機器	3.4. EQUIPMENT
3.4.1　医薬品の保管及び流通に影響を及ぼす全ての機器は，それぞれの目的に応じた基準で設計，設置，保守及び洗浄を行うこと。	3.4.1 All equipment impacting on storage and distribution of medicinal products should be designed, located, maintained and cleaned to a standard which suits its intended purpose.
3.4.2　医薬品が保管される環境の制御又はモニタリングに使用される機器は，リスク及び要求精度に基づき定められた間隔で校正すること。 校正は，国家計量標準でトレースできるものであること。	3.4.2 Equipment used to control or to monitor the environment where the medicinal products are stored should be calibrated at defined intervals based on a risk and reliability assessment. Calibration of equipment should be traceable to a national and international measurement standard.
3.4.3　あらかじめ定められた保管条件からの逸脱が発生した際に警告を発する適切な警報システムを備えること。 警報のレベルを適切に設定し，適切な機能性を確保するため，警報は定期的に点検すること。	3.4.3 Appropriate alarm systems should be in place to provide alerts when there are excursions from predefined storage conditions. Alarm levels should be appropriately set and alarms should be regularly tested to ensure adequate functionality.
3.4.4　医薬品の完全性が損なわれることがない方法で，機器の修理，保守及び校正を実施すること。 機器故障時に医薬品の完全性が維持されることを保証する手順書を備えること。	3.4.4 Equipment repair, maintenance and calibration operations should be carried out in such a way that the quality and integrity of the medicinal products is not compromised. Procedures should be in place to ensure the integrity of medicinal products are maintained in the event of equipment failure.
3.4.5　主要機器の修理，保守及び校正業務の適切な記録を作成し，結果を保管すること。 主要機器には，例えば保冷庫，侵入者探知警報システム，入退室管理システム，冷蔵庫，温度計又はその他の温度記録装置，空調設備及び後続の流通経路と連動して使用される機器が含まれる。	3.4.5 Adequate records of repair, maintenance and calibration activities for key equipment should be made and the results should be retained. Key equipment would include for example cold stores, monitored intruder alarm and access control systems, refrigerators, thermometers, or other temperature recording devices, air handling units and any equipment used in conjunction with the onward supply chain.

3.5　コンピュータ化システム	3.5. COMPUTERISED SYSTEMS
3.5.1　コンピュータ化システムの使用を開始する前に，適切なバリデーション又はベリフィケーションにより，当該システムによって正確に，一貫性及び再現性をもって，求められる結果が得られることを示すこと。	3.5.1 Before a computerised system is brought into use, it should be demonstrated, through appropriate validation or verification studies, that the system is capable of achieving the desired results accurately, consistently and reproducibly.
3.5.2　文書による詳細なシステムの記述（必要に応じて図を含む）を利用可能とすること。 記述内容は最新の状態を維持すること。 文書には，原則，目的，セキュリティ対策，システムの範囲及び主な特徴，コンピュータ化システムの使用法，並びに他のシステムとの相互関係を記述すること。	3.5.2 A written, detailed description of the system should be available (including diagrams where appropriate). This should be kept up to date. The document should describe principles, objectives, security measures, system scope and main features, how the computerised system is used and the way it interacts with other systems.
3.5.3　コンピュータ化システムへのデータの入力及び変更は，権限を設定された者のみが行うこと。	3.5.3 Data should only be entered into the computerised system or amended by persons authorised to do so.
3.5.4　データは物理的又は電子的手法によって保護し，偶発的又は承認されない変更から保護すること。 保管されたデータにアクセスできる状態を維持すること。 データを定期的にバックアップして保護すること。 バックアップデータを分離された安全な場所で国の規制に定められた期間保管すること。	3.5.4 Data should be secured by physical or electronic means and protected against accidental or unauthorised modifications. Stored data should be checked periodically for accessibility. Data should be protected by backing up at regular intervals. Backup data should be retained for the period stated in national legislation at a separate and secure location.
3.5.5　システムが故障又は機能停止に至った場合の手順を定めること。これにはデータ復元のための手順を含むこと。	3.5.5 Procedures to be followed if the system fails or breaks down should be defined. This should include systems for the restoration of data.
3.5.6　医薬品・医薬部外品製造販売業者等におけるコンピュータ化システム適正管理ガイドライン（薬食監麻発1021第11号平成22年10月21日）を参考とすること。	3.5.6 Guideline on Management of Computerized Systems for Marketing Authorization Holders and Manufacturers of Drugs and Quasi-drugs (PFSB/CND (Yakushoku-kanma) Notification No. 1021-11 October 21, 2010) issued by Ministry of Health, Labour and Welfare should be referred to.
3.6　適格性評価及びバリデーション	3.6. QUALIFICATION AND VALIDATION
3.6.1　卸売販売業者等は，正しい据付及び操作が行われることを保証するため，どのような主要機器の適格性評価及び／又は主要なプロセスのバリデーションが必要かを特定すること。 適格性評価及び／又はバリデーション業務（例えば，保管，選別採集（ピッキング）梱包プロセス及び輸送）の範囲と度合は，リスクに応じて決定すること。	3.6.1 Wholesale distributors etc. should identify what key equipment qualification and/or key process validation is necessary to ensure correct installation and operation. The scope and extent of such qualification and/or validation activities (such as storage, pick and pack processes, transportation) should be determined according to risk.

3.6.2　機器及びプロセスの使用開始前や重要な変更（例えば，修理又は保守等）があった場合には，それぞれ適格性評価及び／又はバリデーションを実施すること。	3.6.2 Equipment and processes should be respectively qualified and/or validated before commencing use and after any significant changes (e.g. repair or maintenance).
3.6.3　バリデーション及び適格性評価の報告書は，得られた結果を要約し，観察されたいかなる逸脱に関してもコメントし，作成すること。 定められた手順からの逸脱は記録し，CAPAを行うこと。 プロセス又は個々の機器について，満足すべきバリデーション結果が得られた証拠を，適切な職員が作成し，承認すること。	3.6.3 Validation and qualification reports should be prepared summarising the results obtained and commenting on any observed deviations. Deviations from established procedures should be documented and further actions should be decided to CAPA. Evidence of satisfactory validation and acceptance of a process or piece of equipment should be produced and approved by appropriate personnel.
第4章　文書化	CHAPTER 4 — DOCUMENTATION
4.1　原則	4.1. PRINCIPLE
適切な文書化は品質システムに不可欠な要素である。 文書とすることにより口頭でのコミュニケーションによる誤りが防止され，医薬品の流通過程における関連業務の追跡が可能になる。 各作業の記録は実施と同時に作成すること。	Good documentation constitutes an essential part of the quality system. Written documentation should prevent errors from spoken communication and permits the tracking of relevant operations during the distribution of medicinal products. Records should be made at the time each operation is undertaken.
4.2　一般	4.2. GENERAL
4.2.1　文書とは，紙又は電子媒体に関わらず全ての手順書，指図書，契約書，記録及びデータを指す。文書は必要な時に利用可能な状態にしておくこと。	4.2.1 Documentation comprises all written procedures, instructions, contracts, records and data, in paper or in electronic form. Documentation should be readily available/retrievable.
4.2.2　職員，苦情を申し出た人物，又はその他の全ての人物の個人データの処理に関しては，個人情報の保護に関する法律（個人情報保護法）等の関連法令が適用される。	4.2.2 With regard to the processing of personal data of employees, complainants or any other natural person, related laws such as the Act on Protection of the Personal Information are applied to the processing of personal data .
4.2.3　文書は，卸売販売業者等の業務範囲を十分に包括しており，的確かつ理解しやすく記載されること。	4.2.3 Documentation should be sufficiently comprehensive with respect to the scope of the activities of wholesale distributors etc. and in a language understood by personnel.
4.2.4　文書は必要に応じて責任者が承認し，署名及び日付を記入すること。	4.2.4 Documentation should be approved, signed and dated by designated persons, as required.
4.2.5　文書に何らかの変更を加える場合，署名及び日付を記入すること。変更を行う場合，元の情報が読めるようにしておくこと。 適宜，変更の理由を記録すること。	4.2.5 Any alteration made in the documentation should be signed and dated; the alteration should permit the reading of the original information. Where appropriate, the reason for the alteration should be recorded.
4.2.6　文書は国の規制に定められた期間保管すること。	4.2.6 Documents should be retained for the period stated in national legislation.

4.2.7　各職員が職務を遂行するために，必要な文書全てをいつでも閲覧できるようにすること。	4.2.7 Each employee should have ready access to all necessary documentation for the tasks executed.
4.2.8　有効かつ承認済みの手順を用いるよう注意すること。 文書は明白な内容とし，表題，性質及び目的を明確に示すこと。 文書を定期的にレビューし，最新の状態に保つこと。 手順書には版管理を適用すること。文書を改訂した後に旧版の誤使用を防ぐためのシステムを構築すること。 旧版又は廃版となった手順書は作業場所から撤去し，別途保管すること。	4.2.8 Attention should be paid to using valid and approved procedures. Documents should have unambiguous content; title, nature and purpose should be clearly stated. Documents should be reviewed regularly and kept up to date. Version control should be applied to procedures. After revision of a document a system should exist to prevent inadvertent use of the superseded version. Superseded or obsolete procedures should be removed from workstations and archived.
4.2.9　医薬品を購入し，又は譲り受けたとき及び販売し，又は授与したときには記録すること。 当該記録は，原則として書面で国の規制に定められた期間保存することが求められているが，購入／販売送り状又は納品書の形で保存すること，若しくはコンピュータ又は他の何らかの形式で保存することができる。 ただし，コンピュータ等で保存する場合は，記録事項を随時データとして引き出せるシステムが採用されていること。 手書きの場合は明瞭で読みやすく消せないよう記載すること。 記録には少なくとも以下の情報を含む必要がある： ①品名， ②ロット番号（ロットを構成しない医薬品については製造番号又は製造記号）， ③使用の期限，④数量，⑤購入若しくは譲受け又は販売若しくは授与の年月日， ⑥購入者等の氏名又は名称，住所又は所在地，及び電話番号その他連絡先， ⑦⑥の事項を確認するために提示を受けた資料， ⑧医薬品の取引の任に当たる自然人が，購入者等と雇用関係にあること又は購入者等から取引の指示を受けたことを表す資料	4.2.9 Any transactions such as purchase or receipt and selling or transfer of medicinal products must be recorded. The records must be kept in the form of document as a general rule for a period required by national legislation and they should be kept in the form of purchase/sales invoices or delivery slips. Alternatively, they can be kept in the form on computer or any other form provided that such forms are able to provide easy retrieval of the records as required. Any handwritten records should be clear, legible and indelible. Records must include at least the following information: ①name of medicinal product; ②lot number（manufacturing number or code for medicinal product without lot configulation); ③expiry date; ④quantity; ⑤date of purchase or receipt and selling or transfer; ⑥name of recipient or his/her organisation, address or location of recipient, telephone number and other contact details of customer etc.; ⑦presented information to confirm the items in the item⑥; ⑧documents showing that natural person who trades medicinal product has an employment relationship with customer etc. or is designated for the trade by customer etc.

第5章　業務の実施	CHAPTER 5 — OPERATIONS
5.1　原則	5.1. PRINCIPLE
卸売販売業者等が実施する全ての行為は，医薬品の同一性が失われることなく，医薬品の仕入，保管及び供給業務が外装に表示された情報（取扱い上の注意等）に従って実施されていることを確実にすること。 卸売販売業者等は，可能な限りあらゆる手法を講じ，偽造医薬品が正規流通経路に混入する危険性を排除すること。 以下に記載した主要な作業は，品質システムにおける適切な文書に記載すること。	All actions taken by wholesale distributors etc. should ensure that the identity of the medicinal product is not lost and that the wholesale distribution consisting of procuring, holding and supplying medicinal products is performed according to the information on the outer packaging (handling instructions etc.). The wholesale distributors etc. should use all means available to minimise the risk of falsified medicinal products entering the legal supply chain. All key operations described below should be fully described in the quality system in appropriate documentation.
5.2　仕入先の適格性評価	5.2. QUALIFICATION OF SUPPLIERS
5.2.1　卸売販売業者等は，卸売販売業の許可を受けた者，又は当該製品を対象とする製造販売承認を保有する者から医薬品の供給を受ける必要がある。	5.2.1 Wholesale distributors etc. must obtain their supplies of medicinal products only from persons who are themselves in possession of a wholesale distribution authorisation, or who are in possession of a marketing authorisation which covers the product in question.
5.2.2　医薬品を他の卸売販売業者等から入手する場合，受領側の卸売販売業者等は仕入先が本ガイドライン等医薬品の流通基準ガイドラインの原則を遵守していることを確認するとともに，医薬品販売業等の許可を受けていることを確認する必要がある。	5.2.2 Where medicinal products are obtained from another wholesale distributors etc. the receiving wholesale distributors etc. must verify that the supplier complies with the principles and guidelines of good distribution practices and that they hold a licence for drug selling business etc.
5.2.3　医薬品の購入に先立ち，仕入先の適切な適格性評価及び承認を行うこと。 この業務は手順書に従って管理し，その結果を記録し，リスクに応じて定期的に再確認すること。	5.2.3 Appropriate qualification and approval of suppliers should be performed prior to procurement of any medicinal products. This should be controlled by a procedure and the results documented and periodically rechecked according to risk.
5.2.4　新規仕入先と新たに取引を開始する際には，適格性を評価すること。 特に，以下の点に注意を払うこと。 i.　当該仕入先の評判又は信頼度 ii.　偽造医薬品である可能性が高い製品の供給の申し出 iii.　一般に入手可能な量が限られている医薬品の大量の供給の申し出 iv.　仕入先により取り扱われる製品の多様性（供給の安定性・偏り，種類の不安定さ等） v.　想定外の価格（過大な値引き等）	5.2.4 When entering into a new contract with new suppliers, the wholesale distributors etc. should carry out ‘qualification’ checks. Attention should be paid to: i. the reputation or reliability of the supplier; ii. offers of medicinal products more likely to be falsified; iii. large offers of medicinal products which are generally only available in limited quantities; iv. diversity of products handled by supplier (e.g. stability/bias of supply, instability in variety of products); v. and out-of-range prices (big discount etc.).

5.3　販売先の適格性評価	5.3. QUALIFICATION OF CUSTOMERS
5.3.1　卸売販売業者等は，医薬品の販売先が，薬局開設者，医薬品の製造販売業者若しくは販売業者又は病院，診療所若しくは飼育動物診療施設の開設者その他厚生労働省令で定める者であることを確認する。	5.3.1 Wholesale distributors, etc. must ensure the customers are founder of pharmacy, marketing authorization holder of medicinal products or drug seller, or founder of hospital, clinic and medical care facility for rearing animal, or other persons who are authorised or entitled by Ordinance of the Ministry of Health, Labour and Welfare.
5.3.2　確認及び定期的な再確認を行う事項として，販売先の許可証の写し，国の規制に準拠した適格性又は資格を示す証拠の提示等がある。	5.3.2 Checks and periodic rechecks may include: requesting copies of customer's authorisations, evidence of qualifications or entitlement according to national legislation.
5.3.3　医薬品の横流し又は不適正使用の可能性があると思われる異常な販売パターンが見られる場合は調査し，必要な場合は所轄当局に報告すること。	5.3.3 Unusual sales patterns that may constitute diversion or misuse of medicinal product should be investigated and reported to competent authorities where necessary.
5.4　医薬品の受領	5.4. RECEIPT OF MEDICINAL PRODUCTS
5.4.1　受入業務の目的は，到着した積荷が正しいこと，医薬品が承認された仕入先から出荷されたものであり，輸送中に目視で確認できるような損傷を受けていないことを確実に保証することにある。	5.4.1 The purpose of the receiving function is to ensure that the arriving consignment is correct, that the medicinal products originate from approved suppliers and that they have not been visibly damaged during transport.
5.4.2　特別な取扱い，保管条件又はセキュリティのための措置を必要とする医薬品は，優先的に処理し，適切な確認を行った後，直ちに適切な保管設備に移送すること。	5.4.2 Medicinal products requiring special handling, storage or security measures should be prioritised and once appropriate checks have been conducted they should be immediately transferred to appropriate storage facilities.
5.5　保管	5.5. STORAGE
5.5.1　医薬品は，品質に影響が及ばないように，他の製品と区分すること。 さらに，光，温度，湿気，その他の外部要因による有害な影響から保護すること。 特別な保管条件を必要とする製品には特に注意を払うこと。	5.5.1 Medicinal products should be stored separately from other products to protect their quality. Furthermore, they should be protected from the harmful effects of light, temperature, moisture and other external factors. Particular attention should be paid to products requiring specific storage conditions.
5.5.2　入荷した医薬品の梱包箱は，必要に応じて保管前に清浄化すること。 入庫品に対する全ての業務（例えば燻蒸）は医薬品の品質に影響を与えないようにすること。	5.5.2 Incoming containers of medicinal products should be cleaned, if necessary, before storage. Any activities performed on the incoming goods（e.g. fumigation）should not impact on the quality of the medicinal products.
5.5.3　保管は，適切に保管条件が維持され在庫品のセキュリティを確実にする必要がある。	5.5.3 Warehousing operations must ensure appropriate storage conditions are maintained and allow for appropriate security of stocks.
5.5.4　在庫は使用の期限順先出し（FE FO）又は先入れ先出し（FIFO）の原則に従って管理すること。 例外は記録すること。	5.5.4 Stock should be rotated according to the first expiry, first out（FEFO）principle as well as the first in, first out（FIFO）principle as appropriate. Exceptions should be documented.

5.5.5　医薬品は，漏出，破損，汚染及び混同を防止するような方法で取り扱い，保管すること。 一部の医療用ガス容器等，床の上で保管できるように包装が設計されている場合を除き，医薬品を直接床に置いて保管しないこと。	5.5.5 Medicinal products should be handled and stored in such a manner as to prevent spillage, breakage, contamination and mix-ups. Medicinal products should not be stored directly on the floor unless the package is designed to allow such storage (such as for some medicinal gas cylinders).
5.5.6　使用の期限が近づいている医薬品は，直ちに販売可能在庫から排除すること。	5.5.6 Medicinal products that are nearing their expiry date/shelf life should be withdrawn immediately from saleable stock.
5.5.7　定期的に在庫の棚卸を実施すること。 在庫の異常は調査，記録し，必要な場合は所轄当局に報告すること。	5.5.7 Stock inventories should be performed regularly. Stock irregularities should be investigated,documented and reported to the competent authorities when needed.
5.6　使用の期限が過ぎた製品の廃棄	5.6. DESTRUCTION OF OBSOLETE GOODS
5.6.1　廃棄予定の医薬品は適切に識別し，隔離して一時保管し，手順書に従って取り扱うこと。	5.6.1 Medicinal products intended for destruction should be appropriately identified, held separately and handled in accordance with a written procedure.
5.6.2　医薬品の廃棄は，関連法規に従って行うこと。	5.6.2 Destruction of medicinal products must be in accordance with related laws and regulations.
5.6.3　廃棄した全ての医薬品の記録を，定められた期間にわたって保管すること。	5.6.3 Records of all destroyed medicinal products should be retained for a defined period.
5.7　ピッキング	5.7. PICKING
正しい製品がピッキングされたことを確実に保証するため，管理を行うこと。 適切な使用期間が残った製品のみがピッキングされること。	Controls should be in place to ensure the correct product is picked. The product should have an appropriate remaining shelf life when it is picked.
5.8　供給	5.8. SUPPLY
全ての供給品は，品名，ロット番号又は(ロットを構成しない医薬品については製造番号又は製造記号)，使用の期限，輸送条件，保管条件，数量，購入若しくは譲受け又は販売若しくは授与の年月日，購入者等の氏名又は名称，住所又は所在地，及び電話番号その他の連絡先等を記載又は他の方法で提供し，記録を保管すること。 実際の輸送先が譲受人の住所等と異なる場合には当該情報についても記載されていること。	For all supplies, a document (e.g. delivery note/packing list) must be enclosed or provided by alternative method to customer etc. stating name, pharmaceutical dosage form, lot number (manufacturing number or code for medicinal products without lot configuration), expiry date, transport conditions, storage conditions; quantity; date of purchase or receipt and selling or transfer; name of recipient or his/her organization, address or location of recipient, telephone number and other contact details of customer etc. Their records should be kept. When the actual location to deliver is different from the address etc. of consignee, information of the delivered location should also be written.

第6章　苦情，返品，偽造の疑いのある医薬品及び回収	CHAPTER 6 — COMPLAINTS, RETURNS, SUSPECTED FALSIFIED MEDICINAL PRODUCTS AND MEDICINAL PRODUCT RECALLS
6.1　原則	6.1. PRINCIPLE
全ての苦情，返品，偽造が疑われる医薬品及び回収については，卸売販売業者等は製造販売業者と適切に連携すること。 全ての項目は記録し，手順書に従って適切に保管する必要がある。記録は所轄当局による閲覧を可能にしておくこと。 譲受人から保管品質を保証され，返却された医薬品が再販売される場合，任命された職員によって事前に評価を実施すること。 偽造医薬品を防止するためには，流通経路における全ての関係者による一貫したアプローチが必要である。	Wholesale distributors etc. should cooperate with marketing authorization holder for complaints, returns, suspected falsified medicinal products and recalls. All their activities should be recorded according to written procedures and the records should be made available to the competent authorities. An assessment of returned medicinal products should be performed by designated personnel before any approval for resale only if quality of returned medicinal product is ensured for its entire storage by the consignee. A consistent approach by all partners in the supply chain is required in order to be successful in the fight against falsified medicinal products.
6.2　苦情及び品質情報	6.2. COMPLAINTS AND QUALITY INFORMATION
6.2.1　苦情は，全ての詳細な原情報を含めて記録すること。 医薬品の品質に関連する苦情（品質情報）と流通に関連する苦情とは区別すること。 品質情報及び製品欠陥の可能性がある場合，遅滞なく製造販売業者に通知すること。 製品の流通に関連する苦情は，苦情の原因又は理由を特定するために徹底的に調査すること。	6.2.1 Complaints should be recorded with all the original details. A distinction should be made between complaints（quality information）related to the quality of a medicinal product and complaints related to distribution. In the event of a quality information of a medicinal product and a potential product defect, the marketing authorisation holder should be informed without delay. Any product distribution complaint should be thoroughly investigated to identify the origin of or reason for the complaint.
6.2.2　医薬品の品質不良が見いだされた或いは疑われる場合，製品の他のロットも調査することを考慮すること。	6.2.2 If a quality defect related to a medicinal product is discovered or suspected, consideration should be given to whether other batches of the product should also be investigated.
6.2.3　苦情処理を行う担当を任命すること。	6.2.3 A person should be appointed to handle complaints.
6.2.4　必要に応じ，苦情調査及び評価後に適切なフォローアップ措置（CAPAを含む）を講じること。また，必要な情報を所轄当局の要求に応じて報告すること。	6.2.4 If necessary, appropriate follow-up actions（including CAPA）should be taken after investigation and evaluation of the complaint, including where required information to the competent authorities.

6.3　返却された医薬品	6.3. RETURNED MEDICINAL PRODUCTS
6.3.1　返却された製品は，該当製品の保管に関する特別な要求事項，当該医薬品が最初に出荷されてからの経過時間等を考慮して，文書化された，リスクに基づくプロセスに従って取り扱う必要がある。 返品は，関係者間の協議に従って行うこと。あらかじめ契約書で取り決めておくこと。 記録／返品リストを保存する必要がある。	6.3.1 Returned products must be handled according to a written, risk based process taking into account the product concerned, any specific storage requirements and the time elapsed since the medicinal product was originally dispatched. Returns should be conducted in accordance with negotiation. Contractual arrangements between the parties should be made and documented in advance. A record/list of returned goods must be maintained.
6.3.2　販売先から返却された医薬品は，以下の全てが確認された場合にのみ販売可能在庫に戻すことができる。 i.　当該医薬品の二次包装が未開封で損傷がなく，良好な状態であり，使用の期限内で回収品ではない場合 ii.　許容される期限内（例えば10日以内）に返品された場合 iii.　当該医薬品の保管に関する特別な要求事項に従って輸送，保管及び取扱いが行われたことが販売先によって証明されている場合 iv.　教育訓練を受けた者によって検査され，評価されている場合 v.　当該流通業者は当該製品がその販売先に供給されたことを示す合理的な証拠（納品書の原本の写し又は送り状番号のロット番号又は製造番号等の参照）を有しており，その製品が偽造されたという理由がない場合	6.3.2 Medicinal products which have been retrned by the customer should only be returned to saleable stock if all of the following are confirmed: i. the medicinal products are in their unopened and undamaged secondary packaging and are in good condition; have not expired and have not been recalled; ii. they are returned within an acceptable time limit（e.g. 10 days）; iii. it has been demonstrated by the customer that the medicinal products have been transported, stored and handled in compliance with the specific storage requirements; iv. they have been examined and assessed by a sufficiently trained and competent person v. The wholesale distributors etc. has reasonable evidence that the product was supplied to the customer（via copies of the original delivery note, by lot number of referencing invoice number, or manufacturing number, etc.）, and that there is no reason to believe that the product has been falsified.
6.3.3　特別な保管条件が必要とされる医薬品の場合，販売された医薬品は原則販売可能在庫に戻すことはできない。 ただし，当該製品が全期間にわたって承認された保管条件の下にあったことを示す文書化された証拠が存在する場合はこの限りではない。	6.3.3 Medicinal products requiring specific temperature storage conditions cannot be essentially returned to saleable stock. However, this shall not apply if there is documented evidence that the product has been stored under the authorised storage conditions throughout the entire time.
6.3.4　製品を販売可能在庫に戻す場合，使用の期限順先出し／先入れ先出し（FEFO/FIFO）システムが有効に機能する場所に収容すること。	6.3.4 Products returned to saleable stock should be placed such that FEFO/FIFO system operates effectively.
6.3.5　盗難に遭い，回収された製品は，販売可能在庫に戻して販売先に販売することはできない。	6.3.5 Stolen products that have been recovered cannot be returned to saleable stock and sold to customers.

6.4　偽造医薬品	6.4. FALSIFIED MEDICINAL PRODUCTS
6.4.1　偽造の疑いのある医薬品の販売及び輸送は直ちに中断すること。	6.4.1 The sale and distribution of a suspected falsified medicinal product should be suspended immediately.
6.4.2　偽造医薬品又は偽造の疑いのある医薬品が発見された場合，直ちに製造販売業者に通知し，検体を確保・送付すること。 製造販売業者は保存品と目視等による真贋判定を行う。 偽造の可能性の高い場合は，その当該ロットを隔離するとともに，速やかに所轄当局に通知し，以後の対応策を協議すること。 関係者は所轄当局及び製造販売業者により決定された指示（回収を含む）通りに行動する必要がある。 上記に関する手順を定めること。 発見時の詳細情報を記録し，調査すること。	6.4.2 The wholesale distributors etc. must immediately inform the marketing authorisation holder of any medicinal products they identify as falsified or suspect to be falsified and send the products to them. The marketing authorisation holder examine their authenticity by visual examination etc. with the retention sample. When they are examined as highly probable to be falsified products, the corresponding lot should be segregated and immediately report it to the competent authority and discuss for any further actions. Any relevant persons and organizations must follow the instructions (including recall) determined by discussion between the competent authority and the marketing authorisation holder. A procedure should be in place to the above effect. It should be recorded with all the original details and investigated.
6.4.3　流通経路において発見された偽造医薬品は直ちに物理的に隔離し，他の全ての医薬品から離れた専用区域に保管し，適切に表示すること。 このような製品に関連する全ての業務を文書化し，記録を保管すること。	6.4.3 Any falsified medicinal products found in the supply chain should immediately be physically segregated and stored in a dedicated area away from all other medicinal products and be appropriately labelled. All relevant activities in relation to such products should be documented and records retained.
6.4.4　偽造医薬品だと認められた場合は，流通経路への混入の原因を特定し，必要に応じて適切な再発防止策を講じること。 製造販売業者における当該品の保管を含め，これらの業務を文書化し，記録を保管すること。	6.4.4 Upon confirmation as a falsified medicinal product, any causes of introduction to the supply chain should be identified and any preventive measures for its recurrence should be taken as required., All related activities including holding of the relevant products at the marketing authorization holder should be appropriately documented and retained.
6.5　医薬品の回収	6.5. MEDICINAL PRODUCT RECALLS
6.5.1　製品回収を迅速に行うために受領及び輸送される製品のトレーサビリティーを保証するための文書と手順書を整備すること。	6.5.1 There should be documentation and procedures in place to ensure traceability of products received and distributed, to facilitate product recall.

6.5.2　製品回収の際は製品が輸送された全ての販売先に適切な緊急度により，明確な行動指針とともに連絡すること。	6.5.2 In the event of a product recall, all customers to whom the product has been distributed shall be informed with the appropriate degree of urgency and clear actionable instructions.
6.5.3　製造販売業者は所轄当局に全ての回収を連絡すること。	6.5.3 The marketing authorization holder should inform all product recalls to the competent authorities.
6.5.4　必要に応じて製品回収に関する手順の有効性を評価すること。	6.5.4 The effectiveness of the procedures for product recall should be evaluated where necessary.
6.5.5　回収業務は迅速に，いつでも開始できるようにしておくこと。	6.5.5 Recall operations should be capable of being initiated promptly and at any time.
6.5.6　卸売販売業者等は回収要請に対応する必要がある。	6.5.6 The wholesale distributors etc. should cope with a recall request.
6.5.7　全ての回収業務は，それが実施された時に記録すること。	6.5.7 Any recall operation should be recorded at the time it is carried out.
6.5.8　流通の記録は回収の責任者がすぐに閲覧できるようにしておき，流通の記録には卸売販売業者又は直接供給した販売先に関する十分な情報（住所，常時連絡が可能な電話番号，メールアドレス，国の規制に基づく要件として医薬品の品名，ロット番号又は製造番号等，使用の期限，納入数量等）を含めること。	6.5.8 The distribution records should be readily accessible to the person(s) responsible for the recall, and should contain sufficient information on wholesale distributors etc. and directly supplied customers (with addresses, phone/fax numbers inside and outside working hours, email address, and as required by national legislation, name, lot number or manufacturing number, etc., expiry date, quantities delivered, etc. of medicinal product).
6.5.9　回収プロセスの進捗状況は回収製品の収支合せを含め最終報告として記録すること。	6.5.9 The progress of the recall process should be recorded for a final report including reconciliation of the recalled product.
第7章　外部委託業務	CHAPTER 7 — OUTSOURCED ACTIVITIES
7.1　原則	7.1. PRINCIPLE
本ガイドラインの対象となる業務のうち外部委託する全ての業務は，製品の完全性に疑いを発生させない様，委託業務の内容について，正確に定義，合意，管理すること。 契約委託者と契約受託者の間で，各当事者の義務を明確に定めた書面による契約を締結する必要がある。	Any activity covered by this Guideline that is outsourced should be correctly defined, agreed and controlled in order to avoid misunderstandings which could affect the integrity of the product. There must be a written Contract between the Contract Giver and the Contract Acceptor which clearly establishes the duties of each party.
7.2　契約委託者	7.2. CONTRACT GIVER
7.2.1　契約委託者は外部委託する業務に対して責任を負う。	7.2.1 The Contract Giver is responsible for the activities contracted out.
7.2.2　契約委託者は，必要とされる業務を適切に遂行するという観点で契約受託者を評価し，契約書及び監査を通じて，本ガイドラインが遵守されることを保証する責任を負う。	7.2.2 The Contract Giver is responsible for assessing the competence of the Contract Acceptor to successfully carry out the work required and for ensuring by means of the contract and through audits that this Guideline is followed.

監査の要求及び頻度は，外部委託する業務の性質に応じたリスクに基づいて定めること。 監査は随時実施できるようにしておくこと。	The requirement for audit and frequency should be defined based on risk depending on the nature of the outsourced activities. Audits should be permitted at any time.
7.2.3　契約委託者は，当該製品に関する特別な要求事項及びその他の関連の要求事項に従って委託した業務を実施するために必要とされる情報を，契約受託者に提供すること。	7.2.3 The Contract Giver should provide the Contract Acceptor with the information necessary to carry out the contracted operations in accordance with the specific product requirements and any other relevant requirements.
7.3　契約受託者	7.3. CONTRACT ACCEPTOR
7.3.1　契約受託者は本ガイドラインに基づく業務及び契約委託者から委託された業務について責任を持つ。	7.3.1 The Contract Acceptor is responsible for the activities covered by this Guideline and delegated by the Contract Giver.
7.3.2　契約受託者は，契約委託者から受託した業務を遂行できるように，適切な施設及び機器，手順，知識及び経験，及び適任な職員を有していること。	7.3.2 The Contract Acceptor should have adequate premises and equipment, procedures, knowledge and experience, and competent personnel to carry out the work ordered by the Contract Giver.
7.3.3　契約受託者は，第三者への業務の再委託に対する契約委託者による事前の評価及び認証を受け，かつ当該第三者が契約委託者又は契約受託者による監査を受けるまでは，契約書に基づいて委託されたいかなる業務も第三者に再委託しないこと。 契約受託者と第三者の間でなされる取決めは，医薬品の仕入，保管及び輸送業務に関する情報（委託した業務を実施するために必要とされる品質に関する情報）が原契約者と契約受託者の間と同じように利用できることを確実に保証すること。	7.3.3 The Contract Acceptor should not pass to a third party any of the work entrusted to him under the contract without the Contract Giver's prior evaluation and approval of the arrangements and an audit of the third party by the Contract Giver or the Contract Acceptor. Arrangements made between the Contract Acceptor and any third party should ensure that the wholesale distribution information about procuring, holding and supplying medicinal products (quality information required to conduct the activities contracted.) is made available in the same way as between the original Contract Giver and Contract Acceptor.
7.3.4　契約受託者は，契約委託者のために取り扱う製品の品質に有害な影響を及ぼす可能性のある行為を行わないこと。	7.3.4 The Contract Acceptor should refrain from any activity which may adversely affect the quality of the product(s) handled for the Contract Giver.
7.3.5　契約受託者は，製品の品質に影響を及ぼす可能性のあるいかなる情報も，契約書の要求事項に従って契約委託者に送付する必要がある。	7.3.5 The Contract Acceptor must forward any information that can influence the quality of the product(s) to the Contract Giver in accordance with the requirement of the contract.
第8章　自己点検	CHAPTER 8 — SELF-INSPECTIONS
8.1　原則	8.1. PRINCIPLE
本ガイドラインの原則の実施及び遵守を監視し，必要な是正措置を提案するために，自己点検を実施すること。	Self-inspections should be conducted in order to monitor implementation of and compliance with the principles of this Guideline and to propose necessary corrective measures.

8.2　自己点検	8.2. SELF-INSPECTIONS
8.2.1　自己点検プログラムは，定められた期間内において本ガイドライン及び該当手順に従って実施すること。 自己点検は，限られた範囲に分割して実施してもよい。	8.2.1 A self-inspection programme should be implemented covering all aspects of this Guideline and related procedures within a defined time frame. Self-inspections may be divided into several individual self-inspections of limited scope.
8.2.2　自己点検は，あらかじめ指定した者が定期的に実施すること。	8.2.2 Self-inspections should be regularly conducted by designated competent personnel.
8.2.3　全ての自己点検を記録すること。報告書には自己点検で認められた全ての観察事項を含めること。 報告書の写しを卸売販売業者等の経営陣及びその他の関係者に提出すること。 不備及び／又は欠陥が認められた場合，原因を明らかにし，手順に従ってCAPAを記録し，フォローアップを行うこと。	8.2.3 All self-inspections should be recorded. Reports should contain all the observations made during the inspection. A copy of the report should be provided to the management and other relevant persons. In the event that irregularities and/or deficiencies are observed, their cause should be determined and CAPA should be documented and followed up in accordance with written procedures.
第9章　輸送	CHAPTER 9 — TRANSPORTATION
9.1　原則	9.1. PRINCIPLE
9.1.1　医薬品を破損，品質劣化及び盗難から保護し，輸送中の温度条件を許容可能な範囲に維持することは卸売販売業者等の責任である。	9.1.1 It is the responsibility of the supplying wholesale distributors etc. to protect medicinal products against breakage, adulteration, theft and to ensure that temperature conditions are maintained within acceptable limits during transport.
9.1.2　輸送方式を問わず，当該医薬品がその完全性を損なう可能性のある条件に曝されないようにリスクに基づき証明すること。	9.1.2 Regardless of the mode of transport, it should be demonstrated according to risk that the medicines have not been exposed to conditions that may compromise their integrity.
9.2　輸送	9.2. TRANSPORTATION
9.2.1　外装又は包装に記載された保管条件が輸送中も維持されていること。	9.2.1 The required storage conditions for medicinal products should be maintained during transportation within the defined limits as described on the outer packaging and/or relevant packaging information.
9.2.2　温度逸脱や製品の損傷などが輸送中に生じた場合は，手順に従って卸売販売業者等にその旨を報告すること。 また，温度逸脱に関する調査や取扱いに関する手順も定めること。	9.2.2 If a deviation such as temperature excursion or product damage has occurred during transportation, this should be reported to wholesale distributors etc. in accordance with written procedures. A procedure should also be in place for investigating and handling temperature excursions.
9.2.3　医薬品の流通，保管又は取扱いに使用される車両及び機器は，その用途に適したものであること。 製品の品質及び包装の品質等に影響を及ぼさないよう適切に装備されていること。	9.2.3 Vehicles and equipment used to distribute, store or handle medicinal products are suitable for their use. They should be appropriately equipped to prevent exposure of the products to conditions that could affect quality of the products and their packaging.

9.2.4　清掃及び安全対策を含め，流通過程に関与する全ての車両，及び機器の操作及び保守のための手順書を作成すること。	9.2.4 There should be written procedures in place for the operation and maintenance of all vehicles and equipment involved in the distribution process, including cleaning and safety precautions.
9.2.5　どこで温度管理が必要とされるかを決めるために，輸送ルートのリスクアセスメントを用いること。 輸送中の車両及び／又は容器内の温度モニタリングに使用する機器は，定期的に保守及び校正すること。	9.2.5 Risk assessment of delivery routes should be used to determine where temperature controls are required. Equipment used for temperature monitoring during transport within vehicles and/or containers, should be maintained and calibrated at regular intervals.
9.2.6　医薬品を取り扱う際には，可能な限り，専用車両及び機器を使用すること。 専用ではない車両及び設備が使用される場合は，医薬品の完全性が損なわれないように手順書を整備すること。	9.2.6 Dedicated vehicles and equipment should be used, where possible, when handling medicinal products. Where non-dedicated vehicles and equipment are used procedures should be in place to ensure that the quality and integrity of the medicinal product will not be compromised.
9.2.7　定められた納品先の住所・施設以外に納品してはならない。	9.2.7 Deliveries should not be made to any other addresses/premises than those stated on the delivery note.
9.2.8　通常の就業時間外に行う緊急輸送については，担当者を任命し，手順書を備えること。	9.2.8 For emergency deliveries outside normal business hours, persons should be designated and written procedures should be available.
9.2.9　輸送が第三者によって行われる場合，第7章の要求事項を含めた契約書を作成すること。 卸売販売業者等は，積荷に関する輸送条件を輸送業者に知らせること。 輸送ルート中に輸送基地での積み替えが含まれる場合，温度モニタリング，清浄度及びセキュリティには，特に注意を払うこと。	9.2.9 Where transportation is performed by a third party, the contract in place should encompass the requirements of Chapter 7. Transportation providers should be made aware by the wholesale distributors etc. of the relevant transport conditions applicable to the consignment. Where the transportation route includes unloading and reloading or transit storage at a transportation hub, particular attention should be paid to temperature monitoring, cleanliness and the security of any storage facilities.
9.2.10　輸送ルートの次の段階を待つ間の，一時保管の時間を最小限に抑えるための対策を講じること。	9.2.10 Provision should be made to minimise the duration of temporary storage while awaiting the next stage of the transportation route.
9.3　輸送の容器，包装及びラベル表示	9.3. SHIPPING CONTAINERS, PACKAGING AND LABELLING
9.3.1　医薬品は，製品の品質に悪影響を及ぼさないような容器で輸送し，汚染を含む外部要因の影響から適切に保護すること。	9.3.1 Medicinal products should be transported in containers that have no adverse effect on the quality of the products, and that offer adequate protection from external influences, including contamination.

9.3.2　輸送の容器及び包装の選択は，当該医薬品の保管と輸送の要求事項，医薬品の量に応じた大きさ，予想される外部温度の上下限，輸送の最長期間，包装及び輸送容器のバリデーションの状況に基づいて行うこと。	9.3.2 Selection of a container and packaging should be based on the storage and transportation requirements of the medicinal products; the space required for the amount of medicines; the anticipated external temperature extremes; the estimated maximum time for transportation; the validation status of packaging and shipping containers.
9.3.3　輸送の容器には，取扱いと保管の要求事項についての十分な情報に加え，製品が常時適切に取り扱われ安全であることを保証するための注意事項を記載したラベルを表示すること。 輸送の容器は，内容物と出荷元が識別できるようにすること。	9.3.3 Shipping containers should bear labels providing sufficient information on handling and storage requirements and precautions to ensure that the products are properly handled and secured at all times. The shipping containers should enable identification of the contents of the containers and the source.
9.4　特別な条件が必要とされる製品	9.4. PRODUCTS REQUIRING SPECIAL CONDITIONS
9.4.1　麻薬や向精神薬のような特別な条件が必要とされる医薬品の輸送に関して，卸売販売業者等は，国の規制によって定められた要求事項に準拠して，安全で確実な流通経路を維持すること。 s このような製品の輸送には，追加の管理システムを備えること。また，盗難，紛失等が発生した場合の手順を定めること。	9.4.1 In relation to deliveries containing medicinal products requiring special conditions such as narcotics or psychotropic substances, the wholesale distributors etc. should maintain a safe and secure supply chain for these products in accordance with requirements laid down in national legislation. There should be additional control systems in place for delivery of these products. There should be a protocol to address the occurrence of any theft, missing, etc.
9.4.2　高活性物質及び放射性物質を含む医薬品は，関係法規に従って輸送すること。	9.4.2 Medicinal products comprising highly active and radioactive materials should be transported in accordance with related laws and regulations.
9.4.3　温度感受性の高い医薬品については，卸売販売業者等及び販売先の間で適切な輸送条件が維持されていることを確保するため，適格性が保証された機器（保温包装，温度制御装置付きの容器，温度制御装置付きの車両等）を使用すること。	9.4.3 For temperature-sensitive products, qualified equipment (e.g. thermal packaging, temperature-controlled containers or temperature controlled vehicles) should be used to ensure correct transport conditions are maintained between wholesale distributors etc. and customer.
9.4.4　温度制御装置付きの車両を使用する場合，輸送中に使用する温度モニタリング機器を，定期的に保守及び校正すること。 代表的な条件下で温度マッピングを実施し，必要であれば，季節変動要因も考慮すること。	9.4.4 If temperature-controlled vehicles are used, the temperature monitoring equipment used during transport should be maintained and calibrated at regular intervals. Temperature mapping under representative conditions should be carried out and should take into account seasonal variations, if applicable.
9.4.5　要請があれば，製品が保管温度条件に適合していることが証明できる情報を，販売先に提供すること。	9.4.5 If requested, customers should be provided with information to demonstrate that products have complied with the temperature storage conditions.

9.4.6　断熱ケースに保冷剤を入れて使用する場合，製品が保冷剤に直接触れないようにすること。 断熱ケースの組み立て（季節に応じた形態）及び保冷剤の再使用を担当する職員は手順の教育訓練を受ける必要がある。	9.4.6 If cool packs are used in insulated boxes, they need to be located such that the product does not come in direct contact with the cool pack. Staff must be trained on the procedures for assembly of the insulated boxes (seasonal configurations) and on the reuse of cool packs.
9.4.7　冷却不足の保冷剤が誤って使用されないことを確実に保証するため，保冷剤の再使用に関する管理システムを構築すること。 冷凍した保冷剤と冷却した保冷剤を，適切かつ物理的に隔離すること。	9.4.7 There should be a system in place to control the reuse of cool packs to ensure that incompletely cooled packs are not used in error. There should be adequate physical segregation between frozen and chilled ice packs.
9.4.8　温度変化に対して感受性が高い製品の輸送及び季節ごとの温度変動を管理するプロセスを手順書に記述すること。	9.4.8 The process for delivery of sensitive products and control of seasonal temperature variations should be described in a written procedure.

PIC/S GDP ガイドライン翻訳（案）と医薬品の適正流通（GDP）ガイドライン対比表

※双方の差異について下線で区別している。

PICS医薬品の適正流通基準（GDP）ガイドライン（2014年6月）翻訳 第1回医療用医薬品の偽造品流通防止のための施策のあり方に関する検討会・参考資料1	医薬品の適正流通基準（GDP）ガイドライン 事務連絡（2018年12月28日）
目　次	目　次
緒言	緒言
目的	目的
適用範囲	適用範囲
第1章　品質マネジメント	第1章　品質マネジメント
1.1　原則	1.1　原則
1.2　品質システム	1.2　品質システム
1.3　外部委託業務の管理	1.3　外部委託業務の管理
1.4　マネージメントレビュー及びモニタリング	1.4　マネジメントレビュー及びモニタリング
1.5　品質リスクマネジメント	1.5　品質リスクマネジメント
第2章　職員	第2章　職員
2.1　原則	2.1　原則
2.2　一般	2.2　一般
2.3　責任者の指名	2.3　責任者の任命
2.4　教育訓練	2.4　教育訓練
2.5　衛生	2.5　衛生
第3章　施設及び機器	第3章　施設及び機器
3.1　原則	3.1　原則
3.2　施設	3.2　施設
3.3　温度及び環境管理	3.3　温度及び環境管理
3.4　機器	3.4　機器
3.5　コンピュータ化システム	3.5　コンピュータ化システム
3.6　適確性評価及びバリデーション	3.6　適格性評価及びバリデーション
第4章　文書化	第4章　文書化
4.1　原則	4.1　原則
4.2　一般	4.2　一般
第5章　業務の実施	第5章　業務の実施（オペレーション）
5.1　原則	5.1　原則
5.2　供給業者の適確性評価	5.2　仕入先の適格性評価
5.3　顧客の適確性評価	5.3　販売先の適格性評価
5.4　医薬品の受領	5.4　医薬品の受領
5.5　保管	5.5　保管
5.6　使用期限／保存期限が過ぎた製品の廃棄	5.6　使用の期限が過ぎた製品の廃棄
5.7　ピッキング	5.7　ピッキング
5.8　供給	5.8　供給
5.9　輸入及び輸出	
第6章　苦情，返品，偽造の疑いのある医薬品及び回収	第6章　苦情，返品，偽造の疑いのある医薬品及び回収
6.1　原則	6.1　原則
6.2　苦情	6.2　苦情及び品質情報

6.3　返却された医薬品 6.4　偽造医薬品 6.5　医薬品の回収 第7章　外部委託業務 7.1　原則 7.2　契約委託者 7.3　契約受託者 第8章自己点検 8.1　原則 8.2　自己点検 第9章輸送 9.1　原則 9.2　輸送 9.3　容器，包装及びラベル表示 9.4　特別な条件が必要とされる製品 付録1	6.3　返却された医薬品 6.4 偽造医薬品(Falsified medicinal products) 6.5　医薬品の回収 第7章　外部委託業務 7.1　原則 7.2　契約委託者 7.3　契約受託者 第8章　自己点検 8.1　原則 8.2　自己点検 第9章　輸送 9.1　原則 9.2　輸送 9.3　輸送の容器，包装及びラベル表示 9.4　特別な条件が必要とされる製品 用語集
緒言	緒言
このガイドはヒト用医薬品のGDPに関するEUガイドライン(2013/C 343/01)に基づいている。 EUガイドラインはPIC/S目的のGDPのエキスパートサークルで採用されている。しかしながらEU特有の参照事項はこのガイドからは除いている。 このガイドはPIC/Sにガイダンス文書として採用された。 法的拘束力のある基準とするかどうかについては各PIC/S加盟当局が決定する。	
医薬品の卸売販売は，流通経路全般において重要な業務である。 今日の医薬品の流通経路はますます複雑になり，多くの人々が関与するようになってきた。 本ガイドラインは，卸売販売業者の業務を支援し，偽造医薬品(falsified medicines)が正規流通経路へ流入するのを防止するための適切な手段を定めるものである。 本ガイドラインを遵守することにより流通経路の管理が保証され，その結果，医薬品の完全性が保持される。	市場出荷後の医薬品の薬局，医薬品販売業者や医療機関などに対する卸売販売は，医薬品の仕入，保管及び供給等の流通経路全般を担う重要な業務である。 今日の医薬品の流通経路はますます複雑になり，多くの人々が関与するようになってきた。 医薬品の適正流通(GDP)ガイドライン(以下：本ガイドライン)は，卸売販売業者及び製造販売業者(以下：卸売販売業者等)の業務を支援し， 本ガイドラインを遵守することにより，流通経路の管理が保証され，その結果，医薬品の完全性が保持されるための手法を定めるものである。 さらに，偽造医薬品が正規流通経路へ流入するのを防止するための適切な手法を定めるものである。
医薬品の卸売販売は，公衆への医薬品供給を除き，医薬品の調達，保管，輸送，輸出入のすべての業務をいうものである。 このような業務は製造業者やその倉庫業者，輸入業者や他の卸売販売業者または薬剤師及び公衆への医薬品の提供を承認されるか資格を持つ人によって実施される。	

いくつかのPIC/S加盟当局の地域では輸入はGMPの規制下にあり，製造業許可が必要となる場合がある。 卸売販売業者として業務を行うすべての者は，国の規制に従った卸売販売業の許可を取得必要がある。	
製造承認の取得には，その承認の対象となる医薬品の流通に関する承認も含まれる。 したがって，自社の医薬品に対し何らかの流通業務を行う製造業者はGDPを遵守する必要がある。	
卸売販売の定義は，その流通業者が保税地域（free zone）や保税倉庫（free warehouse）等のような特定の税関区域（customs area）内に設立されているか，あるいは事業を行っているかには依らない。 卸売販売業務（輸出入，保管，輸送等）に関連するすべての義務は，保税地域（free zone）や保税倉庫（free warehouse）等で業務を行う流通業者にも適用される。 本ガイドラインの関連セクションは，医薬品の流通に関与する他の関係者も，遵守すること。	
本ガイドラインに使われているいくつかの用語はアネックス1に列挙した。	本ガイドラインに使われているいくつかの用語は用語集に列挙した。
目的	目的
高水準の品質保証の維持と医薬品流通過程の完全性を保証するため，医薬品卸売販売業許可の画一性を推進し，医薬品取引における障害を更に除くために以下の医薬品GDPガイドが作成された。	高水準の品質保証の維持と医薬品の流通過程での完全性を保証するため，卸売販売業者等の業務の画一性を推進し，医薬品取引における障害をさらに除くための参考となる手法として，本ガイドラインを作成した。
各国の保健衛生当局の管理方法はこの基準を適用し，GDPに対する新規あるいは改正された規制は少なくともこの基準に合わせること。 この基準は，卸売販売業者がそれぞれのニーズに合わせた特定の規則を作るための根拠としても利用することを意図している。 本ガイドラインに述べた方法以外で，この原則を達成できる方法は受け入れられる。 本ガイドラインは査察準備のためのガイダンスとして提供するが，教育訓練目的としても使用できる。	本ガイドラインは，卸売販売業者等がそれぞれのニーズに合わせた規則を作るための根拠としても利用することを意図している。 本ガイドラインに規定した方法以外で，この原則を達成できる方法は受け入れられる。
適用範囲	適用範囲
本ガイドラインは，医薬品やヒトへの使用を目的とした医薬品や同様の製品にも適用する。 しかし，動物用医薬品の流通にも同様の注意を払うことを推奨する。 また，本ガイドラインは治験薬（IMP）にも適用が可能である。	本ガイドラインは医薬品の市場出荷後，薬局，医薬品販売業，医療機関に渡るまでの医薬品の仕入，保管及び供給業務に適用する。

本ガイドラインは発行時点での最新の内容を反映させている。 本ガイドラインは技術革新や卓越性追求の障害となることや，バリデートされ少なくとも本ガイドラインで設定されたものと同等の医薬品流通過程の品質保証レベルや完全性を備えた，新しい概念の展開または新しい技術の開発を制限することを意図していない。	
第1章　品質マネジメント	第1章　品質マネジメント
1.1.　原則	1.1　原則
卸売販売業者は，その業務に関連する責任，プロセス及びリスクマネジメントの原則を定めた品質システムを維持すること。 すべての流通業務の手順を明確に定義し，系統的にレビューすること。 流通過程におけるすべての重大なステップ及び重要な変更を正当化し，必要に応じてバリデートすること。 品質システムは当該組織の経営陣に責任があり，経営陣のリーダーシップと積極的な参画が求められ，職員の関与によって支持されること。	卸売販売業者等は，その業務に関連する責任，プロセス及びリスクマネジメントの原則を定めた品質システムを維持すること。 卸売販売業者等は，全ての流通業務の手順を明確に定義し，系統的にレビューすること。 流通過程における全ての重大な段階及び重要な変更を正当化し，必要に応じてバリデートすること。 卸売販売業者等の経営陣には，品質システムに対する責任があり，リーダーシップと積極的な参画が求められること。また，職員はそれぞれの役割を果たすこと。
1.2.　品質システム	1.2　品質システム
1.2.1　品質を管理するシステムは，当該組織の構成，手順，プロセス，資源を包含し，輸送される製品に関わる完全性を維持し，輸送中／保管中の正規流通経路に留まることを保証するために必要な活動に係る業務を含むこと。	1.2.1　品質を管理するシステムは，卸売販売業者等の構成，手順，プロセス，資源を包含し，輸送される製品に関わる完全性を維持し，輸送中や保管中に正規流通経路の範囲にあることを保証するために必要な活動に係る業務を含むこと。
1.2.2　品質システムは文書化し，その有効性を監視すること。 品質システムに関連するすべての業務を定義し，文書化すること。 品質マニュアルまたは同等の文書化されたアプローチを確立すること。	1.2.2　品質システムを文書化し，その有効性を監視すること 品質システムに関連する全ての業務を定義し，文書化すること。 品質マニュアルを含む階層化された文書体系を確立すること。
1.2.3　経営陣は，品質システムが履行され，維持されることを確実に保証するための明確に規定された権限及び責任を有する者を任命すること。	1.2.3　卸売販売業者等の経営陣は，品質システムが履行され，維持されることを確実に保証するための明確に規定された権限及び責任を有する者を任命すること。
1.2.4　流通業者の経営陣は，品質システムのすべての分野において，適格性のある職員，並びに適切で十分な建物，施設及び機器の面で，十分なリソースが充てられることを確実に保証すること。	1.2.4　卸売販売業者等の経営陣は，品質システムの全ての分野において，適格性のある職員，並びに適切で十分な建物，施設及び機器の面で，十分なリソースが充てられることを確実に保証すること。
1.2.5　品質システムの構築または修正の際には，流通業者の業務の規模，構造等を考慮すること。	1.2.5　品質システムの構築又は修正の際には，卸売販売業者等の業務の規模，構造等を考慮すること。
1.2.6　変更管理システムを構築すること。 このシステムには品質リスクマネジメントの原則を取り入れ，バランスの取れた有効なものとすること。	1.2.6　変更管理システムを整備すること。 このシステムには品質リスクマネジメントの原則を取り入れ，バランスの取れた有効なものとすること。

1.2.7　品質システムは，以下を保証すること。 i.　医薬品はGDPの要求事項に適合するよう調達，保管，供給，輸出入すること ii.　経営陣の責任が明確に規定されていること iii.　製品は，速やかに正当な受領者へ納入されること iv.　記録が（作業と）同時に作成されていること v.確立された手順からの逸脱は記録され，調査されていること vi.　品質リスクマネジメントの原則に従い，逸脱を適切に是正し，予防するため，適切な是正措置及び予防措置（以下：一般的にCAPAとして知られている）が講じられていること	1.2.7　品質システムは，以下を保証すること。 i.　医薬品は本ガイドラインの要求事項に適合するよう仕入，保管，供給すること ii.　卸売販売業者等の経営陣の責任が明確に規定されていること iii.　製品は，速やかに正当な受領者へ納入されること iv.　記録が（作業と）同時に作成されていること v.　あらかじめ定められた手順からの逸脱は記録され，調査されていること vi.　品質リスクマネジメントの原則に従い，逸脱を適切に是正し，予防するため，適切な是正措置及び予防措置（Corrective Action and Preventive Action以下：CAPA）が講じられていること
1.3.　外部委託業務の管理	1.3　外部委託業務の管理
品質システムの範囲は，医薬品の調達，保管，供給または輸出入に関連するすべての外部委託した業務の管理とレビューにも適用すること。 このようなプロセスには品質リスクマネジメントを取り入れ，更に以下を含めること。 i.　契約受託者の業務，医薬品の完全性とセキュリティを保持する能力の評価，並びに文書化と保管，必要な場合，販売業許可状況の確認 ii.　関係業者・団体の品質関連業務に対する責任及びコミュニケーションプロセスの定義 iii.　契約受託者の業務のモニタリングとレビュー，並びに定期的な，要求改善事項の確認と実施	卸売販売業者等の品質システムの範囲は，医薬品の仕入，保管及び輸送に関連する全ての外部委託した業務の管理とレビューにも適用すること。 このようなプロセスには品質リスクマネジメントを取り入れ，さらに以下を含めること。 i.　契約受託者の業務，医薬品の完全性とセキュリティを保持する能力の評価，並びに文書化と保管，必要な場合，医薬品販売業等の許可取得状況の確認 ii.　関係業者・団体の品質関連業務に対する責任者及び情報伝達等の取決め iii.　契約受託者の業務のモニタリングとレビュー，並びに定期的な，要求改善事項の確認と実施
1.4.　マネジメントレビュー及びモニタリング	1.4　マネジメントレビュー及びモニタリング
1.4.1　経営陣は，定期的な品質システムのレビューに関する正式なプロセスを定めること。レビューには以下を含めること。 i.　品質システムの目標達成状況の評価 ii.　例えば，苦情，回収，返品，逸脱，CAPA，プロセスの変更等，品質システムにおけるプロセスの有効性モニターに用いることができる業績評価指標の評価，外部委託した業務に関するフィードバック，リスク評価及び監査を含む自己評価プロセス，並びに査察，所見及び販売先監査等の外部評価 iii.　品質マネジメントシステムに影響を及ぼす可能性のある新たな規制，ガイダンス，及び品質問題 iv.　品質システムを向上させる可能性のある技術革新 v.　ビジネスの環境及び目的の変化	1.4.1　卸売販売業者等の経営陣は，定期的な品質システムのレビューに関する正式なプロセスを定めること。レビューには以下を含めること。 i.　品質システムの目標達成状況の評価 ii.　例えば，苦情，回収，返品，逸脱，CAPA，プロセスの変更等，品質システムにおけるプロセスの有効性モニターに用いることが　できるKPI（重要業績評価指標）の評価，外部委託した業務に関するフィードバック，リスク評価，内部監査を含む自己評価プロセス，販売先からの監査並びに当局による検査 iii.　品質マネジメントシステムに影響を及ぼす可能性のある新たな規制，ガイダンス，及び品質情報 iv.　品質システムを向上させる可能性のある技術革新 v.　ビジネスの環境及び目的の変化
1.4.2　品質システムの各マネジメントレビューの結果を適時記録し，効率的に内部に伝達すること。	1.4.2　品質システムの各マネジメントレビューの結果を適時記録し，効率的に内部に伝達すること。
1.5.　品質リスクマネジメント	1.5　品質リスクマネジメント

1.5.1　品質リスクマネジメントは，医薬品の品質に対するリスクの評価，管理，コミュニケーション，及びレビューの系統的なプロセスである。それは予測的及び回顧的にも適用可能である。	1.5.1　品質リスクマネジメントは，医薬品の品質に対するリスクの評価，管理，コミュニケーション及びレビューの系統的なプロセスである。それは予測的及び回顧的にも適用可能である。
1.5.2　品質リスクマネジメントでは，品質に対するリスクの評価を科学的知見及びプロセスでの経験に基づいて行い，最終的には患者の保護につながることを保証すること。 取組み内容，正式な手順及びプロセスの文書化レベルは，リスクレベルに見合っていること。 品質リスクマネジメントのプロセス及び適用の事例は，医薬品規制調和国際会議（ICH）のQ9ガイドラインに示されている。	1.5.2　品質リスクマネジメントでは，品質に対するリスクの評価を科学的知見及びプロセスでの経験に基づいて行い，最終的には患者の保護につながることを保証すること。 取組み内容，正式な手順及びプロセスの文書化レベルは，リスクレベルに見合っていること。
第2章　職員	第2章　職員
2.1.　原則	2.1　原則
医薬品の正しい流通は，それに関わる人々に依存する。このことから，当該卸売販売業者の責任としてすべての業務を遂行するためには，適格性のある職員が必須である。 当該職員は個々の責任を明確に理解すること。また，その責務を文書化すること。	医薬品の適正な流通は，それに関わる人々に依存する。このことから，卸売販売業者等が責任を有する全ての業務について，職務を遂行できる職員を十分な人数置かなければならない。 当該職員は個々の責任を明確に理解すること。また，その責務を文書化すること。
2.2.　一般	2.2　一般
2.2.1　医薬品の卸売販売業務のすべての段階について適切な数の適格な職員を従事させること。 必要な職員の数は業務の量と範囲による。	2.2.1　医薬品の仕入，保管及び供給業務の全ての段階について適切な数の適格な職員を従事させること。 必要な職員の数は業務の量と範囲による。
2.2.2　卸売販売業者の組織体制は組織図に記載すること。すべての職員の役割，責任及び相互関係を明確に指定すること。	2.2.2　卸売販売業者等は組織体制を組織図に記載し，全ての職員の役割，責任及び相互関係を明確に指定すること。
2.2.3　重要な地位の職員役割と責任は，代理任命の取決めと共に職務記述書に記載すること。	2.2.3　卸売販売業者等は重要な地位の職員を任命し，その役割と責任を職務記述書に記載すること。なお，代行者も同様とする。
2.3.　責任者の任命	2.3　責任者の任命
2.3.1　卸売販売業者は，GDP遵守のための責任者を任命する必要がある。 該当する職員は，GDPに関する知識を持ち，その教育訓練を受けているだけでなく，適切な能力及び経験を有すること。	2.3.1　卸売販売業者等は，本ガイドライン遵守のための責任者を任命する必要がある。 該当する職員は，本ガイドラインに関する知識を有し，必要な教育訓練を受けているだけでなく，適切な能力及び経験を有すること。
2.3.2　卸売販売業者は時間外（例えば緊急及び／または回収発生時）に連絡がつく職員を任命すること。 任命された責任者はその業務の委任はできても，責任を委譲することはできない。	2.3.2　卸売販売業者等は時間外であっても（例えば緊急及び／又は回収発生時）に連絡が取れる体制を構築すること。

2.3.3　任命された責任者の職務記述書には，その責任に関して決定を行う権限を定めること。 卸売販売業者は，任命された責任者に対し，その業務を遂行するために必要な権限，リソース及び責任を付与すること。	2.3.3　責任者の職務記述書には，具体的な責務・権限等を規定すること。 卸売販売業者等は，責任者に対し，その業務を遂行するために必要な権限，経営資源及び責任を付与すること。
2.3.4　任命された責任者は，当該卸売販売業者がGDPの遵守を証明することができ，公共サービスの義務が果たせることを確実に保証できる方法で，その業務を遂行すること。	2.3.4　責任者は，本ガイドラインに関する業務を適切に遂行すること。
2.3.5　任命された責任者の責任は以下に示すが，これに限定されない。 i.　品質マネジメントシステムが実施され，維持されることを保証する ii.　権限を与えられた業務の管理及び記録の正確さと記録の質に焦点をあてる iii.　導入及び継続的教育訓練プログラムが実施され，維持されていることを保証する iv.　医薬品のあらゆる回収作業を取り仕切り，迅速に実施する v.　関連する販売先からのクレームを適切に処理することを保証する vi.　仕入先及び販売先が承認されていることを保証する vii.　GDPに影響を及ぼす可能性のあるすべての下請け業務を承認する viii.　自己点検があらかじめ定められたプログラムに従い，適切かつ定期的な間隔で実施され，必要な是正措置が講じられることを保証する ix.　委任した業務については，適切な記録を保管する x.　返品，出荷できなくなった製品，回収された製品または偽造医薬品の最終処分を決定する xi.　返却品を販売可能在庫に戻す際には，その承認を行う xii.　国の規制により特定の製品に課せられた追加要件が遵守されることを保証する	2.3.5　責任者の責務は以下に示すが，これに限定されない。 i.　品質マネジメントシステムが実施され，維持されることを保証する ii.　権限を与えられた業務の管理及び記録の正確さと記録の質を保証する iii.　本ガイドラインに関連する全ての職員に対して導入及び継続的教育訓練プログラムが実施され，維持されていることを保証する iv.　卸売販売業者等が実施する医薬品の回収作業の実務を取り仕切り，迅速に実施する v.　関連する販売先からの苦情を適切に処理することを保証する vi.　仕入先及び販売先が必要な医薬品販売業等の許可等を有していることを保証する vii.　本ガイドラインに関連する可能性のある全ての外部業者等に委託する業務を確認する viii.　自己点検があらかじめ定められたプログラムに従い，適切かつ定期的な間隔で実施され，必要な是正措置が講じられることを保証する ix.　委任した業務については，適切な記録を保管する x.　返品，出荷できなくなった製品，回収された製品又は偽造医薬品の処理を決定する xi.　返却品を販売可能在庫に戻す際には，その承認を行う xii.　国の規制により特定の製品に課せられた追加要件が遵守されることを保証する
2.4.　教育訓練	2.4　教育訓練
2.4.1　卸売販売の業務に関与するすべての職員は，GDPの要求事項に関する教育訓練を受講すること。 職員は，各自の職務を開始する前に，適切な能力及び経験を有すること。	2.4.1　医薬品の仕入，保管及び供給業務に関与する全ての職員は，本ガイドラインの要求事項に関する教育訓練を受講すること。 職員は，各自の職務を遂行するために必要な能力及び経験を有すること。

2.4.2　職員は，手順書に基づき，また文書化された教育訓練プログラムに従い，各自の役割に関連のある導入及び継続的教育訓練を受けること。 任命された責任者も，定期的な教育訓練を通じてGDP に関する能力を維持すること。	2.4.2　職員は，手順書に基づき，また文書化された教育訓練プログラムに従い，各自の役割に関連のある導入及び継続的教育訓練を受けること。 責任者も，定期的な教育訓練を通じて本ガイドラインに関する能力を維持すること。 また，卸売販売業者等の経営陣も本ガイドラインに関する教育を受けること。
2.4.3教育訓練には，製品の識別及び流通経路への偽造医薬品の侵入回避という側面も含めること。	2.4.3　教育訓練には，製品の識別及び流通経路への偽造医薬品の侵入防止に関する事項も含めること。
2.4.4　より厳格な取扱い条件が求められる製品を取扱う職員は，特別な教育訓練を受けること。 そのような製品には，例えば，有害な製品，放射性物質，乱用されるリスクのある製品（麻薬及び向精神薬を含む），及び温度感受性の製品がある。	2.4.4　より厳格な取扱い条件が求められる製品を取扱う職員は，特別な教育訓練を受けること。 そのような製品には，例えば，毒薬劇薬，放射性医薬品，乱用されるリスクのある製品（麻薬，覚せい剤原料及び向精神薬を含む），及び温度の影響を受けやすい製品（冷蔵品等）がある。
2.4.5　すべての教育訓練記録を保管し，教育訓練の効果を定期的に評価し記録すること。	2.4.5　全ての教育訓練記録を保管し，教育訓練の効果を定期的に評価し記録すること。
2.5.　衛生	2.5　衛生
実施する業務に関連し，職員の衛生に関する適切な手順を作成し，それを遵守すること。 この手順には，健康管理，衛生管理及び更衣に関する事項を含むこと。	実施する業務に関連し，職員の衛生に関する適切な手順を作成し，それを遵守すること。 この手順には，健康管理，衛生管理及び必要に応じて更衣に関する事項を含むこと。
第3章施設及び機器	第3章施設及び機器
3.1.　原則	3.1　原則
卸売販売業者は，医薬品の適切な保管及び流通を保証することができるように，適切かつ十分な施設，設備及び機器を保有する必要がある。 特に，施設は清潔で乾燥し，許容可能な温度範囲に維持すること。	卸売販売業者等は，薬局等構造設備規則を遵守するとともに，医薬品の適切な保管及び流通を保証することができるように，適切かつ十分な施設，設備及び機器を保有する必要がある。 特に，施設は清潔で乾燥し，許容可能な温度範囲に維持すること。
3.2.　施設	3.2　施設
3.2.1　施設は求められる保管条件を維持するように設計するか，適合していること。 施設は適切に安全が確保され，構造的にも問題はなく，医薬品を安全に保管し取扱うだけの十分な広さを有すること。 保管場所はすべての作業を正確かつ安全に遂行できるように適切な照明と換気を備えること。	3.2.1　施設は求められる保管条件を維持するように設計するか，適合していること。 施設は適切に安全が確保され，構造的にも問題はなく，医薬品を安全に保管し取扱うだけの十分な広さを有すること。 保管場所は全ての作業を正確かつ安全に遂行できるように適切な照明と換気の設備を備えること。
3.2.2　卸売販売業者が直接運営していない施設では，文書化された契約を締結すること。 国の規制で求められる場合，契約された施設は，別途，卸売販売業の許可を受けること。	3.2.2　卸売販売業者等は，外部施設を利用する場合は文書化された取決めを締結すること。

3.2.3　医薬品は，明確に識別された状態で隔離された区域に保管し，立入りは権限を与えられた職員のみに限定すること。 コンピュータ化システムに基づく電子的な隔離のような物理的な隔離に代わるシステムを用いる場合にも，同等のセキュリティを確保し，バリデートすること。	3.2.3　医薬品の貯蔵設備は，他の区域から明確に区別されていること。また，当該区域に立ち入ることができる者を特定すること。 コンピュータ化システムのような物理的な区別を補完するシステムを用いる場合にも，同等のセキュリティを確保し，バリデートすること。
3.2.4　処分保留の製品または販売可能在庫から撤去された製品は，物理的に，または同等の電子システムにより隔離すること。 物理的な隔離及び専用保管場所の必要性についてはリスクベースで評価すること。 偽造医薬品，使用期限切れの製品，回収された製品，出荷できなくなった製品及び国内で承認されていない医薬品は，物理的に隔離する必要がある。 そのような製品が販売可能在庫から隔離された状態で維持されることを確実に保証するよう，これらの区域には適切なセキュリティ レベルを適用すること。 これらの区域を明確に識別すること。	3.2.4　処分保留の製品は，物理的に，又は同等の電子システムにより区別すること。 物理的な隔離及び専用保管場所の必要性についてはリスクベースで評価すること。 出荷できなくなった製品，偽造医薬品及び回収された製品は，物理的に隔離する必要がある。 そのような製品が販売可能在庫から隔離された状態で保管できるように，これらの区域には適切なセキュリティ レベルを適用すること。 これらの区域を明確に識別すること。
3.2.5 別に規定する特別な取扱い上の指示が定められた製品の保管については，特に注意を払うこと。そのような製品（例えば，麻薬や向精神薬）については，特別な保管条件（及び特別な許可）が要求される場合がある。	3.2.5　別に規定する特別な取扱い上の指示が定められた製品の保管（例えば，麻薬や向精神薬）については，関連法規により適正に保管すること。
3.2.6　放射性物質及びその他の有害な製品は，火災または爆発の特別な安全上のリスクがある製品（例えば，医療用ガス，可燃性／引火性の液体及び固体）と同様，別に規定する特別な取扱い上の指示が定められた製品の保管については，適切な安全及びセキュリティのための措置がとられた，1ヵ所ないしはそれ以上の専用の区域に保管すること。	3.2.6　放射性医薬品及び毒薬劇薬は，火災又は爆発の特別な安全上のリスクがある製品（例えば，医療用ガス，可燃性／引火性の液体及び固体）と同様，別途規定された法令により適切に保管すること。
3.2.7　受入れ区域及び発送区域は，気象条件の影響から医薬品を保護するべきである。 受入れ，発送及び保管の区域は適切に分離すること。 製品の入出庫管理を維持するための手順を定めること。受領後に検品する区域を指定し，当該区域には適切な設備を備えること。	3.2.7　受入れ場所及び発送場所は，気象条件の影響から医薬品を保護できること。 受入れ，発送及び保管は区域あるいは作業時間等により適切に分離すること。 製品の入出庫管理を維持するための手順を定めること。検品する区域を指定し，当該区域には適切な設備を備えること。
3.2.8　認可されたすべての施設への無許可の者の立入りを防止すること。 通常，防止策として，侵入者探知警報システム及び適切な入退出管理を含む。外部からの訪問者には，承認された職員を同行させること。	3.2.8　医薬品の貯蔵設備は，当該区域に立ち入ることができる者を特定し，立入りは権限を与えられた職員のみに限定し，立ち入る際の方法をあらかじめ定めておくこと。 なお，医薬品の貯蔵設備以外の区域に立ち入る場合についても，同様の措置を講ずることが望ましい。 通常，防止策としては，侵入者探知警報システム及び適切な入退室管理を含む。外部の者が区域に立ち入る際には，原則として職員を同行させること。

3.2.9　施設及び保管設備は清潔に保ち，ごみや塵埃がないようにすること。 清掃計画，指示書及び記録を作成すること。 洗浄は汚染の原因を防止するよう実施すること。	3.2.9　施設及び保管設備は清潔に保ち，ごみや塵埃がないようにすること。 清掃の手順書と記録を作成すること。 洗浄は汚染の原因を防止するよう実施すること。
3.2.10　施設は，昆虫，げっ歯類，または他の動物の侵入を防止できるように設計し，設備を整備すること。 防虫防鼠管理手順を作成すること。 適切な防虫防鼠管理記録を保持すること。	3.2.10　施設は，昆虫，げっ歯類，又は他の動物の侵入を防止できるように設計し，設備を整備すること。 防虫及び防そ管理手順を作成すること。 適切な防虫及び防そ管理記録を保持すること。
3.2.11　職員のための休憩，手洗い及び娯楽室を保管場所から適切に分離すること。 保管場所内への飲食物，喫煙用品または私用の医薬品の持ち込みを禁止すること。	3.2.11　職員のための休憩・手洗場所を保管場所から適切に分離すること。 保管場所への飲食物，喫煙用品又は私用の医薬品の持ち込みを禁止すること。
3.3.　温度及び環境管理	3.3　温度及び環境管理
3.3.1　医薬品を保管する環境を確認するための適切な機器及び手順を定めること。 考慮すべき因子として，施設の温度，照明，湿度及び清潔さを含む。	3.3.1　医薬品を保管する環境を管理するための適切な手順を定め，<u>必要な機器を設置すること。</u> 考慮すべき因子として，施設の温度，照明，湿度及び清潔さを含む。
3.3.2　保管場所の使用前に，代表的な条件下で<u>初期の</u>温度マッピングを実施すること。 温度モニタリング機器は，温度マッピングの結果に従って配置し，最も変動が大きい位置に温度センサーを設置すること。 リスク評価の結果に依って，若しくは設備または温度制御装置に大きな変更が行われた場合には，温度マッピングを再度実施すること。 数平方メートル程度の小規模な施設で室温の場合は，潜在的リスク（例えば，ヒーター，エアコン）の評価を実施し，その結果に応じて温度モニターを設置すること。	3.3.2　保管場所の使用前に，適切な条件下で温度マッピングを実施すること。 温度モニタリング機器<u>（例えばデータロガー）</u>は，温度マッピングの結果に従って適切な場所に設置すること。 リスク評価の結果に依って，若しくは設備又は温度制御装置に大きな変更が行われた場合には，温度マッピングを再度実施すること。 数平方メートル程度の小規模な施設の室温については，潜在的リスク（例えば，ヒーターやエアコン）の評価を実施し，その結果に応じて温度センサーを設置すること。
3.4.　機器	3.4　機器
3.4.1　医薬品の保管及び流通に影響を及ぼすすべての機器は，それぞれの目的に応じた基準で設計，設置，保守及び洗浄を行うこと。 <u>作業の機能性に不可欠な主要機器については計画的に保守を行うこと。</u>	3.4.1　医薬品の保管及び流通に影響を及ぼす全ての機器は，それぞれの目的に応じた基準で設計，設置，保守及び洗浄を行うこと。
3.4.2　医薬品が保管される環境の制御またはモニタリングに使用される機器は，リスク及び信頼性評価に基づき定められた間隔で校正すること。	3.4.2　医薬品が保管される環境の制御又はモニタリングに使用される機器は，リスク及び要求精度に基づき定められた間隔で校正すること。 <u>校正は，国家計量標準でトレースできるものであること。</u>

3.4.3　機器の校正は，国家計量標準または国際計量標準でトレースできるものであること。 あらかじめ定められた保管条件からの逸脱がみられた際に警告を発する適切な警報システムを備えること。 警報のレベルを適切に設定し，適切な機能性を確保するため，警報は定期的に点検すること。	3.4.3 あらかじめ定められた保管条件からの逸脱が発生した際に警告を発する適切な警報システムを備えること。 警報のレベルを適切に設定し，適切な機能性を確保するため，警報は定期的に点検すること。
3.4.4　医薬品の完全性が損なわれることがない方法で，機器の修理，保守及び校正を実施すること。 機器故障時に医薬品の完全性が維持されることを保証する手順書を備えること。	3.4.4　医薬品の完全性が損なわれることがない方法で，機器の修理，保守及び校正を実施すること。 機器故障時に医薬品の完全性が維持されることを保証する手順書を備えること。
3.4.5　主要機器の修理，保守及び校正業務の適切な記録を作成し，結果を保管すること。 主要機器には，例えば保冷庫，侵入者探知警報システム，アクセスコントロールシステム，冷蔵庫，温湿度計またはその他の温度・湿度記録装置，空気処理ユニット及び後続の流通経路と連動して使用される機器が含まれる。	3.4.5　主要機器の修理，保守及び校正業務の適切な記録を作成し，結果を保管すること。 主要機器には，例えば保冷庫，侵入者探知警報システム，入退室管理システム，冷蔵庫，温度計又はその他の温度記録装置，空調設備及び後続の流通経路と連動して使用される機器が含まれる。
3.5.　コンピュータ化システム	3.5　コンピュータ化システム
3.5.1　コンピュータ化システムの使用を開始する前に，適切なバリデーションまたはベリフィケーション試験により，当該システムによって正確に，一貫性及び再現性をもって，求められる結果が得られることを示すこと。	3.5.1　コンピュータ化システムの使用を開始する前に，適切なバリデーション又はベリフィケーションにより，当該システムによって正確に，一貫性及び再現性をもって，求められる結果が得られることを示すこと。
3.5.2　文書による詳細なシステムの記述（必要に応じて図を含む）を利用可能とすること。記述内容は最新の状態を維持すること。 文書には，原則，目的，セキュリティ対策，システムの範囲及び主な特徴，コンピュータ化システムの使用法，並びに他のシステムとの相互関係を記述すること。	3.5.2　文書による詳細なシステムの記述（必要に応じて図を含む）を利用可能とすること。記述内容は最新の状態を維持すること。 文書には，原則，目的，セキュリティ対策，システムの範囲及び主な特徴，コンピュータ化システムの使用法，並びに他のシステムとの相互関係を記述すること。
3.5.3　コンピュータ化システムへのデータの入力及び変更は，権限を設定されたのみが行うこと。	3.5.3　コンピュータ化システムへのデータの入力及び変更は，権限を設定された者のみが行うこと。
3.5.4　データは物理的または電子的手段によって保護し，偶発的または承認されない変更から保護すること。 保管されたデータは定期的にアクセスが可能かを確認すること。 データを定期的にバックアップして保護すること。 バックアップデータを分離された安全な場所で国の規制に定められた期間，ただし少なくとも5年間保管すること。	3.5.4 データは物理的又は電子的手法によって保護し，偶発的又は承認されない変更から保護すること。 保管されたデータにアクセスできる状態を維持すること。 データを定期的にバックアップして保護すること。 バックアップデータを分離された安全な場所で国の規制に定められた期間保管すること。
3.5.5　システムが故障または機能停止に至った場合の手順を定めること。これにはデータ復元のための手順を含むこと。	3.5.5　システムが故障又は機能停止に至った場合の手順を定めること。これにはデータ復元のための手順を含むこと。

	3.5.6　医薬品・医薬部外品製造販売業者等におけるコンピュータ化システム適正管理ガイドライン（薬食監麻発1021第11号　平成22年10月21日）を参考とすること。
3.6.　適格性評価及びバリデーション	3.6　適格性評価及びバリデーション
3.6.1　卸売販売業者は，正しい据付及び操作が行われることを保証するため，どのような主要機器の適格性評価及び／または主要なプロセスのバリデーションが必要かを特定すること。 適格性評価及び／またはバリデーション業務（例えば，保管，選別採集（ピッキング）梱包プロセス及び輸送）の範囲と度合は，文書化されたリスク評価アプローチを用いて決定すること。	3.6.1　卸売販売業者等は，正しい据付及び操作が行われることを保証するため，どのような主要機器の適格性評価及び／又は主要なプロセスのバリデーションが必要かを特定すること。 適格性評価及び／又はバリデーション業務（例えば，保管，選別採集（ピッキング）梱包プロセス及び輸送）の範囲と度合は，リスクに応じて決定すること。
3.6.2　機器及びプロセスは，それぞれ適格性評価及び／またはバリデーションを，使用開始前及びすべての重要な変更（例えば，修理または保守）の後に実施すること。	3.6.2　機器及びプロセスの使用開始前や重要な変更（例えば，修理又は保守等）があった場合には，それぞれ適格性評価及び／又はバリデーションを実施すること。
3.6.3　バリデーション及び適格性評価の報告書は，得られた結果を要約し，観察されたいかなる逸脱に関してもコメントし，作成すること。 定められた手順からの逸脱は記録し，是正措置及び予防措置（以下「CAPA」という。）を決定すること。 必要に応じてCAPAの原則を適用すること。 プロセスまたは個々の機器について，満足すべきバリデーション結果が得られた証拠が，適切な職員により作成され，承認すること。	3.6.3　バリデーション及び適格性評価の報告書は，得られた結果を要約し，観察されたいかなる逸脱に関してもコメントし，作成すること。 定められた手順からの逸脱は記録し，CAPAを行うこと。 プロセス又は個々の機器について，満足すべきバリデーション結果が得られた証拠を，適切な職員が作成し，承認すること。
第4章　文書化	第4章　文書化
4.1.　原則	4.1　原則
適切な文書化は品質システムに不可欠な要素である。文書で記載することにより口頭でのコミュニケーションによる誤りが防止され，医薬品の流通過程における関連業務の追跡が可能になる。 記録は各作業の実施時に作成すること。	適切な文書化は品質システムに不可欠な要素である。文書とすることにより口頭でのコミュニケーションによる誤りが防止され，医薬品の流通過程における関連業務の追跡が可能になる。 各作業の記録は実施と同時に作成すること。
4.2.　一般	4.2　一般
4.2.1　文書化は，紙または電子的かに関係なくすべての手順書，指図書，契約書，記録及びデータを含む。 文書化は必要な時に利用可能な状態にしておくこと。	4.2.1　文書とは，紙又は電子媒体に関わらず全ての手順書，指図書，契約書，記録及びデータを指す。 文書は必要な時に利用可能な状態にしておくこと。
4.2.2　職員，苦情を申し出た人物，またはその他のすべての人物の個人データの処理に関して，個人データの処理及びデータの自由な移動には，個人情報保護に関する国の規制が適用される。	4.2.2　職員，苦情を申し出た人物，又はその他の全ての人物の個人データの処理に関しては，個人情報の保護に関する法律（個人情報保護法）等の関連法令が適用される。

4.2.3　文書は，卸売販売業者の業務範囲を十分に包括しており，職員が理解できる言語で書かれていること。 文書は的確かつ理解しやすい言葉遣いで記載され，誤りがないものであること。	4.2.3　文書は，卸売販売業者等の業務範囲を十分に包括しており，的確かつ理解しやすく記載されること。
4.2.4　文書は必要に応じて責任者が承認し，署名，及び日付を記入すること。 文書は手書きにしないこと。ただし，必要な場合には，手書きによる記入のための十分なスペースを設けること。	4.2.4　文書は必要に応じて責任者が承認し，署名及び日付を記入すること。
4.2.5　文書に何らかの変更を加える場合，署名及び日付を記入すること。変更を行う場合，原情報が読めるようにしておくこと。 適宜，変更の理由を記録すること。	4.2.5　文書に何らかの変更を加える場合，署名及び日付を記入すること。変更を行う場合，元の情報が読めるようにしておくこと。 適宜，変更の理由を記録すること。
4.2.6　文書は国の規制に定められた期間保管されることが求められるが，その期間は少なくとも5年とする。 個人情報は，流通業務の目的に対して保管の必要がなくなり次第，削除または匿名化すること。	4.2.6　文書は国の規制に定められた期間保管すること。
4.2.7　各職員が職務を遂行するために，必要な文書すべてをいつでも閲覧できるようにすること。	4.2.7　各職員が職務を遂行するために，必要な文書全てをいつでも閲覧できるようにすること。
4.2.8　有効かつ承認済みの手順を用いるよう注意すること。 文書は明白な内容とし，表題，性質及び目的が明確に述べること。 文書を定期的にレビューし，最新の状態に保つこと。 手順書には版管理を適用すること。文書を改訂した後に旧版の誤使用を防ぐためのシステムを構築すること。 旧版または廃版となった手順書は作業場所から撤去し，別途保管すること。	4.2.8　有効かつ承認済みの手順を用いるよう注意すること。 文書は明白な内容とし，表題，性質及び目的を明確に示すこと。 文書を定期的にレビューし，最新の状態に保つこと。 手順書には版管理を適用すること。文書を改訂した後に旧版の誤使用を防ぐためのシステムを構築すること。 旧版又は廃版となった手順書は作業場所から撤去し，別途保管すること。
4.2.9　医薬品の受領，供給に関するすべての取引の記録は，購入／販売送り状（インボイス）または納品書の形で保管されるか，若しくはコンピュータまたは他の何らかの形式で保存する必要がある。	4.2.9　医薬品を購入し，又は譲り受けたとき及び販売し，又は授与したときには記録すること。当該記録は，原則として書面で国の規制に定められた期間保存することが求められているが，購入／販売送り状又は納品書の形で保存すること，若しくはコンピュータ又は他の何らかの形式で保存することができる。ただし，コンピュータ等で保存する場合は，記録事項を随時データとして引き出せるシステムが採用されていること。 手書きの場合は明瞭で読みやすく消せないよう記載すること。

記録には少なくとも以下の情報を含む必要がある：日付，医薬品の名称，受領量，供給量，仕入先，販売先，荷受人（該当するもの）の名称及び住所，並びに国の規制で必要とされる医薬品のバッチ番号，使用期限 記録は遅滞なく，手書きの場合は明瞭で読みやすく消せない様記載すること。	記録には少なくとも以下の情報を含む必要がある：①品名，②ロット番号（ロットを構成しない医薬品については製造番号又は製造記号），③使用の期限，④数量，⑤購入若しくは譲受け又は販売若しくは授与の年月日，⑥購入者等の氏名又は名称，住所又は所在地，及び電話番号その他連絡先，⑦⑥の事項を確認するために提示を受けた資料，⑧医薬品の取引の任に当たる自然人が，購入者等と雇用関係にあること又は購入者等から取引の指示を受けたことを表す資料
第5章　業務の実施（オペレーション）	第5章　業務の実施
5.1.　原則	5.1　原則
卸売販売業者が実施するすべての行為は，医薬品の同一性が失われることなく，医薬品の卸売販売業務が外装に表示された情報に従って実施されていることを確実にすること。 卸売販売業者は，可能な限りあらゆる手段を講じ，偽造医薬品が正規流通経路に混入する危険性を最小限に抑えること。 卸売販売業者の意図した市場で流通する医薬品は適切に各国の当局の承認を受けることが必要である。 以下に記載した主要な作業は品質システムの中で適切な文書化により記載すること。	卸売販売業者等が実施する全ての行為は，医薬品の同一性が失われることなく，医薬品の仕入，保管及び供給業務が外装に表示された情報（取扱い上の注意等）に従って実施されていることを確実にすること。 卸売販売業者等は，可能な限りあらゆる手法を講じ，偽造医薬品が正規流通経路に混入する危険性を排除すること。 以下に記載した主要な作業は，品質システムにおける適切な文書に記載すること。
5.2.　供給業者の適格性評価	5.2　仕入先の適格性評価
5.2.1　卸売販売業者は，卸売販売業の許可を受けた者，または当該製品を対象とする製造承認を保有する者から医薬品の供給を受ける必要がある。	5.2.1　卸売販売業者等は，卸売販売業の許可を受けた者，又は当該製品を対象とする製造販売承認を保有する者から医薬品の供給を受ける必要がある。
5.2.2　医薬品を他の卸売販売業者から入手する場合，受領側の卸売販売業者は供給業者が本ガイドラインを遵守していることを確認し，然るべき許可を受けていることを確認する必要がある。	5.2.2　医薬品を他の卸売販売業者等から入手する場合，受領側の卸売販売業者等は仕入先が本ガイドラインを遵守していることを確認するとともに，医薬品販売業等の許可を受けていることを確認する必要がある。
5.2.3　医薬品の購入に先立ち，供給業者の適切な適格性評価及び承認を行うこと。 この業務は手順書に従って管理し，その結果を記録し，リスクベースアプローチにより定期的に再確認すること。	5.2.3　医薬品の購入に先立ち，仕入先の適切な適格性評価及び承認を行うこと。 この業務は手順書に従って管理し，その結果を記録し，リスクに応じて定期的に再確認すること。
5.2.4　新規供給業者と新たに契約を締結する際には，供給業者の適格性，能力及び信頼度評価のため，卸売販売業者は契約前多面調査を実施すること。 特に，以下の点に注意を払うこと。 i.　当該供給業者の評判または信頼度 ii.　偽造医薬品である可能性が高い製品の供給の申し出	5.2.4　新規仕入先と新たに取引を開始する際には，適格性を評価すること。 特に，以下の点に注意を払うこと。 i.　当該仕入先の評判又は信頼度 ii.　偽造医薬品である可能性が高い製品の供給の申し出

iii.　一般に入手可能な量が限られている医薬品の大量の供給の申し出 iv.　供給会社により取り扱われる製品の多様性 v.　想定外の価格	iii.　一般に入手可能な量が限られている医薬品の大量の供給の申し出 iv.　仕入先により取り扱われる製品の多様性（供給の安定性・偏り，種類の不安定さ等） v.　想定外の価格（過大な値引き等）
5.3.　顧客の適格性評価	5.3　販売先の適格性評価
5.3.1　卸売販売業者は，卸売販売業の許可を受けた者，若しくは一般市民に対する医薬品供給の許可を受けた者，資格を有する者または他に物流業者から購入する資格（例えば臨床試験用の医薬品）を持っている人物に対してのみ，医薬品を供給することを確実にする必要がある。	5.3.1　卸売販売業者等は，医薬品の販売先が，薬局開設者，医薬品の製造販売業者若しくは販売業者又は病院，診療所若しくは飼育動物診療施設の開設者その他厚生労働省令で定める者であることを確認する。
5.3.2　確認及び定期的な再確認を行う事項として，顧客の許可証の写しの請求，当局のウェブサイトによる承認状況の確認，国の規制に準拠した適格性または資格を示す証拠の請求等がある。	5.3.2　確認及び定期的な再確認を行う事項として，販売先の許可証の写し，国の規制に準拠した適格性又は資格を示す証拠の提示等がある。
5.3.3　卸売販売業者はその取引状況を監視し，横流しの危険性がある医薬品（例えば麻薬，向精神物質）の販売パターンの異常について調査すること。 医薬品の横流しまたは不適正使用の可能性があると思われる異常な販売パターンが見られる場合は調査し，必要な場合は所轄当局に報告すること。 それらに課せられた公共サービス上の義務を確実に履行するための対策を講じること。	5.3.3 医薬品の横流し又は不適正使用の可能性があると思われる異常な販売パターンが見られる場合は調査し，必要な場合は所轄当局に報告すること。
5.4.　医薬品の受領	5.4　医薬品の受領
5.4.1　受入業務の目的は，到着した積荷が正しいこと，医薬品が承認された供給業者から出荷されたものであり，輸送中に目視で確認できるような損傷を受けていないことを確実に保証することにある。	5.4.1　受入業務の目的は，到着した積荷が正しいこと，医薬品が承認された仕入先から出荷されたものであり，輸送中に目視で確認できるような損傷を受けていないことを確実に保証することにある。
5.4.2　特別な取扱い，保管条件またはセキュリティのための措置を必要とする医薬品は，優先的に処理し，適切な確認を行った後，直ちに適切な保管設備に移送すること。	5.4.2　特別な取扱い，保管条件又はセキュリティのための措置を必要とする医薬品は，優先的に処理し，適切な確認を行った後，直ちに適切な保管設備に移送すること。
5.4.3　医薬品のバッチは手順書に基づいて販売承認が得られるまで販売可能な在庫品に移動しないこと。	
5.4.4　偽造が疑われる製品はそのバッチを隔離し，国の規制に従い所轄当局に報告すること。	
5.5.　保管	5.5　保管
5.5.1　医薬品，及び必要な場合，ヘルスケア製品は，それらに影響が及ばないように，他の製品と隔離保管すること。 更に，光，温度，湿気，その他の外部要因による有害な影響から保護すること。 特別な保管条件を必要とする製品には特に注意を払うこと。	5.5.1　医薬品は，品質に影響が及ばないように，他の製品と区分すること。 さらに，光，温度，湿気，その他の外部要因による有害な影響から保護すること。 特別な保管条件を必要とする製品には特に注意を払うこと。

5.5.2　入荷した医薬品の容器は，必要に応じて保管前に清浄化すること。 入庫品に対するすべての業務（例えば燻蒸）は医薬品の品質に影響を与えないようにすること。	5.5.2　入荷した医薬品の梱包箱は，必要に応じて保管前に清浄化すること。 入庫品に対する全ての業務（例えば燻蒸）は医薬品の品質に影響を与えないようにすること。
5.5.3　保管は，適切に保管条件が維持され在庫品のセキュリティを確実にする必要がある。	5.5.3　保管は，適切に保管条件が維持され在庫品のセキュリティを確実にする必要がある。
5.5.4　在庫は使用期限順先出し（FEFO）の原則に従って管理すること。 逸脱は記録すること。	5.5.4　在庫は使用の期限順先出し（FEFO）又は先入れ先出し（FIFO）の原則に従って管理すること。 例外は記録すること。
5.5.5　医薬品は，漏出，破損，汚染及び混同を防止するような方法で取り扱い，保管すること。 一部の医療用ガス容器等，床の上で保管できるように包装が設計されている場合を除き，医薬品を直接床に置いて保管しないこと。	5.5.5　医薬品は，漏出，破損，汚染及び混同を防止するような方法で取り扱い，保管すること。 一部の医療用ガス容器等，床の上で保管できるように包装が設計されている場合を除き，医薬品を直接床に置いて保管しないこと。
5.5.6　使用期限／保存期限が近づいている医薬品は，直ちに販売可能在庫から排除すること。	5.5.6　使用の期限が近づいている医薬品は，直ちに販売可能在庫から排除すること。
5.5.7　国の規制の要求事項を考慮して，定期的に在庫の棚卸を実施すること。 在庫の異常は調査，記録し，必要な場合は所轄当局に報告すること。	5.5.7　定期的に在庫の棚卸を実施すること。 在庫の異常は調査，記録し，必要な場合は所轄当局に報告すること。
5.6.　使用期限／保存期間が過ぎた製品の廃棄	5.6　使用の期限が過ぎた製品の廃棄
5.6.1　廃棄予定の医薬品は適切に識別し，隔離して一時保管し，手順書に従って取り扱うこと。	5.6.1　廃棄予定の医薬品は適切に識別し，隔離して一時保管し，手順書に従って取り扱うこと。
5.6.2　医薬品の廃棄は，それら製品の取扱い，輸送及び処分に関する国の要求事項または国際的要求事項に従って行うこと。	5.6.2　医薬品の廃棄は，関連法規に従って行うこと。
5.6.3　廃棄したすべての医薬品の記録を，定められた期間にわたって保持すること。	5.6.3　廃棄した全ての医薬品の記録を，定められた期間にわたって保管すること。
5.7. ピッキング	5.7　ピッキング
正しい製品がピッキングされたことを確実に保証するため，管理を行うこと。 ピッキングされた際，製品には適切な使用期間が残っていること。	正しい製品がピッキングされたことを確実に保証するため，管理を行うこと。 適切な使用期間が残った製品のみがピッキングされること。
5.8.　供給	5.8　供給
すべての供給品において，国の規制で要求される日付；医薬品名及び剤形，バッチ番号，使用期限，供給数量，仕入先の名称及び住所，荷受人の名称，配達先住所（荷受人の住所と異なる場合，実際の保管場所），並びに適用される輸送条件及び保管条件を記載した文書（例えば，納品通知書／ピッキングリスト等）を同封すること。 当該製品の実際の所在場所が特定できるように，記録を保管すること。	全ての供給品は，品名，ロット番号又は（ロットを構成しない医薬品については製造番号又は製造記号），使用の期限，輸送条件，保管条件，数量，購入若しくは譲受け又は販売若しくは授与の年月日，購入者等の氏名又は名称，住所又は所在地，及び電話番号その他の連絡先等を記載又は他の方法で提供し，記録を保管すること。 実際の輸送先が譲受人の住所等と異なる場合には当該情報についても記載されていること。
5.9.　輸入及び輸出	

5.9.1　輸入及び輸出業務は該当する国の規制及び国際的なガイドラインや基準に従って実施すること。 これは卸売販売業者が保税地区に医薬品を保管している場合も同様である。 卸売販売業者は域内市場で承認されていない医薬品を輸出しようとする場合に域内市場へ入らない様適切な方策を講じること。	
5.9.2　卸売販売業者が医薬品を他国から入手したり，他国へ供給する場合，卸売販売業者は関係国の該当する法令及び行政規定に従った医薬品の供給／受領の承認，或いは資格を持っていることを確実にする必要がある。	
第6章　苦情，返品，偽造の疑いのある医薬品，及び医薬品回収	第6章　苦情，返品，偽造の疑いのある医薬品及び回収
6.1.　原則	6.1　原則
すべての苦情，返品，偽造が疑われる医薬品及び回収については，記録し，手順書に従って注意深く取り扱う必要がある。記録は所轄当局による閲覧を可能にしておくこと。 返却された医薬品が再販売される場合，任命された職員によって事前に評価を実施すること。 偽造医薬品を撲滅するためには，流通経路におけるすべての関係者による一貫したアプローチが必要とされる。	全ての苦情，返品，偽造が疑われる医薬品及び回収については，卸売販売業者等は製造販売業者と適切に連携すること。 全ての項目は記録し，手順書に従って適切に保管する必要がある。記録は所轄当局による閲覧を可能にしておくこと。 譲受人から保管品質を保証され，返却された医薬品が再販売される場合，任命された職員によって事前に評価を実施すること。 偽造医薬品を防止するためには，流通経路における全ての関係者による一貫したアプローチが必要である。
6.2.　苦情	6.2　苦情及び品質情報
6.2.1　苦情は，すべての詳細な原情報を含めて記録すること。 製品の品質に関連する苦情と流通に関連する苦情とは区別すること。 製品の品質に関する苦情及び製品欠陥の可能性がある場合，遅滞なく製造業者及び／または製造販売業者に通知すること。 製品の流通に関連する苦情は，苦情の原因または理由を特定するために徹底的に調査すること。	6.2.1　苦情は，全ての詳細な原情報を含めて記録すること。 医薬品の品質に関連する苦情（品質情報）と流通に関連する苦情とは区別すること。 品質情報及び製品欠陥の可能性がある場合，遅滞なく製造販売業者に通知すること。 製品の流通に関連する苦情は，苦情の原因又は理由を特定するために徹底的に調査すること。
6.2.2　製品の欠陥が見いだされた或いは疑われる場合，製品の他のバッチも調査することを考慮すること。	6.2.2　医薬品の品質不良が見いだされた或いは疑われる場合，製品の他のロットも調査することを考慮すること。
6.2.3　苦情処理を行う担当を任命すること。	6.2.3　苦情処理を行う担当を任命すること。
6.2.4　必要に応じ，苦情調査及び評価後に適切なフォローアップ措置（CAPAを含む）を講じること。これには，国の所轄当局へ連絡義務含まれる。	6.2.4　必要に応じ，苦情調査及び評価後に適切なフォローアップ措置（CAPAを含む）を講じること。 また，必要な情報を所轄当局の要求に応じて報告すること。
6.3.　返却された医薬品	6.3　返却された医薬品

6.3.1　返却された製品は，該当製品の保管に関する特別な要求事項，当該医薬品が最初に出荷されてからの経過時間等を考慮して，文書化された，リスクに基づくプロセスに従って取り扱う必要がある。 返品は，国の規制及び関係者間の契約書に従って行うこと。 記録／返品リストを保持する必要がある。	6.3.1　返却された製品は，該当製品の保管に関する特別な要求事項，当該医薬品が最初に出荷されてからの経過時間等を考慮して，文書化された，リスクに基づくプロセスに従って取り扱う必要がある。 返品は，関係者間の協議に従って行うこと。あらかじめ契約書で取り決めておくこと。 記録／返品リストを保存する必要がある。
6.3.2　流通業者の施設から発送された医薬品は，以下のすべてが確認された場合にのみ販売可能在庫に戻すことができる。 i.　当該医薬品の二次包装が未開封で損傷がなく，良好な状態であり，使用期限内で回収品ではない場合 ii.　卸売販売業の許可を持たない販売先，または一般市民に対する医薬品を供給する許可を受けている薬局から返却された医薬品であり，許容される期限内(例えば10日以内)に返品された場合 iii.　当該医薬品の保管に関する特別な要求事項に従って輸送，保管及び取扱いが行われたことが販売先によって証明されている場合 iv.　当該医薬品は，十分な教育訓練を受け，能力があり，検査及び評価の権限を与えられた者によって検査され，評価されている場合 v.　当該流通業者は当該製品がその販売先に供給されたことを示す合理的な証拠(国の規制によって要求される納品書の原本の写しまたは送り状番号／バッチ番号の参照，使用期限等)を有しており，その製品が偽造されたと信じるべき理由がない場合	6.3.2　販売先から返却された医薬品は，以下の全てが確認された場合にのみ販売可能在庫に戻すことができる。 i.　当該医薬品の二次包装が未開封で損傷がなく，良好な状態であり，使用の期限内で回収品ではない場合 ii.　許容される期限内(例えば10日以内)に返品された場合 iii.　当該医薬品の保管に関する特別な要求事項に従って輸送，保管及び取扱いが行われたことが販売先によって証明されている場合 iv.　教育訓練を受けた者によって検査され，評価されている場合 v.　当該流通業者は当該製品がその販売先に供給されたことを示す合理的な証拠(納品書の原本の写し又は送り状番号のロット番号又は製造番号等の参照)を有しており，その製品が偽造されたという理由がない場合
6.3.3　更に，保管条件が必要とされる医薬品の場合，当該製品が全期間にわたって承認された保管条件の下にあったことを示す文書化された証拠が存在する場合に限り，販売可能在庫に戻すことができる。 何らかの逸脱が生じた場合は，リスク評価を実施し，その結果に基づいて完全性を立証すること。 以下について証拠を得ること。 i.　販売先への輸送 ii.　製品の検査 iii.　輸送用梱包の開梱 iv.　製品の再梱包のための返送 v.　引取り及び流通業者への返送 vi.　輸送中の温度の読み取り記録 vii.　流通業者の施設の冷蔵庫への返送	6.3.3　特別な保管条件が必要とされる医薬品の場合，販売された医薬品は原則販売可能在庫に戻すことはできない。ただし，当該製品が全期間にわたって承認された保管条件の下にあったことを示す文書化された証拠が存在する場合はこの限りではない。
6.3.4　製品を販売可能在庫に戻す場合，「使用期限順先出し」(FEFO)システムが有効に機能する場所に収容すること。	6.3.4　製品を販売可能在庫に戻す場合，使用の期限順先出し／先入れ先出し(FEFO/FIFO)システムが有効に機能する場所に収容すること。
6.3.5　盗難に遭い，回収された製品は，販売可能在庫に戻して販売先に販売することはできない。	6.3.5　盗難に遭い，回収された製品は，販売可能在庫に戻して販売先に販売することはできない。
6.4.　偽造医薬品(Falsified medicinal products)	6.4　偽造医薬品

6.4.1　偽造の疑いのある製品の販売及び輸送はただちに中断すること。	6.4.1　偽造の疑いのある医薬品の販売及び輸送は直ちに中断すること。
6.4.2　偽造医薬品または偽造の疑いのある医薬品が特定された場合，卸売販売業者は直ちに所轄当局及び販売承認所持者に通知し，管轄当局により決定された指示通りに行動する必要がある。 この点に関する手順を定めること。すべての詳細な原情報を記録し，調査すること。	6.4.2　偽造医薬品又は偽造の疑いのある医薬品が発見された場合，直ちに製造販売業者に通知し，検体を確保・送付すること。製造販売業者は保存品と目視等による真贋判定を行う。偽造の可能性の高い場合は，その当該ロットを隔離するとともに，速やかに所轄当局に通知し，以後の対応策を協議すること。関係者は所轄当局及び製造販売業者により決定された指示（回収を含む）通りに行動する必要がある。 上記に関する手順を定めること。発見時の詳細情報を記録し，調査すること。
6.4.3　流通経路において発見された偽造医薬品は直ちに物理的に隔離し，他のすべての医薬品から離れた専用区域に保管し，適切に表示すること。 このような製品に関連するすべての業務を文書化し，記録を保持すること。	6.4.3　流通経路において発見された偽造医薬品は直ちに物理的に隔離し，他の全ての医薬品から離れた専用区域に保管し，適切に表示すること。 このような製品に関連する全ての業務を文書化し，記録を保管すること。
6.4.4　偽造医薬品だと認められた場合は，このような製品の市場からの撤去を正式に決定し，流通経路に再度混入しないことを確認し，公衆の健康，規制或いは法的な必要な及び廃棄の方法に必要なサンプルを保管すること。 すべての関連する決定は適切に記録すること。	6.4.4　偽造医薬品だと認められた場合は，流通経路への混入の原因を特定し，必要に応じて適切な再発防止策を講じること。製造販売業者における当該品の保管を含め，これらの業務を文書化し，記録を保管すること。
6.5.　医薬品の回収	6.5　医薬品の回収
6.5.1　製品回収を促進するために受領及び輸送される製品のトレーサビリティーを保証するための文書と手順書を整備すること。	6.5.1　製品回収を迅速に行うために受領及び輸送される製品のトレーサビリティーを保証するための文書と手順書を整備すること。
6.5.2　製品回収の際は製品が輸送されたすべての販売先に適切な緊急度により，明確な行動指針とともに連絡すること。	6.5.2　製品回収の際は製品が輸送された全ての販売先に適切な緊急度により，明確な行動指針とともに連絡すること。
6.5.3所轄当局にはすべての回収を連絡すること。製品が輸出された場合は海外相手先及び／または所轄当局に国の規制の要求に従い回収を連絡する必要がある。	6.5.3　製造販売業者は所轄当局に全ての回収を連絡すること。
6.5.4　製品回収に関する取決めの有効性を定期的に（少なくとも年1回）評価すること。	6.5.4　必要に応じて製品回収に関する手順の有効性を評価すること。
6.5.5　回収業務は迅速に，いつでも開始できるようにしておくこと。	6.5.5　回収業務は迅速に，いつでも開始できるようにしておくこと。
6.5.6　流通業者は回収情報（recall message）の指示に従う必要がある。必要な場合，回収情報は所轄当局の承認を受けること。	6.5.6　卸売販売業者等は回収要請に対応する必要がある。
6.5.7　すべての回収業務は，それが実施された時に記録すること。 記録はすぐに所轄当局に提出できるようにしておくこと。	6.5.7　全ての回収業務は，それが実施された時に記録すること。

6.5.8　流通の記録は回収の責任者がすぐに閲覧できるようにしておき，輸出された製品及び医薬品試供品も含め（国の規制により認められる場合），流通業者及び直接供給した販売先に関する十分な情報（住所，就業時間内及び時間外の電話及び／またはファックス番号，国の規制に基づく要件として医薬品の少なくともバッチ番号，納入数量）を含めること。	6.5.8　流通の記録は回収の責任者がすぐに閲覧できるようにしておき，流通の記録には卸売販売業者又は直接供給した販売先に関する十分な情報（住所，常時連絡が可能な電話番号，メールアドレス，国の規制に基づく要件として医薬品の品名，ロット番号又は製造番号等，使用の期限，納入数量等）を含めること。
6.5.9　回収プロセスの進捗状況は回収製品の収支合せを含め最終報告として記録すること。	6.5.9　回収プロセスの進捗状況は回収製品の収支合せを含め最終報告として記録すること。
第7章外部委託業務	第7章外部委託業務
7.1.　原則	7.1　原則
GDPガイドの対象となる業務のうち外部委託するすべての業務は，製品の完全性に影響を及ぼす可能性のある誤解を避けるため，正確に定義，合意，管理すること。 契約委託者と契約受託者の間で，各当事者の義務を明確に定めた書面による契約を締結する必要がある。	本ガイドラインの対象となる業務のうち外部委託する全ての業務は，製品の完全性に疑いを発生させない様，委託業務の内容について，正確に定義，合意，管理すること。 契約委託者と契約受託者の間で，各当事者の義務を明確に定めた書面による契約を締結する必要がある。
7.2.　契約委託者	7.2　契約委託者
7.2.1　契約委託者は外部委託する業務に対して責任を負う。	7.2.1　契約委託者は外部委託する業務に対して責任を負う。
7.2.2　契約者は，必要とされる業務を適切に遂行する上での契約受託者の能力を評価し，契約書及び監査を通じて，GDPの原則及びガイドラインが遵守されることを保証する責任を負う。 契約受託者の監査は，外部委託する業務の開始前，及び何らかの変更が生じた時点で実施すること。 監査の要求及び頻度は，外部委託する業務の性質に応じたリスクに基づいて定めること。監査は随時実施できるようにしておくこと。	7.2.2　契約委託者は，必要とされる業務を適切に遂行するという観点で契約受託者を評価し，契約書及び監査を通じて，本ガイドラインが遵守されることを保証する責任を負う。 監査の要求及び頻度は，外部委託する業務の性質に応じたリスクに基づいて定めること。監査は随時実施できるようにしておくこと。
7.2.3　契約委託者は，委託した業務を当該製品に関する特別な要求事項及びその他の関連の要求事項に従って実施するために必要とされるすべての情報を，契約受託者に提供すること。	7.2.3　契約委託者は，当該製品に関する特別な要求事項及びその他の関連の要求事項に従って委託した業務を実施するために必要とされる情報を，契約受託者に 提供すること。
7.3.　契約受託者	7.3　契約受託者
7.3.1　契約受託者はGDPに含まれ業務及び契約委託者から委託された業務について責任を持つ。	7.3.1　契約受託者は本ガイドラインに基づく業務及び契約委託者から委託された業務について責任を持つ。
7.3.2　契約受託者は，契約委託者から受託した業務を遂行できるように，適切な施設及び機器，手順，知識及び経験，及び適任な職員を有していること。	7.3.2　契約受託者は，契約委託者から受託した業務を遂行できるように，適切な施設及び機器，手順，知識及び経験，及び適任な職員を有していること。

7.3.3　契約受託者は，第三者への業務の再委託に対する契約委託者による事前の評価及び認証を受け，かつ当該第三者が契約委託者または契約受託者による監査を受けるまでは，契約書に基づいて委託されたいかなる業務も第三者に再委託しないこと。 契約受託者と第三者の間でなされる取決めは，卸売販売に関する情報が原契約者と契約受託者の間と同じように利用できることを確実に保証すること。	7.3.3　契約受託者は，第三者への業務の再委託に対する契約委託者による事前の評価及び認証を受け，かつ当該第三者が契約委託者又は契約受託者による監査を受けるまでは，契約書に基づいて委託されたいかなる業務も第三者に再委託しないこと。 契約受託者と第三者の間でなされる取決めは，医薬品の仕入，保管及び輸送業務に関する情報（委託した業務を実施するために必要とされる品質に関する情報）が原契約者と契約受託者の間と同じように利用できることを確実に保証すること。
7.3.4　契約受託者は，契約委託者のために取り扱う製品の品質に有害な影響を及ぼす可能性のあるいかなる業務も避けること。	7.3.4　契約受託者は，契約委託者のために取り扱う製品の品質に有害な影響を及ぼす可能性のある行為を行わないこと。
7.3.5　契約受託者は，製品の品質に影響を及ぼす可能性のあるいかなる情報も，契約書の要求事項に従って契約委託者に送付する必要がある。	7.3.5　契約受託者は，製品の品質に影響を及ぼす可能性のあるいかなる情報も，契約書の要求事項に従って契約委託者に送付する必要がある。
第8章　自己点検	第8章　自己点検
8.1.　原則	8.1　原則
GDPの原則の実施及び遵守を監視し，必要な是正措置を提案するために，自己点検を実施すること。	本ガイドラインの原則の実施及び遵守を監視し，必要な是正措置を提案するために，自己点検を実施すること。
8.2.　自己点検	8.2　自己点検
8.2.1　自己点検プログラムは，定められた期間内においてGDPの規制，ガイドライン及び手順のすべての側面並びに遵守状況を対象として実施すること。 自己点検は，限られた範囲に分割して実施してもよい。	8.2.1　自己点検プログラムは，定められた期間内において本ガイドライン及び該当手順に従って実施すること。 自己点検は，限られた範囲に分割して実施してもよい。
8.2.2　自己点検は，任命された適格な自社の職員が公平かつ詳細に実施すること。 独立した外部専門家による監査も有用であると思われるが，自己点検に代用することはできない。	8.2.2　自己点検は，あらかじめ指定した者が定期的に実施すること。
8.2.3　すべての自己点検を記録すること。 報告書には検査時に認められたすべての観察事項を含めること。 報告書の写しを経営陣及びその他の関係者に提出すること。 不備及び／または欠陥が認められた場合，原因を明らかにし，CAPAを記録し，フォローアップを行うこと。	8.2.3　全ての自己点検を記録すること。 報告書には自己点検で認められた全ての観察事項を含めること。 報告書の写しを卸売販売業者等の経営陣及びその他の関係者に提出すること。 不備及び／又は欠陥が認められた場合，原因を明らかにし，手順に従ってCAPAを記録し，フォローアップを行うこと。
第9章　輸送	第9章　輸送
9.1.　原則	9.1　原則
9.1.1　医薬品を破損，品質劣化及び盗難から保護し，輸送中の温度条件を許容可能な範囲に維持することは卸売販売業者の責任である。	9.1.1　医薬品を破損，品質劣化及び盗難から保護し，輸送中の温度条件を許容可能な範囲に維持することは卸売販売業者等の責任である。

9.1.2　輸送方式を問わず，当該医薬品がその品質及び完全性を損なう可能性のある条件に曝されていないことを証明できること。 輸送を計画する際には，リスクに基づきアプローチすること。	9.1.2　輸送方式を問わず，当該医薬品がその完全性を損なう可能性のある条件に曝されないようにリスクに基づき証明すること。
9.2.　輸送	9.2　輸送
9.2.1外装または包装に記載された保管条件が輸送中も維持されていること。	9.2.1　外装又は包装に記載された保管条件が輸送中も維持されていること。
9.2.2　温度逸脱や製品の損傷などが輸送中に生じた場合，影響を受けた医薬品の流通業者及び受領者にその旨を報告すること。 また，温度逸脱に関する調査や取扱いに関する手順も定めること	9.2.2　温度逸脱や製品の損傷などが輸送中に生じた場合は，手順に従って卸売販売業者等にその旨を報告すること。 また，温度逸脱に関する調査や取扱いに関する手順も定めること。
9.2.3　医薬品の流通，保管または取扱いに使用される車両及び機器は，その用途に適したものであること。 製品の品質及び包装の完全性に影響を及ぼす可能性のある条件に曝されないような適切に装備されていることを確実に保証することは，卸売販売業者の責任である。	9.2.3　医薬品の流通，保管又は取扱いに使用される車両及び機器は，その用途に適したものであること。 製品の品質及び包装の品質等に影響を及ぼさないよう適切に装備されていること。
9.2.4　清掃及び安全対策を含め，流通過程に関与するすべての車両，及び機器の操作及び保守のための手順書を作成すること。	9.2.4　清掃及び安全対策を含め，流通過程に関与する全ての車両，及び機器の操作及び保守のための手順書を作成すること。
9.2.5　どこで温度管理が必要とされるかを決めるために，輸送ルートのリスクアセスメントを用いること。 輸送中の車両及び／または容器内の温度モニタリングに使用する機器は，定期的に保守及び校正すること。	9.2.5　どこで温度管理が必要とされるかを決めるために，輸送ルートのリスクアセスメントを用いること。 輸送中の車両及び／又は容器内の温度モニタリングに使用する機器は，定期的に保守及び校正すること。
9.2.6　医薬品を取り扱う際には，可能な限り，専用車両及び機器を使用すること。 専用ではない車両及び設備が使用される場合は，医薬品の完全性が損なわれないように手順書を整備すること。	9.2.6　医薬品を取り扱う際には，可能な限り，専用車両及び機器を使用すること。 専用ではない車両及び設備が使用される場合は，医薬品の完全性が損なわれないように手順書を整備すること。
9.2.7　納品通知書に記載された住所に加え，荷受人の施設にも注意して輸送すること。 医薬品を他の施設に置かないようにすること。	9.2.7　定められた納品先の住所・施設以外に納品してはならない。
9.2.8　通常の就業時間外に行う緊急輸送の場合，担当者を任命し，手順書を備えること。	9.2.8　通常の就業時間外に行う緊急輸送については，担当者を任命し，手順書を備えること。
9.2.9　輸送が第三者によって行われる場合，第7章の要求事項を含めた契約書を作成すること。 卸売販売業者は，積荷に適用される関連の輸送条件を輸送業者に知らせること。 輸送ルート中に輸送基地での積み替え，または一時保管が含まれる場合，中間保管施設の温度モニタリング，清浄度及びセキュリティには，特に注意を払うこと。	9.2.9　輸送が第三者によって行われる場合，第7章の要求事項を含めた契約書を作成すること。 卸売販売業者等は，積荷に関する輸送条件を輸送業者に知らせること。 輸送ルート中に輸送基地での積み替えが含まれる場合，温度モニタリング，清浄度及びセキュリティには，特に注意を払うこと。

9.2.10　輸送ルートの次の段階を待つ間の，一時保管の時間を最小限に抑えるための対策を講じること。	9.2.10　輸送ルートの次の段階を待つ間の，一時保管の時間を最小限に抑えるための対策を講じること。
9.3.　容器，包装及びラベル表示	9.3　輸送の容器，包装及びラベル表示
9.3.1　医薬品は，製品の品質に悪影響を及ぼさないような容器で輸送し，汚染を含む外部要因の影響から適切に保護すること。	9.3.1　医薬品は，製品の品質に悪影響を及ぼさないような容器で輸送し，汚染を含む外部要因の影響から適切に保護すること。
9.3.2　容器及び包装の選択は，当該医薬品の保管と輸送の要求事項，医薬品の量に対して必要とされるスペース，予想される外部温度の極限，税関での一時保管を含めた輸送の最長期間，包装の適格性の状況及び輸送容器のバリデーションの状況に基づいて行うこと。	9.3.2　輸送の容器及び包装の選択は，当該医薬品の保管と輸送の要求事項，医薬品の量に応じた大きさ，予想される外部温度の上下限，輸送の最長期間，包装及び輸送容器のバリデーションの状況に基づいて行うこと。
9.3.3　容器には，取扱いと保管の要求事項についての十分な情報に加え，製品が常時適切に取り扱われ安全であることを保証するための注意事項を記載したラベルを表示すること。 容器は，内容物と出荷元が識別できるようにすること。	9.3.3　輸送の容器には，取扱いと保管の要求事項についての十分な情報に加え，製品が常時適切に取り扱われ安全であることを保証するための注意事項を記載したラベルを表示すること。 輸送の容器は，内容物と出荷元が識別できるようにすること。
9.4.　特別な条件が必要とされる製品	9.4　特別な条件が必要とされる製品
9.4.1　麻薬や向精神薬のような特別な条件が必要とされる医薬品の輸送に関して，卸売販売業者は，国の規制によって定められた要求事項に準拠して，安全で確実な流通経路を維持すること。 このような製品の輸送には，追加の管理システムを備えること。盗難の発生に対処するための手順を定めること。	9.4.1　麻薬や向精神薬のような特別な条件が必要とされる医薬品の輸送に関して，卸売販売業者等は，国の規制によって定められた要求事項に準拠して，安全で確実な流通経路を維持すること。 このような製品の輸送には，追加の管理システムを備えること。また，盗難，紛失等が発生した場合の手順を定めること。
9.4.2　高活性物質及び放射性物質を含む医薬品は，専用の安全かつ確実な容器と車両を用いて輸送すること。 関連する安全対策は，国際的な合意及び各国の規制に準拠したものであること。	9.4.2　高活性物質及び放射性物質を含む医薬品は，関係法規に従って輸送すること。
9.4.3　温度感受性の高い医薬品については，製造業者，卸売販売業者及び販売先の間で適切な輸送条件が維持されていることを確保するため，適格性が保証された機器（保温包装，温度制御装置付きの容器，温度制御装置付きの車両等）を使用すること。	9.4.3　温度感受性の高い医薬品については，卸売販売業者等及び販売先の間で適切な輸送条件が維持されていることを確保するため，適格性が保証された機器（保温包装，温度制御装置付きの容器，温度制御装置付きの車両等）を使用すること。
9.4.4　温度制御装置付きの車両を使用する場合，輸送中に使用する温度モニタリング機器を，定期的に保守及び校正すること。 代表的な条件下で温度マッピングを実施し，必要であれば，季節変動要因も考慮すること。	9.4.4　温度制御装置付きの車両を使用する場合，輸送中に使用する温度モニタリング機器を，定期的に保守及び校正すること。 代表的な条件下で温度マッピングを実施し，必要であれば，季節変動要因も考慮すること。
9.4.5　要請があれば，製品が保管温度条件に適合していることが証明できる情報を，販売先に提供すること。	9.4.5　要請があれば，製品が保管温度条件に適合していることが証明できる情報を，販売先に提供すること。

9.4.6　断熱ケースに…剤を入れて使用する場合，製品が保冷剤に直…ないようにする。当該職員は断熱…の組み立て（季節に応じた形態）及び保冷…用手順の教育訓練を受ける必要がある。	9.4.6　断熱ケースに保冷剤を入れて使用する場合，製品が保冷剤に直接触れないようにすること。 断熱ケースの組み立て（季節に応じた形態）及び保冷剤の再使用を担当する職員は手順の教育訓練を受ける必要がある。
9.4.7　不…された保冷剤が誤って使用されないこ…証するため，保冷剤の再使用に関す…ムを構築すること。冷凍した保冷剤…剤を，適切かつ物理的に隔離する…	9.4.7　冷却不足の保冷剤が誤って使用されないことを確実に保証するため，保冷剤の再使用に関する管理システムを構築すること。冷凍した保冷剤と冷却した保冷剤を，適切かつ物理的に隔離すること。
…に対して感受性が高い製品の輸送及…温度変動を管理するプロセスを手順書…と。	9.4.8　温度変化に対して感受性が高い製品の輸送及び季節ごとの温度変動を管理するプロセスを手順書に記述すること。

医薬品の適正な流通の確保について

平成29年1月17日　医政総発0117第1号・医政経発0117第1号・薬生総発0117第1号・薬
各衛生主管部（局）長あて　厚生労働省医政局総務課長，経済課長，医薬・生活衛生局総
麻薬対策課長通知

今般，別添参考のとおり，偽造医薬品が流通し，調剤された事例が認められました
いては，その流通経路等を調査中ですが，医薬品の適正な流通を確保し，同様の事例の
止するため，下記のとおり，貴管下の医療機関，薬局及び医薬品の販売業者に対する注
び必要な指導をお願いいたします。

なお，医療従事者における本件への必要な対応については，別添参考に記載されている
併せて周知いただくようお願いいたします。

記

1．医薬品を譲り受ける際は，当該医薬品が本来の容器包装等に収められているかどうかその状態（未開封であること，添付文書が同梱されていること等を含む。）を確認することに加え，譲渡人が必要な販売業許可等を有し，当該医薬品を適正な流通経路から入手していることを確認するなど，偽造医薬品の混入を避けるため，必要な注意をすること。

2．薬局及び医薬品の販売業者にあっては，医薬品，医療機器等の品質，有効性及び安全性の確保等に関する法律施行規則（昭和36年厚生省令第1号）第14条，第146条，第149条の5及び第158条の4の規定に基づき，医薬品を譲り受けたときは，その譲渡人の氏名等に関する記録を作成し，保管すること。

3．患者等に対し，調剤した薬剤又は医薬品の販売等を行う際は，医薬品（その容器包装等を含む。）の状態を観察し，通常と異なると認められる場合はこれを販売等せず，異常のない医薬品を用いて改めて調剤するなど適切に対応すること。また，通常と異なると認められる医薬品については，所管の都道府県等に連絡すること。

2017 年 1 月 17 日

患者様へ

ギリアド・サイエンシズ株式会社

C 型肝炎治療薬「ハーボニー®配合錠」の偽造品についての重要なお知らせ

この度，奈良県内の特定の薬局チェーンにおきまして，C 型肝炎治療薬「ハーボニー®配合錠」の偽造品が発見されました。これまでの調査から，偽造品はギリアドの正規取引先以外の経路から入手されたものであることが判明しています。なお，偽造品に含まれている錠剤の成分は現在調査中ですが，患者様ご自身の安全と適切な治療の継続のために下記の事項をご確認に頂きますようご協力お願いいたします。

1．ハーボニー配合錠を現在服用されている患者様にご確認頂きたいこと：

- 医療機関や薬局でハーボニー配合錠を受け取られた時点で，ボトルの中にお薬が 28 錠封入されていたか，その錠剤の形状が，ひし形で，錠剤の表面には「GSI」，その反対側には「7985」の刻印があり，色がだいだい色であることをご確認ください。
- ご自身でボトルを開封された場合には，ボトル口部にアルミシールがされていたかご確認ください。また，指では容易に剥がせなかったことをご確認ください。

上記の点に関しまして，不自然な点がみられた場合には，すみやかに調剤された医療機関や薬局までお問い合わせください。また，ご自身の判断で服薬を中止することはおやめ下さい。

2．ハーボニー配合錠の服用をこれから開始される患者様にご確認頂きたいこと：

医療機関や薬局でハーボニー配合錠を受け取られる際には，薬剤師の先生と一緒に製品を開封し，錠剤を確認してください。

3．ハーボニー配合錠の服用を既に完了された患者様にご確認頂きたいこと：

添付資料 1 の錠剤の写真から，ご自身が内服されたものと著しく異なる場合は，医療機関や薬局の薬剤師の先生にお問い合わせいただきますようお願いいたします。

その他ご不明な点がございましたら，下記の弊社コールセンターまでご連絡いただきますようお願いいたします。なお，ハーボニー配合錠の錠剤及びアルミシールの写真を添付資料 1 に，添付資料に 2 にこの度，発見された偽造品の形態をお示し致します。これらはこれまでに見つかった例であり今後別の形態の偽造品が発見される場合もございます。なお，偽造品が疑われる場合はその内容物の外観に関わらず決して内服しないようにしてください。

メディカルサポートセンター　　偽造品専用ホットライン
（フリーダイアル）0120-631-042
受付時間：24 時間

以上

添付資料 1

ハーボニー®配合錠　錠剤

ひし形の錠剤（だいだい色）

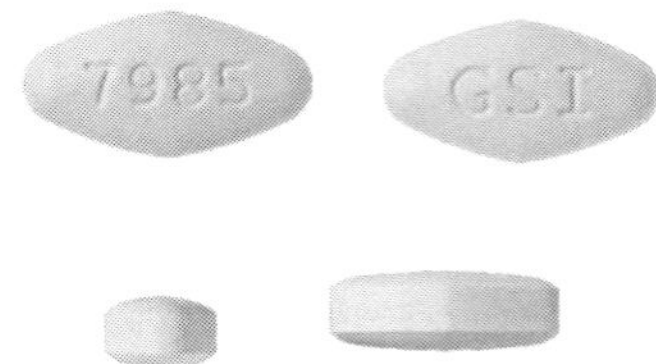

ハーボニー®配合錠　ボトル口部のアルミシール（指で剥がすことは困難）

添付資料 2

現在確認されている偽造品の形態

発見された偽造品の事例を以下に示します。これらはこれまでに見つかった例であり今後別の形態の偽造品が発見される場合もございますことご承知おきください。偽造品が疑われる場合はその内容物の外観に関わらず決して内服しないようにしてください。

事例 1：
ハーボニー®錠の形状（ひし形，だいだい色）とは異なる，まだら模様の薄い黄色の錠剤 28 錠が混入したボトル。

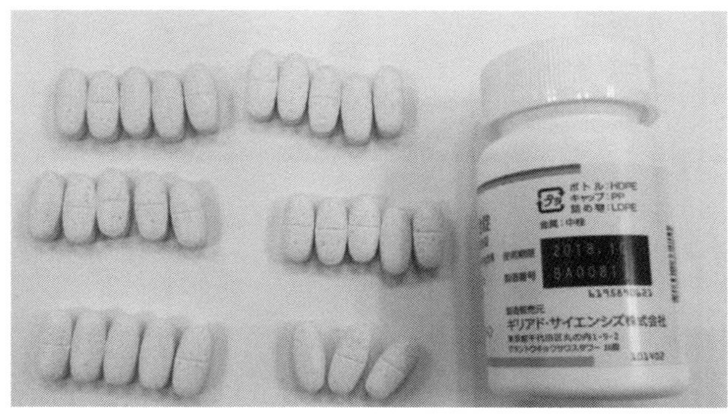

事例 2：
ソバルディ®錠と外観が類似する 21 錠と薄い紫色の錠剤 29 錠が混入したボトル。

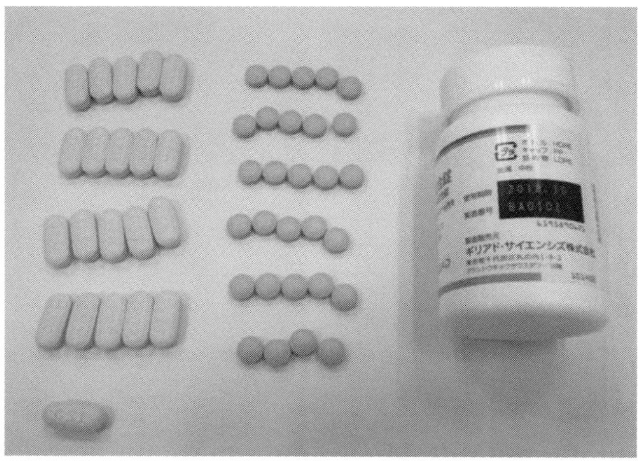

事例 3：
ハーボニー®錠のラベルが付されたボトルにソバルディ錠と外観が類似する錠剤 28 錠が混入したボトル。

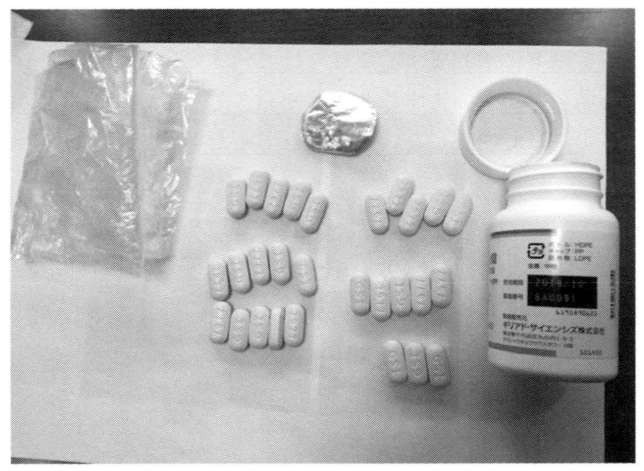

事例 4：
ハーボニー®配合錠と外観が類似する錠剤 20 錠とソバルディ錠と外観が類似する錠剤 8 錠が混入したボトル。

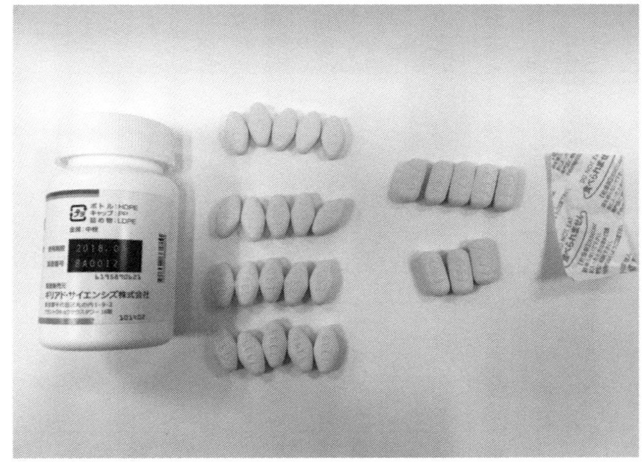

2017年1月17日

ハーボニー®配合錠を処方された先生へ

ギリアド・サイエンシズ株式会社

C型肝炎治療薬「ハーボニー®配合錠」の偽造品についての重要なお知らせ

この度，奈良県内の特定の薬局チェーンにおきまして，C型肝炎治療薬「ハーボニー®配合錠」の偽造品が発見されました。これまでの調査から，偽造品はギリアドの正規取引先以外の経路から入手されたものであることが判明しています。つきましては，患者様がハーボニー配合錠をお受け取りになる場合にも，必ず薬剤師とともに製品を開封し，錠剤を確認されるようにご指示いただきますようお願いいたします。

万が一，製品の状態に不自然な点がみられた場合には，弊社コールセンターまでご連絡いただけますようお願いいたします。ハーボニー配合錠（正規品）は別紙1に示しますとおり，だいだい色のひし形の錠剤で，一方の表面には「GSI」，その反対側には「7985」と刻印されております。また，真正品では開口部のアルミシールがボトルに強く接着しており，指で容易にははがすことができない特徴があります。

偽造品に含まれている錠剤の成分は現在調査中ですが，患者様の安全と適切な治療の継続のために下記に示しますように患者様の状態および製品をご確認いただきますよう，ご協力をお願いいたします。

ハーボニー®配合錠を現在服用されている患者様についてご確認頂きたいこと

- 薬効欠如含めた有害事象の発現など，患者様の状態に変化が無いかご確認をお願いします。特に，真正品と異なる製剤の服用が疑われる場合には，薬効欠如を含めて有害事象が過去を含めて起こっていなかったかの確認をしてください。

  有害事象がある場合はそのご対応をいただくとともに，弊社の偽造品専用ホットライン（0120-631-042）までご連絡下さい。

- 患者様から錠剤の形，色，ボトル内の錠数等について，真正品と異なると連絡を受けた場合は，患者様からボトルを含め，製品を持参して頂き，色（だいだい色），形（ひし形），刻印（「GSI」および「7985」）などに真正品と異なる不自然な点が無いかのご確認をお願いします。

ハーボニー®配合錠の服用をこれから開始される患者様に製剤をお渡しになる前にご確認頂きたいこと

- 患者様にはハーボニー®配合錠を受け取る時には医療機関や薬局にて必ずボトルを開封*し，上記に記載した注意点（ボトル口部にアルミシールがされているか，シールが容易にははがれない，錠剤の形状・刻印・色，ボトルあたり28錠となっているか）などに異常や不自然な点が認められないか確認するようにご指導をお願いします。

*ボトル開封後の製剤の安定性は無包装状態で45日まで確認されている。

ハーボニー®配合錠の服用を既に完了された患者様についてご確認頂きたいこと

- 患者様からすでに服用した錠剤の形，色，ボトル内の錠数等について，真正品と異なっていたと連絡を受けた場合，適切なフォローアップなどを通し薬効欠如を含めた有害事象がなかったかのご確認をお願いします。有害事象が発生している場合にはそのご対応をお願いいたしますとともに弊社の偽造品専用ホットライン（0120-631-042）までご連絡下さい。

以下に製品についてご確認いただきたいことをお示しいたします

ご確認事項：

1）医療機関・薬局への納品時には、製品が正規（銀色・弊社名入り）の、封緘シールがされた外箱（個装箱）に入っている事：ボトルだけで納品されていたり、添付文書がない状態となっていないか

2）患者様の前で必ずボトルを開封*し、以下を確認する：

ボトル口部にアルミシールがされているか

錠剤の形状・刻印・色

錠剤数（ボトルあたり28錠）

*ボトル開封後の製剤の安定性は45日まで確認されている。

また，弊社製品「ハーボニー®配合錠」は，正規ルートを通じて真正品（未開封の外箱に添付文書と共に梱包）をご購入いただきますようお願いいたします。

別紙2にこの度，発見された偽造品の形態をお示し致します。これらはこれまでに見つかった例であり今後別の形態の偽造品が発見される場合もございますことご承知おきください。なお，偽造品が疑わる場合はその内容物の外見に関わらず決して服用しないようご指導をお願いいたします。

メディカルサポートセンター

偽造品専用ホットライン

（フリーダイアル）0120-631-042

受付時間：24時間

以上

別紙 1

ハーボニー®配合錠（真正品）の外観

ハーボニー®配合錠　真正品

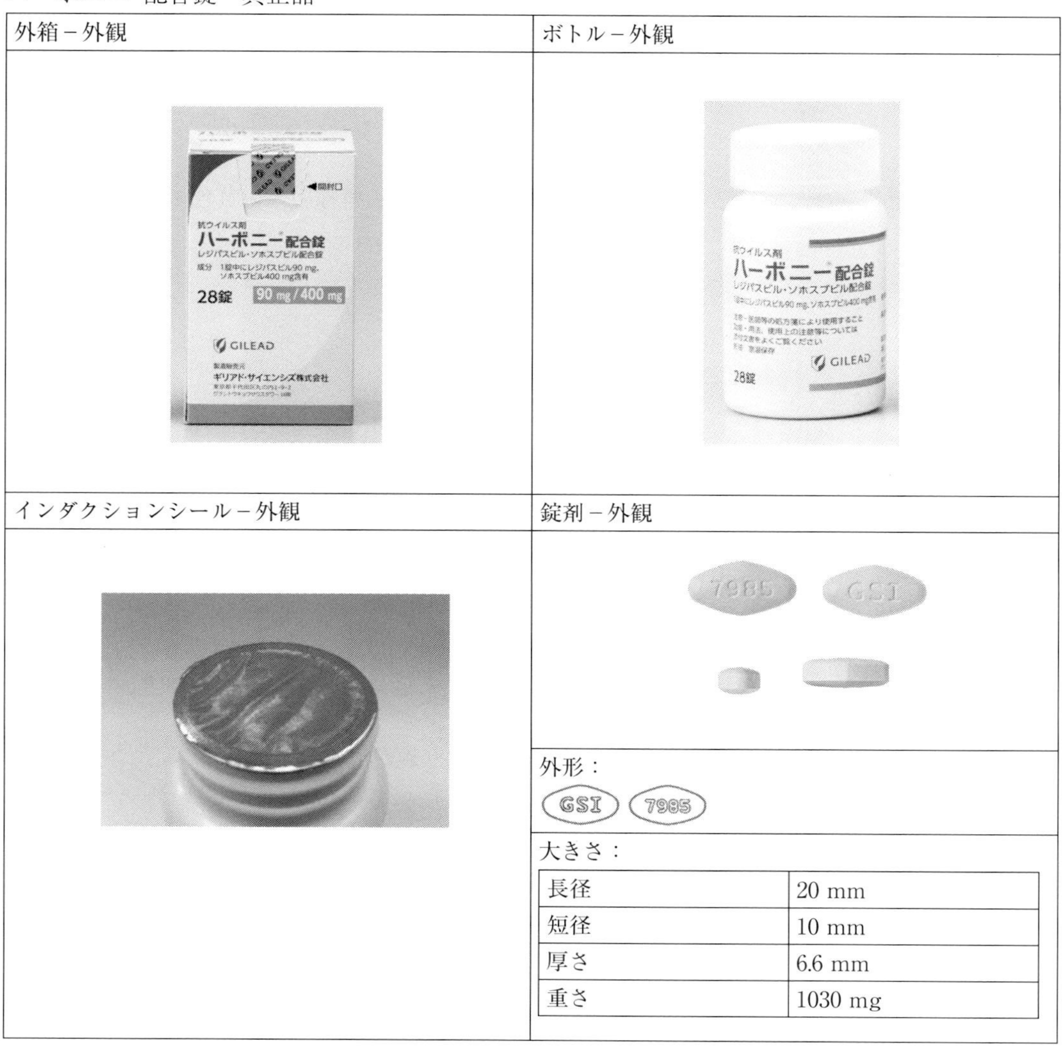

外箱－外観	ボトル－外観
インダクションシール－外観	錠剤－外観
	外形： GSI 7985
	大きさ：

長径	20 mm
短径	10 mm
厚さ	6.6 mm
重さ	1030 mg

別紙 3

現在確認されている偽造品の形態

<u>発見された偽造品の事例を以下に示します。これらはこれまでに見つかった例であり今後別の形態の偽造品が発見される場合もございますことご承知おきください。偽造品が疑われる場合はその内容物の外観に関わらず決して内服しないようにしてください。</u>

事例 1：
ハーボニーの形状（ひし形，だいだい色）とは異なる，まだら模様の薄い黄色の錠剤 28 錠が混入したボトル。

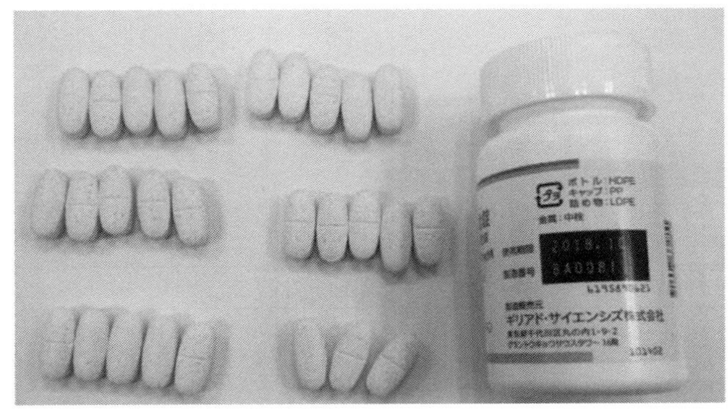

事例 2：
ソバルディ錠と外観が類似する 21 錠と薄い紫色の錠剤 29 錠が混入したボトル。

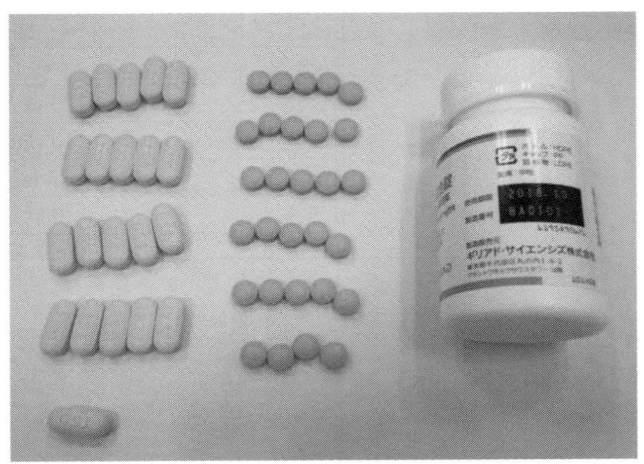

事例 3：

ハーボニーのラベルが付されたボトルにソバルディ錠と外観が類似する錠剤 28 錠が混入したボトル。

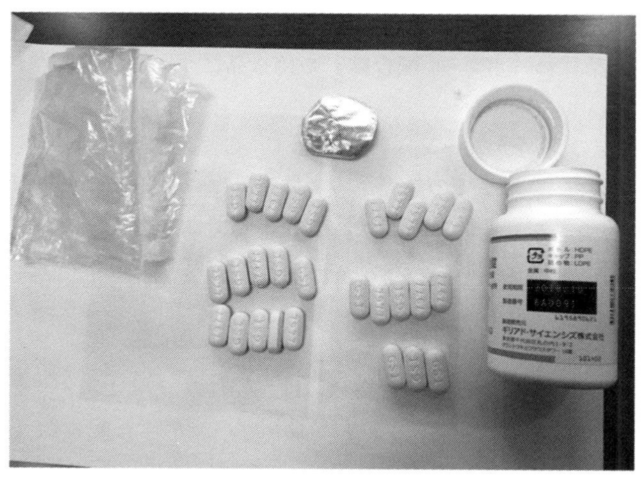

事例 4：

ハーボニー配合錠と外観が類似する錠剤 20 錠とソバルディ錠と外観が類似する錠剤 8 錠が混入したボトル。

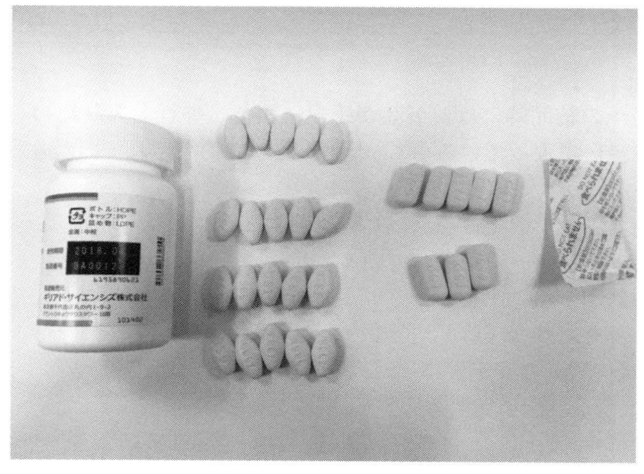

2017年1月17日

薬剤師の先生へ

ギリアド・サイエンシズ株式会社

C型肝炎治療薬「ハーボニー®配合錠」の偽造品についての重要なお知らせ

この度，奈良県内の特定の薬局チェーンにおきまして，C型肝炎治療薬「ハーボニー®配合錠」の偽造品が発見されました。これまでの調査から，偽造品はギリアドの正規取引先以外の経路から入手されたものであることが判明しています。つきましては，患者様にハーボニー配合錠をお渡しされる場合には，必ず製品を開封し，錠剤を確認してお渡しくださいますようお願いいたします。

万が一，製品の状態に不自然な点がみられた場合には，弊社コールセンターまでご連絡いただけますようお願いいたします。別紙1に示しますとおり，ハーボニー配合錠（正規品）はだいだい色のひし形の錠剤で，一方の表面には「GSI」，その反対側には「7985」と刻印されております。

偽造品に含まれている錠剤の成分は現在調査中ですが，患者様の安全と適切な治療の継続のために下記に示しますように製品及び患者様の状態をご確認いただきますよう，ご協力をお願いいたします。

製品についてご確認いただきたいこと

ご確認事項：

1）医療機関・薬局への納品時には、製品が正規（銀色・弊社名入り）の、封緘シールがされた外箱（個装箱）に入っている事：ボトルだけで納品されていたり、添付文書がない状態となっていないか

2）患者様の前で必ずボトルを開封*し、以下を確認する：

ボトル口部にアルミシールがされているか

錠剤の形状・刻印・色

錠剤数（ボトルあたり28錠）

*ボトル開封後の製剤の安定性は45日まで確認されている。

また，弊社製品「ハーボニー®配合錠」は，正規ルートを通じて真正品（<u>未開封の外箱に添付文書と共に梱包）をご購入いただきますようお願いいたします。</u>

別紙2にこの度，発見された偽造品の形態をお示し致します。これらはこれまでに見つかった例であり今後別の形態の偽造品が発見される場合もございますことご承知おきください。

<u>なお，偽造品が疑わる場合はその内容物の外見に関わらず決して服用しないようご指導をお願いいたします。</u>

患者様についてご確　ただきたいこと

現在服用されている患者様について

ハーボニー®　形，色，ボトル内の錠数等について，真正品と異なると連絡を受けた場合

● 患者様かトルを含め，製品を持参して頂き，色（だいだい色），形（ひし形），刻印は，患985」）などに真正品と異なる不自然な点が無いかのご確認をお願いします。

（「GS

● 異なる製剤の服用中に有害事象がなかったかご確認ください。患者様が，製有害事象を現在または過去に経験していた場合，患者様には主治医の受診を勧主治医にはその旨をお伝えください。また，治療の継続・中止の判断はその医師にご相談ください。

己合錠の服用をこれから開始される患者について

で必ずボトルを開封*し，上記に記載した注意点（ボトル口部にアルミシールがるか，錠剤の形状・刻印・色，ボトルあたり28錠となっているか）などに異常や点が認められないか確認をお願いします。真正品では開口部のシールが容易にははことをご確認ください。

ボトル開封後の製剤の安定性は無包装状態で45日まで確認されている。

ハーボニー®配合錠の服用を既に完了された患者様について

● 患者様からすでに服用した錠剤の形，色，ボトル内の錠数等について，真正品と異なっていたと連絡を受けた場合は有害事象が起こっていないかの確認をお願いします。患者様が，製剤の服用中に有害事象を現在または過去に経験していた場合，患者様には主治医の受診を勧めるとともに，主治医にはその旨をお伝えください。

上記につきまして有害事象の有無にかかわらず，真正品と異なる場合は弊社の偽造品専用ホットライン（0120-631-042）までご連絡下さい。

メディカルサポートセンター
偽造品専用ホットライン
（フリーダイアル）0120-631-042
受付時間：24時間

以上

別紙 1

ハーボニー®配合錠　真正品

<table>
<tr><td>外箱－外観</td><td>ボトル－外観</td></tr>
<tr><td>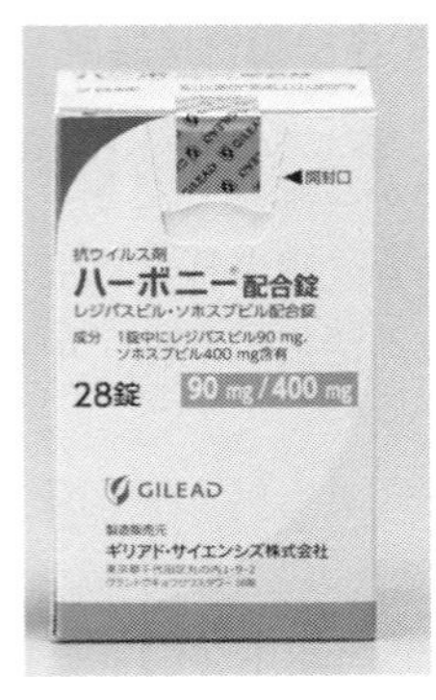</td><td>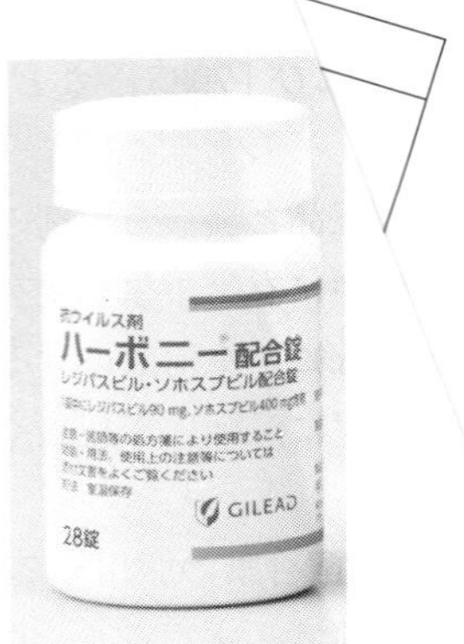</td></tr>
<tr><td>インダクションシール－外観</td><td>錠剤－外観</td></tr>
<tr><td rowspan="3"></td><td>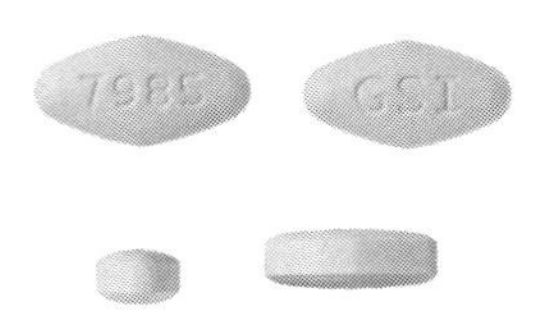</td></tr>
<tr><td>外形：
</td></tr>
<tr><td>大きさ：
<table><tr><td>長径</td><td>20 mm</td></tr><tr><td>短径</td><td>10 mm</td></tr><tr><td>厚さ</td><td>6.6 mm</td></tr><tr><td>重さ</td><td>1030 mg</td></tr></table></td></tr>
</table>

発見された偽造品の事例を以下に示します。これらはこれまでに見つかった例であり今後別の形態の偽造品が発見される場合もございますことご承知おきください。偽造品が疑われる場合はその内容物の外観に関わらず決して内服しないようにしてください。

事例 1：
ハーボニー®錠の形状（ひし形，だいだい色）とは異なる，まだら模様の薄い黄色の錠剤 28 錠が混入したボトル。

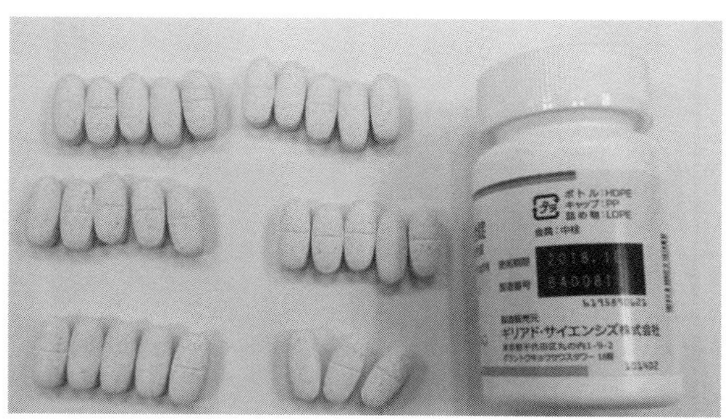

事例 2：
ソバルディ®錠と外観が類似する 21 錠と薄い紫色の錠剤 29 錠が混入したボトル。

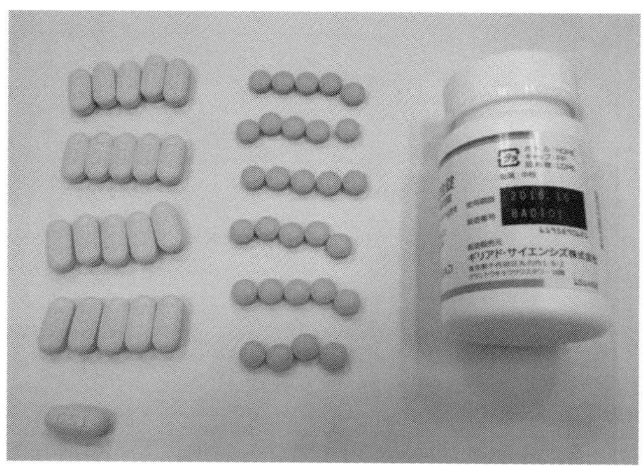

事例３：
ハーボニー®錠のラベルが付されたボトルにソバルディ錠と外観が類似する錠剤28錠が混入したボトル。

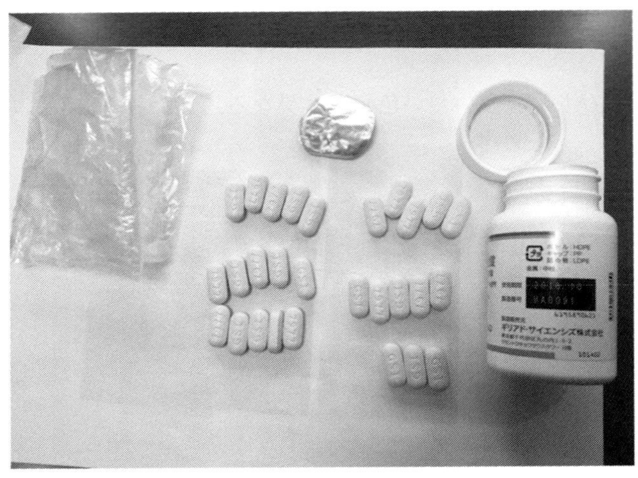

事例４：
ハーボニー®配合錠と外観が類似する錠剤20錠とソバルディ錠と外観が類似する錠剤８錠が混入したボトル。

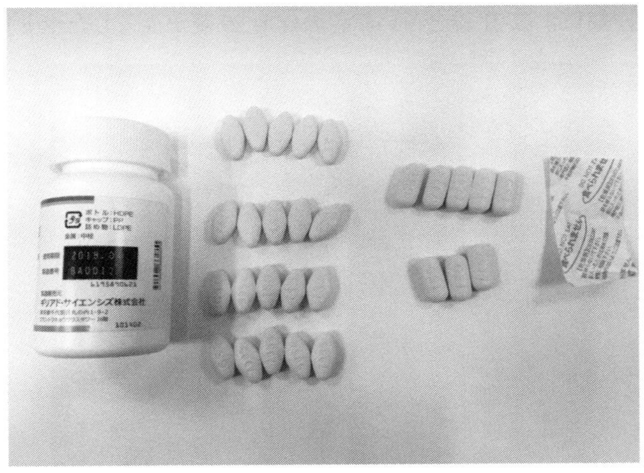

卸売販売業者及び薬局における記録及び管理の徹底について

（平成29年２月16日　薬生総発0216第１号
各都道府県，各保健所設置市，各特別区衛生主管部（局）長あて
厚生労働省医薬・生活衛生局総務課長通知）

今般，医薬品の卸売販売業者及び薬局を通じて偽造医薬品が流通し，患者の手に渡る事案が発生しました。同様の事案の発生を防止するため，既に「医薬品の適正な流通の確保について」（平成29年１月17日付け医政総発0117第１号・医政経発0117第１号・薬生総発0117第１号・薬生監麻発0117第１号厚生労働省医政局総務課長・医政局経済課長・医薬・生活衛生局総務課長・医薬・生活衛生局監視指導・麻薬対策課長連名通知）により注意喚起等を行っているところですが，これまでに明らかとなった事実等を踏まえ，改めて，卸売販売業者及び薬局に対する医療用医薬品の適正な流通確保に係る記録及び管理について，留意事項を下記のとおり整理しましたので，貴管下の卸売販売業者及び薬局に徹底いただくようお願いいたします。

記

1．卸売販売業者及び薬局は，医療用医薬品を譲り受ける際には，次に掲げる事項に留意すること。

（1）卸売販売業者及び薬局開設者は，医薬品，医療機器等の品質，有効性及び安全性の確保等に関する法律施行規則（昭和36年厚生省令第１号。以下「規則」という。）第14条及び第158条の４の規定に基づき，譲渡人の氏名等の情報を記録する必要がある。これらの情報を正確に記録するため，譲渡人の氏名（卸売販売業者等の名称）の確認の際には，医薬品を納品する者の身分証明書等の提示を求めて本人確認を行うこと。併せて，譲渡人が有する販売業等の許可番号や連絡先等の情報を確認し，確認した情報については，譲渡人の氏名等の情報と併せて記録すること。

ただし，譲渡人との間で取引契約に基づく，継続した取引実績がある場合であって，譲渡人が医薬品，医療機器等の品質，有効性及び安全性の確保等に関する法律（昭和35年法律第145号。以下「法」という。）に基づく医薬品の販売業等の許可を受けた者等であることを既に確認している場合はこの限りではない。

（2）卸売販売業者及び薬局の管理者は，法第８条第１項及び第36条第１項の規定に基づき，保健衛生上支障を生ずるおそれがないように医薬品等を管理する義務がある。このため，譲り受けた医薬品が本来の容器包装等に収められているかどうかその状態の確認（未開封であること等の確認に加え，薬局等においては，添付文書が同梱されていること等の確認を含む。）を行うとともに，医薬品の管理状況等について疑念がある場合には，譲渡人における仕入れの経緯，医薬品管理状況等を確認し，管理者として必要な注意をすること。

なお，譲り受けた医薬品が，直接の容器又は直接の被包を開き，分割販売された医薬品であって，法第50条に規定する事項を記載した文書及び第52条に規定する添付文書

が添付されていない場合には，上記の確認に際して，規則第216条の規定に基づく表示等についても確認する必要があること。

2．薬局の薬剤師は，患者等に対し，調剤しようとする医薬品（その容器包装等を含む。）の状態を観察し，通常と異なると認められる場合は，これを調剤せず，異常のない医薬品を用いて改めて調剤するほか，医薬品等を管理する責任を有する管理薬剤師に報告するなど適切に対応すること。

○厚生労働省令第百六号

医薬品，医療機器等の品質，有効性及び安全性の確保等に関する法律（昭和三十五年法律第百四十五号）第九条第一項，第二十九条の二第一項，第三十一条の二第二項，第三十一条の四第一項，第三十六条の二第一項，第四十九条第二項及び第五十条第十五号の規定に基づき，医薬品，医療機器等の品質，有効性及び安全性の確保等に関する法律施行規則の一部を改正する省令を次のように定める。

平成二十九年十月五日

厚生労働大臣　加藤　勝信

医薬品，医療機器等の品質，有効性及び安全性の確保等に関する法律施行規則の一部を改正する省令

医薬品，医療機器等の品質，有効性及び安全性の確保等に関する法律施行規則（昭和三十六年厚生省令第一号）の一部を次のように改正する。

次の表により，改正前欄に掲げる規定の傍線を付した部分をこれに順次対応する改正後欄に掲げる規定の傍線を付した部分のように改め，改正前欄及び改正後欄に対応して掲げるその標記部分に二重傍線を付した規定（以下「対象規定」という。）は，その標記部分が同一のものは当該対象規定を改正後欄に掲げるもののように改め，その標記部分が異なるものは改正前欄に掲げる対象規定を改正後欄に掲げる対象規定として移動し，改正前欄に掲げる対象規定で改正後欄にこれに対応するものを掲げていないものは，これを削り，改正後欄に掲げる対象規定で改正前欄にこれに対応するものを掲げていないものは，これを加える。

改　正　後	改　正　前
目次 第一章～第十三章　（略） 第十四章　雑則（第二百五十三条－第二百八十九条） 附則	目次 第一章～第十三章　（略） 第十四章　雑則（第二百五十三条－第二百八十八条） 附則
（医薬品の購入等に関する記録） 第十四条　薬局開設者は，医薬品を購入し，又は譲り受けたとき及び薬局開設者，医薬品の製造販売業者，製造業者若しくは販売業者又は病院，診療所若しくは飼育動物診療施設（獣医療法（平成四年法律第四十六号）第二条第二項に規定する診療施設をいい，往診のみによつて獣医師に飼育動物の診療業務を行わせる者の住所を含む。以下同じ。）の開設者に販売し，又は授与したときは，次に掲げる事項（第二号及び第三号に掲げる事項にあつては，当該医薬品が医療用医薬品として厚生労働大臣が定める医薬品（以下「医療用医薬品」という。）（体外診断用医薬品を除く。）である場合に限る。）を書面に記載しなければならない。	（医薬品の譲受け及び譲渡に関する記録） 第十四条　薬局開設者は，医薬品を譲り受けたとき及び薬局開設者，医薬品の製造販売業者，製造業者若しくは販売業者又は病院，診療所若しくは飼育動物診療施設（獣医療法（平成四年法律第四十六号）第二項に規定する診療施設をいい，往診のみによつて獣医師に飼育動物の診療業務を行わせる者の住所を含む。以下同じ。）の開設者に販売し，又は授与したときは，次に掲げる事項を書面に記載しなければならない。
一　（略）	一　（略）
二　一の製造期間内に一連の製造工程により均質性を有するように製造された製品の一群に付される番号（以下「ロット番号」という。）（ロットを構成しない医薬品については製造番号）	（新設）
三　使用の期限	（新設）
四　（略）	二　（略）
五　購入若しくは譲受け又は販売若しくは授与の年月日	三　譲受け又は販売若しくは授与の年月日
六　購入若しくは譲り受けた者又は販売若しくは授与した者（以下「購入者等」という。）の氏名又は名称，住所又は所在地及び電話番号その他の連絡先（次項ただし書の規定により同項に規定する確認を行わないこととされた場合にあつては，氏名又は名称以外の事項は，その記載を省略することができる。）	四　譲渡人又は譲受人の氏名
七　前号に掲げる事項の内容を確認するために提示を受けた資料（次項ただし書の規定により同項に規定する確認を行わないこととされた場合を除く。）	（新設）
八　購入者等が自然人であり，かつ，購入者等以外の者が医薬品の取引の任に当たる場合及び購入者等が法人である場合にあつては，医薬品の取引の任に当たる自然人が，購入者等と雇用関係にあること又は購入者等から医薬品の取引に係る指示を受けたことを示す資料	（新設）

改　正　後	改　正　前
2 薬局開設者は，前項の規定に基づき書面に記載するに際し，購入者等から，薬局開設，医薬品の製造販売業，製造業若しくは販売業又は病院，診療所若しくは飼育動物診療施設の開設の許可に係る許可証の写し（以下単に「許可証の写し」という。）その他の資料の提示を受けることで，購入者等の住所又は所在地，電話番号その他の連絡先を確認しなければならない。ただし，購入者等が当該薬局開設者と常時取引関係にある場合は，この限りではない。	（新設）
3 薬局開設者は，薬局医薬品，要指導医薬品又は第一類医薬品（以下この項において「薬局医薬品等」という。）を販売し，又は授与したとき（薬局開設者，医薬品の製造販売業者，製造業者若しくは販売業者又は病院，診療所若しくは飼育動物診療施設の開設者に販売し，又は授与したときを除く。第五項及び第六項並びに第百四十六条第三項，第五項及び第六項において同じ。）は，次に掲げる事項を書面に記載しなければならない。	2 薬局開設者は，薬局医薬品，要指導医薬品又は第一類医薬品（以下この項において「薬局医薬品等」という。）を販売し，又は授与したときは，次に掲げる事項を書面に記載しなければならない。
一～五　（略）	一～五　（略）
4～6　（略）	3～5　（略）
（薬局医薬品の貯蔵等）	（薬局医薬品の貯蔵等）
第十四条の二　薬局開設者は，薬局医薬品を調剤室（薬局等構造設備規則（昭和三十六年厚生省令第二号）第一条第一項第十号に規定する調剤室をいう。）以外の場所に貯蔵し，又は陳列してはならない。ただし，要指導医薬品又は一般用医薬品を通常陳列し，又は交付する場所以外の場所に貯蔵する場合は，この限りでない。	第十四条の二　薬局開設者は，薬局医薬品を調剤室（薬局等構造設備規則（昭和三十六年厚生省令第二号）第一条第一項第九号に規定する調剤室をいう。）以外の場所に貯蔵し，又は陳列してはならない。ただし，要指導医薬品又は一般用医薬品を通常陳列し，又は交付する場所以外の場所に貯蔵する場合は，この限りでない。
第十四条の三　（略）	第十四条の三　（略）
2 薬局開設者は，開店時間のうち，要指導医薬品又は第一類医薬品を販売し，又は授与しない時間は，要指導医薬品陳列区画（薬局等構造設備規則第一条第一項第十一号ロに規定する要指導医薬品陳列区画をいう。以下同じ。）又は第一類医薬品陳列区画（同項第十二号ロに規定する第一類医薬品陳列区画をいう。以下同じ。）を閉鎖しなければならない。ただし，鍵をかけた陳列設備（同項第十一号イに規定する陳列設備をいう。以下同じ。）に要指導医薬品又は第一類医薬品を陳列している場合は，この限りでない。	2 薬局開設者は，開店時間のうち，要指導医薬品又は第一類医薬品を販売し，又は授与しない時間は，要指導医薬品陳列区画（薬局等構造設備規則第一条第一項第十号ロに規定する要指導医薬品陳列区画をいう。以下同じ。）又は第一類医薬品陳列区画）同項第十一号ロに規定する第一類医薬品陳列区画をいう。以下同じ。）を閉鎖しなければならない。ただし，鍵をかけた陳列設備（同項第十号イに規定する陳列設備をいう。以下同じ。）に要指導医薬品又は第一類医薬品を陳列している場合は，この限りでない。
3　（略）	3　（略）

改　正　後	改　正　前
（調剤された薬剤に係る情報提供及び指導の方法等） 第十五条の十三　（略） 一　当該薬局内の情報の提供及び指導を行う場所（薬局等構造設備規則第一条第一項第十三号に規定する情報を提供し，及び指導を行うための設備がある場所又は薬剤師法第二十二条に規定する医療を受ける者の居宅等において調剤の業務を行う場合若しくは同条ただし書に規定する特別の事情がある場合にあつては，その調剤の業務を行う場所をいう。）において行わせること。 二～五　（略） 2～4　（略）	（調剤された薬剤に係る情報提供及び指導の方法等） 第十五条の十三　（略） 一　当該薬局内の情報の提供及び指導を行う場所（薬局等構造設備規則第一条第一項第十二号に規定する情報を提供し，及び指導を行うための設備がある場所又は薬剤師法第二十二条に規定する医療を受ける者の居宅等において調剤の業務を行う場合若しくは同条ただし書に規定する特別の事情がある場合にあつては，その調剤の業務を行う場所をいう。）において行わせること。 二～五　（略） 2～4　（略）
（新医薬品等の使用の成績等に関する調査及び結果の報告等） 第六十二条　次の各号に掲げる医薬品（医療用医薬品を除く。）につき法第十四条の承認を受けた者が行う法第十四条の四第六項の調査は，当該各号に定める期間当該医薬品の副作用等その他の使用の成績等について行うものとする。 二　（略） 2～4　（略）	（新医薬品等の使用の成績等に関する調査及び結果の報告等） 第六十二条　次の各号に掲げる医薬品（医療用医薬品として厚生労働大臣が定める医薬品（以下「医療用医薬品」という。）を除く。）につき法第十四条の承認を受けた者が行う法第十四条の四第六項の調査は，当該各号に定める期間当該医薬品の副作用等その他の使用の成績等について行うものとする。 二　（略） 2～4　（略）
（医薬品の購入等に関する記録） 第百四十六条　店舗販売業者は，医薬品を購入し，又は譲り受けたとき及び薬局開設者，医薬品の製造販売業者，製造業者若しくは販売業者又は病院，診療所若しくは飼育動物診療施設の開設者に販売し，又は授与したときは，次に掲げる事項を書面に記載しなければならない。 一・二　（略） 三　購入若しくは譲受け又は販売若しくは授与の年月日 四　購入者等の氏名又は名称，住所又は所在地及び電話番号その他の連絡先（次項ただし書の規定により同項に規定する確認を行わないこととされた場合にあつては，氏名又は名称以外の事項は，その記載を省略することができる。） 五　前号に掲げる事項の内容を確認するために提示を受けた資料（次項ただし書の規定により同項に規定する確認を行わないこととされた場合を除く。）	（医薬品の譲受け及び譲渡に関する記録） 第百四十六条　店舗販売業者は，医薬品を譲り受けたとき及び薬局開設者，医薬品の製造販売業者，製造業者若しくは販売業者又は病院，診療所若しくは飼育動物診療施設の開設者に販売し，又は授与したときは，次に掲げる事項を書面に記載しなければならない。 一・二　（略） 三　譲受け又は販売若しくは授与の年月日 四　譲渡人又は譲受人の氏名 （新設）

改正後	改正前
六　購入者等が自然人であり，かつ，購入者等以外の者が医薬品の取引の任に当たる場合及び購入者等が法人である場合にあつては，医薬品の取引の任に当たる自然人が，購入者等と雇用関係にあること又は購入者等から医薬品の取引に係る指示を受けたことを示す資料	（新設）
2 店舗販売業者は，前項の規定に基づき書面に記載するに際し，購入者等から，許可証の写しその他の資料の提示を受けることで，購入者等の住所又は所在地，電話番号その他の連絡先を確認しなければならない。ただし，購入者等が当該店舗販売業者と常時取引関係にある場合は，この限りではない。	（新設）
3～6　（略）	2～5　（略）
（医薬品の購入等に関する記録）	（医薬品の譲受け及び譲渡に関する記録）
第百四十九条の五　配置販売業者は，医薬品を購入し，又は譲り受けたときは，次に掲げる事項を書面に記載しなければならない。	第百四十九条の五　配置販売業者は，医薬品を譲り受けたときは，次に掲げる事項を書面に記載しなければならない。
一・二　（略）	一・二　（略）
三　購入又は譲受けの年月日	三　譲受けの年月日
四　当該配置販売業者に対して医薬品を販売又は授与した者の氏名又は名称，住所又は所在地及び電話番号その他の連絡先（次項ただし書の規定により同項に規定する確認を行わないこととされた場合にあつては，氏名又は名称以外の事項は，その記載を省略することができる。）	四　譲渡人の氏名
五　前号に掲げる事項の内容を確認するために提示を受けた資料（次項ただし書の規定により同項に規定する確認を行わないこととされた場合を除く。）	（新設）
六　当該配置販売業者に対して医薬品を販売又は授与した者が自然人であり，かつ，当該者以外の者が医薬品の取引の任に当たる場合及び当該者が法人である場合にあつては，医薬品の取引の任に当たる自然人が，購入者等と雇用関係にあること又は当該者から医薬品の取引に係る指示を受けたことを示す資料	（新設）
2 配置販売業者は，前項の規定に基づき書面に記載するに際し，当該配置販売業者に対して医薬品を販売又は授与した者から，許可証の写しその他の資料の提示を受けることで，当該者の住所又は所在地，電話番号その他の連絡先を確認しなければならない。ただし，当該者が当該配置販売業者と常時取引関係にある場合は，この限りではない。	（新設）
3～6　（略）	2～5　（略）

改　　正　　後	改　　正　　前
（医薬品の適正管理の確保）	（医薬品の適正管理の確保）
第百五十八条　卸売販売業者は，医薬品の販売又は授与の業務（医薬品の貯蔵に関する業務を含む。）に係る適正な管理（以下「医薬品の適正管理」という。）を確保するため，指針の策定，従事者に対する研修の実施その他必要な措置を講じなければならない。	第百五十八条　卸売販売業者は，医薬品の販売又は授与の業務に係る適正な管理（以下「医薬品の適正管理」という。）を確保するため，指針の策定，従事者に対する研修の実施その他必要な措置を講じなければならない。
2　前項に掲げる卸売販売業者が講じなければならない措置には，次に掲げる事項を含むものとする。	2　前項に掲げる卸売販売業者が講じなければならない措置には，次に掲げる事項を含むものとする。
一　（略）	一　（略）
二　医薬品の貯蔵設備を設ける区域に立ち入ることができる者の特定	（新設）
三・四　（略）	二・三　（略）
（医薬品の購入等に関する記録）	（医薬品の譲受け及び譲渡に関する記録）
第百五十八条の四　卸売販売業者は，医薬品を購入し，又は譲り受けたとき及び販売し，又は授与したときは，次に掲げる事項（第二号及び第三号に掲げる事項にあつては，当該医薬品が医療用医薬品（体外診断用医薬品を除く。）である場合に限る。）を書面に記載しなければならない。	第百五十八条の四　卸売販売業者は，医薬品を譲り受けたとき及び販売し，又は授与したときは，次に掲げる事項を書面に記載しなければならない。
一　（略）	一　（略）
二　ロット番号（ロットを構成しない医薬品については製造番号）	（新設）
三　使用の期限	（新設）
四　（略）	二　（略）
五　購入若しくは譲受け又は販売若しくは授与の年月日	三　譲受け又は販売若しくは授与の年月日
六　購入者等の氏名又は名称，住所又は所在地及び電話番号その他の連絡先（次項ただし書の規定により同項に規定する確認を行わないこととされた場合にあつては，氏名又は名称以外の事項は，その記載を省略することができる。）	四　譲渡人又は譲受人の氏名
七　前号に掲げる事項の内容を確認するために提示を受けた資料（次項ただし書の規定により同項に規定する確認を行わないこととされた場合を除く。）	（新設）
八　購入者等が自然人であり，かつ，購入者等以外の者が医薬品の取引の任に当たる場合及び購入者等が法人である場合にあつては，医薬品の取引の任に当たる自然人が，購入者等と雇用関係にあること又は購入者等から医薬品の取引に係る指示を受けたことを示す資料	（新設）
2　医薬品の卸売販売業者は，前項の規定に基づき書面に記載するに際し，購入者等から，許可証の写しその他の資料の提示を受けることで，購入者等の住所又は所在地，電話番号その他の連絡	（新設）

改　正　後	改　正　前
先を確認しなければならない。ただし，購入者等が当該卸売販売業者と常時取引関係にある場合は，この限りではない。	
3 卸売販売業者は，第一項の書面を，記載の日から三年間，保存しなければならない。	2 卸売販売業者は，前項の書面を，記載の日から三年間，保存しなければならない。
（薬局医薬品に係る情報提供及び指導の方法等）	（薬局医薬品に係る情報提供及び指導の方法等）
第百五十八条の八　（略）	第百五十八条の八　（略）
一　当該薬局内の情報の提供及び指導を行う場所（薬局等構造設備規則第一条第一項第十三号に規定する情報を提供し，及び指導を行うための設備がある場所をいう。）において行わせること。	一　当該薬局内の情報の提供及び指導を行う場所（薬局等構造設備規則第一条第一項第十二号に規定する情報を提供し，及び指導を行うための設備がある場所をいう。）において行わせること。
二～七　（略）	二～七　（略）
2～ 4　（略）	2～ 4　（略）
（一般用医薬品に係る情報提供の方法等）	（一般用医薬品に係る情報提供の方法等）
第百五十九条の十五　（略）	第百五十九条の十五　（略）
一　当該薬局又は店舗内の情報の提供を行う場所（薬局等構造設備規則第一条第一項第十三号若しくは第二条第十二号に規定する情報を提供するための設備がある場所若しくは同令第一条第一項第五号若しくは第二条第五号に規定する医薬品を通常陳列し，若しくは交付する場所又は特定販売を行う場合にあつては，当該薬局若しくは店舗内の場所をいう。次条において同じ。）において行わせること。	一　当該薬局又は店舗内の情報の提供を行う場所（薬局等構造設備規則第一条第一項第十二号若しくは第二条第十一号に規定する情報を提供するための設備がある場所若しくは同令第一条第一項第五号若しくは第二条第五号に規定する医薬品を通常陳列し，若しくは交付する場所又は特定販売を行う場合にあつては，当該薬局若しくは店舗内の場所をいう。次条において同じ。）において行わせること。
二～六　（略）	二～六　（略）
2～ 4　（略）	2～ 4　（略）
（準用）	（準用）
第百五十九条の十八　配置販売業者については，前三条（前条第二項を除く。）の規定を準用する。この場合において，前三条の規定中「医薬品の販売又は授与」とあるのは「医薬品の配置販売」と，第百五十九条の十五第一項各号列記以外の部分中「第三十六条の十第一項」とあるのは「第三十六条の十第七項において準用する同条第一項」と，「薬局又は店舗」とあるのは「区域」と，同項第一号中「当該薬局又は店舗内の情報の提供を行う場所（薬局等構造設備規則第一条第一項第十三号若しくは第二条第十二号に規定する情報を提供するための設備がある場所若しくは同令第一条第一項第五号若しくは第二条第五号に規定する医薬品を通常陳列し，若しくは交付する場所又は特定販売を行う場合にあつては，当該薬局若しくは店舗内の場所をいう。次条において同じ。）」とあ	第百五十九条の十八　配置販売業者については，前三条（前条第二項を除く。）の規定を準用する。この場合において，前三条の規定中「医薬品の販売又は授与」とあるのは「医薬品の配置販売」と，第百五十九条の十五第一項各号列記以外の部分中「第三十六条の十第一項」とあるのは「第三十六条の十第七項において準用する同条第一項」と，「薬局又は店舗」とあるのは「区域」と，同項第一号中「当該薬局又は店舗内の情報の提供を行う場所（薬局等構造設備規則第一条第一項第十二号若しくは第二条第十一号に規定する情報を提供するための設備がある場所若しくは同令第一条第一項第五号若しくは第二条第五号に規定する医薬品を通常陳列し，若しくは交付する場所又は特定販売を行う場合にあつては，当該薬局若しくは店舗内の場所をいう。次条において同じ。）」とあ

改　正　後	改　正　前
るのは「当該区域における医薬品を配置する場所」と，同項第二号中「情報を，」とあるのは「情報を，配置販売によつて」と，「又は」とあるのは「又は配置した」と，同条第二項各号列記以外の部分中「第三十六条の十第一項」とあるのは「第三十六条の十第七項において準用する同条第一項」と，同項第六号中「販売し，又は授与する」とあるのは「配置する」と，同条第三項中「第三十六条の十第一項」とあるのは「第三十六条の十第七項において準用する同条第一項」と，同条第四項各号列記以外の部分中「第三十六条の十第二項」とあるのは「第三十六条の十第七項において準用する同条第二項」と，同項第十一号中「第三十六条の十第一項」とあるのは「第三十六条の十第七項において準用する同条第一項」と，第百五十九条の十六第一項各号列記以外の部分中「第三十六条の十第三項」とあるのは「第三十六条の十第七項において準用する同条第三項」と，「薬局又は店舗」とあるのは「区域」と，同項第一号中「当該薬局又は店舗内の情報の提供を行う場所」とあるのは「当該区域における医薬品を配置する場所」と，同項第二号中「前条第二項各号」とあるのは「第百五十九条の十八において準用する前条第二項各号」と，同項第三号中「情報を，」とあるのは「情報を，配置販売によつて」と，「又は」とあるのは「又は配置した」と，同条第二項中「第三十六条の十第四項」とあるのは「第三十六条の十第七項において準用する同条第四項」と，「前条第四項各号」とあるのは「第百五十九条の十八において準用する前条第四項各号」と，「第三十六条の十第一項」とあるのは「同条第一項」と，「第三十六条の十第三項」とあるのは「同条第三項」と，前条第一項各号列記以外の部分中「第三十六条の十第五項」とあるのは「第三十六条の十第七項において準用する同条第五項」と，「薬局又は店舗」とあるのは「区域」と，同項第一号及び第二号中「薬局又は店舗」とあるのは「区域」と，同項第四号中「その薬局若しくは店舗において当該一般用医薬品を購入し，若しくは譲り受けようとする者又はその薬局若しくは店舗において当該一般用医薬品を購入し，若しくは譲り受けた者若しくはこれらの者によつて購入され，若しくは譲り受けられた当該一般用医薬品を使用する者」とあるのは「配置販売によつて当該一般用医薬品を購入し，若しくは譲り受けようとする者又は配置した当該一般用医薬品を使用する者」と読み替えるものとする。	るのは「当該区域における医薬品を配置する場所」と，同項第二号中「情報を，」とあるのは「情報を，配置販売によつて」と，「又は」とあるのは「又は配置した」と，同条第二項各号列記以外の部分中「第三十六条の十第一項」とあるのは「第三十六条の十第七項において準用する同条第一項」と，同項第六号中「販売し，又は授与する」とあるのは「配置する」と，同条第三項中「第三十六条の十第一項」とあるのは「第三十六条の十第七項において準用する同条第一項」と，同条第四項各号列記以外の部分中「第三十六条の十第二項」とあるのは「第三十六条の十第七項において準用する同条第二項」と，同項第十一号中「第三十六条の十第一項」とあるのは「第三十六条の十第七項において準用する同条第一項」と，第百五十九条の十六第一項各号列記以外の部分中「第三十六条の十第三項」とあるのは「第三十六条の十第七項において準用する同条第三項」と，「薬局又は店舗」とあるのは「区域」と，同項第一号中「当該薬局又は店舗内の情報の提供を行う場所」とあるのは「当該区域における医薬品を配置する場所」と，同項第二号中「前条第二項各号」とあるのは「第百五十九条の十八において準用する前条第二項各号」と，同項第三号中「情報を，」とあるのは「情報を，配置販売によつて」と，「又は」とあるのは「又は配置した」と，同条第二項中「第三十六条の十第四項」とあるのは「第三十六条の十第七項において準用する同条第四項」と，「前条第四項各号」とあるのは「第百五十九条の十八において準用する前条第四項各号」と，「第三十六条の十第一項」とあるのは「同条第一項」と，「第三十六条の十第三項」とあるのは「同条第三項」と，前条第一項各号列記以外の部分中「第三十六条の十第五項」とあるのは「第三十六条の十第七項において準用する同条第五項」と，「薬局又は店舗」とあるのは「区域」と，同項第一号及び第二号中「薬局又は店舗」とあるのは「区域」と，同項第四号中「その薬局若しくは店舗において当該一般用医薬品を購入し，若しくは譲り受けようとする者又はその薬局若しくは店舗において当該一般用医薬品を購入し，若しくは譲り受けた者若しくはこれらの者によつて購入され，若しくは譲り受けられた当該一般用医薬品を使用する者」とあるのは「配置販売によつて当該一般用医薬品を購入し，若しくは譲り受けようとする者又は配置した当該一般用医薬品を使用する者」と読み替えるものとする。

改　正　後	改　正　前
（高度管理医療機器等の購入等に関する記録）	（高度管理医療機器等の譲受け及び譲渡に関する記録）
第百七十三条　高度管理医療機器等の販売業者等は，高度管理医療機器等を購入し，又は譲り受けたとき及び高度管理医療機器等の製造販売業者，製造業者，販売業者，貸与業者若しくは修理業者又は病院，診療所若しくは飼育動物診療施設の開設者に販売し，授与し，若しくは貸与し，又は電気通信回線を通じて提供したときは，次に掲げる事項を書面に記載しなければならない。	第百七十三条　高度管理医療機器等の販売業者等は，高度管理医療機器等を譲り受けたとき及び高度管理医療機器等の製造販売業者，製造業者，販売業者，貸与業者若しくは修理業者又は病院，診療所若しくは飼育動物診療施設の開設者に販売し，授与し，若しくは貸与し，又は電気通信回線を通じて提供したときは，次に掲げる事項を書面に記載しなければならない。
一～三　（略）	一～三　（略）
四　購入，譲受け，販売，授与若しくは貸与又は電気通信回線を通じた提供の年月日	四　譲受け又は販売，授与若しくは貸与若しくは電気通信回線を通じた提供の年月日
五　購入者等若しくは貸与された者又は電気通信回線を通じて提供を受けた者の氏名及び住所	五　譲渡人又は譲受人の氏名及び住所
2 高度管理医療機器等の販売業者等は，高度管理医療機器等を前項に掲げる者以外の者に販売し，授与し，若しくは貸与し，又は電気通信回線を通じて提供したときは，次に掲げる事項を書面に記載しなければならない。	2 高度管理医療機器等の販売業者等は，高度管理医療機器等を前項に掲げる者以外の者に販売し，授与し，若しくは貸与し，又は電気通信回線を通じて提供したときは，次に掲げる事項を書面に記載しなければならない。
一～三　（略）	一～三　（略）
四　販売，授与若しくは貸与又は電気通信回線を通じた提供を受けた者の氏名及び住所	四　譲受人の氏名及び住所
3 高度管理医療機器等の販売業者等は，前二項の書面を，記載の日から三年間（特定保守管理医療機器に係る書面にあつては，記載の日から十五年間），保存しなければならない。ただし，貸与した特定保守管理医療機器について，貸与を受けた者から返却されてから三年を経過した場合にあつては，この限りではない。	3 高度管理医療機器等の販売業者等は，前二項の書面を，記載の日から三年間（特定保守管理医療機器に係る書面にあつては，記載の日から十五年間），保存しなければならない。ただし，貸与した特定保守管理医療機器について，譲受人から返却されてから三年を経過した場合にあつては，この限りではない。
4 高度管理医療機器等の販売業者等は，管理医療機器又は一般医療機器（特定保守管理医療機器を除く。以下この条及び第百七十八条において同じ。）を取り扱う場合にあつては，管理医療機器又は一般医療機器の購入，譲受け，販売，授与若しくは貸与又は電気通信回線を通じた提供に関する記録を作成し，保存するよう努めなければならない。	4 高度管理医療機器等の販売業者等は，管理医療機器又は一般医療機器（特定保守管理医療機器を除く。以下この条及び第百七十八条において同じ。）を取り扱う場合にあつては，管理医療機器又は一般医療機器の譲受け及び譲渡に関する記録を作成し，保存するよう努めなければならない。
（再生医療等製品の購入等に関する記録）	（再生医療等製品の譲受け及び譲渡に関する記録）
第百九十六条の十　再生医療等製品の販売業者は，再生医療等製品を購入し，又は譲り受けたとき及び販売し，又は授与したときは，次に掲げる事項を書面に記載しなければならない。	第百九十六条の十　再生医療等製品の販売業者は，再生医療等製品を譲り受けたとき及び販売し，又は授与したときは，次に掲げる事項を書面に記載しなければならない。
一・二　（略）	一・二　（略）
三　購入若しくは譲受け又は販売若しくは授与の年月日	三　譲受け又は販売若しくは授与の年月日

改　正　後	改　正　前
四　購入者等の氏名	四　譲渡人又は譲受人の氏名
2　（略）	2　（略）
（処方箋医薬品の譲渡に関する帳簿）	（処方箋医薬品の譲渡に関する帳簿）
第二百九条　法第四十九条第二項の規定により，同条第一項に規定する医薬品の販売又は授与に関して帳簿に記載しなければならない事項は，次のとおりとする。	第二百九条　法第四十九条第二項の規定により，同条第一項に規定する医薬品の販売又は授与に関して帳簿に記載しなければならない事項は，次のとおりとする。
一～四　（略）	一～四　（略）
五　購入者又は譲受人の氏名及び住所	五　譲受人の氏名及び住所
（医薬品の直接の容器等の記載事項）	（医薬品の直接の容器等の記載事項）
第二百十条　法第五十条第十五号の厚生労働省令で定める事項は，次のとおりとする。	第二百十条　法第五十条第十五号の厚生労働省令で定める事項は，次のとおりとする。
一～六　（略）	一～六　（略）
七　分割販売される医薬品にあつては，分割販売を行う者の氏名又は名称並びに分割販売を行う薬局，店舗又は営業所の名称及び所在地	（新設）
（調剤専用医薬品に関する表示の特例）	（調剤専用医薬品に関する表示の特例）
第二百十六条　（略）	第二百十六条　（略）
一　（略）	一　（略）
二　第二百十条第七号に掲げる事項	二　分割販売を行う者の氏名又は名称
（削る）	三　分割販売を行う薬局又は営業所の名称及び所在地
（表略）	（表略）
2　（略）	2　（略）
（一般用医薬品の陳列）	（一般用医薬品の陳列）
第二百十八条の四　（略）	第二百十八条の四　（略）
一　（略）	一　（略）
二　指定第二類医薬品を陳列する場合には，薬局等構造設備規則第一条第一項第十三号又は第二条第十二号に規定する情報を提供するための設備から七メートル以内の範囲に陳列すること。ただし，鍵をかけた陳列設備に陳列する場合又は指定第二類医薬品を陳列する陳列設備から一・二メートル以内の範囲に医薬品を購入し，若しくは譲り受けようとする者又は医薬品を購入し，若しくは譲り受けた者若しくはこれらの者によつて購入され，若しくは譲り受けられた医薬品を使用する者が進入することができないよう必要な措置が採られている場合は，この限りでない。	二　指定第二類医薬品を陳列する場合には，薬局等構造設備規則第一条第一項第十二号又は第二条第十一号に規定する情報を提供するための設備から七メートル以内の範囲に陳列すること。ただし，鍵をかけた陳列設備に陳列する場合又は指定第二類医薬品を陳列する陳列設備から一・二メートル以内の範囲に医薬品を購入し，若しくは譲り受けようとする者又は医薬品を購入し，若しくは譲り受けた者若しくはこれらの者によつて購入され，若しくは譲り受けられた医薬品を使用する者が進入することができないよう必要な措置が採られている場合は，この限りでない。
三　（略）	三　（略）

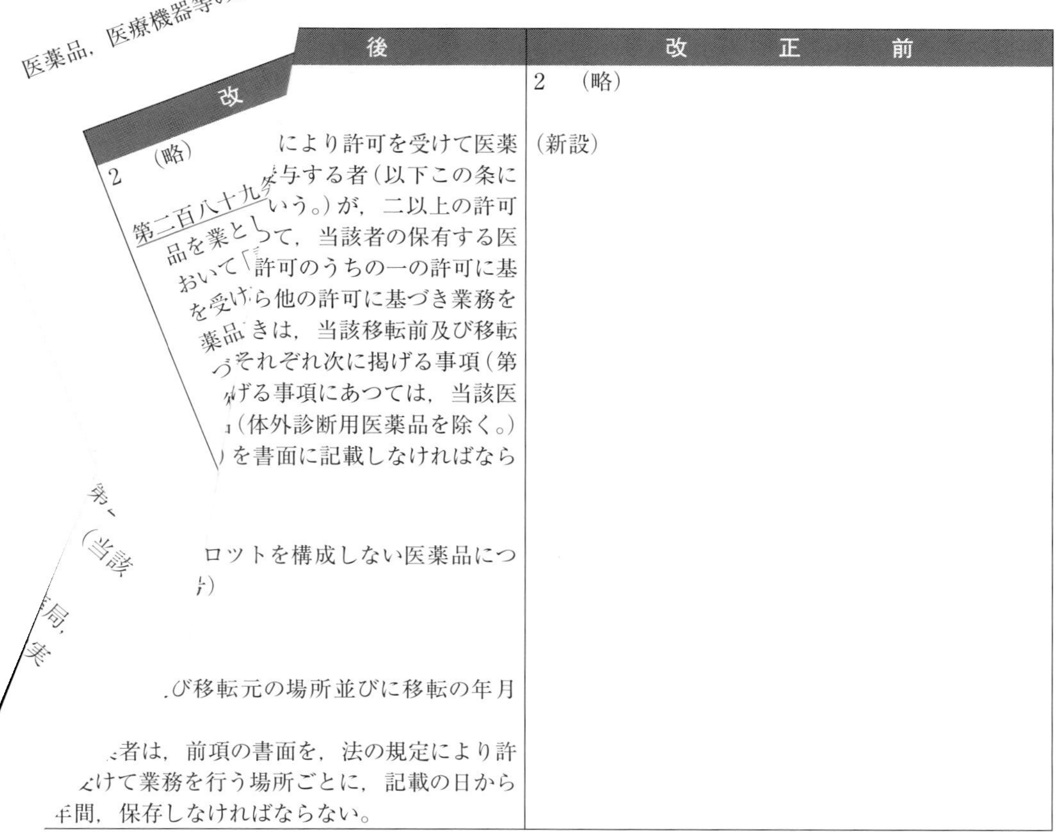

改正後	改正前
2 （略）	2 （略）
により許可を受けて医薬 与する者（以下この条に いう。）が，二以上の許可 って，当該者の保有する医 許可のうちの一の許可に基 ら他の許可に基づき業務を きは，当該移転前及び移転 それぞれ次に掲げる事項（第 げる事項にあつては，当該医 （体外診断用医薬品を除く。） を書面に記載しなければなら ロットを構成しない医薬品につ び移転元の場所並びに移転の年月 者は，前項の書面を，法の規定により許 けて業務を行う場所ごとに，記載の日から 年間，保存しなければならない。	（新設）

附　則

この省令は，平成三十年一月三十一日から施行する。ただし，第十四条第一項第四号を同項第六号とし，同項第三号を同項第五号とし，同項第二号を同項第四号とし，同項第一号の次に二号を加える改正規定，第百五十八条の四第一項第四号を同項第六号とし，同項第三号を同項第五号とし，同項第二号を同項第四号とし，同項第一号の次に二号を加える改正規定及び第二百八十八条の次に一条を加える改正規定（第一項第二号及び第三号に係る部分に限る。）は，同年七月三十一日から施行する。

医薬品，医療機器等の品質，有効性及び安全性の確保等に関する法 規則の一部を改正する省令等の施行について

（平成29年10月5日　薬生発1005第1号
各都道府県知事，各保健所設置市長，各特別区長あて　厚生労働省医薬 知）

「医薬品，医療機器等の品質，有効性及び安全性の確保等に関する法律施行規
する省令」（平成29年厚生労働省令第106号。以下「改正施行規則」という。），「薬
規則の一部を改正する省令」（平成29年厚生労働省令第107号。以下「改正構造設備規
及び「薬局並びに店舗販売業及び配置販売業の業務を行う体制を定める省令の一部を
令」（平成29年厚生労働省令第108号。以下「改正体制省令」という。）については，平
月5日に公布され，平成30年1月31日（第2の1（1）②及び③，同（4）②及び③並びに
②及び③に係る部分については，同年7月31日）から施行することとされたところです。
改正省令等の概要は別添1，案文は別添2のとおりです。）

これらの改正の趣旨，内容等については下記のとおりですので，御了知の上，貴管下の薬
医薬品販売業者，関係団体，関係機関等に周知徹底を図るとともに，適切な指導を行い，その
施に遺漏なきよう，お願いいたします。

記

第1　改正の趣旨

平成29年1月に発生したC型肝炎治療薬「ハーボニー配合錠」の偽造品流通事案を受け，同年3月から「医療用医薬品の偽造品流通防止のための施策のあり方に関する検討会」において対応策の検討が行われ，同年6月に同検討会での議論の中間とりまとめがとりまとめられた。本改正は当該中間とりまとめを踏まえ，偽造医薬品の流通防止のために直ちに対応を行うべき事項に関して所要の措置を講じるものであること。

第2　改正施行規則関係

1　医薬品の譲受時及び譲渡時における薬局開設者等の書面記載事項の追加

（1）薬局開設者の書面記載事項の追加等（改正施行規則第14条関係）

薬局開設者に課される医薬品の譲受時及び譲渡時の書面記載事項として，次の①から⑧までの事項としたこと。ただし，②及び③については，医療用医薬品（体外診断用医薬品を除く。）である場合に限ること。また，⑥（氏名又は名称以外の事項に限る。）及び⑦については，薬局開設者と医薬品を購入若しくは譲り受けた者又は販売若しくは授与した者（以下「購入者等」という。）が常時取引関係にある場合を除くこと。⑧については，購入者等が自然人であり，かつ，購入者等自らが医薬品の取引の任に当たる場合を除くこと。この場合，「民間事業者等が行う書面の保存等における情報通信の技術の利用に関する法律」（平成16年法律第149号）において，書面の保存に代えて当該書面に係る電磁的記録の保存を行うことができることとされており，電磁的記録でも差し支えないこと。

また，剤型，色，味，におい等外観的特性について確認するための製剤見本（以下単に「製剤見本」という。）については，譲受人の服用を目的としておらず，製剤見本である旨が明記されているため，記録義務の対象とならないこと。

なお，②及び③については，医療用医薬品（体外診断用医薬品を除く。）以外の医薬品（以下「一般用医薬品等」という。）についても，偽造医薬品の流通防止に向けた対策の観点から，併せて記載することが望ましいこと。

① 品名
② ロット番号（ロットを構成しない医薬品については製造番号又は製造記号）
③ 使用の期限
④ 数量
⑤ 購入若しくは譲受け又は販売若しくは授与（以下「購入等」という。）の年月日
⑥ 購入者等の氏名又は名称，住所又は所在地，及び電話番号その他の連絡先
⑦ ⑥の事項を確認するために提示を受けた資料
⑧ 医薬品の取引の任に当たる自然人が，購入者等と雇用関係にあること又は購入者等から取引の指示を受けたことを表す資料

また，薬局開設者は，購入者等が常時取引関係にある場合を除き，①から⑧までの事項を書面に記載する際に，購入者等から，薬局開設，医薬品の製造販売業，製造業若しくは販売業又は病院，診療所若しくは飼育動物診療施設の開設の許可に係る許可証の写し（以下単に「許可証の写し」という。）その他の資料の提示を受けることで，購入者等の住所又は所在地，電話番号その他の連絡先を確認しなければならないこと。なお，この確認ができない場合は，医薬品の譲受及び譲渡を行わないこと。

（2）店舗販売業者の書面記載事項の追加等（改正施行規則第146条関係）

店舗販売業者に課される医薬品の譲受時及び譲渡時の書面記載事項として，次の①から⑥までの事項としたこと。ただし，④（氏名又は名称以外の事項に限る。）及び⑤については，店舗販売業者と購入者等が常時取引関係にある場合を除くこと。また，⑥については，購入者等が自然人であり，かつ，購入者等自らが医薬品の取引の任に当たる場合を除くこと。

この場合，「民間事業者等が行う書面の保存等における情報通信の技術の利用に関する法律」（平成16年法律第149号）において，書面の保存に代えて当該書面に係る電磁的記録の保存を行うことができることとされており，電磁的記録でも差し支えないこと。

また，製剤見本については，譲受人の服用を目的としておらず，製剤見本である旨が明記されているため，記録義務の対象とならないこと。

なお，ロット番号（ロットを構成しない医薬品については製造番号又は製造記号）及び医薬品の使用の期限について，一般用医薬品等についても，偽造医薬品の流通防止に向けた対策の観点から，併せて記載することが望ましいこと。

① 品名
② 数量
③ 購入等の年月日

④　購入者等の氏名又は名称，住所又は所在地，及び電話番号その他の連絡先

⑤　④の事項を確認するために提示を受けた資料

⑥　医薬品の取引の任に当たる自然人が，購入者等と雇用関係にあること又は購入者等から取引の指示を受けたことを表す資料

また，店舗販売業者は，購入者等が常時取引関係にある場合を除き，①から⑥までの事項を書面に記載する際に，購入者等から，許可証の写しその他の資料の提示を受けることで，購入者等の住所又は所在地，電話番号その他の連絡先を確認しなければならないこと。なお，この確認ができない場合は，医薬品の譲受及び譲渡を行わないこと。

(3) 配置販売業者の書面記載事項の追加等（改正施行規則第149条の5関係）

配置販売業者に課される医薬品の譲受時の書面記載事項として，次の①から⑥までの事項としたこと。ただし，④（氏名又は名称以外の事項に限る。）及び⑤については，配置販売業者と当該配置販売業者に対して医薬品を販売又は授与した者（以下「販売者等」という。）が常時取引関係にある場合を除くこと。また，⑥については，販売者等が自然人であり，かつ，販売者等自らが医薬品の取引の任に当たる場合を除くこと。

この場合，「民間事業者等が行う書面の保存等における情報通信の技術の利用に関する法律」（平成16年法律第149号）において，書面の保存に代えて当該書面に係る電磁的記録の保存を行うことができることとされており，電磁的記録でも差し支えないこと。

また，製剤見本については，譲受人の服用を目的としておらず，製剤見本である旨が明記されているため，記録義務の対象とならないこと。

なお，ロット番号（ロットを構成しない医薬品については製造番号又は製造記号）及び医薬品の使用の期限の記載については，一般用医薬品等についても，偽造医薬品の流通防止に向けた対策の観点から，併せて記載することが望ましいこと。

①　品名

②　数量

③　購入又は譲受けの年月日

④　販売者等の氏名又は名称，住所又は所在地，及び電話番号その他の連絡先

⑤　④の事項を確認するために提示を受けた資料

⑥　医薬品の取引の任に当たる自然人が，販売者等と雇用関係にあること又は販売者等から取引の指示を受けたことを表す資料

また，配置販売業者は，販売者等が常時取引関係にある場合を除き，①から⑥までの事項を書面に記載する際に，販売者等から，許可証の写しその他の資料の提示を受けることで，販売者等の住所又は所在地，電話番号その他の連絡先を確認しなければならないこと。なお，この確認ができない場合は，医薬品の譲受を行わないこと。

(4) 卸売販売業者の書面記載事項の追加等（改正施行規則第158条の4関係）

卸売販売業者に課される医薬品の譲受時及び譲渡時の書面記載事項として，次の①から⑧までの事項としたこと。ただし，②及び③については，医療用医薬品（体外診断用医薬品を除く）である場合に限ること。また，⑥（氏名又は名称以外の事項に限る）及

卸売販売業者と購入者等が常時取引関係にある場合を除くこと。また，
び⑦につい　購入者等が自然人であり，かつ，購入者等自らが医薬品の取引の任に当
⑧につい　こと。この場合，「民間事業者等が行う書面の保存等における情報通信
たる場　関する法律」（平成16年法律第149号）において，書面の保存に代えて
の技　電磁的記録の保存を行うことができることとされており，電磁的記録で
当　こと。

見本については，譲受人の服用を目的としておらず，製剤見本である旨が
るため，記録義務の対象とならないこと。

及び③については，一般用医薬品等についても，偽造医薬品の流通防止に向
観点から，併せて記載することが望ましいこと。

番号（ロットを構成しない医薬品については製造番号又は製造記号）
の期限

等の年月日
者等の氏名又は名称，住所又は所在地，及び電話番号その他の連絡先
の事項を確認するために提示を受けた資料

薬品の取引の任に当たる自然人が，購入者等と雇用関係にあること又は購入者等
ら取引の指示を受けたことを表す資料

また，卸売販売業者は，購入者等が常時取引関係にある場合を除き，①から⑧までの事項を書面に記載する際に，購入者等から許可証の写しその他の資料の提示を受けることで，購入者等の住所又は所在地，電話番号その他の連絡先を確認しなければならないこと。なお，この確認ができない場合は，医薬品の譲受及び譲渡を行わないこと。

（5）高度管理医療機器の販売業者又は貸与業者（以下「販売業者等」という。）等の記録事項の整理（改正施行規則第173条，第196条の10及び第209条関係）

高度管理医療機器の販売業者等に課される高度管理医療機器等の譲受時及び譲渡時の書面記載事項として，購入した年月日及び購入者の氏名及び住所を含むことを明確化するなど，文言修正を行ったこと。

2　複数の事業所について許可を受けている事業者における医薬品の移転に関する規定の新設（改正施行規則第289条関係）

「医薬品，医療機器等の品質，有効性及び安全性の確保等に関する法律」（昭和35年法律第145号。以下「法」という。）に基づく許可を受けて医薬品を業として販売又は授与する者（以下「許可事業者」という。）が，複数の事業所について許可を受けている場合には，当該許可事業者内の異なる事業所間の医薬品の移転であっても，その移転に係る記録について許可を受けた事業所ごとに記録することを明確化するため，移転先及び移転元のそれぞれの事業所ごとに，次の①から⑤までの事項を記録しなければならないこととすること。ただし，②及び③については，医療用医薬品（体外診断用医薬品を除く。）である場合に限ること。

この場合，「民間事業者等が行う書面の保存等における情報通信の利用に関する法律」（平成16年法律第149号）において，書面の保存に代えて当該書 電磁的記録の保存を行うことができることとされており，電磁的記録でも差し支えな

また，製剤見本については，譲受人の服用を目的としておらず，製剤 旨が明記されているため，記録義務の対象とならないこと。

なお，②及び③については，一般用医薬品等についても，偽造医薬品の た対策の観点から，併せて記載することが望ましいこと。

① 品名

② ロット番号（ロットを構成しない医薬品については製造番号又は製造記号

③ 使用の期限

④ 数量

⑤ 移転先及び移転元の場所並びに移転の年月日

また，許可事業者は，①から⑤までの事項を記録した書面を，許可を受けて業務 業所ごとに，記載の日から3年間，保存しなければならないこと。

3　医薬品に施された封を開封して分割販売する者の記録義務に係る規定の新設（改正施行規則第210条第7号及び第216条関係）

法第50条に規定する医薬品の容器等に直接記載する事項として，薬局開設者，店舗販売業者又は卸売販売業者が，その直接の容器又は直接の被包を開き，分割販売する場合について，当該分割販売を行う者の氏名又は名称並びに分割販売を行う薬局，店舗又は営業所の名称及び所在地を記載することを追加すること。

また，「医薬品，医療機器等の品質，有効性及び安全性の確保等に関する法律施行規則」（昭和36年厚生省令第1号。以下「施行規則」という。）第216条に規定する表示の特例の対象となる医薬品について，その直接の容器又は直接の被包に「調剤専用」の文字があることに加え，改正施行規則第210条第7号に掲げる事項の記載のあるものとしたこと。

なお，開封日を特定することが可能な場合には，開封日を表示した上で分割販売するとともに，第2の1の書面記載事項に開封日を併せて記載することが望ましいこと。

4　その他（改正施行規則第158条関係）

卸売販売業者の，医薬品の販売又は授与の業務について，当該業務には医薬品の貯蔵に関する業務を含むことを明確化すること。

卸売販売業者が講じなければならない措置として，医薬品の貯蔵設備を設ける区域に立ち入ることができる者の特定を追加すること。この場合，各卸売販売業者の責任において貯蔵設備に立ち入ることができる者の範囲と立ち入る際の方法をあらかじめ定めておくことを求めるものであること。

第3　改正構造設備規則関係

1　薬局等の構造設備の基準の追加（改正構造設備規則第1条第9項，第2条第9項及び第3条第7項関係）

薬局，店舗販売業の店舗及び卸売販売業の営業所の構造設備に係る基準として，医薬品の貯蔵設備を設ける区域が，他の区域から明確に区別されていることを追加すること。「貯蔵設備を設ける区域が，他の区域から明確に区別されていること」とは，医薬品を貯蔵する場所を，特定の場所に限定することを求めているものであり，壁等で完全に区画されている必要はないこと。

なお，医療機器等を医薬品と同一の貯蔵設備において貯蔵することは差し支えないこと。

第 4　改正体制省令関係

1　医薬品の貯蔵設備を設ける区域に立ち入ることができる者の特定に関する規定の追加等（改正体制省令第 1 条第 2 項及び第 2 条第 2 項関係）

薬局開設者及び店舗販売業者が講じなければならない措置として，医薬品の貯蔵設備を設ける区域に立ち入ることができる者の特定を追加すること。この場合，各薬局開設者及び各店舗販売業者の責任において貯蔵設備を設ける区域に立ち入ることができる者の範囲と立ち入る際の方法をあらかじめ定めておくことを求めるものであること。

また，薬局開設者が講じなければならない措置として，調剤及び医薬品の販売又は授与の業務に係る適正な管理のための業務に関する手順書の作成及び当該手順書に基づく業務の実施を追加すること。（当該適正な管理のための業務として必要とされる内容については第 5 の 1（1）を参照すること。）

2　その他（改正体制省令第 1 条第 16 号及び第 17 号並びに第 2 条第 9 号関係）薬局の業務を行う体制の基準のうち調剤の業務及び医薬品の販売又は授与の業務に係る適正な管理並びに店舗販売業の業務を行う体制の基準のうち要指導医薬品及び一般用医薬品の販売又は授与の業務に係る適正な管理について，これらの業務には使用される医薬品の貯蔵に関する業務を含むことを明確化すること。

第 5　その他の事項

第4の1のとおり，今般の改正体制省令により，薬局開設者が講じなければならない措置として，調剤及び医薬品の販売又は授与の業務に係る適正な管理のための業務に関する手順書の作成及び当該手順書に基づく業務の実施を追加したところであるが，医薬品販売業者においては，従来から，医薬品の販売若しくは授与又は配置販売の業務に係る適正な管理に係る手順書（以下「業務手順書」という。）の作成及び当該手順書に基づく業務の実施が現行の施行規則及び「薬局並びに店舗販売業及び配置販売業の業務を行う体制を定める省令」（昭和39年厚生省令第3号。以下「体制省令」という。）において規定されているところである。また，従事者に対する研修の実施，薬局，店舗，区域又は営業所（以下「薬局等」という。）の管理に関する帳簿を備えること等についても，薬局開設者及び医薬品販売業者が講じなければならない措置として，同様に規定されている他，薬局等の管理者の義務については，法で規定されているところである。

これらの具体的な内容のうち，偽造医薬品の流通防止に向けた対策の観点から留意すべき事項については，以下のとおりであること。このため，薬局開設者及び医薬品販売業者においては，その内容に留意した上で，業務手順書の作成等の必要な措置を講じること。

1　業務手順書に盛り込むべき事項

（1）薬局開設者の業務手順書に盛り込むべき事項

① 医薬品の譲受時は，納品された製品が正しいこと，目視できるような損傷を受けていないことなどを確認すること。

② 偽造医薬品の混入や開封済みの医薬品の返品を防ぐための，返品の際の取扱い。

③ 貯蔵設備に立ち入ることができる者の範囲と立ち入る際の方法。（第 4 の 1 参照）

④ 医薬品の譲渡時は，全ての供給品において，第 2 の 1（1）①から⑥までに掲げる事項等（一般用医薬品等については，同②及び③において掲げる事項を除く。）を記載した文書（例えば，納品書）を同封すること。

⑤ 製造販売業者により医薬品に施された封を開封して販売・授与する場合（調剤の場合を除く。）には，医薬品の容器等に，当該分割販売を行う者の氏名又は名称並びに分割販売を行う薬局の名称及び所在地を記載すること。

⑥ 患者等に対して販売包装単位で調剤を行う場合には，調剤された薬剤が再度流通することがないよう，外観から調剤済みと分かるような措置を講じること。

⑦ 偽造医薬品や品質に疑念のある医薬品を発見した際の具体的な手順（仕入れの経緯の確認，販売・輸送の中断，隔離，行政機関への報告等）。

⑧ その他，偽造医薬品の流通防止に向け，医薬品の取引状況の継続的な確認や自己点検の実施等。

⑨ 購入者等の適切性の確認や返品された医薬品の取扱いに係る最終的な判断等，管理者の責任において行う業務の範囲。

（2）店舗販売業者の業務手順書に盛り込むべき事項

① 医薬品の譲受時は，納品された製品が正しいこと，目視できるような損傷を受けていないことなどを確認すること。

② 偽造医薬品の混入や開封済みの医薬品の返品を防ぐための，返品の際の取扱い。

③ 貯蔵設備に立ち入ることができる者の範囲と立ち入る際の方法。（第 4 の 1 参照）

④ 医薬品の譲渡時は，全ての供給品において，第 2 の 1（2）①から④までに掲げる事項等を記載した文書（例えば，納品書）を同封すること。

⑤ 製造販売業者により医薬品に施された封を開封して販売・授与する場合には，医薬品の容器等に，当該分割販売を行う者の氏名又は名称並びに分割販売を行う店舗の名称及び所在地を記載すること。

⑥ 偽造医薬品や品質に疑念のある医薬品を発見した際の具体的な手順（仕入れの経緯の確認，販売・輸送の中断，隔離，行政機関への報告等）。

⑦ その他，偽造医薬品の流通防止に向け，医薬品の取引状況の継続的な確認や自己点検の実施等。

⑧ 購入者等の適切性の確認や返品された医薬品の取扱いに係る最終的な判断等，管理者の責任において行う業務の範囲。

（3）配置販売業者の業務手順書に盛り込むべき事項

①　医薬品の譲受時は，納品された製品が正しいこと，目視できるような損傷を受けていないことなどを確認すること。

②　偽造医薬品の混入や開封済みの医薬品の返品を防ぐための，返品の際の取扱い。

③　偽造医薬品や品質に疑念のある医薬品を発見した際の具体的な手順（仕入れの経緯の確認，販売・輸送の中断，隔離，行政機関への報告等）。

④　その他，偽造医薬品の流通防止に向け，医薬品の取引状況の継続的な確認や自己点検の実施等。

⑤　販売者等の適切性の確認や返品された医薬品の取扱いに係る最終的な判断等，管理者の責任において行う業務の範囲。

（4）卸売販売業者の業務手順書に盛り込むべき事項

①　医薬品の譲受時は，納品された製品が正しいこと，目視できるような損傷を受けていないことなどを確認すること。

②　偽造医薬品の混入や開封済みの医薬品の返品を防ぐための，返品の際の取扱い。

③　貯蔵設備に立ち入ることができる者の範囲と立ち入る際の方法。（第 4 の 1 参照）

④　医薬品の譲渡時は，全ての供給品において，第 2 の 1（4）①から⑥までに掲げる事項等（一般用医薬品等については，同②及び③において掲げる事項を除く。）を記載した文書（例えば，納品書）を同封すること。

⑤　製造販売業者により医薬品に施された封を開封して販売・授与する場合には，医薬品の容器等に，当該分割販売を行う者の氏名又は名称並びに分割販売を行う営業所の名称及び所在地を記載すること。

⑥　偽造医薬品や品質に疑念のある医薬品を発見した際の具体的な手順（仕入れの経緯の確認，販売・輸送の中断，隔離，行政機関への報告等）。

⑦　その他，偽造医薬品の流通防止に向け，医薬品の取引状況の継続的な確認や自己点検の実施等。

⑧　購入者等の適切性の確認や返品された医薬品の取扱いに係る最終的な判断等，管理者の責任において行う業務の範囲。

2　薬局開設者及び医薬品販売業者が実施する従事者に対する研修の内容

施行規則第 158 条第 1 項並びに体制省令第 1 条第 1 項第 15 号から第 17 号，第 2 条第 1 項第 9 号及び第 3 条第 1 項第 5 号において規定されている薬局等の従事者に対する研修の実施に際しては，偽造医薬品の流通防止のために必要な各種対応に係る内容を含むこと。

3　薬局等の管理に関する帳簿の記載事項

施行規則第 13 条，第 145 条，第 149 条の 4 及び第 158 条の 3 において規定されている薬局等の管理に関する帳簿の記載事項として，在庫の異常に係る調査結果及び廃棄した医薬品に係る記録を含むこと。

4　薬局等の管理者の義務

法第8条，第29条，第31条の3及び第36条においては，薬局等の管理者の義務として，保健衛生上支障を生ずるおそれがないように，医薬品その他の物品を管理することなどが規定されていることから，購入者等の適切性の確認や返品された医薬品の取扱いに係る最終的な判断等，偽造医薬品の流通防止に向けた必要な対策について，薬局等の管理者による適切な管理が求められること。

以上

○厚生労働省令第百七号

医薬品，医療機器等の品質，有効性及び安全性の確保等に関する法律（昭和三十五年法律第百四十五号）第五条第一号，第二十六条第四項第一号及び第三十四条第二項第一号の規定に基づき，薬局等構造設備規則の一部を改正する省令を次のように定める。

平成二十九年十月五日

厚生労働大臣　加藤　勝信

薬局等構造設備規則の一部を改正する省令

薬局等構造設備規則（昭和三十六年厚生省令第二号）の一部を次のように改正する。

次の表により，改正前欄及び改正後欄に対応して掲げるその標記部分に二重傍線を付した規定（以下「対象規定」という。）は，その標記部分が異なるものは改正前欄に掲げる対象規定を改正後欄に掲げる対象規定として移動し，改正後欄に掲げる対象規定で改正前欄にこれに対応するものを掲げていないものは，これを加える。

改　正　後	改　正　前
（薬局の構造設備） 第一条　薬局の構造設備の基準は，次のとおりとする。 一～八　（略） 九　貯蔵設備を設ける区域が，他の区域から明確に区別されていること。 十～十六　（略） 2～5　（略） （店舗販売業の店舗の構造設備） 第二条　店舗販売業の店舗の構造設備の基準は，次のとおりとする。 一～八　（略） 九　貯蔵設備を設ける区域が，他の区域から明確に区別されていること。 十～十三　（略） （卸売販売業の営業所の構造設備） 第三条　卸売販売業の営業所の構造設備の基準は，次のとおりとする。 一～六　（略） 七　貯蔵設備を設ける区域が，他の区域から明確に区別されていること。 2　（略）	（薬局の構造設備） 第一条　薬局の構造設備の基準は，次のとおりとする。 一～八　（略） （新設） 九～十五　（略） 2～5　（略） （店舗販売業の店舗の構造設備） 第二条　店舗販売業の店舗の構造設備の基準は，次のとおりとする。 一～八　（略） （新設） 九～十二　（略） （卸売販売業の営業所の構造設備） 第三条　卸売販売業の営業所の構造設備の基準は，次のとおりとする。 一～六　（略） （新設） 2　（略）

附　則

（施行期日）

1　この省令は，平成三十年一月三十一日から施行する。

（薬事法施行規則の一部を改正する省令の一部改正）

2　薬事法施行規則の一部を改正する省令（平成二十一年厚生労働省令第十号）の一部を次のように改正する。

次の表により，改正前欄に掲げる規定の傍線を付した部分をこれに順次対応する改正後欄に掲げる規定の傍線を付した部分のように改める。

改　正　後	改　正　前
附　則 第九条（略）	附　則 第九条（略）

○厚生労働省令第百八号

医薬品，医療機器等の品質，有効性及び安全性の確保等に関する法律（昭和三十五年法律第百四十五号）第五条第二号及び第二十六条第四項第二号の規定に基づき，薬局並びに店舗販売業及び配置販売業の業務を行う体制を定める省令の一部を改正する省令を次のように定める。

平成二十九年十月五日

厚生労働大臣　加藤　勝信

薬局並びに店舗販売業及び配置販売業の業務を行う体制を定める省令の一部を改正する省令

薬局並びに店舗販売業及び配置販売業の業務を行う体制を定める省令（昭和三十九年厚生省令第三号）の一部を次のように改正する。

次の表により，改正前欄に掲げる規定の傍線を付した部分をこれに順次対応する改正後欄に掲げる規定の傍線を付した部分のように改め，改正前欄及び改正後欄に対応して掲げるその標記部分に二重傍線を付した規定（以下「対象規定」という。）は，その標記部分が異なるものは改正前欄に掲げる対象規定を改正後欄に掲げる対象規定として移動し，改正後欄に掲げる対象規定で改正前欄にこれに対応するものを掲げていないものは，これを加える。

改　正　後	改　正　前
（薬局の業務を行う体制） 第一条　医薬品，医療機器等の品質，有効性及び安全性の確保等に関する法律（以下「法」という。）第五条第二号の規定に基づく厚生労働省令で定める薬局において調剤及び調剤された薬剤又は医薬品の販売又は授与の業務を行う体制の基準は，次に掲げる基準とする。 一～九　（略） 十　要指導医薬品又は一般用医薬品を販売し，又は授与する薬局にあつては，当該薬局において要指導医薬品又は一般用医薬品の販売又は授与に従事する薬剤師及び登録販売者の週当たり勤務時間数の総和を当該薬局内の要指導医薬品の情報の提供及び指導を行う場所（薬局等構造設備規則（昭和三十六年厚生省令第二号）第一条第一項第十三号に規定する情報を提供し，及び指導を行うための設備がある場所をいう。第九号において同じ。）並びに一般用医薬品の情報の提供を行う場所（薬局等構造設備規則第一条第一項第十三号に規定する情報を提供するための設備がある場所をいう。第九号において同じ。）の数で除して得た数が，要指導	（薬局の業務を行う体制） 第一条　医薬品，医療機器等の品質，有効性及び安全性の確保等に関する法律（以下「法」という。）第五条第二号の規定に基づく厚生労働省令で定める薬局において調剤及び調剤された薬剤又は医薬品の販売又は授与の業務を行う体制の基準は，次に掲げる基準とする。 一～九　（略） 十　要指導医薬品又は一般用医薬品を販売し，又は授与する薬局にあつては，当該薬局において要指導医薬品又は一般用医薬品の販売又は授与に従事する薬剤師及び登録販売者の週当たり勤務時間数の総和を当該薬局内の要指導医薬品の情報の提供及び指導を行う場所（薬局等構造設備規則（昭和三十六年厚生省令第二号）第一条第一項第十二号に規定する情報を提供し，及び指導を行うための設備がある場所をいう。第九号において同じ。）並びに一般用医薬品の情報の提供を行う場所（薬局等構造設備規則第一条第一項第十二号に規定する情報を提供するための設備がある場所をいう。第九号において同じ。）の数で除して得た数が，要指導

改　正　後	改　正　前
医薬品又は一般用医薬品を販売し，又は授与する開店時間の一週間の総和以上であること。	医薬品又は一般用医薬品を販売し，又は授与する開店時間の一週間の総和以上であること。
十一～十五　（略）	十一～十五　（略）
十六　法第九条の三第一項及び第四項の規定による情報の提供及び指導その他の調剤の業務（調剤のために使用される医薬品の貯蔵に関する業務を含む。）に係る適正な管理を確保するため，指針の策定，従事者に対する研修の実施その他必要な措置が講じられていること。	十六　法第九条の三第一項及び第四項の規定による情報の提供及び指導その他の調剤の業務に係る適正な管理を確保するため，指針の策定，従事者に対する研修の実施その他必要な措置が講じられていること。
十七　医薬品を販売し，又は授与する薬局にあつては，法第三十六条の四第一項及び第四項並びに第三十六条の六第一項及び第四項の規定による情報の提供及び指導並びに法第三十六条の十第一項，第三項及び第五項の規定による情報の提供その他の医薬品の販売又は授与の業務（医薬品の貯蔵に関する業務を含む。）に係る適正な管理を確保するため，指針の策定，従事者に対する研修（特定販売を行う薬局にあつては，特定販売に関する研修を含む。）の実施その他必要な措置が講じられていること。	十七　医薬品を販売し，又は授与する薬局にあつては，法第三十六条の四第一項及び第四項並びに第三十六条の六第一項及び第四項の規定による情報の提供及び指導並びに法第三十六条の十第一項，第三項及び第五項の規定による情報の提供その他の医薬品の販売又は授与の業務に係る適正な管理を確保するため，指針の策定，従事者に対する研修（特定販売を行う薬局にあつては，特定販売に関する研修を含む。）の実施その他必要な措置が講じられていること。
2　前項第十五号から第十七号までに掲げる薬局開設者が講じなければならない措置には，次に掲げる事項を含むものとする。	2　前項第十五号から第十七号までに掲げる薬局開設者が講じなければならない措置には，次に掲げる事項を含むものとする。
一・二　（略）	一・二　（略）
三　医薬品の貯蔵設備を設ける区域に立ち入ることができる者の特定	（新設）
四　（略）	三　（略）
五　調剤及び医薬品の販売又は授与の業務に係る適正な管理のための業務に関する手順書の作成及び当該手順書に基づく業務の実施	（新設）
六・七　（略）	四・五　（略）
（店舗販売業の業務を行う体制）	（店舗販売業の業務を行う体制）
第二条　法第二十六条第四項第二号の規定に基づく厚生労働省令で定める店舗販売業の店舗において医薬品の販売又は授与の業務を行う体制の基準は，次に掲げる基準とする。	第二条　法第二十六条第四項第二号の規定に基づく厚生労働省令で定める店舗販売業の店舗において医薬品の販売又は授与の業務を行う体制の基準は，次に掲げる基準とする。
一～三　（略）	一～三　（略）
四　当該店舗において，要指導医薬品又は一般用医薬品の販売又は授与に従事する薬剤師及び登録販売者の週当たり勤務時間数の総和を当該店舗内の要指導医薬品の情報の提供及び指導を行う場所（薬局等構造設備規則第二条第十二号に規定する情報を提供し，及び指導を行うための設備がある場所をいう。第六号において同じ。）並びに一般用医薬品の情報の提供を行う場所（薬局等構造設備規則第二条第十二号に規定する情報を提供するための設備がある場	四　当該店舗において，要指導医薬品又は一般用医薬品の販売又は授与に従事する薬剤師及び登録販売者の週当たり勤務時間数の総和を当該店舗内の要指導医薬品の情報の提供及び指導を行う場所（薬局等構造設備規則第二条第十一号に規定する情報を提供し，及び指導を行うための設備がある場所をいう。第六号において同じ。）並びに一般用医薬品の情報の提供を行う場所（薬局等構造設備規則第二条第十一号に規定する情報を提供するための設備がある場

改　正　後	改　正　前
所をいう。第[illegible]おいて同じ。）の数で除して得た数が，[illegible]医薬品又は一般用医薬品を販売し，又[illegible]する開店時間の一週間の総和以上であ[illegible] 五～八 [illegible] 九　法[illegible]条の六第一項及び第四項の規定に[illegible]提供及び指導並びに法第三十六[illegible]項，第三項及び第五項の規定によ[illegible]供その他の要指導医薬品及び一般[illegible]販売又は授与の業務（要指導医薬品[illegible]用医薬品の貯蔵に関する業務を含む。）[illegible]正な管理（以下「要指導医薬品等の適[illegible]等」という。）を確保するため，指針の策[illegible]事者に対する研修（特定販売を行う店舗[illegible]っては，特定販売に関する研修を含む。）[illegible]施その他必要な措置が講じられているこ[illegible]	所をいう。第六号において同じ。）の数で除して得た数が，要指導医薬品又は一般用医薬品を販売し，又は授与する開店時間の一週間の総和以上であること。 五～八　（略） 九　法第三十六条の六第一項及び第四項の規定による情報の提供及び指導並びに法第三十六条の十第一項，第三項及び第五項の規定による情報の提供その他の要指導医薬品及び一般用医薬品の販売又は授与の業務に係る適正な管理（以下「要指導医薬品等の適正販売等」という。）を確保するため，指針の策定，従事者に対する研修（特定販売を行う店舗にあつては，特定販売に関する研修を含む。）の実施その他必要な措置が講じられていること。
[illegible]九号に掲げる店舗販売業者が講じなければ[illegible]ない措置には，次に掲げる事項を含むものと[illegible]る。 一　（略） 二　医薬品の貯蔵設備を設ける区域に立ち入ることができる者の特定 三・四　（略）	2　前項第九号に掲げる店舗販売業者が講じなければならない措置には，次に掲げる事項を含むものとする。 一　（略） （新設） 二・三　（略）

附　則

この省令は，平成三十年一月三十一日から施行する。

偽造医薬品の流通防止に係る省令改正に関するＱ＆Ａに　て

（平成30年1月10日　事務連絡
各衛生主管部(局)あて　厚生労働省医薬·生活衛生局総務課，監視　薬対策課，
医政局総務課医療安全推進室）

「医薬品，医療機器等の品質，有効性及び安全性の確保等に関する法律施行規則の
する省令」（平成29年厚生労働省令第106号。以下「改正施行規則」という。），「薬局
規則の一部を改正する省令」（平成29年厚生労働省令第107号。以下「改正構造設備規則」
及び「薬局並びに店舗販売業及び配置販売業の業務を行う体制を定める省令の一部を改正
令」

（平成29年厚生労働省令第108号。以下「改正体制省令」という。）については，平成29
月5日に公布され，一部事項を除き，平成30年1月31日から施行することとしました。また，
成29年10月5日付けで，「医薬品，医療機器等の品質，有効性及び安全性の確保等に関する法律
施行規則の一部を改正する省令等の施行について」（薬生発1005第1号医薬・生活衛生局長通知。
以下「施行通知」という。）を発出したところです。

これらの改正の趣旨，内容等についての質問及びその回答を，以下のとおりとりまとめましたので，御了知の上，貴管下の薬局，医薬品販売業者，医療機関，関係団体，関係機関等に周知いただくとともに，指導等の際に活用いただくようお願いいたします。

【改正施行規則関係】

（問 1）購入者等を確認するための「資料」や，購入者等と雇用関係にあること又は購入者等から医薬品の取引に係る指示を受けたことを示す「資料」について，具体的に例示してほしい。例えば，名刺は，この「資料」にあたるのか。（施行規則第14条第1項第7号及び第8号，第146条第1項第5号及び第6号，第149条の5第1項第5号及び第6号，第158条の4第1項第7号及び第8号）

（答 1）購入者等を確認するための資料としては，許可証や届出書等の写し，許可証等の写しがない場合には，例えば保険指定通知書の写しや地方厚生局が公表している保険医療機関や保険薬局等の一覧の写し等が考えられる。

購入者等と雇用関係にあること又は購入者等から医薬品の取引に係る指示を受けたことを示す「資料」としては，客観的に確認でき，複製が容易でない資料である必要があり，例えば社員証や運送会社等の配達伝票が考えられるが，名刺は該当しないと考えられる。

なお，購入者等の薬局等において譲渡又は譲受する場合の当該購入者等を確認するための資料については，ネームプレートや購入者等の自署（サイン）でも差し支えない。

(問 2)(問 1)の「資料」についてどのように記録するのか。(施行規則第 14 条第 1 項第 8 号，第 146 条第 1 項第 6 号，第 149 条の 5 第 1 項第 6 号，第 158 条の 4 第 1 項第 8 号)

(答 2)記録方法としては，確認に用いた資料の種類を記録すること。また，配達伝票で確認した場合は，当該配達伝票を保管することでも差し支えない。なお，購入者等を確認するための資料については，確認した許可期限や許可番号等を併せて記録すること。

(問 3)医薬品の譲受及び譲渡に関する記録のうち購入者等を確認するための資料に係る記録について，その保存期間（3 年間）が常時取引関係にある者との取引の継続中に経過した場合，その保存に係る取扱いはどうするのか。(施行規則第 14 条第 4 項，第 146 条第 3 項，第 149 条の 5 第 3 項，第 158 条の 4 第 3 項，第 289 条第 2 項)

(答 3)常時取引関係にある者が適正な許可業者等であることを証明するために，資料に係る記録をそのまま保存するか，廃棄する場合は，新たに購入者等を確認した上で記録を作成し，保存しておく必要がある。なお，取引の相手方の許可更新等の際に定期的に許可証の写し等を確認し，記録すること。

(問 4)許可証の写し等の提示を受けることで確認するとされている「その他の連絡先」とは何を念頭に置かれているのか具体的に例示してほしい。(施行規則第 14 条，第 146 条，第 149 条の 5，第 158 条の 4)

(答 4)「その他の連絡先」としては，電子メールアドレス等が考えられる。

(問 5)現在，購入者等と常時取引関係にあるが，これまで明確にその身元を確認したことがない場合は，身元確認をする必要があるか。(施行規則第 14 条第 2 項，第 146 条第 2 項，第 149 条の 5 第 2 項，第 158 条の 4 第 2 項)

(答 5)常時取引関係にある取引先が適正な事業者であることを確認する観点から，一度は確認し，記録を作成する必要がある。なお，資料の保存については，答 3 の取扱いとすること。

(問 6)移転先及び移転元の「場所」の記録は，店舗等の名称及び所在地の記録でよいか，それとも許可番号まで記録が必要か。(施行規則第 289 条第 1 項第 5 号)

(答 6)「場所」の記録としては，店舗等の名称の記録が必要であるが，当該情報によりその場所が特定できる場合には，所在地や許可番号の記録までが求められるものではない。

（問 7）貯蔵設備を設ける区域に立ち入る「方法」については，立ち入るための手続や方法をその薬局の実態に合った内容で業務手順書に規定しておけばよく，全薬局において一律の方法が求められるものではないのか。「立ち入る際の方法」として考えられるものを具体的に例示してほしい。（施行通知第 2 改正施行規則関係 4 その他（改正施行規則第 158 条関係），第 4 改正体制省令関係 1 医薬品の貯蔵設備を設ける区域に立ち入ることができる者の特定に関する規定の追加等（改正体制省令第 1 条第 2 項及び第 2 条第 2 項関係））

（答 7）業務手順書は，それぞれの薬局，店舗等の実態に合わせて定められるべきものであり，手順書の記載内容を一律にする必要はない。

立ち入る際の方法としては，例えば，従業員が立ち入る時は入退室の記録はせず，取引先など外部の者が入る場合は入退室の際に記録簿に記録をつけることや，医療用麻薬など特に取扱いに留意が必要な医薬品を貯蔵している場所に立ち入る場合は入退室の際に記録簿に記録をつけること等が考えられる。ただし，上記の方法はあくまで例示であり，必ずしもそのとおりの方法が必要とされるものではない。

また，監視カメラを設置して全ての立ち入りを管理することまでは必ずしも必要とはされない。

（問 8）「常時取引関係にある」と考えられる取引関係はどんな場合か。（施行規則第 14 条第 2 項，第 146 条第 2 項，第 149 条の 5 第 2 項）

（答 8）例えば，月に 1 回以上の取引がある場合など，定期的な取引関係にある場合が考えられるが，長年にわたって年に複数回の取引がある場合も該当すると考えられる。

（問 9）「医薬品の取引の任に当たる自然人」とは，どのような者を意味しているのか。（施行規則第 146 条第 1 項第 6 号，第 149 条の 5 第 1 項第 6 号，第 158 条の 4 第 1 項第 8 号）

（答 9）「医薬品の取引の任に当たる自然人」とは，営業所や薬局などの事業者ではなく，薬局等を実際に訪れる購入者等の従業員や配達の委託を受けた者又はその従業員などの個人を意味している。

（問 10）使用の期限がなく，有効期間のみ記載がある医薬品については，有効期間を記録することで差し支えないか。また，使用の期限や有効期間，ロット番号や製造番号，製造記号がない場合は，何を記録すればよいか。（施行規則 14 条第 1 項第 3 号，第 158 条の 4 第 1 項第 3 号，第 289 条第 1 項第 3 号）

（答 10）有効期間のみ記載されている医薬品については，有効期間の記録で差し支えない。また，使用の期限又は有効期間に加えて，配置期限を自主的に設定している場合について，必ずしも配置期限を記録することは求められない。

なお，医療用ガスや麻薬などそもそも使用の期限や有効期間の記載がない一部の医薬品については使用期限や有効期間を記録することは求められない。

また，ロット番号や製造番号，製造記号がない場合は，それらを記録する必要はなく，医療用ガスのボンベの番号など，一定程度，製造単位等を特定しうる記号等を記載することでも差し支えない。

【構造設備関係】

（問 11）医薬品を貯蔵する場所について「壁等で完全に区画されている必要はないこと」と施行通知（第 3 改正構造設備規則関係）に記載されているが，例えば，貯蔵設備のフロアにビニールテープ等でラインを引き，区別して医薬品の貯蔵設備を設ける区域とすることで差し支えないか。（構造設備規則第 1 条第 9 号，第 2 条第 9 号，第 3 条第 7 号）

（答 11）貯蔵設備を設ける区域は，当該薬局等の従業員のみが立ち入ることができる又は手に取ることができる場所に設けられていることが前提であることに鑑み，何らかの判別できる形で他の区域と区別されていればよく，ビニールテープ等で区別することでも差し支えない。

【体制省令関係】

（問 12）当該薬局等以外に所属する者（例えば，常時取引関係にある取引先の従業員等）を，貯蔵設備を設ける区域に「立ち入ることができる者」として差し支えないか。（体制省令第 1 条第 2 項，第 2 条第 2 項，施行規則第 158 条第 2 項）

（答 12）貯蔵設備を設ける区域に立ち入ることができる者は，原則，当該薬局等の従業員のみである。ただし，例えば，外部の事業者が納品時に貯蔵設備を設ける区域に立ち入る場合には，貯蔵設備を設けている当該薬局等の従業員が立ち会うこと等の措置をとることで当該薬局等以外に所属する者を「立ち入ることができる者」とすること等は差し支えないが，あらかじめ業務手順書に定めておく必要がある。

【その他（施行通知第 5 関係）】

（問 13）「医薬品の譲渡時は，全ての供給品において品名，ロット番号，使用期限等を記載した文書（例えば，納品書）を同封すること」とされているが，当該文書は電磁的記録であっても，問題はないか。（施行通知第 5 その他の事項 1 業務手順書に盛り込むべき事項（1）④，（2）④，（4）④）

（答 13）医薬品の譲渡時に同封することとされている文書は電磁的記録であっても差し支えない。ただし，電磁的記録により送付することをあらかじめ相手方と合意しておくことが望ましい。

（問 14）「医薬品の取引状況の継続的な確認」について，具体的にどのようなことを確認すべきか例示してほしい。（施行通知第 51 業務手順書に盛り込むべき事項（1）⑧，（2）⑦，（3）④，（4）⑦）

（答 14）ある種の医薬品の取引量が急増する，取引価格が極端に安価である等，通常の取引と異なる状況の有無とその原因等を日常的に確認しておくことが考えられる。

（問 15）「外観から調剤済みと分かるような措置を講じること」について，具体的な措置を例示してほしい。（施行通知第5その他の事項1業務手順書に盛り込むべき事項（1）⑥）

（答 15）例えば，調剤済みの箱に，「調剤済み」と記載する若しくはスタンプを押す又は箱を開封した上で薬剤を交付する等，調剤済みであることが明示的になることが必要であると考えられる。

（問 16）帳簿の記載事項とされる「在庫の異常」について，どのようなケースを想定しているのか，具体的に例示してほしい。（施行通知第 5 その他の事項 3 薬局等の管理に関する帳簿の記載事項）

（答 16）例えば，在庫に記録のない増減が生じている等の在庫の変動に異常がある場合や，譲り受けた医薬品の容器包装等に損傷その他の瑕疵がある場合が考えられる。

（問 17）納品書等の記載事項として，住所又は所在地，電話番号その他の連絡先については，常時取引関係にある場合は省略できるのか。（施行通知第 5 その他の事項 1 業務手順書に盛り込むべき事項（1）④，（2）④，（4）④）

（答 17）省略して差し支えない。

医薬品等の不適正な医薬品の流通防止の徹底について

9日　薬生総発0119第3号・薬生監麻発0119第7号
（局）長あて　厚生労働省医薬・生活衛生局総務課長，監視指導・麻薬対策課長通知

こつきましては，平素より格別の御高配を賜り厚く御礼申し上げます。
こ発生したC型肝炎治療薬「ハーボニー配合錠」の偽造品流通事案を受け，こ
の適正な流通の確保について」（平成29年1月17日付医政総発0117第1号・
1号・薬生総発0117第1号・薬生監麻発0117第1号厚生労働省医政局総務課長・
・医薬・生活衛生局総務課長・医薬・生活衛生局監視指導・麻薬対策課長連名通
販売業者及び薬局における記録及び管理の徹底について」（平成29年2月16日
6第1号厚生労働省医薬・生活衛生局総務課長通知）により注意を喚起し，平成
日に「医薬品，医療機器等の品質，有効性及び安全性の確保等に関する法律施行規
正する省令」（平成29年厚生労働省令第106号）等が公布され，「医薬品，医療機
，有効性及び安全性の確保等に関する法律施行規則の一部を改正する省令等の施行に
」（平成29年10月5日付薬生発1005第1号医薬・生活衛生局長通知）により通知した
ろです。

昨日1月18日に開催された全国厚生労働関係部局長会議においても，偽造医薬品等の不適正な医薬品の流通防止に向けて当局より御協力をお願いいたしましたが，下記の点について特に対応が必要と考えられるため，改めて貴管下の医療機関，薬局，医薬品販売業者，医薬品製造販売業者，医薬品製造業者に対する周知徹底をお願いいたします。また，医薬品の状態について通常と異なるとの報告があった場合には，監視指導・麻薬対策課あて速やかに連絡いただくようお願いいたします。

記

1．医薬品を譲り受ける際は，当該医薬品が本来の容器包装等に収められているかどうかその状態（未開封であること，添付文書が同梱されていること等を含む。）を確認することに加え，譲渡人が必要な販売業許可等を有し，当該医薬品を適正な流通経路から入手していることを確認するなど，偽造医薬品等の混入を避けるため，必要な注意をすること。

2．医薬品販売業者においては，譲渡人の本人確認を行い，名称等を記録するなど，平成29年10月5日付薬生発1005第1号医薬・生活衛生局長通知等に則り適正に対応すること。特に開封前の医薬品については，未開封であることを確認するとともに，開封した医薬品を譲り受ける場合には，開封した者の名称，住所等を確認すること。

3．医薬品製造販売業者，医薬品製造業者においては，品質管理の徹底を行い，確実に封を行うこと。

4．患者等に対し調剤した薬剤又は医薬品の販売等を行う際は，医薬品（その
の状態を観察し，通常と異なると認められる場合は販売せず，異常のない医
て調剤するなど適切に対応すること。また，通常と異なると認められる医薬品
管の都道府県等に連絡すること。

医薬品の封の取扱い等について

ﾆ8月1日　薬生発0801第1号
ｦ県知事，各保健所設置市長，各特別区長あて　厚生労働省医薬・生活衛生局長通知)

いについては，医薬品，医療機器等の品質，有効性及び安全性の確保等に関
年法律第145号。以下「法」という。）第58条に規定され，同条に規定する
ては，「薬事法の施行について」（昭和36年2月8日付け薬発第44号厚生省
下「昭和36年施行通知」という。）の第九の4において示してきたところです。
に発生したC型肝炎治療薬の偽造品が流通した事案を踏まえて，医薬品の偽造
ﾆ防止等の観点から，今後，法第58条の規定に基づく医薬品の封の取扱い等に
ることとしますので，御了知の上，貴管下関係団体，関係機関等に周知徹底を
適切な指導をお願いします。
ｳ年施行通知の第九の4は削除します。

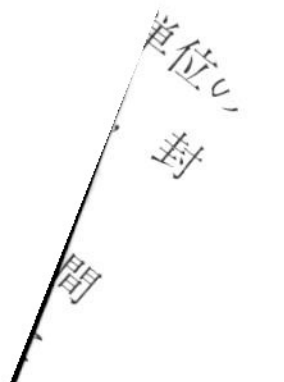

記

ﾆ第58条に規定する封の考え方について

法第58条に規定する封（以下，単に「封」という。）は，医薬品の製造販売業者が販売包装単位として設定する医薬品を収めた容器又は被包に施すものを指す。

この場合において，「販売包装単位」とは，通常，卸売販売業者等から医療機関等に販売される最小の販売包装単位をいう。

2．法第58条に規定する封の取扱いについて

封の規定は，医薬品がその容器又は被包に記載されている物と同一のものであり，偽造された物や異物が混入された物でないこと等を確保することを通じて，医薬品を使用する者の保護を図るため，医薬品の製造販売業者の責務として設けられたものである。

また，封に関しては，平成29年1月に国内において，C型肝炎治療薬が封を施された外箱から出され，添付文書も付されていない状態で封が開かれていないものと同等のように扱われ，医薬品の卸売販売業者を通じて流通され，薬局において患者に調剤される事案が発生した。また，諸外国においては，解熱鎮痛薬に毒物が混入され，それを服用した人に重篤な健康被害を生じた事例など，医薬品に異物が混入される事案が発生している。

このような立法の目的や偽造品の流通の事例等に鑑みれば，医薬品，医療機器等の品質，有効性及び安全性の確保等に関する法律施行規則（昭和36年厚生省令第1号）第219条の規定が求めている内容は，例えば，医薬品の製造販売業者において，以下の点に留意して封を行うことと解される。

・封に接着剤や粘着のテープ又はラベル（以下，「接着剤等」という。）を用いる場合には，接着部や粘着のテープ又はラベルを剥がさずとも医薬品の使用者が容易に封を開くことができ，かつ，封を開いた後は容易に原状に復することが困難な仕様とすること。例えば，封を

施す容器又は包装に開封用のミシン目や開封用のジッパー等を設けるこ

・封に接着剤等を用いる場合には，封を開くために接着部やテープ又はラベ
であっても，封を開いた後は容易に原状に復することが困難となるよう，客
夫を施し，接着部や粘着のテープ又はラベルを剥がそうとした場合には，容
材の一部が剥離する等の仕様にすること。

・封に接着剤等を用いる場合には，封を開かずに接着部や粘着のテープ又はラベ
の隙間から容器又は包装の内部に異物を容易に混入させることが困難となるよ
と。例えば，接着面積や粘着のテープ又はラベルの貼付面積を可能な範囲まで大き
と。併せて，容器又は包装の構造等に工夫を施すこと。

・封には，汎用的で模造が容易な無地のテープ又はラベルを用いないこと。

・医薬品の流通及び使用に関与する者が，医薬品の封が開かれているかどうか販売包装
外観から容易に判別し，封の状態に疑念がある場合には容易に気づくことができるよう
や容器又は包装に工夫を施すこと。

・接着剤等以外の方法で封を行う場合においても，偽造品へのすり替えや容器又は包装の隙
から内部に異物を容易に混入させることが困難となるよう，また，医薬品の流通及び使用に
関与する者が，医薬品の封が開かれているかどうか販売包装単位の外観から容易に判別し，封の状態に疑念がある場合には容易に気づくことができるよう，封や容器又は包装に工夫を施すこと。

・医薬品の製造販売業者は，自らが製造販売するそれぞれの医薬品について，発売から終売まで定期的に封の見直しを行い，見直しの時点における技術水準や偽造品の流通事例等を考慮した上で，適切な封を施すこと。

上記の留意点を踏まえた封の仕様については，医薬品の製造販売業者において早急に対応することが求められる。医薬品の製造販売業者による団体において，この対応の状況について定期的に調査し，適切な対応や不十分な対応を団体が把握して，各企業の対応が早期に完了するよう取り組むことが望まれる。

また，医薬品の製造販売業者は，医薬品の封の偽造や異物混入を防止する技術について，医薬品の容器又は包装等の関連事業者等が開発する新たな技術の活用を含め，自らが製造販売する医薬品の製品特性や偽造又は異物混入のリスクに応じて，更なる技術の開発及び導入に取り組むことが求められる。

3.　法第58条に規定する封の状態を確認する方法の情報共有等について

医薬品の偽造品等の流通ルートへの混入を防止するためには，上記のように，医薬品の製造販売業者が医薬品に適切な封を施した上で，医薬品の流通の各段階の流通当事者が，封の開封の有無を適切に確認することを徹底することが必要である。

そのため，医療用医薬品の製造販売業者においては，自らが製造販売する医療用医薬品に係る封の偽造や異物の混入を防止する手法のうち，目視等で開封の有無を確認できる方法に関する情報について，医療用医薬品の製造販売業者等の医療関係者向けホームページでの掲載や情報提供資材の配布等により，医薬品の卸売販売業者，薬局，医療機関の関係者との情報共有を

る。

品及び一般用医薬品の製造販売業者においては，自らが製造販売する要指
医薬品に係る封の偽造や異物の混入を防止する手法のうち，目視等で開封
る方法に関する情報について，要指導医薬品等の製造販売業者等のホーム
情報提供資材の配布により，医薬品の販売業者，薬局，医療機関の関係者及
共有を図ることが求められる。

者や薬局，医療機関においては，予め，医薬品の製造販売業者が提供する上
るとともに，医薬品の授受に当たって，医薬品に施された封の状態を確認し，
た場合には医薬品の製造販売業者に確認を行うことが求められる。

規定する封や医薬品の容器又は包装の改善に向けた関係者の協働について

造販売業者は，自社が製造販売する医薬品の封や容器又は包装に関して，医薬品
薬局，医療機関等の関係者及び消費者から寄せられる意見等を踏まえて，自社に
行い，改善を図っていくことが求められる。

品の製造販売業者の団体においては，医薬品の卸売販売業者と連携して，その時
医薬品の封かん方法等に係る技術水準や偽造品の流通事例等を踏まえて，封や容器
に係る自主的なガイドラインの策定や，その定期的な更新を行い，医薬品の製造販売
における封や容器又は包装の改善に向けて継続的に取り組んでいくことが望まれる。

医薬品の確認等の徹底について

（平成31年1月29日　医政総発0129第2号・医政経発0129第1号・薬生総発0129第2号・薬生
各衛生主管部（局）長あて　厚生労働省医政局総務課長，経済課長，医薬・生活衛生局総務
麻薬対策課長通知
1号）

医薬行政の推進につきましては，平素より格別の御高配を賜り厚く御礼申し上げま

今般，シアン化カリウム（青酸カリ）を入れた医薬品を流通させるという脅迫文が複
会社と報道機関等宛てに届いたとの事案が発生しました。つきましては，偽造医薬品の
のための所要の措置を定めた「医薬品，医療機器等の品質，有効性及び安全性の確保等に
法律施行規則の一部を改正する省令等の施行について」（平成29年10月5日付厚生労働省
生活衛生局長通知）も参考にしつつ，下記の点について，貴管下の医療機関，薬局，医薬品
業者，医薬品製造販売業者，医薬品製造業者に対する周知徹底をお願いいたします。

記

1．各医療機関及び事業者が取り扱っている医薬品について，その外観や封などを十分に確認すること。

2．医薬品を譲り受ける際は，譲渡人が常時取引関係にある場合を除き，譲渡人が必要な販売業許可等を有する事業者であることを確認すること。また，医薬品を納品する者の社員証等の身分証の提示により本人確認を行うこと。

3．医薬品の製造過程，流通過程において，意図的な異物の混入がなされないよう，医薬品を保管する場所をはじめ，部外者の立入を制限している区域への部外者の立入に特に注意すること。

4．取り扱っている医薬品に意図的に異物が混入された等異常のおそれがあると認められた場合には，速やかに監視指導・麻薬対策課，所管の都道府県，最寄りの保健所等に報告のうえ，警察に通報すること。

「医薬品の封の取扱い等について」に関する質疑応答集（Q＆A）について

（平成31年3月29日　日薬連発第245号
加盟団体あて　日本製薬団体連合会通知）

標記につき，平成31年3月29日付けにて厚生労働省医薬・生活衛生局監視指導・麻薬対策課より事務連絡が発出されました。

つきましては，本件につき貴会会員に周知頂きたく御連絡申し上げます。

事務連絡
平成31年3月29日

日本製薬団体連合会御中

厚生労働省医薬・生活衛生局監視指導・麻薬対策課

「医薬品の封の取扱い等について」に関する質疑応答集（Q＆A）について

「医薬品の封の取扱い等について」（平成30年8月1日付け薬生発0801第3号厚生労働省医薬・生活衛生局長通知）について，その趣旨，内容等に関する質疑応答集を別添のとおり取りまとめましたので，貴会会員への周知を含め，特段の御配慮をお願いいたします。

（別添）

「医薬品の封の取扱い等について」（平成30年8月1日薬生発0801第1号厚生労働省医薬・生活衛生局長通知）に関する質疑応答集（Q＆A）

No.	項目等	Q	A
1	販売包装単位	「販売包装単位」は，「医療用医薬品へのバーコード表示の実施について」（平成18年9月15日付け薬食安発第0915001号厚生労働省医薬食品局安全対策課長通知）における「販売包装単位」と同一であると考えてよいか。 （通知　1．法第58条に規定する封の考え方について）	よい。
2	販売包装単位	例えばドラッグストアで小売りされる単本のドリンク剤等（要指導医薬品・一般用医薬品）は，通知における「販売包装単位」に該当するか。 （通知　1．法第58条に規定する封の考え方について）	該当する。なお，局長通知中「卸売販売業者等」及び「医療機関等」は，要指導医薬品及び一般用医薬品の場合それぞれ，「薬局・薬店・ドラッグストア等」及び「消費者等」と読み替えて適用する。

3	販売包装単位	局長通知で示されている「販売包装単位」とは，通常，卸売販売業者等から医療機関等に販売される最小の販売包装単位とあるが，販売包装単位を複数まとめた，いわゆる「まとめ箱」は局長通知の対象外と考えてよいか。 （通知　1．法第58条に規定する封の考え方について）	よい。なお，まとめ箱以外の形態（例えば3本シュリンク）の場合であっても，局長通知の適用対象外と考えてよい。
4	ミシン目・ジッパー	開封用のミシン目以外に解体用のミシン目を個装箱に入れているが，解体用のミシン目から使用者が開けることを想定して何か対策が必要か。 （通知　2．法第58条に規定する封の取扱いについて　1ポツ関係）	使用者が開封用，解体用どちらのミシン目から開けても容易に原状に復することが困難であれば，解体用のミシン目を入れることは差し支えない。ただし，解体用のミシン目の有無にかかわらず，開封用のミシン目には「開封口」であることが判る旨の表示をすること。
5	剥離の程度	どの程度，容器又は包装の資材の一部が剥離すると，容易に原状に復することができないと判断するのか。 （通知　2.法第58条に規定する封の取扱いについて　2ポツ関係）	医薬品の流通及び使用に関与する者が，容器又は包装の資材の一部が剥離したことが識別できる程度。
6	テープ	「販売包装単位」でもあり，かつ「元梱包装単位」でもある段ボールに貼るテープも無地は認められないか。 （通知　2．法第58条に規定する封の取扱いについて　4ポツ関係）	無地は認められない。
7	テープ	「接着部や粘着のテープ又はラベルを剥がそうとした場合には，容器又は包装の資材の一部が剥離する等の仕様にする」とあるが，粘着のテープ又はラベル自体の一部が容器又は包装の資材へ展着し残存する等の，テープやラベルでもよいか。 （通知　2．法第58条に規定する封の取扱いについて　2ポツ関係）	よい。
8	テープ	接着部や粘着のテープ又はラベルを剥がそうとした場合に，容器又は包装の資材の一部が剥離する等の仕様であれば，テープ又はラベルに無地のものを用いてもよいか。 （通知　2．法第58条に規定する封の取扱いについて　2ポツ及び4ポツ関係）	無地は認められない。
9	テープ	色付きで文字なしのテープ又はラベルは，無地ではないという解釈になるか。 （通知　2．法第58条に規定する封の取扱いについて　4ポツ関係）	色付きであっても社名等の文字の記載が無いものは無地と解釈する。

10	テープ	無地ではないテープ又はラベルで，テープ又はラベルへの印刷が会社固有のマークや社名ロゴではなく，テープ又はラベルのメーカーが改ざん防止テープ又はラベルとして販売しているもので「納入時開封済品は使用不可」等の文字入りのテープ又はラベルは用いても良いか。（通知　2. 法第58条に規定する封の取扱いについて　4ポツ関係）	よい。ただし，文字が開封部分にかかるように印刷等の工夫が必要である。なお，会社固有のマークや社名ロゴが印刷されている場合も，マークやロゴが開封部分にかかるようにする必要がある。
11	外観から容易に判別，気づくレベル	「医薬品の封が開かれているかどうか販売包装単位の外観から容易に判別し，封の状態に疑念がある場合には容易に気づくことができるよう」とあるが，容易に気づくことができるレベルとはどの程度のものをいうか。（通知　2. 法第58条に規定する封の取扱いについて　5及び6ポツ関係）	医薬品の流通及び使用に関与する者が，識別できる程度。
12	接着剤等以外の方法	接着剤等以外の方法で行う封の方法には，どのようなものがあるか（通知　2. 法第58条に規定する封の取扱いについて　6ポツ関係）	ヒートシール包装，シュリンク包装，ブリスターパック，ピルファープルーフキャップ（タンパープルーフキャップ），封かん紙等が考えられる。
13	接着剤等以外の方法	接着剤等以外の方法として，販売包装単位にシュリンク包装やピロー包装をしていることを記載する等の工夫を施せば，無色透明のフィルムでシュリンク包装又はピロー包装をすることは認められるか。（通知　2. 法第58条に規定する封の取扱いについて　6ポツ関係）	認められる。
14	定期的な見直し	「発売から終売まで定期的に封の見直しを行う」とあるが，見直しをした記録を残す必要はあるか。（通知　2. 法第58条に規定する封の取扱いについて　7ポツ関係）	今後，関係団体及び行政から，進捗状況の調査を受けることも考えられるので，記録を残すこと。
15	ホームページへの掲載内容	医薬品の流通の各段階の流通当事者が，封の開封の有無を適切に確認することを徹底することが必要なため，「目視等で開封の有無を確認できる方法に関する情報について，医療用医薬品の製造販売業者等の医療関係者向けホームページでの掲載や情報提供資材の配布等により，医薬品の卸売販売業者，薬局，医療機関の関係者との情報共有を図ること」が求められているが，医療関係者向けホームページでの掲載内容（製剤写真など）や情報提供資材の内容に留意すべき事項があればご教示いただきたい。（通知　3. 法第58条に規定する封の状態を確認する方法の情報共有等について）	例として，「未開封の状態」，「開封方法」，「開封後の状態」の写真や図等を入れることが考えられる（別紙参照）。

16	ホームページへの掲載内容	「また，要指導医薬品及び一般用医薬品の製造販売業者においては，自らが製造販売する要指導医薬品及び一般用医薬品に係る封の偽造や異物の混入を防止する手法のうち，（中略），要指導医薬品等の製造販売業者等のホームページでの掲載や情報提供資材の配布により，医薬品の販売業者，薬局，医療機関の関係者及び消費者との情報共有を図ることが求められる。」とあるが，この「要指導医薬品及び一般用医薬品」「要指導医薬品等」に指定医薬部外品は含まれていないという理解で差し支えないか。 （通知　3.法第58条に規定する封の状態を確認する方法の情報共有等について）	指定医薬部外品も要指導医薬品，一般用医薬品と同様に局長通知に従って対応することが望ましい。
17	ホームページへの掲載内容	ホームページ等に掲載する「目視等で開封の有無を確認できる方法に関する情報」は，販売名が異なる製品であっても開封方法が同じ製品であれば，開封方法ごとにいずれかの写真を掲載することでよいか。（通知　3.法第58条に規定する封の状態を確認する方法の情報共有等について）	よい。

別紙

お客様各位

○○○製薬

未開封の確認方法及び正しい開封方法について

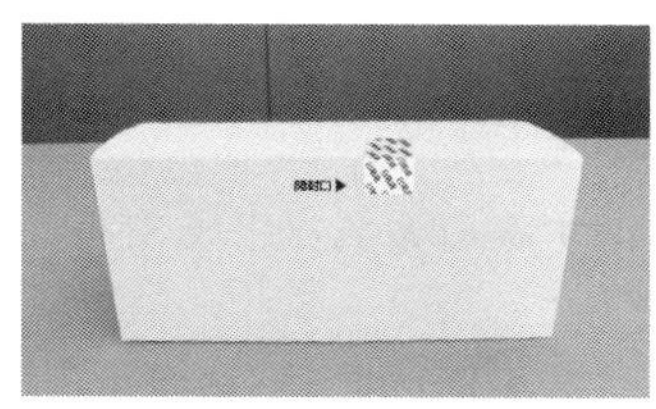

①未開封の状態

ミシン目が切れていないこと
封かんテープがしっかり貼付されていること
箱全体に不自然な破れ等が無いこと
を確認してください。

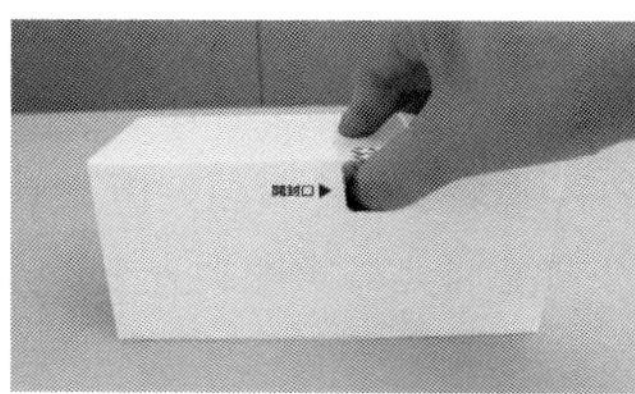

②開封方法

ミシン目に沿って押しゃぶってください。

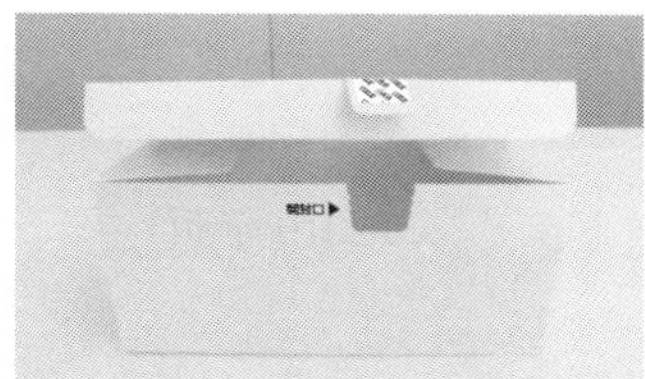

③開封後の状態

⚠ 以下の場合はすでに開封されている可能性があります。

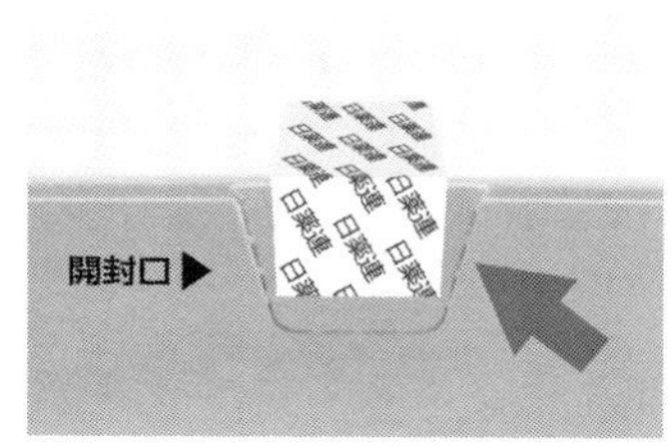

ミシン目が切れている

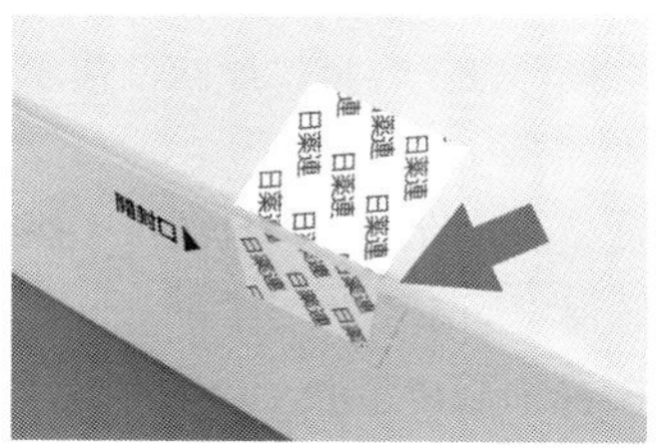

テープが切れている

「医薬品の封・密閉性の確保に関するガイドライン」の見直しについて

（平成31年5月30日　日薬連発第431号
加盟団体あて　日本製薬団体連合会通知）

平成29年1月に発生したC型肝炎治療薬偽造品の流通事案に対し，再発防止の観点から「医薬品の封の取扱い等について」（平成30年8月1日付け薬生発0801第1号厚生労働省医薬・生活衛生局長通知。以下「局長通知」という。）が発出されました。

また，局長通知「医薬品の封の取扱い等について」に関するQ＆A（平成31年3月29日付け事務連絡。以下「Q＆A」という。）が発出されました。こ

のような経緯から当連合会の「封の例示」見直しプロジェクトでは，局長通知及びQ＆Aの内容を踏まえ，「医薬品個装箱の封・密閉性の確保に関するガイドライン」（平成16年3月18日付け日薬連発第162号）について，見直しを行い別記のようにいたしました。

つきましては，貴会会員への周知徹底方につきご配意の程，よろしくお願い申しあげます。

なお，当連合会は，通知等の遵守状況を調査するため2年を目処に実態調査を行う予定です。

別記

医薬品の封・密閉性の確保に関するガイドライン（2019年版）

医薬品，医療機器等の品質，有効性及び安全性の確保等に関する法律（以下「法」という。）第58条では，「医薬品を収めた容器又は被包に封を施さなければならない。ただし，医薬品の製造販売業者又は製造業者に販売し又は授与するときは，この限りでない」と定められています。

また，法施行規則第219条では，「封を開かなければ医薬品を取り出すことができず，かつ，その封を開いた後には，容易に原状に復することができないように施さなければならない」と定められています。

これらの法及び法施行規則の目的は，医薬品の製造販売業者の責任を明確にするとともに，医薬品の品質の確保を図るためです。

さらに，医薬品の封の取扱い等に関して，局長通知及びQ＆Aでは，法第58条に規定する封は医薬品の製造販売業者が販売包装単位として設定する医薬品の容器又は被包に施すものとし，封の具体的な方法が示されました。

本ガイドラインは，法で規定する封と局長通知に示されている販売包装単位に対する封の機能を担保するため，次のとおり策定するものです。

1．接着剤や粘着テープ又はラベルによる封について

封を開いた後は容易に原状に復することができないようにし，かつ，封を開かずに接着剤等の接着部や貼付部等の隙間から容器又は包装の内部に異物を容易に混入させることができない，あるいは内容薬剤を取り出せないように密閉性を確保するとともに，医薬品の流通及び使

用に関与する者が，封が開かれているかどうか容易に判別できるようにするため，以下に示す工夫を行うこと。

（1）接着剤の接着部や粘着テープ又はラベルの貼付部は，容器又は資材の一部が剥離する等の仕様にすること。
・接着剤等の塗布面積や貼付面積は可能な範囲で大きくする。
・特に接着剤の塗布は線状にするなどして面積を大きくする。
・接着剤の塗布部，粘着テープ・ラベルの貼付部には，切り罫線を入れる等の工夫を行う。
・粘着テープ又はラベルで，これらを剥がそうとすれば印刷文字が潰れる，開封済の文字が浮出る，テープ・ラベル封が破れる等の機能を持っている場合は，容器又は資材の一部が剥離する状態と同等とみなす。

（2）接着剤の接着部や粘着テープ又はラベルの貼付部は，密閉性が確保できる仕様にすること。
・大きいサイズの箱の場合には，蓋部等で湾曲して隙間ができやすい箇所を抑制するため，該当部分の形態や構造等の工夫を行う。
・ワンタッチ箱を用いる場合には，底部等には隙間ができ難いように箱内の空間量（特に高さ方向）をできるだけ小さくし，隙間を開けやすい部分（巾が狭いワンタッチ箱の場合は底部）にパッドを入れる，接着剤，粘着テープ・ラベル等を貼付する，底部の貼り合わせの重なりを最大限に大きくし，さらに紙厚を厚くする等の工夫を行う。

（3）容器又は包装の開封部には，開封用のミシン目（開封爪かけ）・開封用のジッパー等を設けると同時に「開封口」であることが判る旨の表示を行うこと。ただし，粘着テープ・ラベルにこれらを剥がすための「つまみ・取っ手」等があり，開封方法が判りやすいものを使用する場合は，本対応は必ずしも必要ではない。

（4）粘着テープ又はラベルを用いる場合は，透明又は色付きに限らず無地のテープ等は，使用しないこと。また，テープ等が切断された場合，印刷された文字，会社固有マーク，社名ロゴ等が切れる工夫（エンドレス印刷等）をする。

2．接着剤や粘着テープ又はラベル以外の封について

以下の方法を用いる場合においても，封を開いた後は容易に原状に復することができないようにし，かつ，封を開かずに貼付部等の隙間から容器又は包装の内部に異物を容易に混入させることができない，あるいは，内容薬剤を取り出せないよう密閉性を確保するとともに，医薬品の流通及び使用に関与する者が，封が開かれているかどうか容易に判別できる工夫を行うこと。

（1）接着剤や粘着テープ又はラベル以外の方法としてヒートシール包装，シュリンク包装，ブリスターパック，ピルファープルーフキャップ（タンパープルーフキャップ），封かん紙等が考えられる。

＜ヒートシール包装＞

＜シュリンク包装＞

＜ブリスターパック＞

表

裏

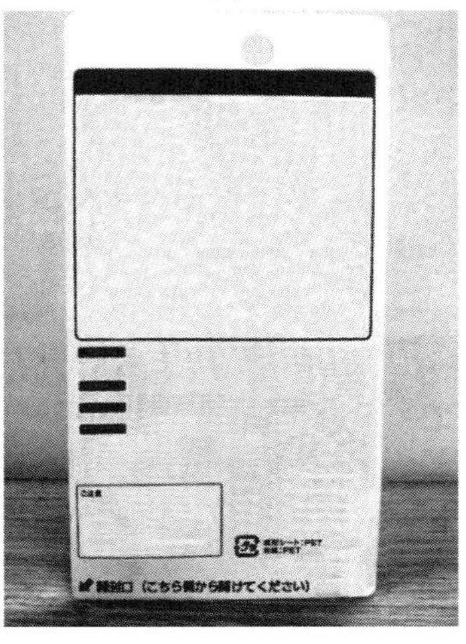

＜ピルファープルーフキャップ＞

＜封かん紙＞

(2) 接着剤等以外の方法として，無色透明のフィルムでシュリンク包装又はピロー包装をする場合は，販売包装単位にシュリンク包装やピロー包装をしていることを記載する。
例えば「この製品は箱の外側を透明フィルムで包んでいます。」等を記載する。

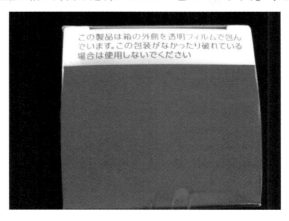

3．封に関する情報共有方法について

医薬品の封の状態について，目視等で開封の有無を確認できる方法に関する情報を製造販売業者等のホームページでの掲載や情報提供資材の配布等により，医薬品の流通及び使用に関与する者との情報共有を図るようにすること。

なお，Q & A 別紙の「未開封の確認方法及び正しい開封方法について」を参考に順次進めること。

4．定期的な封の見直しについて

製造販売業者等は，定期的に封の見直しを行い，見直しの時点における技術水準や偽造品の流通事例等を考慮した上で，継続的に封の改善に取り組むこと。

以上

医薬品・医薬部外品製造販売業者等における
コンピュータ化システム適正管理ガイドラインについて

（平成22年10月21日　薬食監麻発1021第11号
各都道府県衛生主管部（局）長あて　厚生労働省医薬食品局監視指導・麻薬対策課長通知）

「医薬品及び医薬部外品の製造管理及び品質管理の基準に関する省令」（平成16年12月24日厚生労働省令第179号）（以下「GMP省令」という。）が適用される医薬品又は医薬部外品を製造販売する製造販売業者又は製造する製造業者等における，「医薬品，医薬部外品，化粧品及び医療機器の品質管理の基準に関する省令」（平成16年9月22日厚生労働省令第136号）及びGMP省令に基づく業務に使用されるコンピュータ化システムに係る適正管理ガイドラインを別添のとおり定め，平成24年4月1日より適用することにしたので，貴管下製造販売業者等に対して周知徹底を図られるようお願いします。

なお，それまでの間については，「コンピュータ使用医薬品等製造所適正管理ガイドライン」平成4年2月21日薬監第11号：平成17年3月30日付薬食監麻発第0330001号により廃止）を参考とされたいが，貴管下製造販売業者等には可能なシステムから順次適用されるよう併せて指導方お願いします。

医薬品・医薬部外品製造販売業者等における
コンピュータ化システム適正管理ガイドライン

目次

4.6.2　プログラムテストの実施
4.7　システムテスト
4.7.1　システムテストに関する文書の作成
4.7.2　システムテストの実施
4.8　受入試験
5　検証業務
5.1　バリデーションの全体計画に関する文書の作成
5.2　設計時適格性評価（DQ）
5.2.1　設計時適格性評価の計画に関する文書の作成
5.2.2　設計時適格性評価の実施
5.2.3　設計時適格性評価の報告に関する文書の作成
5.3　据付時適格性評価（IQ）
5.3.1　据付時適格性評価の計画に関する文書の作成
5.3.2　据付時適格性評価の実施
5.3.3　据付時適格性評価の報告に関する文書の作成
5.4　運転時適格性評価（OQ）
5.4.1　運転時適格性評価の計画に関する文書の作成
5.4.2　運転時適格性評価の実施
5.4.3　運転時適格性評価の報告に関する文書の作成
5.5　性能適格性評価（PQ）
5.5.1　性能適格性評価の計画に関する文書の作成
5.5.2　性能適格性評価の実施
5.5.3　性能適格性評価の報告に関する文書の作成
5.6　適格性評価の一部省略と引用
5.7　バリデーションの全体報告に関する文書の作成
6　運用管理業務
6.1　運用管理に関する文書の作成
6.2　コンピュータ化システムの操作の手順に関する文書の作成
6.3　保守点検事項の実施
6.4　セキュリティ管理の実施
6.5　バックアップ及びリストア
6.6　変更の管理
6.7　逸脱（システムトラブル）の管理
6.8　教育訓練
6.8.1　教育訓練計画の作成
6.8.2　教育訓練の実施
6.8.3　教育訓練の記録の保管
7　自己点検
7.1　自己点検の実施

医薬品・医薬部外品製造販売業者等におけるコンピュータ化システム適正管理ガイドライン

1．総則

1.1　目的

このガイドラインは，「コンピュータ使用医薬品等製造所適正管理ガイドライン」（平成4年2月21日薬監第11号：平成17年3月30日付薬食監麻発第0330001号により廃止）に代わるものとして,「医薬品及び医薬部外品の製造管理及び品質管理の基準に関する省令」(平成16年厚生労働省令第179号。以下「GMP省令」という。）の適用を受ける医薬品又は医薬部外品を製造販売する製造販売業者又は製造する製造業者等（以下「製造販売業者等」という。）が,「医薬品，医薬部外品，化粧品及び医療機器の品質管理の基準に関する省令」（平成16年厚生労働省令第136号。以下「GQP省令」という。）及びGMP省令に基づく業務を行うためのコンピュータ化システムの要件を明確にし，コンピュータ化システムが意図したとおりに動作することを保証するため，これを開発する際に必要な事項，これを検証するバリデーションに関する事項及び運用管理に関する遵守事項（バリデートされた状態の維持や廃棄に関する事項等）を定め，GQP省令及びGMP省令の適正な実施の確保を図ることを目的とする。

このガイドラインにおいては，コンピュータ化システムの開発から，検証，運用管理及び廃棄までの流れを総合してコンピュータ化システムのライフサイクルという。ライフサイクル全体の構成を別紙1「コンピュータ化システムのライフサイクルモデル」に示す。また,このガイドラインに示した管理方法は標準的な例を示したものであり,これに代わる方法で,それが同等又はそれ以上の目的を達成できるものである場合には，その方法を用いても差し支えない。

1.2　コンピュータ化システムの取扱い

このガイドラインは，GQP省令及びGMP省令に関連するシステム並びに相互に連携したコンピュータ化システムを対象として取り扱うこととしているため，GQP省令やGMP省令における組織・役割に応じた表現を用いていないが，バリデーションや変更・逸脱の管理など，GMP省令においては品質部門等の承認が必要であり，GQP省令においては品質保証部門による管理体制の中で進めなければならない。従って，製造販売業者等において組織の形態や該当するシステムの範囲を考慮して各々の組織・役割に応じた責任と権限を3.に規定する「コンピュータ化システムの開発，検証及び運用管理に関する文書」の中に明確にすることが必要である。

また，このガイドラインの対象となるコンピュータ化システムで「医薬品等の承認又は許可等に係る申請等に関する電磁的記録・電子署名利用のための指針」（平成 17 年 4 月 1 日薬食発第 0401022 号）及び「薬事法及び採血及び供血あつせん業取締法の一部を改正する法律の施行に伴う医薬品，医療機器等の製造管理及び品質管理（GMP/QMS）に係る省令及び告示の制定及び改廃について」（平成 17 年 3 月 30 日薬食監麻発第 0330001 号）第 3 章第 3 35.「その他（電磁的記録等について）」の適用を受けるコンピュータ化システムは，併せてそれら要件を備える必要がある。

なお，このガイドラインの適用日以前に開発又は運用が開始されているシステムであって，「コンピュータ使用医薬品等製造所適正管理ガイドライン」に示された方法又はそれに代わる適切な方法で開発，検証及び運用等が行われていないシステムについては，当該システムの適格性を確認する必要がある。

1.3　カテゴリ分類

このガイドラインの適用を受けるコンピュータ化システムについては，開発，検証及び運用の各段階において実施する内容を決定（「4.3 システムアセスメントの実施」を参照）するために，システムを構成するソフトウェアの種類に応じて，あらかじめソフトウェアカテゴリを決定するものとする。

カテゴリ分類の基準及びカテゴリ毎の一般的対応の例を別紙 2「カテゴリ分類表と対応例」に示す。

2．適用の範囲

このガイドラインは，コンピュータ化システムを使用して GQP 省令及び GMP 省令が適用される業務を行う製造販売業者等に適用する。

このガイドラインの対象となるコンピュータ化システムの例として，(1)～(7) が考えられる。また，対象外となるコンピュータ化システムは別紙 2 に記載する。

(1) 医薬品，医薬部外品の市場への出荷の可否の決定に係るシステム及び市場への出荷に係る記録を作成，保存管理するためのシステム
(2) 製造指図書，製造に関する記録等を作成及び保存管理するためのシステム
(3) 製造工程を制御又は管理するためのシステム及びその管理データを保存管理するためのシステム
(4) 原材料及び製品（製造の中間工程で造られるものを含む。以下同じ。）の保管，出納等の生産を管理するシステム
(5) 品質試験に用いる機器を制御又は管理するためのシステム並びに品質試験結果及び管理データを保存管理するためのシステム
(6) 空調，製造用水製造設備など，製品の品質に重大な影響を及ぼす可能性のある製造支援設備・施設を制御又は管理するためのシステム及びその管理データを保存管理するためのシステム
(7) 文書（手順書類，品質標準書，製品標準書等）を作成，承認，保存管理するためのシステム

3．コンピュータ化システムの開発，検証及び運用管理に関する文書の作成

製造販売業者等はコンピュータ化システムの開発，検証及び運用にあたっては，あらかじめ，その基本方針等に関する文書（以下「コンピュータ化システム管理規定」という。）を定めるものとする。

コンピュータ化システム管理規定は，原則として次の事項を記載するものとする。

（1）コンピュータ化システムの開発，検証及び運用管理に関する基本方針

①目的

②適用範囲

③システム台帳の作成

④基本的な考え方

・ソフトウェアのカテゴリ分類

・製品品質に対するリスクアセスメント

・供給者アセスメント

・開発，検証及び運用段階で実施すべき項目等

・コンピュータシステムの廃棄に関する事項

（2）開発業務，検証業務及び運用管理業務における責任体制と役割

（3）開発業務，検証業務及び運用管理業務で作成すべき文書及びその管理方法

（4）開発業務，検証業務及び運用管理業務の業務完了の確認及び承認の手続き

4．開発業務

4.1　開発計画に関する文書の作成

製造販売業者等は，開発計画に関する事項を記載した文書（以下「開発計画書」という。）を作成するものとする。開発計画書には，原則として次の事項を記載するものとする。

（1）開発目的

（2）開発条件

（3）開発体制

①組織

②責任者

・開発責任者

・検証責任者

（4）開発スケジュール

4.2　要求仕様に関する文書の作成

開発責任者はコンピュータ化システムに求められている事項を記載した文書（以下「要求仕様書」という。）を作成するものとする。要求仕様書には，原則として次の事項を記載するものとする。

（1）適用される法規制及び適用する規定等

（2）ハードウェアの概要

（3）要求機能

①システム機能の概要
②運用要件の概要
③性能要件の概要
④障害対策機能の概要
⑤機密保護機能の概要（セキュリティ）

（4）データ
①入出力情報の項目一覧
②保存方法

（5）インターフェース（関連設備及び他システム等）

（6）環境
①設置条件
②システムの配置

（7）電源，接地等の設置条件

4.3　システムアセスメントの実施

開発責任者は，開発，検証及び運用の各段階にて実施すべきそれぞれの内容を定めるために，コンピュータ化システム管理規定に基づき，原則として以下の事項を実施する。

（1）ソフトウェアカテゴリ分類
（2）製品品質に対するリスクアセスメント
（3）供給者アセスメント

4.4　機能仕様に関する文書の作成

開発責任者は，供給者に要求仕様書に記載された要件に対応した具体的なコンピュータ化システムの機能と性能を記載した機能仕様に関する文書（以下「機能仕様書」という。）を作成させ，承認するものとする。

4.5　設計仕様に関する文書の作成

開発責任者は，供給者に機能仕様書に基づいてコンピュータ化システムの詳細機能を記載した設計仕様に関する文書(以下「設計仕様書」という。）を作成させ,承認するものとする。

設計仕様書には，原則として次の事項を記載するものとする。

4.5.1　ハードウェア設計仕様

（1）ハードウェア構成
（2）ハードウェアリスト及び仕様
（3）インターフェース
（4）入出力信号の詳細
（5）環境
①設置の詳細条件
②システム機器の配置

（6）電源，接地等の設置条件

4.5.2　ソフトウェア設計仕様
（1）入出力情報の詳細
（2）ファイル及びデータ構造
（3）データ処理の詳細
（4）機能・モジュールの構成
（5）インターフェースの詳細
（6）選択したパッケージソフトウェア

4.6　プログラムの作成及びプログラムテスト
開発責任者は，必要に応じて，供給者にプログラム作成及びプログラムテストを実施させるものとする。プログラム作成及びプログラムテストには，以下の内容が含まれるものとする。
4.6.1　プログラムの作成
（1）供給者は，プログラムの仕様に関する文書（以下「プログラム仕様書」という。）を設計仕様書に従って作成するものとする。
（2）供給者は，プログラムをプログラム仕様書どおりに作成するものとする。

4.6.2　プログラムテストの実施
（1）供給者は，プログラムテスト方法，プログラムテスト結果の判定方法及び判定基準を記載したプログラムテストの計画に関する文書（以下「プログラムテスト計画書」という。）を作成するものとする。
（2）供給者は，プログラムテスト計画書に基づき，プログラムテストを実施し，その結果を記録するものとする。
（3）供給者は，プログラムテストの結果の適否を判定するものとする。

4.7　システムテスト
開発責任者は，必要に応じて供給者にシステムテストを実施させるものとする。システムテストには以下の内容が含まれるものとする。
4.7.1　システムテストに関する文書の作成
供給者はシステムテストにあたっては，システムテストの計画に関する文書（以下「システムテスト計画書」という。）を作成するものとする。システムテスト計画書には，原則として次の事項を記載するものとする。
（1）システムテストの実施環境（テスト時のハードウェアの設置状況及びソフトウェア構成等をいう。）
（2）システムテストの項目及び使用するテストデータ
（3）システムテストの方法及び結果の確認方法
（4）システムテストの判定基準
（5）システムテストのスケジュール
（6）システムテストを実施する場合の実施体制

4.7.2　システムテストの実施

（1）供給者は，システムテスト計画書に基づいてシステムテストを実施し，その結果（システムテストの実施時に発生したトラブルの内容及びその措置内容を含む。）を記録するものとする。

（2）供給者は，システムテストの結果の適否を判定する。この場合において，システムテストの結果の適否の判定事項は，原則として次のとおりとする。

①機能（機能仕様書及び設計仕様書に規定されたとおりに機能するか等）

②性能（機能仕様書及び設計仕様書で期待された応答性等を確保しているか等）

4.8　受入試験

開発責任者は，システムの機能及び性能の全てあるいは一部が要求仕様を満足していることを確認するために供給者に受入試験を実施させる。受入試験には，供給者の工場出荷前に機能及び性能を確認するテスト（工場出荷試験，FAT）並びにこれらシステム設置場所等における受け入れ時に機能及び性能を確認するテスト（現地受入試験，SAT）があり，適宜選択し実施させる。受入試験の結果は開発責任者が承認する。

5．検証業務

5.1　バリデーションの全体計画に関する文書の作成

検証責任者は，コンピュータ化システム管理規定に基づき，システムの検証を行う場合には，実施するバリデーションの全体計画に関する文書（以下「バリデーション計画書」という。）を作成するものとする。なお，バリデーション計画書は「4.3 システムアセスメント」により実施した評価結果等に基づき作成する。なお，検証業務は開発業務と併行して行われることもあるため，バリデーション計画書は開発段階の適切な時期に作成する。

また，「6.6 変更の管理」においてバリデーションが必要となった場合は，変更の状況にあわせて適宜バリデーション計画書を作成すること。バリデーション計画書には，原則として次の事項を記載するものとする。また，必要な場合には詳細なリスクアセスメント，供給者監査等の計画についても記載すること。

（1）目的

（2）システム概要

（3）責任体制と役割

①組織

②検証責任者

（4）適用される法規制及び適用する規定等

（5）バリデーション方針

①バリデーションの範囲及びバリデーションとして実施すべき項目等

（6）スケジュール

（7）バリデーション実施時の変更・逸脱の管理に関する手順

5.2　設計時適格性評価（DQ）

検証責任者は，要求仕様書に記載された要求事項が，機能仕様書，設計仕様書等に正しく反映されていることを確認するため設計時適格性評価を実施する。

5.2.1　設計時適格性評価の計画に関する文書の作成

検証責任者は，設計時適格性評価の計画に関する文書（以下「設計時適格性評価計画書」という。）を作成ものとする。設計時適格性評価計画書には，原則として次の事項を記載するものとする。

（1）設計時適格性評価の対象となる文書名
（2）具体的な確認の方法
（3）設計時適格性評価における判定基準
（4）スケジュール
（5）責任者及び担当者の氏名

5.2.2　設計時適格性評価の実施

（1）検証担当者は，設計時適格性評価計画書に基づいて評価を実施し，その結果を記録するものとする。
（2）検証責任者は，設計時適格性評価の結果の適否を判定するものとする。

5.2.3　設計時適格性評価の報告に関する文書の作成

検証責任者は，設計時適格性評価の報告に関する文書（以下「設計時適格性評価報告書」という。）を作成するものとする。設計時適格性評価報告書には，原則として次の事項を記載するものとする。

（1）設計時適格性評価の対象となる文書名
（2）評価結果と是正措置
（3）責任者及び担当者の氏名

5.3　据付時適格性評価（IQ）

検証責任者は，コンピュータ化システムが，設計仕様等に記載されたとおりに据え付けられ，プログラムがインストールされたことを確認するため据付時適格性評価を実施する。

5.3.1　据付時適格性評価の計画に関する文書の作成

検証責任者は，ハードウェア及びソフトウェアの据付時適格性評価の計画に関する文書（以下「据付時適格性評価計画書」という。）を作成するものとする。据付時適格性評価計画書には，原則として次の事項を記載するものとする。

（1）据付時適格性評価の対象となる文書名
（2）ハードウェア構成及び設置場所
（3）ハードウェアの温度，湿度，振動等の環境条件
（4）電源，接地等の設置条件
（5）通信，入出力に関する仕様
（6）ハードウェアの設置の確認方法
（7）ソフトウェアのインストールの確認方法

（8）据付時適格性評価における判定基準
（9）スケジュール
（10）責任者及び担当者の氏名

5.3.2　据付時適格性評価の実施

（1）ハードウェアの設置の確認
①検証担当者は，据付時適格性評価計画書に基づいて，ハードウェアが適切に設置されていることを確認し，その結果を記録するものとする。
②検証責任者は，ハードウェアの設置の適否を判定するものとする。
（2）ソフトウェアのインストールの確認
①検証担当者は，基本ソフトウェアを含め，適切にインストールされていることを確認し，その結果を記録するものとする。
②検証責任者は，ソフトウェアのインストールの結果の適否を判定するものとする。

5.3.3　据付時適格性評価の報告に関する文書の作成

検証責任者は，据付時適格性評価の報告に関する文書（以下「据付時適格性評価報告書」という。）を作成するものとする。据付時適格性評価報告書には，原則として次の事項を記載するものとする。

（1）据付時適格性評価の対象となる文書名
（2）評価結果と是正措置
（3）責任者及び担当者の氏名

5.4　運転時適格性評価（OQ）

検証責任者は，コンピュータ化システムが運転時において，機能仕様等に示された機能及び性能を発揮することを確認するため運転時適格性評価を実施する。

5.4.1　運転時適格性評価の計画に関する文書の作成

検証責任者は，運転時適格性評価の計画に関する文書（以下「運転時適格性評価計画書」という。）を作成するものとする。運転時適格性評価計画書には，原則として次の事項を記載するものとする。

（1）運転時適格性評価の対象となる文書名
（2）システムの運転環境における機能の確認方法
（3）運転時適格性評価における判定基準
（4）スケジュール
（5）責任者及び担当者の氏名

5.4.2　運転時適格性評価の実施

（1）検証担当者は，運転時適格性評価計画書に基づいて評価を実施し，その結果を記録するものとする。
（2）検証責任者は，運転時適格性評価の結果の適否を判定するものとする。

5.4.3　運転時適格性評価の報告に関する文書の作成

検証責任者は，運転時適格性評価の報告に関する文書（以下「運転時適格性評価報告書」という。）を作成するものとする。運転時適格性評価報告書には，原則として次の事項を記載するものとする。

(1) 運転時適格性評価の対象となる文書名
(2) 評価結果と是正措置
(3) 責任者及び担当者の氏名

5.5　性能適格性評価（PQ）

検証責任者は，コンピュータ化システムが稼働時において，要求仕様等どおりに機能し，性能を発揮して運転できることを確認するため性能適格性評価を実施する。

5.5.1　性能適格性評価の計画に関する文書の作成

検証責任者は，性能適格性評価の計画に関する文書（以下「性能適格性評価計画書」という。）を作成するものとする。性能適格性評価計画書には，原則として次の事項を記載するものとする。

(1) 性能適格性評価の対象となる文書名
(2) システムの稼働時における機能及び性能の確認方法
(3) 性能適格性評価における判定基準
(4) スケジュール
(5) 責任者及び担当者の氏名

5.5.2　性能適格性評価の実施

(1) 検証担当者は，性能適格性評価計画書に基づいて，性能適格性評価を実施し，その結果を記録するものとする。
(2) 検証責任者は，性能適格性評価の結果の適否を判定するものとする。

5.5.3　性能適格性評価の報告に関する文書の作成

検証責任者は，性能適格性評価の報告に関する文書（以下「性能適格性評価報告書」という。）を作成するものとする。性能適格性評価報告書には，原則として次の事項を記載するものとする。

(1) 性能適格性評価の対象となる文書名
(2) 評価結果と是正措置
(3) 責任者及び担当者の氏名

5.6　適格性評価の一部省略と引用

(1)「5.4 運転時適格性評価（OQ）」における検証内容，環境，条件などが「5.5 性能適格性評価（PQ）」の内容と差がない場合は運転時適格性評価を省略しても差し支えないものとする。但しその場合，省略の旨を「バリデーション計画書」若しくは「性能適格性評価計画書」又はいずれかの報告書に明記すること。

（2）工場出荷試験又は現地受入試験を行った場合等，その確認の方法及び記録が検証責任者によって適切と認められる場合には，適格性評価にあたって，その結果を引用しても差し支えないものとする。

5.7　バリデーションの全体報告に関する文書の作成

検証責任者は，バリデーションの各段階の結果及び総合評価をまとめたバリデーションの全体報告に関する文書を作成するものとする。

6．運用管理業務

6.1　運用管理に関する文書の作成

製造販売業者等はコンピュータ化システムの運用管理に関する文書（以下「運用管理基準書」という。）を作成するものとする。運用管理基準書には，原則として次の事項を記載するものとする。但し，GQP省令又はGMP省令に関する手順書に基づき管理を行う項目については，その旨を記載すること。

（1）運用に関する責任体制と役割
　①組織
　②運用責任者
（2）コンピュータ化システムの操作
（3）保守点検管理
　①日常点検事項
　②定期点検事項
　③保守点検を専門業者に委託する場合の取決め事項
（4）セキュリティ管理
　①データの入力，修正，削除等に関する担当者のアクセス権限の設定と不正アクセス防止
　②識別構成要素の管理
　③ハードウェア設置場所への立入制限
（5）バックアップ及びリストア
（6）変更の管理
　①変更の計画，承認の手順
　②変更の影響評価
　③その他，変更に必要な事項
（7）逸脱（システムトラブル）の管理
　①逸脱（システムトラブル）発生時の対応のための組織等
　②逸脱（システムトラブル）の原因の究明及び影響評価
　③再発防止対策
　④回復措置
　⑤システム停止後の再開手順及び再開時の確認事項
　⑥その他逸脱の管理に必要な事項
（8）担当者の教育訓練

（9）自己点検

6.2　コンピュータ化システムの操作の手順に関する文書の作成

コンピュータ化システムの操作の手順に関する文書（以下「標準操作手順書」という。）をコンピュータ化システムごとに作成し，それに基づき操作するものとする。

標準操作手順書には，原則として以下の事項を記載する

（1）システムの担当者
（2）コンピュータ化システムの操作
（3）コンピュータ化システムの保守点検
（4）コンピュータ化システムのセキュリティ管理
（5）その他，コンピュータ化システムの特性に応じた運用管理

6.3　保守点検事項の実施

運用責任者は，運用管理基準書及び標準操作手順書（以下「運用管理基準書等」という。）に基づき，次に掲げる業務を行うものとする。

（1）担当者に保守点検を実施させ，その結果を記録し，保管すること。
（2）保守点検の記録により保守点検管理が適切に行われていることを確認すること。

6.4　セキュリティ管理の実施

運用責任者は，運用管理基準書等に基づき，次に掲げる業務を行うものとする。

（1）データの入力，修正，削除等に関する担当者のアクセス権限の設定と，不正アクセスの防止措置を講じること。
（2）識別構成要素等の取扱いについて，機密保護を図ること。
（3）必要に応じてハードウェア設置場所への立入制限を行うこと。
（4）セキュリティ管理に関する記録を作成するとともに，これを保管すること。

6.5　バックアップ及びリストア

運用責任者は，あらかじめ指定した者に対し，運用管理基準書等に基づき，次に掲げる業務を行わせること。

（1）ソフトウェア及びデータのバックアップを行うこと。
（2）障害発生からの回復のためにソフトウェア及びデータのリストアを行うこと。
（3）バックアップ及びリストアに関する記録を作成するとともに，これを保管すること。

6.6　変更の管理

運用責任者は，あらかじめ指定した者に対し，運用管理基準書に基づき，次に掲げる業務を行わせること。

（1）変更がコンピュータ化システムに与える影響を評価し，評価の結果に基づき適切な措置を実施すること。なお評価の結果，バリデーションが必要と判断された場合は，リスクの程度に応じて「4. 開発業務」及び「5. 検証業務」に戻ってバリデーションを実施すること。

（2）変更に伴い発生する手順に関する文書の変更箇所を特定し，必要な改定を実施すること。
（3）変更内容の関係者への周知の方法を決定し，必要に応じて教育訓練を実施すること。
（4）変更の管理の記録を作成し，運用責任者の確認を得るとともに，運用責任者及び変更の管理に関する責任者等の承認を得てこれを保管すること。

GMP 省令に係るシステムに関する変更の管理については，GMP 省令における変更の管理の手順に従って運用すること。ただし，その場合も上記（1）から（4）の内容を含むこと。

6.7　逸脱（システムトラブル）の管理

運用責任者は，あらかじめ指定した者に対し，運用管理基準書に基づき，次に掲げる業務を行わせること。
（1）発生した逸脱（システムトラブル）が製品の品質に及ぼす影響を評価し，速やかに適切な対応措置を講じるとともに，その原因を究明し，必要な再発防止措置を実施すること。
（2）逸脱（システムトラブル）発生後にコンピュータ化システムの運用を再開する場合には，復帰稼働が適切に行われていることを確認すること。
（3）逸脱（システムトラブル）の管理の記録を作成し，運用責任者の確認を得るとともに，運用管理責任者及び逸脱の管理に関する責任者等の承認を得てこれを保管すること。

GMP 省令に係るシステムに関する逸脱の管理については，GMP 省令における逸脱の管理の手順に従って運用することでよいが，その場合も上記（1）から（3）の内容を含むこと。

6.8　教育訓練

6.8.1　教育訓練計画の作成

運用責任者は，運用管理基準書に基づき，あらかじめ指定した者に，コンピュータ化システムを使用した業務に従事する者に対する教育訓練計画を作成させること。なお，教育訓練についてはGQP 省令，GMP 省令における手順に従って運用することが望ましい。

6.8.2 教育訓練の実施

運用責任者は，教育訓練計画に基づき，あらかじめ指定した者に次に掲げる業務を行わせること。
（1）コンピュータを使用した業務に従事する者に対して，コンピュータ化システムを使用した業務に関する教育訓練を計画的に実施し，その記録を作成すること。
（2）教育訓練の実施状況について運用責任者の確認を得るとともに，品質保証責任者又は製造管理者若しくは責任技術者に対して文書により報告すること。

6.8.3　教育訓練の記録の保管

運用責任者は教育訓練の実施の記録を保管すること。

7．自己点検

7.1　自己点検の実施

製造販売業者等は，運用管理基準書に基づき，あらかじめ指定した者に次に掲げる業務を行わせること。なお，自己点検においては，GQP 省令，GMP 省令における手順に従って運用することが望ましい。

（1）コンピュータ化システムがこのガイドラインに基づき管理されていることを確認するために定期的に自己点検を実施すること。

（2）自己点検の結果について品質保証責任者又は製造管理者若しくは責任技術者に対して文書により報告すること。

（3）自己点検の結果の記録を作成し，これを保管すること。

7.2　改善措置の実施

製造販売業者等は，自己点検の結果に基づき，改善が必要な場合には所要の措置を講じ，その記録を作成しこれを保管させること。

8．コンピュータシステムの廃棄

8.1　コンピュータシステムの廃棄の計画に関する文書の作成

製造販売業者等は，コンピュータシステムの廃棄にあたっては，コンピュータシステムの種類や規模，カテゴリ等，必要に応じて，コンピュータシステムの廃棄に関する計画書（以下「廃棄計画書」という。）を作成すること。廃棄計画書には，原則として以下の事項を記載するものとする。

（1）廃棄に関する責任体制と役割

①組織

②コンピュータシステムの廃棄の責任者

（2）廃棄対象とするコンピュータシステム

（3）データの移行に関する事項

（4）セキュリティに関する事項

（5）コンピュータシステムの廃棄方法

コンピュータシステムの種類や規模，用途等に応じて以下を参考にして適切に定めること

①リスクアセスメント

②前提条件

③スケジュール

④具体的な廃棄の方法

・ハードウェア

・ソフトウェア

・データ

・文書類（手順書，記録，契約書等）

（6）廃棄完了の判断基準

8.2　コンピュータシステムの廃棄記録の作成

コンピュータシステムの廃棄の責任者は，廃棄計画書に基づきコンピュータシステムを廃棄するとともに，廃棄の記録を作成し，これを保管すること。

9．文書及び記録の管理

このガイドラインに基づき作成された文書及び記録は，GQP 省令又は GMP 省令に基づき定めた文書及び記録の管理の方法に従って適切に保存管理するものとする。GQP 省令及び GMP 省令にまたがるシステムの場合は，あらかじめどちらの省令に従って管理するかをコンピュータ化システム管理規定等に明記しておくこと。

10.　用語集

運転時適格性評価（OQ, Operational Qualification）

コンピュータ化システムが，運転時において，機能仕様等に示された機能及び性能を発揮することを確認し文書化すること。

運用管理業務

コンピュータ化システムの運用開始後，コンピュータ化システムを，バリデートされた状態を維持し，要求仕様に記載された要件に基づいて適正に稼働させるための業務。

運用責任者

コンピュータ化システム運用業務を行うための責任者として，製造販売業者等により運用管理基準書において指定された者。

開発業務

指定されたコンピュータ化システムの計画，設計，製作，テスト，受入試験までの業務。

開発計画書

指定されたコンピュータ化システムを開発する際に目的，条件，責任，体制，スケジュールなどを記述した文書。

開発責任者

コンピュータ化システム開発業務を行うための責任者として，製造販売業者等により開発計画書においてあらかじめ指定された者。

機能仕様書（FS, Functional Specification）

要求仕様書に記載された要求仕様に対応する，より具体的な機能が記載された文書。

供給者

コンピュータ化システムを開発あるいは導入し，製造販売業者等に提供する者をいう。一般にサプライヤやベンダと呼ばれる。自社で開発する場合は自社のシステム開発者も含む。

供給者アセスメント

製造販売業者等による供給者の選定や委託の範囲，供給者監査が必要な場合の実施方法等を決定するために行う供給者の評価，一般的には開発段階の初期に行われる。

供給者監査

供給者の品質管理体制や品質保証のシステム，あるいは経験・能力や実績など多角的に供給者の調査を行い，供給者の総合的な品質マネジメントシステムや能力を評価・確認すること。実地又は書面による監査方法がある。

検証業務

コンピュータ化システムが，要求仕様等に定めた要件に合致して設計され，据え付けられ，システムの稼働環境及び稼働状態において，機能及び性能を発揮することを確認すること。

検証責任者

検証業務を行うための責任者として，製造販売業者等により開発計画書においてあらかじめ指定された者。

現地受入試験（SAT, Site Acceptance Test）

供給者がシステムを現地の稼働環境で機能及び性能の全てあるいは一部が機能仕様を満足していることを確認すること。ここでいう「現地」とは，製造販売業者等が当該のシステムを設置する予定の場所をいう。

工場出荷試験（FAT, Factory Acceptance Test）

供給者がシステムを出荷する前に製作環境で機能及び性能の全てあるいは一部が機能仕様を満足していることを確認すること。

構成設定

コンピュータシステムを利用するにあたってハードウェア及びソフトウェアの構成要素の組み合わせや稼働条件等を設定すること。すなわち，ハードウェアにおいては，システムを構成する，コンピュータ，周辺機器あるいはそれらに組み込まれる部品（ボード等）の組み合わせを設定し，登録すること。ソフトウェアにおいては，プログラムを作成，変更することなく，システムを構成するモジュールの組み合わせ，及びシステムが稼働する条件，パラメータ等を設定し，登録すること。

コンピュータ化システム（Computerized System）

コンピュータシステムで統合された工程又は作業，及びコンピュータシステムにより実現される機能を利用する業務プロセス。

コンピュータシステム

特定の機能又は一連の機能を実行するために，設計し，組み立てられたハードウェア及び関連するソフトウェアのグループ。

コンピュータシステムの廃棄の責任者

コンピュータシステムの廃棄を行うための責任者として，製造販売業者等により廃棄計画書において指定された者。

識別構成要素

システムの運用において操作者を識別，特定するために用いられるデータの組み合わせ，もしくは機器とデータの組み合わせ，例えばIDとパスワードの組合せ。

システムアセスメント

開発対象とするコンピュータ化システムのバリデーションにおける検証内容や作成文書等を決定するために，システムのソフトウェアの複雑性や開発方法，当該システムにより製造される製品の安全性や品質への影響の度合い，又は当該システムにより作成，保存される電子記録の重要度，供給者のシステム開発過程での品質保証の状況等を総合的に評価すること。

システム台帳

このガイドラインの管理対象のシステムを適切に管理するため，このガイドラインの対象となるコンピュータ化システムを登録する。記載事項としてはシステム名称，管理番号，バリデーション対象の有無（カテゴリ分類），システムの担当者等がある。

システムテスト

稼働するために結合された状態でモジュール，プログラムが機能仕様書，設計仕様書通りに機能することを確認すること。

据付時適格性評価（IQ, Installation Qualification）

コンピュータ化システムが，設計仕様等に記載されたとおりに据え付けられ，プログラムがインストールされたことを確認し，文書化すること。

性能適格性評価（PQ, Performance Qualification）

コンピュータ化システムが稼働時において，要求仕様等に記載されたとおりに機能し，性能を発揮して運転できることを確認し，文書化すること。

設計仕様書（DS, Design Specification）

機能仕様に記載された具体的な機能を実現するコンピュータ化システムを作成するための詳細仕様が記載された文書。ハードウェア仕様書とソフトウェア仕様書に分けられる場合がある。
ハードウェア仕様書：システムを構成するハードウェアの仕様，構成を記述する
ソフトウェア仕様書：システムを構成するソフトウェアの詳細機能，構成を記述する

設計時適格性評価（DQ, Design Qualification）

要求仕様書に記載された要求事項が，機能仕様書，設計仕様書等に正しく反映されていること

を確認し文書化すること。

ソフトウェアカテゴリ

同程度の信頼性を有するソフトウェアの属すべき範囲。ソフトウェアの性質や特徴を区分する上での基本的な分類。

プログラム仕様書

設計仕様書の機能を実現するためにモジュール，プログラムで実現すべき事項を記述した仕様書。

プログラムテスト

モジュール，プログラムが単体でプログラム仕様書通りに機能することを確認すること。

モジュール

ソフトウェアを構成する機能の最小単位。

要求仕様書（URS, User Requirement Specification）

指定されたコンピュータ化システムに関する機能上の要求仕様が記載された文書。

リスクアセスメント

リスクマネジメントプロセスの中で，リスクに係わる決定を支持する情報を整理する系統だったプロセス。ハザードの特定，及びそれらハザードへの曝露に伴うリスクの分析と評価からなる。

リストア

あらかじめ適切な媒体にバックアップしておいた，プログラム，パラメータ，データ等を，再度システムに読み込ませ，システムをバックアップした時点と同様の状態に戻すこと。

その他の用語については，GQP 省令，GMP 省令及び関連の通知類の用語を参照。

別紙 1

コンピュータ化システムのライフサイクルモデル

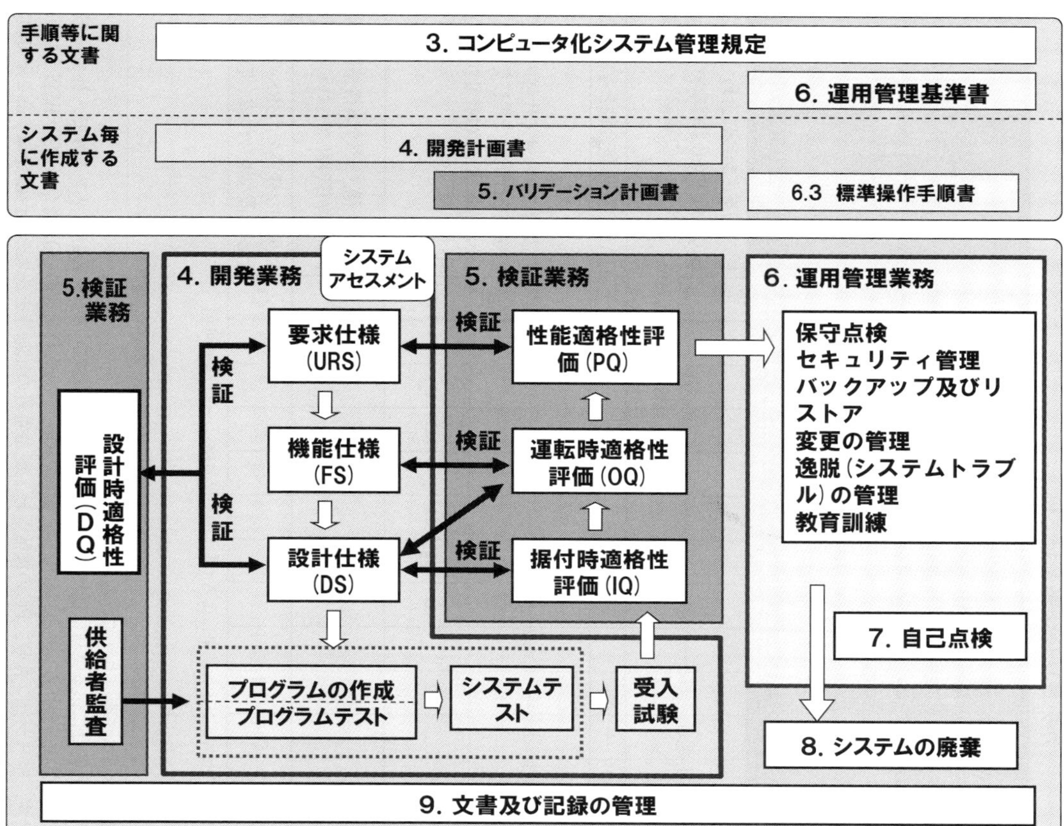

別紙 2

カテゴリ分類表と対応例

	カテゴリ	内容		開発計画書	システムアセスメント	システム台帳登録	要求仕様書（URS）	機能仕様書（FS）	設計仕様書（DS）	供給者監査	受入れ試験	バリデーション計画書・報告書	設計時適格性評価（DQ）	据付時適格性評価（IQ）	運転時適格性評価（OQ）	性能適格性評価（PQ）	標準操作手順書	文書管理	備考
1	基盤ソフト	・カテゴリ3以降のアプリケーションが構築される基盤となるもの（プラットフォーム） ・運用環境を管理するソフトウェア		○1	○1	○1	○1	○1	○1	—	○1	○1	—	◎2	○1	○1	○1	○1	1 アプリケーションに含めて作成，実施（単独で作成する必要はない） 2 インストールの確認，バージョン・製造番号等の記録
2		このカテゴリは設定しない		—	—	—	—	—	—		—	—	—	—	—	—	—	—	GAMP5との整合性を考慮し使用しない
3	構成設定していないソフトウェア	商業ベースで販売されている既製のパッケージソフトウェアで，それ自体は業務プロセスに合わせて構成設定していないもの（実行時のパラメータの入力のみで調整されるアプリケーション等は本カテゴリに含まれる）	製造設備，分析機器，製造支援設備等に搭載されるシステム	◎	◎	◎	◎3	△	—	△	—	◎3	—	◎2	△	◎3	◎3	◎	3 設備に合わせて仕様の設定及び機能の検証を行うことで差し支えない。単純なシステムに関しては校正で代用することも可
			単独のコンピュータシステム	◎	◎	◎	◎	—	—	△	—	◎	—	◎2	—	◎	◎	◎	
4	構成設定したソフトウェア	ユーザの業務プロセスに合わせて構成設定したソフトウェア（アプリケーション上で動作するマクロ等を含む）。但し，プログラムを変更した場合はカテゴリ5とする		◎	◎	◎	◎	○	○	○	○	◎	△	◎	○	◎	◎	◎	設計仕様，システム構築に関する文書は供給者が管理してもよい
5	カスタムソフトウェア	業務プロセスに合わせて設計され，プログラムされたソフトウェア，（アプリケーション上で動作するマクロ等を含む）		◎	◎	◎	◎	◎4	◎4	◎4	○	◎	◎4	◎	◎	◎	◎	◎	4 単純な機能で，URSのみでシステム設計が可能な場合作成（実施）しなくてもよい

◎：必須　○：システムアセスメントの結果による（基本的には必要），　△：システムアセスメントの結果による（基本的には省略），—：省略可能

本ガイドラインの対象外

本ガイドラインの対象外	・電卓，電子時計，表示のみの電磁はかり等，商業ベースで販売されている汎用の機器 ・製造記録の作成や出荷判定等のGQP省令及びGMP省令に係る業務に使用されない市販のワープロソフト，表計算ソフト等で，社会一般で広く利用されているパッケージソフトウェア及びPC。なお，それらソフトにより製造記録の作成や出荷判定等のGQP省令及びGMP省令に係る業務に使用する場合は，本ガイドラインの対象とせず，バージョン番号，PCの機種番号，製造番号の記録等をシステム台帳登録することで良い。

複数の卸売販売業者が共同で設置する発送センターの営業所における他の卸売販売業者の営業所の場所からの区別について

（令和4年10月6日　薬生総発1006第1号
各都道府県，各保健所設置市，各特別区衛生主管部（局）長あて
厚生労働省医薬・生活衛生局総務課長通知）

卸売販売業の営業所の構造設備については，薬局等構造設備規則（昭和36年厚生省令第2号）第3条第1項第2号において，卸売販売業の営業所は「当該卸売販売業以外の卸売販売業の営業所の場所」から明確に区別されていることが求められています。

また，複数の卸売販売業者が共同で設置する発送センター（以下，「共同発送センター」という。）において，当該複数の卸売販売業者の営業所に係る管理者を同一人が兼務することは，「医薬品に関する規制緩和について」（平成7年12月28日付け薬発第1177号厚生省薬務局長通知）において，医薬品，医療機器等の品質，有効性及び安全性の確保等に関する法律（昭和35年法律第145号，以下「医薬品医療機器等法」という。）第35条第4項に規定する「その営業所以外の場所」で業として営業所の管理その他薬事に関する実務に従事する場合には当たらないものと解して差し支えないものとしているところです。

今般，共同発送センターにおける，それぞれの卸売販売業者の営業所の場所の区別について，コンピュータ化システムを用いて各卸売販売業者の所有する医薬品を電子的に区別可能である場合にそれぞれの営業所の場所が明確に区別されているものとして取り扱うことができるよう要望があったこと等を踏まえ，別添のとおり整理しましたので，その趣旨を十分に御了知の上，貴管下関係団体，関係機関等への周知をお願いします。

記

1.　各卸売販売業者の営業所の場所の区別

- 共同発送センターにおいて，以下の全ての項目を満たし，卸売販売業者が所有する医薬品と他の卸売販売業者が所有する医薬品を，コンピュータ化システムを用いて電子的に区別することが可能である場合には，その貯蔵場所が物理的に連続していない又は貯蔵場所の区別が一時的な場合であっても，卸売販売業者の営業所は，他の卸売販売業者の営業所の場所から明確に区別されていることとして取り扱って差し支えないこと。

（1）適切な管理

- 適切にバリデートされたコンピュータ化システムにより，当該卸売販売業者に係る全ての流通業務において，同一設備内の各卸売販売業者の所有する医薬品を確実に区別できること。
- 製造販売業者，製造ロット等が同一の医薬品であっても，各卸売販売業者の所有する医薬品を確実に区別できる必要があること。
- コンピュータ化システムのバリデーションにあたっては，正確性，一貫性及び再現性をもって各卸売販売業者の所有する医薬品を確実に区別できることを示すこと。また，「医薬品の適正流通（GDP）ガイドラインについて」（平成30年12月28日付け厚生労働省医薬・生活衛生局総務課・監視指導・麻薬対策課事務連絡）別添「医薬品の適正流通（GDP）ガイ

ドライン」（以下，「GDP ガイドライン」という。）を参照すること。

- 全ての流通業務には返品・回収・廃棄（処分）業務も含み，返品・回収・廃棄（処分）された医薬品であっても各卸売販売業者の区別ができること。

（2）リスクマネジメント

- 卸売販売業者は，他の卸売販売業者と連携して，コンピュータ化システムによる管理を行うことを踏まえたリスク評価を行い，運用を開始する前にリスク管理の手順（例えば，システム障害発生時の対応）を定めること。
- 事故，事件等の発生時に各卸売販売業者間で連絡が取れる体制を構築すること。

（3）責任の所在の明確化

- 予期しうる事故，事件等に対して，同一の貯蔵設備を用いる全ての卸売販売業者が医薬品の管理における責任を負うこと（ただし，特定の卸売販売業者による責任が明らかであるものを除く。）。また，責任の所在については同一の貯蔵設備を用いる全ての卸売販売業者の合意を得た上で文書化すること。
- この際，各卸売販売業者は，責任の所在が不明となる可能性の高い事故等（例えば，鍵の閉め忘れによる盗難）に対する対応についても整理し，文書で明確化すること。

（4）許可権者への資料の提示

- 卸売販売業者は，他の卸売販売業者の保管する医薬品と電子的に区別した上で同一の貯蔵設備を共用しようとする場合の営業所の許可（更新を含む。）申請時及び構造設備を変更した際に提出する変更届時（以下「許可申請等時」という。），調査・監視時に，許可権者の求めに応じて2. に示す資料を提示すること。

（5）その他

- コンピュータ化システムは，許可権者により一部の卸売販売業者に対して業務停止命令等が発せられた場合に，他の卸売販売業者の医薬品の管理も含めて，当該命令等に対応可能な仕様とすること。
- 特に，温度管理に注意を要するなど品質管理が困難な医薬品の保管について，他の卸売販売業者と同一の冷暗貯蔵のための設備を共用する場合には，他の卸売販売業者の医薬品の品質に影響を与えないよう，共用する全ての卸売販売業者とあらかじめ協議の上，当該設備の管理手順を定めること。品質に懸念がある事象が発生した場合，他の医薬品への影響範囲を特定し，影響する卸売販売業者に報告すること。

2.　許可権者への提示資料

- 1.（1）において実施したコンピュータ化システムのバリデーションについて，営業所の方針がわかる簡潔な資料（例えば，「コンピュータ化システム管理規定」の要約，その内容がわかる資料であって，準拠しているガイドラインが分かり，手順書が整備されていることが分かる資料等）及びバリデーション実施結果報告書

- 1.（2）において策定したリスク管理手順に関する資料
- 1.（3）において明確化した医薬品の管理における責任の所在に関する資料

3.　その他留意事項等

- 1.（1）～（3）は，医薬品の販売又は授与の業務（医薬品の貯蔵に関する業務を含む。）に係る適正な管理を確保するために必要な事項であるが，1.（1）～（3）以外の方法で各事項の内容を達成することは妨げないこと。
- 許可申請等時に提出する営業所の平面図（立体倉庫を使用する場合，立体倉庫の概要が分かる展開図等も含む。）においては，使用している又は使用し得る場所を示すこと。この際，他の卸売販売業者の使用している又は使用し得る場所と重複することは差し支えないが，当該重複部分についてその旨及びその面積について併せて記載すること。
- 各営業所の面積は，各卸売販売業者間の取決め等を踏まえて定められた重複部分の面積（特段の定めがない場合には，重複部分の面積を，共同で使用する卸売販売業者数で割ったものとする。）も含めて，薬局等構造設備規則等に基づいて卸売販売業の業務を適切に行うことができる必要があること。
- 当該重複部分を含む貯蔵設備の面積に変更があった場合には，30日以内に構造設備に関する変更届を許可権者に提出すること。
- 麻薬，向精神薬，覚醒剤，覚醒剤原料，放射性医薬品及び毒薬等については，それぞれ関連する法令の規定に基づいて適切に保管すること。
- 保管時に品質不良（液漏れ等）が発生した場合，速やかに他の医薬品への影響範囲を特定し，影響する卸売販売業者に報告すること。
- 適正な医薬品の流通のため，GDPガイドライン及び「医薬品，医療機器等の品質，有効性及び安全性の確保等に関する法律施行規則の一部を改正する省令等の施行について」（平成29年10月5日付け薬生発1005第1号厚生労働省医薬・生活衛生局長通知）を参考にすること。

「薬局開設者及び医薬品の販売業者の法令遵守に関するガイドライン」について

（令和3年6月25日　薬生発0625第13号
各都道府県，各保健所設置市，各特別区長あて　厚生労働省医薬・生活衛生局長通知）

令和元年12月に公布された医薬品，医療機器等の品質，有効性及び安全性の確保等に関する法律等の一部を改正する法律（令和元年法律第63号）により，許可又は登録を受けて医薬品，医薬部外品，化粧品，医療機器及び再生医療等製品（以下「医薬品等」という。）の製造販売，製造，販売等を行う者による法令遵守体制の整備等が令和3年8月1日から義務付けられるところです。

これに伴い，別添のとおり，「薬局開設者及び医薬品の販売業者の法令遵守に関するガイドライン」を策定し，薬局開設者及び医薬品の販売業者による法令遵守体制の整備等に係る考え方について整理しましたので，御了知の上，関係団体，関係機関等へ周知徹底いただきますようお願いいたします。

また，本ガイドラインに記載される内容の考え方については，「「薬局開設者及び医薬品の販売業者の法令遵守に関するガイドラインに関する質疑応答集（Q＆A）」について」（令和3年6月25日）を適宜御参照くださいますようお願いします。

（別添）

薬局開設者及び医薬品の販売業者の法令遵守に関するガイドライン

第1　基本的考え方

1　薬局開設者及び医薬品の販売業者の責務

医薬品，医療機器等の品質，有効性及び安全性の確保等に関する法律（昭和35年法律第145号。以下「薬機法」という。）の許可を受けて医薬品の販売を行う薬局開設者及び販売業者（店舗販売業者，配置販売業者及び卸売販売業者をいう。）（以下「薬局開設者等」という。）は，国民の生命・健康にかかわる医薬品の販売を行う事業者であり，薬局開設者等に薬事に関する法令[1]の違反があった場合には，品質，有効性又は安全性に問題のある医薬品の流通や，医薬品の不適正な使用等により，保健衛生上の危害が発生又は拡大するおそれがある。

薬局開設者等は，このような生命関連製品を取り扱う事業者として，高い倫理観をもち，薬

[1]「薬事に関する法令」とは，薬機法，麻薬及び向精神薬取締法（昭和28年法律第14号），毒物及び劇物取締法（昭和25年法律第303号）並びに医薬品，医療機器等の品質，有効性及び安全性の確保等に関する法律施行令（昭和36年政令第11号）第1条の3各号に規定する薬事に関する法令（薬剤師法，覚醒剤取締法及び大麻取締法を含む。）をいう。以下同じ。

事に関する法令を遵守して業務を行う責務がある。

2　法令違反の発生と法令遵守に向けた課題

近年発生している薬局開設者等による薬機法違反の事例（別添 1「法令違反事例」参照）は，薬局開設者等の役員の法令遵守意識の欠如や，法令遵守に関する体制が構築されていないことが原因と考えられるものが見受けられる。

こうした法令違反の発生を防止し，薬局開設者等が法令を遵守して業務を行うことを確保していくに当たって，以下のような課題が挙げられた。

- 薬機法に基づき薬局開設者等が置くものとされている薬局，店舗，区域，営業所等（以下「薬局等」という。）の管理者（以下「管理者」という。）と役員のそれぞれが負うべき責務や相互の関係が薬機法上明確でないことにより，管理者による意見申述が適切に行われない状況や，役員による管理者任せといった実態を招くおそれがあり，法令遵守のための改善サイクルが機能しにくくなっているのではないか。
- 薬局開設者等の業務は薬機法を遵守して行われなければならないが，法令遵守や，そのための社内体制の構築・運用等に責任を有する者が，薬局開設者等において不明確となっているのではないか。
- 同一法人が複数の薬局等を開設している場合等において，管理者と薬局開設者等（実質的には法人の役員）の間の組織的な隔たりが大きく，薬局等の業務に関する薬局開設者等と管理者の双方の責務の明確化や，その責務を果たすことを促すための措置が十分ではなかったのではないか。
- 卸売販売業者については，医薬品を中心とした流通における品質管理の観点から，医薬品営業所管理者が適切な機能を発揮することが重要であり，「物の出入り」のみならず全体業務の把握と管理を医薬品営業所管理者の業務として業務手順書に位置付けるとともに，業務を遂行するための勤務体制，管理者の不在時の連絡体制の確保等を卸売販売業者の義務として明確化すべきではないか。

3　薬機法が求める法令遵守体制

こうした課題を踏まえ，医薬品，医療機器等の品質，有効性及び安全性の確保等に関する法律等の一部を改正する法律（令和元年法律第63号）において，薬局開設者等の法令遵守体制等に関する規定の整備がされた（以下「本改正」という。）。

本改正においては，薬局開設者等に対し，薬事に関する法令を遵守するための体制を構築することを義務付けた。これは，法令遵守を重視する統制環境を構築した上で，薬局開設者等が策定し周知徹底された規範に基づき業務の遂行がなされ，業務の監督を通じて把握した問題点を踏まえた改善措置を行うという法令遵守のためのプロセスを機能させることを求めるものである。

また，薬局開設者等において法令遵守体制を構築し，薬事に関する法令を遵守するために主体的に行動し，薬局開設者等による法令違反に責任を負う者として，薬局開設者等の役員のうち，薬事に関する業務に責任を有する役員（以下「責任役員」という。）を薬機法上に位置づけ，その責任を明確化した。

さらに，薬局開設者等の法令遵守のためには，薬局開設者等の根幹である業務を管理する責任者である管理者の役割が重要であることから，そのような業務の管理を行う上で必要な能力及び経験を有する者を管理者として選任することを薬局開設者等に対して義務付けた。

加えて，現場における法令遵守上の問題点を最も実効的に知り得る者である管理者の意見は，薬局開設者等の法令遵守のために重要であることから，薬局開設者等は，管理者の意見を尊重し，法令遵守のために必要な措置を講じなければならないものとした。

本ガイドラインは，薬局開設者等が，こうした法令遵守体制を構築するための取組みを検討し，実施するに当たっての指針を示したものである（本改正により整備された薬局開設者等の法令遵守体制等に関する規定は別添２参照。）。なお，具体的な取組みについては，薬局開設者等の業態や規模に応じて実施することが想定される。

第２　薬局開設者等の法令遵守体制（薬機法第９条の２，第29条の３，第31条の５，第36条の２の２関係）

１　法令遵守体制の整備についての考え方

薬局開設者等は，薬事に関する法令の規定を遵守して医薬品の販売に関する業務を行わなければならない。薬局開設者等が薬局等における法令遵守を確保するためには，責任役員及び従業者（以下「役職員」という。）により法令を遵守して適正に業務が行われるための仕組み（法令遵守体制）を構築し運用する必要がある。責任役員は，薬局開設者等の法令遵守について責任を負う立場にあり，法令遵守体制の構築及び運用は，責任役員の責務である。

法令遵守体制の基礎となるのは，薬局開設者等の全ての役職員に法令遵守を最優先して業務を行うという意識が根付いていることであり，こうした意識を浸透させるためには，責任役員が，あらゆる機会をとらえて，法令遵守を最優先した経営を行うというメッセージを発信するとともに，自ら法令遵守を徹底する姿勢を示すことが重要である。そのため，薬局開設者等ひいては責任役員は，従業者に対して法令遵守のための指針を示さなければならず，具体的には，法令遵守の重要性を企業行動規範等に明確に盛り込むことや，これを従業者に対して継続的に発信すること等が考えられる。

また，薬局開設者等の業務に関して責任役員が有する権限や責任範囲を明確にすることは，責任役員が法令遵守の徹底に向けて主導的な役割を果たして行動する責務を有することを深く自覚するために重要であり，法令遵守について責任役員が主体的に対応するという姿勢を従業者に対して示すことにもつながる。そのため，薬局開設者等は，社内規程等において責任役員の権限や分掌する業務・組織の範囲を明確に定め，その内容を社内において周知しなければならない。

その上で，責任役員には，以下に示すような法令遵守体制の構築及びその適切な運用のためにリーダーシップを発揮することが求められる。

また，こうした法令遵守体制の構築に関する措置が不十分であると認められる場合は，改善命令（法第72条の２の２）の対象となりうることに留意されたい。

２　薬局開設者等の業務の適正を確保するための体制の整備（薬機法第９条の２第１項第２号，

第29条の3第1項第2号，第31条の5第1項第2号，第36条の2の2第1項第2号関係）

（1）薬局開設者等の業務の遂行が法令に適合することを確保するための体制

①　役職員が遵守すべき規範の策定

薬局開設者等の業務が法令を遵守して適正に行われるためには，薬局開設者等の役職員が遵守すべき規範を，社内規程において明確に定める必要がある。

まず，適正に業務を遂行するための意思決定の仕組みを定める必要がある。これには，意思決定を行う権限を有する者及び当該権限の範囲，意思決定に必要な判断基準並びに意思決定に至る社内手続等を明確にすることが含まれる。

次に，意思決定に従い各役職員が適正に業務を遂行するための仕組みを定める必要がある。これには，指揮命令権限を有する者，当該権限の範囲及び指揮命令の方法並びに業務の手順等を明確にすることが含まれる。

これらの意思決定や業務遂行の仕組みについては，業務の監督の結果や法令の改正等に応じて，随時見直しが行われなければならない。

②　役職員に対する教育訓練及び評価

役職員が法令を遵守して業務を行うことを確保するため，法令等及びこれを踏まえて策定された社内規程の内容を役職員に周知し，その遵守を徹底する必要がある。そのためには，役職員に，計画的・継続的に行われる研修及び業務の監督の結果や法令の改正等を踏まえて行われる研修等を受講させることや，法令等や社内規程の内容や適用等について役職員が相談できる部署・窓口を設置すること等が考えられる。

また，役職員が法令を遵守して業務を行うことを動機づけるため，役職員による法令等及び社内規程の理解やその遵守状況を薬局開設者等として確認し評価することも重要である。

③　業務記録の作成，管理及び保存

役職員による意思決定及び業務遂行の内容が社内において適切に報告され，また，意思決定及び業務遂行が適正に行われたかどうかを事後的に確認することができるようにするため，その内容が適時かつ正確に記録される体制とする必要がある。そのためには，業務記録の作成，管理及び保存の方法等の文書管理に関する社内規程を定め，その適切な運用を行う必要がある。また，事後的に記録の改変等ができないシステムとする等，適切な情報セキュリティ対策を行うことも重要である。

（2）役職員の業務の監督に係る体制

薬局開設者等の業務の適正を確保するためには，役職員が法令等及び社内規程を遵守して意思決定及び業務遂行を行っているかどうかを確認し，必要に応じて改善措置を講じるための監督に関する体制が確立し，機能する必要がある。そのためには，責任役員が，役職員による意思決定や業務遂行の状況を適切に把握し，適時に必要な改善措置を講じることが求められるため，役職員の業務をモニタリングする体制の構築や，役職員の業務の状況について責任役員に対する必要な報告が行われることが重要となる。

こうした体制としては，業務を行う部門から独立した内部監査部門により，法令遵守上のリスクを勘案して策定した内部監査計画に基づく内部監査を行い，法令遵守上の問題点について責任役員への報告を行う体制とすることや，内部通報の手続や通報者の保護等を明確にした実効性のある内部通報制度を構築すること等が考えられる。また，監査役等による情報収集等が十分に行われる体制とし，監査の実効性を確保することも重要である。

加えて，下記第４の２のとおり，薬局等の管理に関する法令遵守上の問題点を最も実効的に知り得る者である管理者による業務の監督及び意見申述が適切に行われる体制とすることも，業務の実効的な監督を行うために重要である。

（3）その他の体制

薬局開設者等全体としての法令等の遵守（コンプライアンス）を担当する役員（コンプライアンス担当役員）を指名することは，全社的な法令遵守についての積極的な取組みを推進し，法令遵守を重視する姿勢を役職員に示す等の観点から効果的である。

また，薬局開設者等の部署ごとの特性を踏まえた法令遵守について中心的な役割を果たす者として，各部署にコンプライアンス担当者を置くことが望ましい。

加えて，薬局開設者等の規模に応じ，法令遵守に関する全社的な取組みが必要と判断する場合は，コンプライアンス担当役員の指揮のもと，法令遵守についての取組みを主導する担当部署としてのコンプライアンス統括部署を設置することも有用である。

薬局開設者等が社外取締役を選任している場合は，社外取締役に薬局開設者等の法令遵守体制についての理解を促すほか，法令遵守に関する問題点について従業者や各部署から社外取締役に対する報告が行われる体制とするなど，その監督機能を活用することが重要である。

３　管理者が有する権限の明確化（薬機法第９条の２第１項第１号，第29条の３第１項第１号，第31条の５第１項第１号，第36条の２の２第１項第１号関係）

薬局開設者等において，管理者の業務を，薬局等に関する業務に従事する者の理解の下で，円滑かつ実効的に行わせるためには，以下のような管理者が有する権限の範囲を明確にし，その内容を社内において周知することが必要である。

- 薬局等に勤務する薬剤師その他の従業者に対する業務の指示及び業務の監督に関する権限
- 医薬品の試験検査及び試験検査の結果の確認，帳簿の記載その他の薬局等の管理に関する権限
- 薬局等の設備，医薬品その他の物品の管理に関する権限

なお，薬局等においては，薬機法に基づく管理者とは別に，「店長」「薬局長」「支店長」等の名称・肩書きを付した者を配置していることがある。このような場合であっても，薬機法上の薬局等の管理に関する権限はあくまで管理者にあることに留意し，その権限や薬局等ごとの業務管理の指揮命令系統を明確にしておく必要がある。

４　その他の薬局開設者等の業務の適正な遂行に必要な措置（薬機法第９条の２第１項第３号，第29条の３第１項第３号，第31条の５第１項第３号，第36条の２の２第１項第３号関係）

薬局開設者等は，上記１のとおり，法令遵守のための指針を従業者に対して示すこと，責

任役員の権限及び分掌する業務を明らかにすることに加え，上記２に従い構築した法令遵守体制を実効的に機能させるために必要な措置を講じなければならない。

また，第１の２（別添１）のような法令違反事例の発生を踏まえ，同様の事例が再度発生することがないよう，薬局開設者等においては，以下の措置を講じなければならない。

(1) 薬局開設者等が２以上の許可を受けている場合の必要な措置

同一法人において，複数の薬局等の許可を受けている場合も，その全ての薬局等において法令遵守体制が確保され，その状況を確認できる必要がある。そのための措置としては，例えば，一定の範囲に所在する複数の薬局又は店舗販売業の店舗についてその法令遵守体制を確保するために，薬局開設者等（薬局開設者等が法人である場合は，責任役員。以下本（1）において同じ。）を補佐する者（いわゆるエリアマネージャー等と称する職員。以下「エリアマネージャー等」という。）を配置するといったことが考えられる。

エリアマネージャー等を配置する場合は，まずは当該者が薬局開設者等の業務を補佐する者という役割であること及び薬機法上の責任が，あくまで薬局開設者等と管理者にあることをよく認識する必要があり，その上で，当該者が行う業務の範囲や担当する薬局等を明確にする必要がある。

その上で，薬局開設者等は，エリアマネージャー等が薬局開設者等と管理者との間の情報連携の「橋渡し役」としての機能を発揮すべく，

- エリアマネージャー等が管理者から必要な情報を収集し，当該情報を薬局開設者等に速やかに報告するとともに，当該薬局開設者等からの指示を受けて，管理者に対して当該指示を伝達するための措置
- 薬局開設者等がエリアマネージャー等から必要な情報を収集し，エリアマネージャー等に対して必要な指示を行うための措置

を講じる必要がある。

薬局開設者等が薬局等における法令遵守上の問題点を認知していない，又は，エリアマネージャー等が薬局開設者等の指示なく管理者に指示を出しているなどの状況が見受けられる場合には，法令と社内の責任体制の乖離を生み，薬機法違反の発生につながることを役職員全員が深く認識し，上記の措置を講ずることによってこのような状況が生まれることを防がなければならない。

また，エリアマネージャー等は，薬局開設者等が法令に違反する行為を指示していると考えられる場合には，これを拒否し，それが法令違反する行為を指示するものであることを薬局開設者等に伝達し，その記録を残すことが重要である。

エリアマネージャー等の不適切な行為によって薬局等が法令違反を起こした場合には，当該エリアマネージャー等のみの責任ではなく，上記で記載したエリアマネージャー等に関する体制やエリアマネージャー等の業務に対する監督体制等の適切な法令遵守体制の整備が十分ではなかったことに対する薬局開設者等ひいては責任役員の責任が問われ得ることを理解する必要がある。

さらに，薬局開設者等が２以上の許可を受けている場合であって，複数の法人が一つの法人に合併された場合など社内体制に変更があった場合には，社内でも法令遵守体制に係る考え方に相違が見られることなどから，法令遵守上のリスクが高まっている可能性がある。このよ

うな薬局開設者等は，形式的に手順書等の社内規程や社内組織を整えるだけでなく，法令遵守確保のための仕組みが，社内全体で適切に運用されるよう留意しなければならない。例えば，役職員の意識や起こり得る事象を念頭においたケーススタディ等を含めた実効的な研修の実施，管理者が法令違反の事象について意見を述べやすい環境の整備，薬局開設者等が管理者の意見を受け入れて適切な措置を講じる体制となっていることの社内での十分な周知等を，より徹底して行うことが重要である。

(2) 医薬品の保管，販売その他医薬品の管理に関する業務，医薬品の購入等に関する記録が適切に行われるための必要な措置

薬機法施行規則[2] 第 14 条，第 146 条，第 149 条の 5 及び第 158 条の 4 の規定等により医薬品の偽造品の流通防止のために次の措置が講ずることが義務付けられている。

- 取引相手の名称，所在地，連絡先を確認するために提示を受けた資料を帳簿に記録すること
- 追跡可能性の確保の観点から，同一の薬局開設者等の事業所間での医薬品の販売等に係る事業所ごとの記録・保存を行うこと
- 製造販売業者により販売包装単位に施された封を開けた状態での医薬品の販売等について，当該医薬品を販売等する場合，開封した者の名称，所在地等を表示すること

したがって，薬局開設者等は，法令遵守体制を整備するにあたっては，特に上記規定について引き続き遵守される体制を整備することを念頭に置く必要があり，例えば，役職員に対し計画的・継続的に行われる研修の項目に，上記規定に関する事項を追加するなどの対応を行うことが重要である。

第 3　薬事に関する業務に責任を有する役員（薬機法第 4 条第 2 項第 5 号，第26条第 2 項第 5 号，第 30 条第 2 項第 3 号，第 34 条第 2 項第 3 号関係）

1　責任役員の意義

薬局開設者等の代表者及び薬事に関する法令に関する業務を担当する役員は，薬局開設者等による薬事に関する法令の遵守のために主体的に行動する責務があり，これには，上記第 2 に示す法令遵守体制の構築及び運用を行うことも含まれる。これらの役員がその責務に反し，薬局開設者等が薬事に関する法令に違反した場合には，当該役員は法令違反について責任を負う。

薬局開設者等が法人である場合，これらの役員は，薬機法上，責任役員として位置付けられ，薬局等の許可申請書にその氏名を記載しなければならない。

他方，薬局開設者等の役員であっても，薬事に関する法令に関する業務を担当しない役員（その分掌範囲に薬事に関する法令に関する業務を含まない役員）は，薬機法上の責任役員には該当しない。また，いわゆる執行役員は，薬機法上の責任役員には該当しない。

薬事に関する法令に関する業務とは，薬局等に係る申請等，調剤，医薬品の販売及び広告等，

[2] 医薬品，医療機器等の品質，有効性及び安全性の確保等に関する法律施行規則（昭和 36 年厚生省令第 1 号）。

薬機法やその他の薬事に関する法令の規制対象となる事項に係る業務をいい，薬事に関する法令の遵守に係る業務を含む。

なお，令和３年８月１日施行の薬機法改正において従前の「業務を行う役員」が「業務に責任を有する役員」（責任役員）に改正された本旨は，薬事に関する法令に関し，社内でどの役員がどのような責任を有しているのかを明確にすることで，法令遵守体制を実効あるものにするために行われたものである。このため，「各責任役員の権限及び分掌する業務」を社内で周知しておくことが重要である。

２　責任役員の範囲

上記の責任役員の意義を踏まえ，責任役員の範囲は以下のとおりとする。

株式会社にあっては，会社を代表する取締役及び薬事に関する法令に関する業務を担当する取締役。ただし，指名委員会等設置会社にあっては，代表執行役及び薬事に関する法令に関する業務を担当する執行役。

持分会社にあっては，会社を代表する社員及び薬事に関する法令に関する業務を担当する社員。

その他の法人にあっては，上記に準ずる者。

第４　管理者（薬機法第７条，第８条，第９条，第28条，第29条，第29条の２，第31条の２，第31条の３，第31条の４，第35条，第36条，第36条の２関係）

１　管理者の選任

管理者は，薬局等の管理を統括する責任者であり，薬事に関する法令を遵守して当該業務が遂行されることを確保するための重要な役割を有している。

薬局開設者等は，そのような重要な役割が十分に果たされるよう，薬局等の従業者を監督し，薬局等の構造設備及び医薬品等の物品を管理し，その他薬局等の業務について必要な注意を払うなどの業務を遂行することができる能力及び経験を有する者を，管理者として選任しなければならない。

そのためには，薬局開設者等は，薬機法等に基づき管理者が遵守すべき事項及び管理者に行わせなければならないとされている事項を前提として，上記第２の３のとおり，管理者にどのような権限を付与する必要があるかを検討し，その権限の範囲を明確にした上で，当該権限に係る業務を行うことができる知識，経験，理解力及び判断力を有する者かどうかを客観的に判断しなければならない。

薬局開設者においては，こうした管理者の選任義務を適切に果たすため，原則として，管理者は薬局における実務経験が少なくとも５年あり，中立的かつ公共性のある団体（公益社団法人薬剤師認定制度認証機構等）により認証を受けた制度又はそれらと同等の制度に基づいて認定された薬剤師であることが重要である。店舗管理者，区域管理者及び医薬品営業所管理者が薬剤師の場合についても，上記と同様である。

また，店舗管理者及び区域管理者が登録販売者の場合については，薬機法施行規則第140条第１項第２号及び第149条の２第１項第２号により一般従事者として薬剤師又は登録販売者の管理及び指導の下に実務に従事した期間及び登録販売者として業務に従事した期間が過去5年間のうち2年以上であることが求められているが，その期間のみをもって店舗管理者及び区域管理者に選任されるべきものではなく，薬機法第29条第1項及び第31条の3第1項におけるその店舗等の従業者を監督し，その他店舗等の医薬品等の物品を管理し，その他店舗等の業務につき必要な注意を払うなどの業務を遂行することができる能力及び経験を有している者が選任されることが求められる。なお，登録販売者の質の向上を図る必要があるため，研修の専門性，客観性，公正性等の確保の観点から，外部の研修実施機関が行う研修を継続的に受講することが重要である。

さらに，下記2のとおり，責任役員に対して忌憚なく意見を述べることができる職務上の位置付けを有するかどうかについても，十分に考慮しなければならない。

2　管理者による意見申述義務

管理者は，保健衛生上支障を生ずるおそれがないように薬局等の業務を行うために必要があるときは，薬局開設者等に対し，意見を書面により述べなければならない。管理者は，薬局等の業務に関する法令及び実務に精通しており，また，当該業務の総括的な管理責任を負う者として，薬局等の業務に従事する者と密接な連携を行い，それらの者から各種の報告を受ける立場にあることから，薬局等の業務に関する法令遵守上の問題点を最も実効的に知り得る者である。

したがって，薬局開設者等が薬局等の業務に関する法令遵守上の問題点を適切に把握するためには，管理者が，自ら又は薬局等の業務に従事する者からの報告により認識した問題点について，薬局開設者等に対して適時に報告するとともに，必要な改善のための措置を含む意見を忌憚なく述べることが求められる。

管理者は，自ら主体的かつ積極的に法令遵守上の問題点の把握に努めなければならず，また，薬局等の管理について広く法令遵守上の問題点を把握できるよう，薬局等の業務に従事する者と密接な連携を図らなければならない。

意見申述は，意見の内容が薬局開設者等に明確に示されるとともに，意見申述があったことが記録されるよう，書面により行わなければならない。もちろん，緊急を要する事項についての報告が，一次的に口頭等で行われることを否定するものではない。

3　薬局開設者等による管理者の意見尊重及び措置義務

薬局開設者等は，管理者の意見を尊重し，法令遵守のために措置を講じる必要があるかどうかを検討しなければならず，措置を講じる必要がある場合は当該措置を講じなければならない。また，講じた措置の内容については記録した上で適切に保存しなければならず，管理者から意見が述べられたにもかかわらず措置を講じない場合は，措置を講じない旨及びその理由を記録した上で適切に保存しなければならない。

薬局開設者等は，管理者の意見を尊重するための前提として，意見を受け付け，意見を踏まえて措置を講じる必要があるかどうかを検討する責任役員・会議体や，当該措置を講じる責任役員を明示する等，管理者が意見を述べる方法及び薬局開設者等において必要な措置を講じる体制を明確にする必要がある。

第５　卸売販売業者における法令遵守体制の構築に当たっての留意点

卸売販売業者については，「営業所の管理に関する業務その他の卸売販売業者の業務の遂行が法令に遵守することを確保するための体制」として，医薬品を中心とした流通における品質管理の観点から，医薬品営業所管理者が適切な機能を発揮することが必要であり，具体的には「物の出入り」のみならず全体業務の把握と管理を医薬品営業所管理者の業務として業務手順書に位置づけるとともに，管理者が適切に業務を遂行するための勤務体制，管理者が不在時に確実に連絡が取れる体制の確保等が求められる。

別紙１

法令違反事例

類型１　違法状態にあることを役員が認識しながら，その改善を怠り，漫然と違法行為を継続する類型

（具体的事例）

- 役員が認識しながら，薬剤師でない者に販売又は授与の目的で調剤させていた事例
- 必要な薬剤師数が不足していることを役員が認識しながら，薬局の営業を継続していた事例
- 役員が認識しながら，医師等から処方箋の交付を受けていない者に対し，正当な理由なく処方箋医薬品を販売していた事例

類型２　適切な業務運営体制や管理･監督体制が構築されていないことにより，違法行為を防止，発見又は改善できない類型

（具体的事例）

- 医薬品の発注，仕入れ，納品，保管等の管理を適切に行う体制が構築されていなかったために，偽造医薬品を調剤し，患者に交付した事例
- 適切な業務運営体制が構築されていなかったために，薬局の管理者が，他の薬局において業務を行っていた事例
- 処方箋により調剤した薬局において，調剤済みとなった処方箋を当該薬局で保存せず，さらには調剤録への記入をせずに，別の薬局で調剤したように見せかけていた事例（役員が認識，又は直接指示していた事例では類型１に分類）

別紙 2

本改正により薬局開設者等の法令遵守体制等に関する規定
（抜粋，下線は改正部分）

【薬局】

（開設の許可）

第四条

（略）

2　前項の許可を受けようとする者は，厚生労働省令で定めるところにより，次に掲げる事項を記載した申請書をその薬局の所在地の都道府県知事に提出しなければならない。

（略）

五　法人にあつては，薬事に関する業務に責任を有する役員の氏名

（略）

（薬局の管理）

第七条

（略）

3　薬局の管理者は，次条第一項及び第二項に規定する義務並びに同条第三項に規定する厚生労働省令で定める業務を遂行し，並びに同項に規定する厚生労働省令で定める事項を遵守するために必要な能力及び経験を有する者でなければならない。

（略）

（管理者の義務）

第八条

（略）

2　薬局の管理者は，保健衛生上支障を生ずるおそれがないように，その薬局の業務につき，薬局開設者に対し，必要な意見を書面により述べなければならない。

3　薬局の管理者が行う薬局の管理に関する業務及び薬局の管理者が遵守すべき事項については，厚生労働省令で定める。

（薬局開設者の遵守事項）

第九条

（略）

2　薬局開設者は，第七条第一項ただし書又は第二項の規定によりその薬局の管理者を指定したときは，第八条第二項の規定により述べられた薬局の管理者の意見を尊重するとともに，法令遵守のために措置を講ずる必要があるときは，当該措置を講じ，かつ，講じた措置の内容（措置を講じない場合にあつては，その旨及びその理由）を記録し，これを適切に保存しなければならない。

（薬局開設者の法令遵守体制）

第九条の二

薬局開設者は，薬局の管理に関する業務その他の薬局開設者の業務を適正に遂行することにより，薬事に関する法令の規定の遵守を確保するために，厚生労働省令で定めるところにより，次の各号に掲げる措置を講じなければならない。

一　薬局の管理に関する業務について，薬局の管理者が有する権限を明らかにすること。

二　薬局の管理に関する業務その他の薬局開設者の業務の遂行が法令に適合することを確保するための体制，当該薬局開設者の薬事に関する業務に責任を有する役員及び従業者の業務の監督に係る体制その他の薬局開設者の業務の適正を確保するために必要なものとして厚生労働省令で定める体制を整備すること。

三　前二号に掲げるもののほか，薬局開設者の従業者に対して法令遵守のための指針を示すことその他の薬局開設者の業務の適正な遂行に必要なものとして厚生労働省令で定める措置

2　薬局開設者は，前項各号に掲げる措置の内容を記録し，これを適切に保存しなければならない。

【店舗販売業】

（店舗販売業の許可）

第二十六条

（略）

2　前項の許可を受けようとする者は，厚生労働省令で定めるところにより，次に掲げる事項を記載した申請書をその店舗の所在地の都道府県知事に提出しなければならない。

（略）

五　　法人にあつては，薬事に関する業務に責任を有する役員の氏名

（略）

（店舗の管理）

第二十八条

（略）

3　店舗管理者は，次条第一項及び第二項に規定する義務並びに同条第三項に規定する厚生労働省令で定める業務を遂行し，並びに同項に規定する厚生労働省令で定める事項を遵守するために必要な能力及び経験を有する者でなければならない。

（略）

（店舗管理者の義務）

第二十九条

（略）

2　店舗管理者は，保健衛生上支障を生ずるおそれがないように，その店舗の業務につき，店舗販売業者に対し，必要な意見を書面により述べなければならない。

3　店舗管理者が行う店舗の管理に関する業務及び店舗管理者が遵守すべき事項については，厚

生労働省令で定める。

（店舗販売業者の遵守事項）

第二十九条の二

（略）

2　店舗販売業者は，第二十八条第一項の規定により店舗管理者を指定したときは，前条第二項の規定により述べられた店舗管理者の意見を尊重するとともに，法令遵守のために措置を講ずる必要があるときは，当該措置を講じ，かつ，講じた措置の内容（措置を講じない場合にあつては，その旨及びその理由）を記録し，これを適切に保存しなければならない。

（店舗販売業者の法令遵守体制）

第二十九条の三

店舗販売業者は，店舗の管理に関する業務その他の店舗販売業者の業務を適正に遂行することにより，薬事に関する法令の規定の遵守を確保するために，厚生労働省令で定めるところにより，次の各号に掲げる措置を講じなければならない。

一　店舗の管理に関する業務について，店舗管理者が有する権限を明らかにすること。

二　店舗の管理に関する業務その他の店舗販売業者の業務の遂行が法令に適合することを確保するための体制，当該店舗販売業者の薬事に関する業務に責任を有する役員及び従業者の業務の監督に係る体制その他の店舗販売業者の業務の適正を確保するために必要なものとして厚生労働省令で定める体制を整備すること。

三　前二号に掲げるもののほか，店舗販売業者の従業者に対して法令遵守のための指針を示すことその他の店舗販売業者の業務の適正な遂行に必要なものとして厚生労働省令で定める措置

2　店舗販売業者は，前項各号に掲げる措置の内容を記録し，これを適切に保存しなければならない。

【配置販売業】

（配置販売業の許可）

第三十条

（略）

2　前項の許可を受けようとする者は，厚生労働省令で定めるところにより，次の各号に掲げる事項を記載した申請書を配置しようとする区域をその区域に含む都道府県知事に提出しなければならない。

（略）

三　法人にあつては，薬事に関する業務に責任を有する役員の氏名

（略）

（都道府県ごとの区域の管理）

第三十一条の二

（略）

3　区域管理者は，次条第一項及び第二項に規定する義務並びに同条第三項に規定する厚生労働省令で定める業務を遂行し，並びに同項に規定する厚生労働省令で定める事項を遵守するために必要な能力及び経験を有する者でなければならない。

（区域管理者の義務）

第三十一条の三

（略）

2　区域管理者は，保健衛生上支障を生ずるおそれがないように，その区域の業務につき，配置販売業者に対し，必要な意見を書面により述べなければならない。

3　区域管理者が行う区域の管理に関する業務及び区域管理者が遵守すべき事項については，厚生労働省令で定める。

（配置販売業者の遵守事項）

第三十一条の四

（略）

2　配置販売業者は，第三十一条の二第一項の規定により区域管理者を指定したときは，前条第二項の規定により述べられた区域管理者の意見を尊重するとともに，法令遵守のために措置を講ずる必要があるときは，当該措置を講じ，かつ，講じた措置の内容（措置を講じない場合にあつては，その旨及びその理由）を記録し，これを適切に保存しなければならない。

（配置販売業者の法令遵守体制）

第三十一条の五

配置販売業者は，区域の管理に関する業務その他の配置販売業者の業務を適正に遂行することにより，薬事に関する法令の規定の遵守を確保するために，厚生労働省令で定めるところにより，次の各号に掲げる措置を講じなければならない。

一　区域の管理に関する業務について，区域管理者が有する権限を明らかにすること。

二　区域の管理に関する業務その他の配置販売業者の業務の遂行が法令に適合することを確保するための体制，当該配置販売業者の薬事に関する業務に責任を有する役員及び従業者の業務の監督に係る体制その他の配置販売業者の業務の適正を確保するために必要なものとして厚生労働省令で定める体制を整備すること。

三　前二号に掲げるもののほか，配置販売業者の従業者に対して法令遵守のための指針を示すことその他の配置販売業者の業務の適正な遂行に必要なものとして厚生労働省令で定める措置

2　配置販売業者は，前項各号に掲げる措置の内容を記録し，これを適切に保存しなければならない。

【卸売販売業】

（卸売販売業の許可）

第三十四条

（略）

2　前項の許可を受けようとする者は，厚生労働省令で定めるところにより，次の各号に掲げる事項を記載した申請書をその営業所の所在地の都道府県知事に提出しなければならない。

（略）

三　法人にあつては，薬事に関する業務に責任を有する役員の氏名

（略）

（営業所の管理）

第三十五条

（略）

3　医薬品営業所管理者は，次条第一項及び第二項に規定する義務並びに同条第三項に規定する厚生労働省令で定める業務を遂行し，並びに同項に規定する厚生労働省令で定める事項を遵守するために必要な能力及び経験を有する者でなければならない。

（略）

（医薬品営業所管理者の義務）

第三十六条

（略）

2　医薬品営業所管理者は，保健衛生上支障を生ずるおそれがないように，その営業所の業務につき，卸売販売業者に対し，必要な意見を書面により述べなければならない。

3　医薬品営業所管理者が行う営業所の管理に関する業務及び医薬品営業所管理者が遵守すべき事項については，厚生労働省令で定める。

（卸売販売業者の遵守事項）

第三十六条の二

（略）

2　卸売販売業者は，第三十五条第一項又は第二項の規定により医薬品営業所管理者を置いたときは，前条第二項の規定により述べられた医薬品営業所管理者の意見を尊重するとともに，法令遵守のために措置を講ずる必要があるときは，当該措置を講じ，かつ，講じた措置の内容（措置を講じない場合にあつては，その旨及びその理由）を記録し，これを適切に保存しなければならない。

（卸売販売業者の法令遵守体制）

第三十六条の二の二

卸売販売業者は，営業所の管理に関する業務その他の卸売販売業者の業務を適正に遂行することにより，薬事に関する法令の規定の遵守を確保するために，厚生労働省令で定めるところ

により，次の各号に掲げる措置を講じなければならない。
一　営業所の管理に関する業務について，医薬品営業所管理者が有する権限を明らかにすること。
二　営業所の管理に関する業務その他の卸売販売業者の業務の遂行が法令に適合することを確保するための体制，当該卸売販売業者の薬事に関する業務に責任を有する役員及び従業者の業務の監督に係る体制その他の卸売販売業者の業務の適正を確保するために必要なものとして厚生労働省令で定める体制を整備すること。
三　前二号に掲げるもののほか，卸売販売業者の従業者に対して法令遵守のための指針を示すことその他の卸売販売業者の業務の適正な遂行に必要なものとして厚生労働省令で定める措置
2　卸売販売業者は，前項各号に掲げる措置の内容を記録し，これを適切に保存しなければならない。

【共通事項】
（改善命令等）
第七十二条の二の二
　厚生労働大臣は，医薬品，医薬部外品，化粧品，医療機器若しくは再生医療等製品の製造販売業者若しくは製造業者又は医療機器の修理業者に対して，都道府県知事は，薬局開設者，医薬品の販売業者，第三十九条第一項若しくは第三十九条の三第一項の医療機器の販売業者若しくは貸与業者又は再生医療等製品の販売業者に対して，その者の第九条の二（第四十条第一項及び第二項並びに第四十条の七第一項において準用する場合を含む。），第十八条の二，第二十三条の二の十五の二（第四十条の三において準用する場合を含む。），第二十三条の三十五の二，第二十九条の三，第三十一条の五又は第三十六条の二の二の規定による措置が不十分であると認める場合においては，その改善に必要な措置を講ずべきことを命ずることができる。

「薬局開設者及び医薬品の販売業者の法令遵守に関するガイドラインに関する質疑応答集（Q＆A）」について

（事務連絡　令和3年6月25日　都道府県，各政令指定都市，各保健所設置市衛生主管部（局）薬務主管課あて
厚生労働省医薬・生活衛生局監視指導・麻薬対策課，総務課）

令和元年12月に公布された医薬品，医療機器等の品質，有効性及び安全性の確保等に関する法律等の一部を改正する法律（令和元年法律第63号）において，医薬品等の製造販売，製造，販売等を行う者による法令遵守体制の整備等が令和３年８月１日から義務づけられます。

本改正に伴い，薬局開設者及び医薬品の販売業者が，法令遵守体制を構築するための取組みを検討し，実施するに当たっての指針となる「「薬局開設者及び医薬品の販売業者の法令遵守に関するガイドライン」について」（令和３年６月25日付け厚生労働省医薬・生活局長通知）を策定しました。

今般，本ガイドラインに記載される内容に関する質疑応答集（Q＆A）を別添のとおり，取りまとめましたので，御了知の上，業務の参考として，貴管内関係団体，関係機関等への周知をお願いいたします。

（別添）

薬局開設者及び医薬品の販売業者の法令遵守に関するガイドラインに関する質疑応答集（Q＆A）

用語集

用語	意味
「薬機法」又は「法」	医薬品，医療機器等の品質，有効性及び安全性の確保等に関する法律（昭和35年法律第145号）
規則	医薬品，医療機器等の品質，有効性及び安全性の確保等に関する法律施行規則（昭和36年厚生省令第1号）
体制省令	薬局並びに店舗販売業及び配置販売業の業務を行う体制を定める省令（昭和39年厚生省令第3号）
「本規定」	本ガイドライン別添2に示す製造販売業者等の法令遵守体制等に関する薬機法上の規定及びそれに基づく薬機法施行規則の規定
「責任役員」	薬事に関する業務に責任を有する役員
「薬事に関する法令」	薬機法，麻薬及び向精神薬取締法（昭和28年法律第14号），毒物及び劇物取締法（昭和25年法律第303号）並びに医薬品，医療機器等の品質，有効性及び安全性の確保等に関する法律施行令（昭和36年政令第11号）第1条の3各号に規定する薬事に関する法令

Q1　薬機法の規定と本ガイドラインの関係を教えて欲しい。

A1　本ガイドラインは，薬局開設者及び医薬品の販売業者が，本ガイドライン別添2に示した薬局開設者及び医薬品の販売業者の法令遵守体制等に関する薬機法上の規定及びそれに基づく

規則の規定（以下「本規定」という。）に基づく措置を講じるに当たっての基本的な考え方，実施が求められる措置の内容及び実施することが望ましい事項等を示す指針として策定するものです。

ただし，本ガイドラインにおいて，薬局開設者及び医薬品の販売業者が遵守しなければならない事項（下記 A2 の①）として示した内容は，本規定に定められた事項についての解釈を示したものです。

また，参考までに，本ガイドライン第 2 以下の各見出しと薬機法及び規則の条項との主な対応関係について，別紙において示していますので適宜参照してください。

Q2 本ガイドラインにおいて，「・・・しなければならない」「・・・する必要がある」「・・・することが重要である」「・・・することが望ましい」などの表現がされているところ，それぞれの表現の意味を明確にして欲しい。

A2 本ガイドライン第2以下においては，以下の①～③の事項について，それぞれ以下の表現を用いています。

① 本規定及び本規定に基づく政省令に基づき遵守しなければならない事項
「・・・なければならない」
「・・・必要がある」
「・・・求められる」

② ①の事項の例示
「・・・が考えられる」

③ ①の事項を遵守するために推奨される事項
「・・・重要である」
「・・・有用である」
「・・・望ましい」

Q3 薬機法を中心とした薬事に関する法令に規定された業務に関わる役員は，全て本ガイドラインでいう責任役員であるとの理解でよいでしょうか。

A3 薬局開設者等において，各役員が分掌する業務の範囲を決定した結果，その分掌する業務の範囲に，薬事に関する法令に関する業務（薬事に関する法令を遵守して行わなければならない業務）を含む役員は，薬機法上の責任役員に該当します。

なお，医薬品等の製造販売業者及び製造業者向けに策定された「「製造販売業者及び製造業者の法令遵守に関するガイドライン」について」（令和 3 年 1 月 29 日付け薬生 0129 第 5 号厚生労働省医薬・生活衛生局長通知）及び「「製造販売業者及び製造業者の法令遵守に関するガイドラインに関する質疑応答集（Q&A）」について」（令和 3 年 2 月 8 日付厚生労働省医薬・生活衛生局麻薬・指導対策課事務連絡）も適宜併せて参照してください。

この他，本ガイドラインに記載される内容の考え方については，同様に製造販売業者及び製造業者向け上記通知等を適宜参照してください。

Q4　本ガイドライン第4の2に管理者の意見申述義務に関して記載されているが，薬局開設者等が法令に違反する行為を指示していると考えられる場合，管理者としては具体的にどのように対応すべきでしょうか。

A4　管理者は自らが当該薬局等の管理責任者であることを深く自覚するとともに，薬局開設者等が法令に違反する行為を指示していると考えられる場合には，保健衛生上支障を生ずるおそれがないようにするため，当該指示の実行を拒否し，それが法令に違反する行為を指示するものであることを薬局開設者等に伝達し，その記録を残さなければいけません。また，管理者が薬局等における法令違反の事実を認知した場合も同様に，保健衛生上支障を生ずるおそれがないようにするため，その認知した事実が法令違反であることを薬局開設者等に伝達し，その内容等の記録を残さなければいけません。

Q5　店舗販売業において，店舗管理者を補佐する者が，例えば要指導医薬品及び第一類医薬品の販売やその医薬品の説明を登録販売者又は一般従事者が行っていることを認識した場合，具体的にどのように対応すべきでしょうか。

A5　第一類医薬品を販売する店舗販売業者において，規則第141条第1項に基づき，店舗管理者が登録販売者であって，店舗管理者を補佐する者として薬剤師を置いている場合には，規則141条第2項の規定により，保健衛生上支障を生ずるおそれがないようにするため，店舗管理者を補佐する者から店舗販売業者及び店舗管理者に書面により必要な意見を述べなければならないとされています。

したがって，店舗管理者を補佐する者から意見があった場合には，店舗管理者は，当該意見を尊重し，店舗管理者としても店舗販売業者に対し必要な意見を書面により申述し，当該書面を保存することが求められます。

また，店舗販売業者としても，このような意見申述が適切になされる体制を構築しておく必要がある。そのほか，上記事例においては，当然ながら，当該意見を受けて，要指導医薬品・第 1 類医薬品の販売やその医薬品の説明については，薬剤師に行わせることを店舗内で徹底するために必要な措置を講じる必要がある。

Q6　本ガイドライン第5「卸売販売業者における法令遵守体制の構築に当たっての留意点」において，特に卸売販売業者については「営業所の管理に関する業務その他の卸売販売業者の業務の遂行が法令に遵守することを確保するための体制」として，「全体業務の把握と管理を医薬品営業所管理者の業務として業務手順書に位置づけるとともに，業務を遂行するための勤務態勢，不在時の連絡体制の確保等が重要である」とされているが，具体的には，どのような措置を講ずることが考えられるのでしょうか。

A6　卸売販売業者において，以下のような措置を講ずることが想定されるので，参考にしてください。

① 医薬品営業所管理者は，卸売販売業者との間で直接の雇用関係があること。

② 医薬品営業所管理者は，営業所を離れている場合でも管理を行う必要があることから，営業所を離れている場合を含め必要な場合に適切な指示を行うことができるよう営業所における構造設備及び業務状況を把握していること。

③ 医薬品営業所管理者は，営業所外にいる場合には営業所に連絡担当者を配置し，連絡担当者から報告があった際にはその報告内容，当該報告に対する措置内容（指示内容及びその履行状況を含む）等について記録すること。同様に，連絡担当者は，医薬品営業所管理者への報告内容を記録すること。また，いずれの記録についても，あらかじめ，記録の方法や頻度等を含め，業務手順書に定めておくとともに，業務手順書に基づく適切な業務が実施されるよう，従前から従業員への教育訓練等を通じ，以下の体制を確保すること。

ア）医薬品営業所管理者は，業務実施に支障を及ぼさない範囲において他の者に業務を実施させる場合は，あらかじめ，その業務の範囲及び担当する者を業務手順書で定めること。

イ）医薬品営業所管理者は，緊急時等に備え，常時，連絡担当者が連絡を取り，必要な対応を取ることのできる体制を整えておくこと。

ウ）連絡担当者は，緊急時等に医薬品営業所管理者に連絡をするほか，一日一度を目途に適正な頻度で日常業務の状況を報告すること。

エ）医薬品営業所管理者は，連絡担当者からの連絡を踏まえ，適切な者に必要な指示をする他，緊急の対応が必要な場合は，自ら営業所にて対応する体制を整えておくこと。

オ）休日夜間においても，緊急時には，営業所から医薬品営業所管理者に連絡を取ることのできる体制を整えておくこと。

カ）営業時間内において，薬事監視員等から問い合わせがあった際には，医薬品営業所管理者が電話等の手段を使うなど，直接問い合わせを受け，説明をできる体制を整えておくこと。

④ 卸売販売業者は，②から③までの具体的な業務手順，業務内容についてあらかじめ業務手順書に定めておくこと。

Q7 薬局開設者，店舗販売業者又は配置販売業者の業務の適正を確保するために必要なものとして整備すべき体制については，体制省令に基づき作成する手順書に盛り込む必要があるのでしょうか。

A7 薬局開設者，店舗販売業者及び配置販売業者が整備している法令遵守に関する体制について，体制省令に基づき作成する手順書とともに作成して差し支えありませんが，必ずしも同手順書に盛り込むことまで求められているものではありません。

Q8 卸売販売業者は，規則第158条に基づく医薬品の適正管理を確保するための指針を作成運用していますが，本ガイドライン第2の1で求められている従業者に対する法令遵守のための指針は，医薬品の適正管理を確保するための指針とは別に作成する必要があるのでしょうか。

A8 法令遵守のための指針は，必ずしも今回の法改正に際して新たな社内規程を作成することを求めるものではなく，卸売販売業者を含め，許可等業者において，薬事に関する法令又は会社法その他の法令等を踏まえ，既に構築している体制を活用してもらうことも想定されます。

Q9 管理者の不適切な行為により薬局等に法令違反が生じた場合，薬局開設者等には行政処分が行われるという理解でよいのでしょうか。

A9 薬局等において，責任役員を中心として適切な法令遵守体制の整備が義務化されることを踏まえ，薬局開設者等の責任は単に管理者を置くことで尽きるものではありません。

管理者の不適切な行為によって薬局等に法令違反が生じた場合には，当該管理者のみの責任ではなく，管理者の業務に対する監督体制を含め，本ガイドラインで求める適切な法令遵守体制の整備が十分でなかったことの責任や管理者の選任責任に関して，薬局開設者等ひいては責任役員の責任が問われ得ることとなります。

Q10　卸売販売業者のうち，いわゆる「小規模卸」，「特定品目卸」，「サンプル卸」等であっても，本ガイドラインは適用されるのでしょうか。

A10　本ガイドラインは，薬局開設者及び医薬品の販売業者を対象としているため，卸売販売業者であれば適用となります。

Q11　本ガイドライン第2の4(1)においてエリアマネージャーに関する記載があるが，薬局開設者及び店舗販売業者にのみ適用される内容であり，卸売販売業者に対しては適用されないと理解してよいか

A11　本ガイドライン第2の4(1)は，薬局開設者等を補佐する者の典型的な一例として，薬局及び店舗販売業におけるいわゆるエリアマネージャーを挙げて説明しているものの，配置販売業者及び卸売販売業者に対しても同様に当てはまるものです。

配置販売業者及び卸売販売業者に対しても，規則において「配置販売業者を補佐する者」（規則第149条の15第3号ニ），「卸売販売業者を補佐する者」（規則第156条の2第3号ニ）を置く場合に必要となる措置が定められていますので，二以上の区域又は営業所の法令遵守体制を確保するためにこれらの者を置く際には，本ガイドライン第2の4（1）の記載を参考にしてください。

本ガイドラインの見出しと法令との対応表

本ガイドラインの項目	薬局	店舗販売業	配置販売業	卸売販売業
第2　薬局開設者等の法令遵守体制	法第9条の2	法第29条の3	法第31条の5	法第36条の2の2
1　法令遵守体制の整備についての考え方				
2　薬局開設者等の業務の適正を確保するための体制の整備	法第9条の2第1項第2号規則第15条の11の2第2号	法第29条の3第1項第2号規則第147条の11の2第2号	法第31条の5第1項第2号規則第149条の15第2号	法第36条の2の2第1項第2号規則第156条の2第2号
(1) 薬局開設者等の業務の遂行が法令に適合することを確保するための体制	規則第15条の11の2第2号イ	規則第147条の11の2第2号イ	規則第149条の15第2号イ	規則第156条の2第2号イ
(2) 役職員の業務の監督に係る体制	規則第15条の11の2第2号ロ	規則第147条の11の2第2号ロ	規則第149条の15第2号ロ	規則第156条の2第2号ロ
(3) その他の体制	規則第15条の11の2第2号ハ	規則第147条の11の2第2号ハ	規則第149条の15第2号ハ	規則第156条の2第2号ハ
3　管理者が有する権限の明確化	法第9条の2第1項第1号規則第15条の11の2第1号	法第29条の3第1項第1号規則第147条の11の2第1号	法第31条の5第1項第1号規則第149条の15第1号	法第36条の2の2第1項第1号規則第156条の2第1号
4　その他の薬局開設者等の業務の適正な遂行に必要な措置	法第9条の2第1項第3号規則第15条の11の2第3号	法第29条の3第1項第3号規則第147条の11の2第3号	法第31条の5第1項第3号規則第149条の15第3号	法第36条の2の2第1項第3号規則第156条の2第3号
(1) 薬局開設者等が2以上の許可を受けている場合の必要な措置	規則第15条の11の2第3号ハ及び二	規則第147条の11の2第3号ハ及びニ	規則第149条の15第3号ハ及びニ	規則第156条の2第3号ハ及びニ
(2) 医薬品の保管，販売その他医薬品の管理に関する業務，医薬品の購入等に関する記録が適切に行われるための必要な措置	規則第15条の11の2第3号ホ	規則第147条の11の2第3号ホ	規則第149条の15第3号ホ	規則第156条の2第3号ホ
第3　薬事に関する業務に責任を有する役員	法第4条第2項第5号	法第26条第2項第5号	法第30条第2項第3号	法第34条第2項第3号
1　責任役員の意義				
2　責任役員の範囲				

第4　管理者				
1　管理者の選任	法第7条第3項	法第28条第3項	法第31条の2第3項	法第35条第3項
2　管理者による意見申述義務	法第8条第2項	法第29条2項	法第31条の3第2項	法第36条第2項
3　薬局開設者等による管理者の意見尊重及び措置義務	法第9条第2項	法第29条の2第2項	法第31条の4第2項	法第36条の2第2項
第5　卸売販売業者における法令遵守体制の構築に当たっての留意点	—	—	—	

医薬品に関する規制緩和について

（平成7年12月28日　薬発第1177号
各都道府県知事あて　厚生省薬務局長通知）

規制緩和推進計画（平成七年三月三一日閣議決定）に基づき，今般，医薬品に関する許可手続等の運用について，左記のとおり取り扱うこととしたので，その趣旨を十分に御了知の上，関係者に対する周知徹底をお願いする。

なお，左記の措置は，規制緩和推進計画のうち別紙の項目に対応するものである旨併せて御了知願いたい。

記

一　卸売一般販売業者が設置する発送センターに関する取扱いについて〔略〕

二　卸売一般販売業者が共同で設置する発送センターに係る薬事法（以下「法」という。）第二七条で準用する第八条第三項の規定の適用について

複数の卸売一般販売業者が共同で設置した発送センターにおいて，当該複数の卸売一般販売業者の店舗に係る管理者を同一人が兼務することは，法第二七条で準用する第八条第三項において規定する「その店舗以外の場所」で業として店舗の管理その他薬事に関する実務に従事する場合には当たらないものと解して差し支えないものであること。

三　体外診断用医薬品のサンプル卸に係る法第二七条で準用する第八条第三項ただし書の許可の取扱いについて

製造業者の出張所等で体外診断用医薬品のサンプルのみを取り扱う卸売一般販売業（以下「体外診断用医薬品のサンプル卸」という。）の店舗の管理薬剤師については，当該店舗の管理者として業務を遂行するに当たって支障を生ずることがないと認められるときは，他の体外診断用医薬品のサンプル卸の店舗の管理者を兼務することに関し，法第二七条で準用する第八条第三項の許可）を与えて差し支えないものであること。〔以下略〕

四　生物学的製剤である体外診断用医薬品のみを製造する製造所の管理者について〔略〕

（別紙）規制緩和推進計画（抄）略

医薬品の販売に関する規制緩和について

（平成9年3月31日　薬発第462号
各都道府県知事あて　厚生省薬務局長通知）

「規制緩和推進計画の改定について」（平成八年三月二九日閣議決定）に基づき，今般，医薬品等に関する許可等手続き等の運用について，左記のとおりその取扱いを改め又は再確認することにしたので，その趣旨を十分に御了知の上，関係者に対する周知徹底をお願いする。

なお，左記の一及び二の措置については，「規制緩和推進計画の改定について」のうち別紙の項目に対応するものである旨併せて御了知願いたい。

記

一　医薬品のサンプルのみを取り扱う卸売一般販売業又は体外診断用医薬品のみを取り扱う卸売一般販売業に係る，法第二七条で準用する第八条ただし書の許可の取扱いについて

製造業者の出張所等で，医薬品のサンプルのみを取り扱う卸売一般販売業（以下，「サンプル卸」という。）の店舗あるいは体外診断用医薬品のみを取り扱う卸売一般販売業（以下，「体外診断用医薬品卸」という。）の店舗の管理薬剤師については，当該店舗の管理者として業務を遂行するに当たって支障を生ずることがないと認められるときは，他のサンプル卸又は体外診断薬卸の店舗の管理者を兼務することに関し，法第二七条で準用する第八条第三項の許可を与えて差し支えないものであること。

二　医薬品の販売先変更許可について

医薬品の卸売一般販売業について，法第二六条第三項ただし書の規定により都道府県知事が与える医薬品の販売先変更許可は，昭和五六年六月一六日付薬発第五五二号薬務局長通知「薬事法の一部を改正する法律の施行等に伴う卸売一般販売業の取扱いについて」の記の第一の五中において，販売先及び販売品目が掲げられているところであるが，臨床検査技師，衛生検査技師等に関する法律第二条に定める衛生検査所についても，診断用医薬品を業務上日常的に使用しており，現在，販売先に掲げられているものに準じるものとして認められることから，今般，販売先として衛生検査所を追加することとしたこと。

三　「薬事法の一部を改正する法律の施行について」（昭和五０年六月二八日薬発第五六一号厚生省薬務局長通知）の一部改正

医薬品の適正な供給と調剤の確保を図り，併せて薬局等の経営の安定等を期するため前記の通知が発出されているところであるが，近時の大規模店舗に対する規制の緩和等を踏まえ，所要の改正を行うこととした。

四　関連通知の改正〔略〕

（別紙）規制緩和推進計画の改定について（抄）略

卸売一般販売業の管理薬剤師の兼務について

（平成12年5月15日　医薬発第509号
各都道府県知事あて　厚生省医薬安全局長通知）

平成一二年三月三一日に閣議決定された「規制緩和推進三か年計画（再改定）」において，「医薬品卸売一般販売業における管理薬剤師の配置規制を見直し，平成一二年度中に必要な措置を講ずる。」とされたところであり，これを受け検討した結果，左記のとおり考えるので，御了知いただくとともに，貴管下関係機関への周知方お願いしたい。

記

分割販売を行わず，かつ，薬事法（昭和三五年法律第一四五号）第二六条第三項ただし書きに規なお，管理薬剤師が専任であるか兼務であるかにかかわらず，管理薬剤師による十分な管理が行われることが必要であることを申し添える。

別紙一

卸売一般販売業の管理薬剤師の兼務について

（平成 12 年 5 月 15 日）

（医薬企第 37 号）

（(社団法人）日本薬剤師会会長あて厚生省医薬安全局企画課長通知）標記について，別添のとおり各都道府県知事宛に通知したので，御了知のうえ，貴管下関係者に対し周知方ご配慮頂きたい。

別紙二

卸売一般販売業の管理薬剤師の兼務について

（平成 12 年 5 月 15 日）

（医薬企第 38 号）

（(社団法人）日本医薬品卸業連合会会長あて厚生省医薬安全局企画課長通知）標記について，別添のとおり各都道府県知事宛に通知したので，御了知のうえ，貴管下関係者に対し周知方ご配慮頂きたい。

「医療機器の販売業，賃貸業及び修理業に関しての質疑応答集」の情報提供について

（事務連絡　令和２年12月25日
各都道府県，各政令指定都市，各保健所設置市衛生主管部（局）薬務主管課あて
厚生労働省医薬・生活衛生局医療機器審査管理課）

日頃，薬事行政の推進にあたりご協力を賜りありがとうございます。

平成24年11月15日付け事務連絡で情報提供いたしました，「医療機器の販売業，賃貸業及び修理業に関しての質疑応答集」につきまして，今般，一般社団法人　日本医療機器産業連合会より改訂版が発行されたので，別添のとおり情報提供いたします。御了知の上，貴管内関係業者，関係団体等に対し周知願います。

なお，本事務連絡の写しを各地方厚生局，独立行政法人医薬品医療機器総合機構，一般社団法人日本医療機器産業連合会，一般社団法人米国医療機器・IVD工業会及び欧州ビジネス協会医療機器・IVD委員会宛て送付することとしています。

また，倉庫業者の倉庫における医療機器の保管・管理については，販売・貸与業関連QA20により，医療機器を所有する販売・貸与業者（以下「販売業者等」という。）が，倉庫業者の倉庫で当該医療機器を一旦保管する行為について，倉庫業者の倉庫を販売業者等の営業所として，その区分に応じた許可（届出）が必要であると改めて整理したことを受け，今般，複数の販売業者等が，同一の所在地にある倉庫業者の倉庫を各々の販売業者等の営業所とする場合における営業所管理者の兼務について，下記のとおりとすることとしたので，御了知のほどよろしくお願いいたします。

記

複数の販売業者等が利用する同一所在地にある倉庫業者の倉庫において，実地に管理を行うことができ，それぞれの医療機器の特性に応じた管理等の業務に支障を来さない場合には，複数の販売業者等と営業所管理者とがそれぞれ個別に使用関係を持ち，当該複数の販売業者等が同一人物を営業所管理者とすることについて相互に承諾したうえであれば，都道府県知事の兼務許可を受けて，当該倉庫業者の倉庫における複数の販売業者等の営業所管理者を同一人物が兼務することを妨げるものではない。

以上

別添

『医療機器販売･賃貸業，修理業関連Q＆A』
（日常業務Q＆A集第2版掲載版）

『医療機器販売･賃貸業，修理業関連Q＆A』
（2012年10月15日発行）の改訂版になります。

2020年12月15日
一般社団法人　日本医療機器産業連合会
販売・保守委員会

販売・貸与業関連

Q1
販売業の管理者が出張等で，一時的に業務を行うことができない場合，業務代行はどのようにすれば適切か示されたい。また，長期に不在となる場合についても伺いたい。

A1
一時的に管理者が出張等で業務を行うことができない場合，管理者の資格を有する者に代行させることは可能です。管理者が業務遂行可能になった時に，代行者は業務の内容を管理者に報告します。
なお長期に管理者が不在になるときは，管理者の変更が必要になります。薬機法第39条の2により，営業所の要件として，管理者の設置が義務付けられています。

Q2
自宅を営業所にする場合，どうすればよいか？

A2
個人住宅に事務所を併設する場合には，常時居住する場所及び不潔な場所から，販売業務を行う場所は明確に区別されている必要があります。
詳細は各都道府県の所管窓口で確認してください。

Q3
医療機器販売業等の許可又は届出を取得している者のA営業所の所在地の同一敷地内に新規に建屋（ビル）が隣接され，その建屋にはA営業所のフロアが追加で設けられた。その結果，A営業所の建屋が2つになった。このような場合，医療機器販売業等の許可又は届出を改めて取得する必要があるか？

A3
医療機器を販売，貸与する場合，許可証に記載された「営業所」ごとに許可を取得する必要があります。このように，2つのビルに1つの営業所（A事業所）が同一敷地内（住所の変更が発生しない）にある場合，保健衛生上，特段の問題がなければ，変更届を提出することでよく，改めて許可を取得する必要はありません。

Q4
医療機器営業所管理者に対して継続的研修は必ず受講する必要があるのか？

A4
継続的研修の受講は，施行規則第168条及び施行規則第175条第2項で，定められています。
高度管理医療機器等の販売業者等は，高度管理医療機器等営業所管理者に継続的研修を毎年度受講させなければいけません。
また医療機器の修理業者は責任技術者に継続的研修を毎年度受講させなければいけません。なお，特定管理医療機器の販売業者等は，特定管理医療機器営業所管理者，補聴器営業所管理者及び家庭用電気治療器営業所管理者に，継続的研修を毎年度受講させるよう努めることとされています。
詳細は，事務連絡平成29年3月22日に「高度管理医療機器等営業所管理者及び医療機器修理責任技術者の継続的研修の取扱いに関する質疑応答集（Q&A）について」が発出されていますので，参考としてください。

Q5
年度の初めからいる管理者は1年のうちに計画を立て確実に研修を受講しておりますが，年度途中の管理者変更となった場合，どこまで努力をすべきなのでしょうか？
年間を通じて管理者に変更がなければ良いのですが，不測の事態（管理者の転勤・退社）により年に複数回，管理者変更が発生する場合があります。継続的研修の開催スケジュールは前半に集中しており，年度末の研修は早い段階で満員になり申込完了となることも少なくありません。
特に1月以降の変更の場合，前任者が受講前に異動・退社となってしまうと後任者が代わりにその研修を受講するわけにもいかず（代理者による受講不可のため），対応に困ってしまいます。

A5
継続的研修の受講義務又は努力義務は業者側にありますので，管理者等は毎年度1回受講することが必要です。（A4 を参照してください。）

Q6
薬機法施行規則第169条教育訓練について「取扱う医療機器の販売，授与若しくは貸与，又は電気通信回線を通じた提供に係る情報提供」及び「品質の確保に関する教育訓練」とは，具体的にどのような教育訓練が該当しますか？

A6
「販売，授与若しくは貸与，又は電気通信回線を通じた提供に係る情報提供」には，当該医療機器の性能，機能，操作方法，禁忌・禁止，注意事項等が含まれます。「品質の確保」については，入荷した医療機器の表示の確認及び員数，更に梱包状態に破れ又は落下痕等の異常が無いかを確認することです。
教育訓練については，医機連発行『医療機器の販売業等に関する手引書を参照してください。

Q7
リース会社から中古品の販売通知が送られて来たが，どうしたらいいのでしょうか？（当社は製造販売業者ではありません）

A7
「中古医療機器の事前通知書」は製造販売業者への通知事項である旨をリース会社へ連絡することが必要です。また，当該医療機器が自社からリース会社へ販売した医療機器であれば，自社から製造販売業者へリース会社から連絡があったことの報告を行い，リース会社に製造販売業者からの指示を伝えることもできます。

Q8
帳簿上だけのやり取りで実際の医療機器の取り扱いを行わない場合，販売業許可が必要ですか？

A8
医療機器を直接取り扱わない場合でも，販売契約を行う場合は販売業・貸与業の許可（届出）は必要です。

Q9
受託製造業者が製品を，販売業者に出荷するまで保管する場合，製造業で保管可能か？

A9
製造販売業者からの指示により販売業者へ出荷する場合には，製造業で保管可能。

Q10
添付文書の封入は製造業行為とみなされるのか。販売業でも行うことが認められている行為なのか？

A10
添付文書の医療機器への封入は，製造行為になります。販売業には医療機器への封入行為は認められておりません。

Q11
継続的研修をやむを得ない事情により受講できない場合は，どのような影響がありますか？

A11
継続的研修は販売業者等に課せられた義務又は努力義務です。受講後，研修実施機関が発行する修了証を保管し，管理者がその内容を従業員に教育します。（A4 を参照して下さい。）
継続的研修は，複数の団体，複数の開催日，開催地で行なわれているので，別の日を捜して受講してください。

Q12
薬機法施行規則第 173 条の購入等に関する記録の氏名及び住所の解釈について
この場合，購入した又は譲り受けた時は譲渡人の氏名及び住所を記載し，販売し，授与し，若しくは貸与又は電気通信回線を通じて提供した時は譲受人の住所を記載するということでしょうか？

A12
医療機器を自社(販売業者等）が購入又は譲り受けたときは，譲渡人の氏名及び住所を記載し，譲受に関する記録となります。また自社（販売業者等）が販売し，授与し，貸与した場合は購入者の氏名及び住所を書面に記載し，販売等に関する記録として，ともに保管する必要があります。

Q13
医療機関において使用している医療機器をお客様の依頼を受けて，医療機器を医療機関の同じ敷地内に移設した。この場合中古機販売として製造販売業者への通知が必要なのか？

A13
医療機器の移設のみであれば中古医療機器の販売には該当しませんが，移設にあたっては，当該医療機器の品質，有効性及び安全性の確保の観点から事前に，当該医療機器の製造番号及び移設先などを連絡することが望まれます。
当該医療機器が，設置管理医療機器に該当する場合は，設置管理基準書に基づき対応する必要があります。

Q14
同一所在地の弊社事業所内の複数ある建屋・フロア・部門毎に販売業エリアを設けたい場合，建屋，フロア毎にそれぞれ申請しなければならないのか？

A14
同一の業態であれば，一つとして申請できます。ただし，販売業を営む建屋・フロアはすべて構造設備の概要を表記する必要があります。
詳細は各都道府県の所管窓口で確認してください。

Q15
一つの企業で製造販売業と販売業の両方の許可を持っている場合，入出荷履歴など製造販売業と販売業の帳簿が重複するものがありますが，それぞれに記録を作成しなければならないのか，省略して良いのか具体例があると助かります。

A15
薬機法上，製造販売業と販売業は別の業態になります。製造販売業者の出荷先は販売業者（自社）になり，自社の販売業者の出荷先は代理店若しくはユーザになり，それぞれが管理しなければなりません。遵守事項の実施を明確にするには別々の管理が必要です。

Q16
製造販売業者の配送センターで一時的に医療機器を保管する場合，業許可が必要になるか？

A16
医療機器を出荷する製造販売業者の配送センターは，独立の営業所として医療機器販売業及び貸与業の許可若しくは届出が必要となります。
なお，運送業者等へ配送依頼後の流通過程にある場合の配送業者等の一時保管については，販売業等は不要です。

Q17
分置倉庫が隣接地に存在する場合，別個に販売業許可の取得は不要とあるが，隣接地とはどの範囲を指すか？

A17
営業所管理者が管理するのに支障がなく，同一都道府県内にある場合となります。各都道府県の所管窓口にご相談ください。

Q18
薬機法該当品（医療機器）と非該当品（医療機器以外のもの）の置き場は区分が必要か？

A18
必要です。

Q19
納入先が決まっている製品の保管場所の場合，販売業は必要か？

A19
医療機器の出荷先が決まっているか否かを問わず，保管場所は販売業等で登録された区域に保管する必要があります。販売業等は必要になります。

Q20
医療機器の販売・貸与業者（以下「販売業者等」という。）が所有する医療機器を，当該販売業者等の営業所を経由せず，倉庫業者の倉庫で保管・管理し，当該販売業者等からの出荷指示で直接出荷をする場合，当該販売業者等は当該倉陣において医療機器販売業・貸与業の許可（届出）は必要か。

A20
倉庫業者の倉庫で保管・管理する場合，当該医療機器を所有する販売業者等は，倉庫業者の倉庫を営業所として，当該医療機器の区分に応じ，許可（届出）が必要です。
ただし，平成17年3月31日厚生労働省医薬食品局審査管理課医療機器審査管理室事務連絡「医療機器の販売業及び賃貸業の取扱い等に関するQ&Aについて（その1）」のQ1-2で許可等が不要とされている場合は，この限りではありません。

注）元々あった倉庫に係るQ&Aは，上記の通り改定を行いました。
なお，各都道府県並びに所管保健所等により，指導内容が異なる場合もございますので，ご注意願います。

Q21
自社医療機器を，他社製品とセットして販売する際，法定表示が貼付されている包装を外してセットする場合，法定表示（の内容）はどのように情報提供することが妥当か。

A21
販売業者等が法定表示を外すことはできません。更に自社製品と他社製品の包装を外してセット販売することは違法行為です。承認を受けた製品はそれぞれ個別に販売する必要があります。

Q22
中古品の販売業者から製造販売業者への事前通知に対して，製造販売業者が指示を出していない段階で，中古品の販売業者のホームページに弊社の製品が販売品として掲載されていた。問題ではないか？

A22
販売業者又は貸与業者は製造販売業者の承諾がないまま販売，貸与，授与することはできません。製造販売業者の指示を遵守して販売または貸与する必要があります。

Q23
管理医療機器の販売業･貸与業届において，企業合併に伴う法人名称の変更の場合については，どのような対応をすべきか？

A23
単に法人名の変更であれば，会社名の変更届ですが，合併により法人としての継続性が失われた場合は新規届出が必要になります。

Q24
継続的研修修了証の保管については，どのようにすればよいか？

A24
継続的研修の終了証は，高度管理医療機器等の許可を受けた営業所に帰属しますので，営業所において保管します。施行規則第164条第2項第1号で示されるように記録の保管が求められています。

Q25
サンプル品の品質管理については，どのように対応すればよいか？

A25
サンプル品でも販売品と同じ管理が必要となります。営業所で管理している医療機器の品質の確保は遵守事項として定められています。品質確保の記録の保管も必要になります。

Q26
医療機器プログラムを電気通信回線を通じて提供するため，販売業者がインターネットモール事業者の記録媒体(HDD等)に保存する行為は，販売業者の管理のもと，インターネットモールを通じて医療機器プログラムのダウンロード販売を行うものであることから，医療機器プログラム等の提供にはあたらないと考えてよいか？

A26
貴見のとおりである。
（平成26年11月25日事務連絡「医療機器プログラムの取扱いに関するQ&Aについて」Q6）

Q27
医療機器プログラムをダウンロード販売する場合において，製造販売業者から販売業者にメディアで供給することは可能か？可能な場合，承認(認証)申請書に記載すべき事項があるか？

A27
販売業者がダウンロード用サーバに医療機器プログラムをアップロードする際に必要なプログラム及びファイル等（医療機器プログラムを含む。以下「アップロード用プログラム等」という。）を製造販売業者がメディアにより供給することは差し支えない。この場合において，製造販売業者は，販売業者がダウンロード販売を行うために必要なプログラム及び添付ファイルをもれなくアップロードできるようアップロード用プログラム等を設計の上，その手順等を規定し，販売業者に遵守させること。承認等申請書には，「形状，構造及び原理」欄に当該流通形態によることがわかるよう記載すること。
（平成27年9月30日事務連絡「医療機器プログラムの取扱いに関するQ&Aについて（その2）」Q1）

Q28
Q27の場合において，製造販売業者と顧客の間に複数の販売業者が存在する場合，販売業者間においてはメディアにより流通し，顧客への販売を行う販売業者がダウンロード用サーバにアップロードをすることで差し支えないか？

A28
アップロード用プログラム等を販売業者間でメディアにより流通することは差し支えない。最終的にダウンロード用サーバにアップロードする販売業者が適切にその行為を行った上で顧客にダウンロード販売を行うこと。
（平成27年9月30日事務連絡「医療機器プログラムの取扱いに関するQ&Aについて（その2）」Q2）

Q29
ダウンロード用サーバにアップロードされた医療機器プログラムをメディアにダウンロードし，これを販売することは可能か？

A29
ダウンロード販売を意図したプログラムをメディアにダウンロードして販売する行為は，製造販売後の製品に新たに法定表示を行うなどの製造行為を伴うものであり，販売業者において行うことはできない。
（平成27年9月30日事務連絡「医療機器プログラムの取扱いに関するQ&Aについて（その2）」Q3）

Q30
ダウンロード用サーバにアップロードされた医療機器プログラムを他の販売業者がダウンロードし，当該販売業者が別のダウンロード用サーバにアップロードすることは可能か？

A30
できない。A27のとおり，製造販売業者から供給されるアップロード用プログラム等を用いて，製造販売業者が規定した手順に従ってアップロードを行うこと
（平成27年9月30日事務連絡「医療機器プログラムの取扱いに関するQ&Aについて（その2）」Q4）

Q31
医療機関からの求めに応じて，医療機器プログラムを推奨する動作環境である汎用コンピュータにインストールして販売することは可能か？

A31
医療機器プログラム又はこれを記録した記録媒体として承認（認証）を得ている品目については，汎用コンピュータ等のハードウェアにインストールして販売することはできない。なお，医療機関等への販売後，販売先の依頼に基づき作業を代行する行為は販売業にはあたらない。
（平成27年9月30日事務連絡「医療機器プログラムの取扱いに関するQ&Aについて（その2）」Q12）

Q32
医療機器プログラムの販売に際し，当該プログラムをインストールして使用する汎用コンピュータ等がインターネット接続を禁止されている場合がある。この場合，医療機器プログラムをダウンロード販売とし，販売先にあるインターネットに接続された別の汎用コンピュータ等を用いてメディアにダウンロードし，当該プログラムを目的の汎用コンピュータ等にインストールすることで対応できると考えてよいか？

A32
製造販売業者が当該行為を許諾し，そのための手順等をダウンロードファイルに含めている場合は，顧客自身が行う限りにおいて差し支えない。
（平成27年9月30日事務連絡「医療機器プログラムの取扱いに関するQ&Aについて（その2）」Q13）

修理業関連

Q1
具体的に修理業で対応できる修理の範囲はどこまでか？

A1
医療機器の修理とは，故障，破損，劣化等の箇所を本来の状態･機能に復帰させること（当該箇所の交換を含む。）をいうものであり，故障等の有無にかかわらず，解体の上点検し，必要に応じて劣化部品の交換等を行うオーバーホールを含みます。

Q2
修理業の業許可申請書の「構造設備の概要の一覧表」の「床面の種類」に”コンクリート”と記載して申請した。しかし，現状はコンクリートの上に絨毯素材が貼られているが，当該施設は賃貸のため，張替えなどの改装は困難である。どう対応すべきか？

A2
修理業の事業所の構造設備は薬局等構造設備規則第5条第4項のホに，「床は，板張り，コンクリート又はこれらに準ずるものであること。ただし修理を行う医療機器により作業の性質上やむを得ないと認められる場合はこの限りではない。」と記されており賃貸物件であっても規則に準じて床を仕上げる必要があります。

Q3
自社の事業所に修理品の持ち帰りはせずに，医療機関を訪問して，その場で修理をする場合にも修理業の許可が必要か？

A3
事業所には修理業の許可が必要です。事業所に修理品を持ち帰って修理をしない場合には,「出張修理」のみとして許可を受けられます。その場合は構造設備基準にある作業エリア，床の材質などは不要となります。

Q4
医療機器を販売開始時から 5 年間定期点検と随時修理費用を含むリース販売した場合，リース業者から契約した医療機器を医療機関に直接販売する業者は，販売業のほか修理業の許可も必要か？

A4
直接販売した販売会社が随時修理を請負うのであれば，修理業の許可を取る必要があります。リースの販売会社が修理業許可を持ち，リース会社の責任において保守・修理の契約及び実施し，取次だけを行うのであれば，販売会社の修理業は不要です。

Q5
製造販売業者が医療機関と修理業者との契約をあっせん（橋渡しのみで医療機関との契約・実務は担当しない）する場合，修理業許可が必要か？

A5
いわゆる紹介の場合には，修理業の許可は不要です。（下図参照）

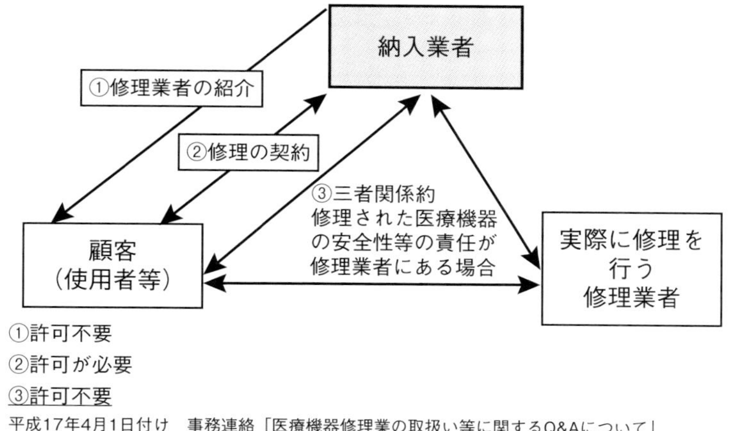

Q6
修理品の保管場所の区切り，識別方法はどのようにすれば適切か？

A6
修理品の保管場所の区切り，識別方法については，薬局等構造設備規則により示されている医療機器の種類によって保健衛生上の危害等が異なる。
「衛生的かつ安全に保管するために必要な設備」については，個別の判断が必要なため，各都道府県の所管窓口に事前に確認が必要です。

Q7
製造業と修理業を同一住所で許可を受けた場合，修理用部品保管場所と製造用部品保管場所とは明確に構造設備を区別する必要があると指摘されたが必要か？

A7
同一事業者の場合は，修理用部品保管場所と製造用部品保管場所を，必ずしも区別する必要はないが，製造業の区域と，修理業の区域を明確に識別できるよう区別するのが望ましい。

Q8
計測器，工具の変更届のタイミングはどのような時になるか？

A8
申請書類に記載された内容に変更があった場合は原則 30 日以内に届出する必要があります。

Q9
医療機器修理業の休止届はどういう場面で使用するのか？

A9
修理業での休止届は，例えば事業所の内部改装等で長期間使用できなくなった場合，再開の見込みがある場合に届出をする必要があります。また，再開時には再開届が必要となります。

Q10
修理区分毎に休止，再開は可能か？

A10
修理業の許可は事業所単位なので，修理区分毎の休止・再開というのはなく，修理区分毎の変更（追加・廃止）となります。

Q11
同一の都道府県内の移転にあたって申請の際に，添付書類の一部省略が可能か？

A11
法律上では，移転も新規での扱いとなり，原則，許可申請にあたっての提出書類の省略は出来ません。
なお，新規の申請にあたって，同一都道府県内で提出する添付書類で重複する資料がある場合には，参照できる他の申請書の番号などを新たに出そうとする申請書の備考欄に記載することで，便宜上省略することも出来ます。

Q12
実際の修理を行うのが海外製造元である場合，海外製造元へ修理依頼を出す国内の製造販売業者は，修理業許可が必要か？

A12
修理業の許可なく修理の受託は出来ません。修理を請け負う者が修理業許可を取得する必要があります。

Q13
コールセンターで修理依頼を受け，当該コールセンターにおいて修理内容を決定し，修理担当者を顧客先への派遣指示を行う場合には，修理業は必要か？

A13
この場合，当該コールセンターには修理業が必要です。
修理の内容を判断し修理担当者（修理部門）に指示することは修理業の責任技術者の主な業務の一つです。
ただし，コールセンターでは単に修理依頼を受け付けし，修理担当部門に伝える場合のみには，修理業は不要です。

Q14
保守点検業務（薬機法で示されている修理の範囲に含まれないもの）を行う際の業許可は必要か？

A14
清掃，校正，消耗品の交換，キャリブレーション等の保守点検のみを行う場合，薬機法上の許可は不要です。

Q15
医療機関より，保守点検契約に伴い，事業所の実際作業を行う業務担当者の資格証明の提出を求められている。医療法における医療機関の委託業務において，修理業の委託先要件等で資格証明など提出を求められた場合どのように対応すればよいか？

A15
業務案内書と修理業の許可証で対応ください。

Q16
修理後の貼付シールに電話番号も記入すべきか？

A16
電話番号を記載する事は義務ではありませんが，修理後の連絡先として記載されているとよいと考えます。
なお，スペースの関係で貼付できない場合は直接の被包に貼付してください。

Q17
当該医療機器の純正部品に代えて，機器の有効性，安全性に影響が出ないと思われる範囲で，互換性のある他の製品の部品で修理を行うことは良いか？

A17
医療機器の修理に使用する部品の可否は製造販売業者が判断します。了解なしに指定外の部品を使用することは，不適切です。

Q18
メーカー主催の研修時に修理マニュアルを配布している。代理店技術者がその研修に参加し，修理マニュアルに記載されている内容の範疇で修理・点検を実施する場合は，『修理の作業管理（修理の方法・範囲）並びに品質管理について事前に定められている』ことから，事前通知の対象とならない，という解釈でよいか？

A18
製造販売業者と修理業者の間で修理の作業管理（修理の方法・範囲）並びに品質管理について事前に定められている場合は，事前通知の対象とはならないが，この場合両者間での文書等により修理の方法や範囲等を明確に規定しておく必要があります。
単に製造販売業者と修理業者間で通知不要と定めている内容だけでなく，医療機器の性能及び安全性に重大な影響を及ぼす修理でないことが，事前通知の不要な対象です。
次の『軽微な修理』について参照下さい。
（薬食機発第0331004号平成17年3月31日第3項1の6）製造販売業者への通知の（1））製造販売業者が，予め想定される故障の状況と，それに対応する修理方法を文書で通知した修理の形態であって，医療機器の性能及び安全性に重大な影響を及ぼす恐れのないもののことをいう。

Q19
医療機器の耐用期間を過ぎた医療機器の修理を依頼されている。どのような使われ方をされたかも全く分からないので，断ることは可能か？

A19
当該医療機器の製造販売業者にその旨を連絡し判断を仰ぎ，その指示に従ってください。

Q20
製造販売業者の廃業等によって，修理に関する指示を受けられない医療機器の修理はどうしたら良いのか？

A20
製造販売業者の廃業等で修理の相談ができない場合，まずは都道府県の所管窓口に相談してください。

Q21
製造販売業者の改修措置において，単独の医療機器プログラムは除く，機器内蔵のプログラム（ファームウェア等）は修理業許可の範囲で対応可能か？

A21
製造販売業者の指示に基づき修理業者が処置することは可能です。製造販売業者の指示に基づき適切に対応してください。
なお，単独の医療機器プログラムのバージョンアップ等を行う行為は，プログラムの内容を変更するものであり，修理の定義（故障，破損，劣化等の箇所を本来の状態・機能に復帰させる）に該当しないため，修理業にはあたりません。

Q22
大型機器で出張修理をせざるを得ない場合，出張して修理を行う者は修理業許可を取得している事業所と同一企業のものであれば良いか，業許可を取得している事業所に属したものでなければならないか？

A22
当該医療機器の製造業者（自社製造品に限り），または修理業の許可を取得している事業所に所属する者が修理を行い，修理後の品質確認をしなければなりません。修理の内容については責任技術者に報告してください。

Q23
修理をしようとする者の勤務地が修理業許可を取得していない営業所の場合，報告は修理業許可を有する事業所に勤務する修理業責任技術者にあげる手順となっている場合，問題ないか？

A23
修理業を有しない事業所に所属する者が修理をしてはなりません。

Q24
責任技術者の継続的研修はどの時点で責任技術者であった者をいうのか。登録した責任技術者はその後 1 年のうちに受講することでよいか？

A24
修理業の責任技術者は，継続的研修を毎年度，受講する事とされています。
毎年度とは前回受講してから 1 年以内に次回の講習を受けることを意味するのではなく，年度ごとに 1 回の受講を意味するものです。受講修了証は事業所にて保管することが必要です。

Q25
別の修理区分の専門講習会を受講した年でも，責任技術者の継続的研修は必要か？

A25
継続的研修の受講は必要です。
専門講習は，薬機法施行規則第 188 条第 1 号イに基づく修理区分（特定保守管理医療機器）の医療機器修理責任技術者の資格取得を目的とする講習会です。一方，継続的研修とは薬機法施行規則第 168 条及び第 175 条第 2 項に基づく医療機器販売業等の営業所の管理者に対する継続的研修，及び同規則第 194 条に基づく医療機器修理業の責任技術者に対する継続的研修として実施する研修です。専門講習会を受けたことで，継続的研修を受講したと読み替える事はできません。

Q26
修理業の継続的研修が毎年開催されているが，県庁へ修理責任技術者として登録している者がどうしても出席出来なかった場合，どうなるのか？

A26
施行規則第 194 条（責任技術者の継続的研修）において，「医療機器の修理業者は，責任技術者に，別に厚生労働省令で定めるところにより厚生労働大臣に届出を行った者が行う研修を毎年度受講させなければならない。」と定められています。継続的研修は，複数の団体，複数の開催日，開催地で行なわれているので，別の日を捜して受講してください。

Q27
修理責任技術者の業務代行者は設定可能か。また，可能であればその際に代行者が満たすべき資格について伺いたい。
修理完了品出荷が毎日発生する。修理責任技術者が，インフルエンザ等に罹患し一定期間出勤出来ない場合等のリスクヘッジを検討したく質問致します。

A27
責任技術者が不在等の場合，業務に支障のない限りにおいて，あらかじめ業務手順書ないし下位文書で責任技術者の代理として指定された修理担当者が責任技術者の業務を代行するものとします。ただし，責任技術者は，後日，記録を確認するなどし，業務を適切に管理する責任を負うものとします。
又，代行者としては修理責任技術者の基礎講習及び貴社の取扱製品に該当する区分の修理業専門講習を修了した者が望ましいです。業務に支障を来す場合には責任技術者は変更すべきです。

Q28
手順書等の整備について，どの程度まで揃える必要があるのか？

A28
医機連が発行した手引書を参考にしてください。
「医療機器の販売業等に関する手引書」,「医療機器の修理業に関する手引書」
尚，御社の業務に照らしあわせて手順書を作成する事。疑問や子細な点は各都道府県のホームページなどで先ずは調べてください。
解消できない場合は都道府県の所管窓口に相談してください。

その他

Q1
中古医療機器を取り扱う販売業者から流通にあたって事前通知書が届くが,「ご回答が無い場合には，製造販売業者から販売の了承を得たものとします。」など，一方的に回答期限を切る記載がされていることがあり，どのような対応をすればよいのか？

A1
販売業者からの事前通知書を受けた製造販売業者は，速やかにその内容を確認し，適切な対応が必要です。
質問対応の一例として，製造販売業者からの販売業者への一次回答として,「事前通知書に関する事項を精査し回答するために〇〇日を要するため，お待ちください。」等の回答を提出し，猶予をいただくことで，当該医療機器の品質，有効性及び安全性の確保のために必要な対応を行うことが出来るものと考えます。（通知では「製造販売業者の判断に必要な事項が記載されている場合には，通知を受け取った日から 1 か月以内に」必要な措置または指示を行うこととされています。（平成 25 年 10 月 18 日薬食監麻発 1018 第 1 号「製造販売業者による中古品の販売又は賃貸に係る通知の処理について」））
少なくとも,「問題ない旨の承諾書」や「注意等ない旨の指示書」の製造販売業者からの指示（通知）に長時間を要することは，販売業務に支障をきたすおそれがあるため，製造販売業者は迅速な指示（通知）が出来るように，業務の改善や体制の整備が必要です。製造販売業者によって長期間に渡り，何の連絡もなく放置され，販売業務に支障をきたす場合には，製造販売業者へ確認の連絡を行うと共に記録を残すなどの対処が必要と考えます。

Q2
医療機器の据付時に医師の使い勝手に合わせ,「操作アームを短くして欲しいとか，スイッチの位置を変えて欲しい。」旨，依頼された。改造は，出来ないことを説明した上で，『医師の責任の下，医師の指示に従ってと言うことで納得頂けるなら』と言う条件で，その旨，文書にしたためることを了承して貰えれば，機器の有効性，安全性に影響が出ないと思われる範囲で，改造作業の手助けをすることは，いいのか？

A2
薬機法遵守および安全性確保の観点から，当該医療機器の改造はできません。また，当該改造作業の手助けや，改造作業を実施することを知っていながらその必要な材料の提供等，行うべきではありません。なお，改造にあたるかどうかは，製造販売業者にご確認ください。

Q3
高度管理医療機器等の販売業等の業に携わる役員が死亡した場合，薬機法上どのような手続きを行えばよいか？

A3
高度管理医療機器等の販売業者等は，施行規則第 174 条に規定する事項に変更が生じた場合は，30 日以内に届出を行う必要があります。
変更届は基本的な考え方として，速やかに変更の都度（イベント数の都度），提出するものです。なお，業務を行う役員の死亡日の起算日と新役員の追加変更日と変更イベントは 2 つあり，2 つの変更届けの提出が必要となる場合があります。

Q4
耐用期間を過ぎた医療機器は中古医療機器として販売可能か？

A4
耐用期間を過ぎた医療機器は，品質，有効性及び安全性の確保ができない可能性が高いため，販売，授与，貸与は行わないよう医機連では推奨しています。【薬機法第 65 条（販売，製造等の禁止）】
よって，耐用期間を過ぎた医療機器の販売は望ましくありませんが，個々の判断は，当該医療機器の製造販売業者の指示に従ってください。

Q5
リース期間終了後に販売したいとリース会社から依頼があるが，耐用期間経過後の医療機器は，経年劣化しており，点検修理等を行っても基本性能及び精度を担保できない可能性があるため，再販はできないのか？

A5
耐用期間を過ぎた医療機器は，品質，有効性及び安全性の確保ができない可能性が高いため，販売，授与，貸与は行わないよう医機連では推奨しています。【薬機法第65条（販売，製造等の禁止）】
よって，耐用期間を過ぎた医療機器の販売は望ましくありませんが，個々の判断は，当該医療機器の製造販売業者の指示に従ってください。

Q6
医療機関にリース期間中の医療機器が契約期限切れに伴い，中古医療機器の販売をすることになり，リース会社は製造販売業者へ事前通知をした。製造販売業者からの指示書には，オーバーホール等を行うことの指示があり，その必要性を医療機関へ説明したが，医療機関からは，「装置はいつもとかわらず動作しているので，買い取りに際してオーバーホール等のコストのかかることは認めない」とのことであった。
このように，設置場所も変わらず，また装置状態も使用者側（買取側）が良好と判断している装置の中古医療機器の販売において，製造販売業者が指示したオーバーホール等は必要なのか。また，仮に製造販売業者からの指示（オーバーホール等の実施）を遵守することなく，医療機関に販売された医療機器が故障した場合，その対応を修理業者が受けることはよいのか？

A6
安全性の観点から製造販売業者はオーバーホール等の作業指示を示されている。従って，現状の良否に関わらず医療機関にその旨を説明し理解を得てください。
当該医療機器の所有権はリース会社にあるものの医療機関が使用中，かつリース契約期限が迫っている状況の下，当該医療機器を撤収することは困難にあることが伺えますが，製造販売業の指示に従わず販売すれば，薬機法違反となるため，製造販売業者が指示したオーバーホール等の実施は必要です。
修理業者の対応としては本来，製造販売業者からの指示を遵守するという法的義務があるので修理業者は，製造販売業者の指示に従ってください。

Ⅲ－３　試用医薬品に関する基準

平成10年１月20日　公正取引委員会届出
改定　平成13年３月19日　公正取引委員会届出
改定　平成16年５月25日　公正取引委員会届出
改定　平成17年３月29日　公正取引委員会届出
改定　平成26年６月16日　公正取引委員会・消費者庁長官届出

本基準は規約第５条第３号，施行規則第２条（試用医薬品提供基準）に基づくものである。

第１　試用医薬品の区分及び定義

1．「試用医薬品」とは，次に掲げる区分に従い，医療機関等に無償で提供する医療用医薬品をいう。

(1) 製剤見本
医療担当者が当該医療用医薬品の使用に先立って，剤型及び色，味，におい等外観的特性について確認することを目的とするもの

(2) 臨床試用医薬品
医師が当該医療用医薬品の使用に先立って，品質，有効性，安全性，製剤的特性等について確認，評価するために臨床試用することを目的とするもの

2．製造販売業者は試用医薬品をこの目的外で提供してはならない。

3．商品の試用医薬品への転用を行わないものとする。また，製剤見本及び臨床試用医薬品の相互の転用を行わないものとする。

第２　提供基準
試用医薬品の提供は，当該医療用医薬品に関する情報を必ず伴うものとする。試用医薬品は，製造販売承認取得後において提供できるものとし，その基準を次のとおりとする。

1．製剤見本
(1) 包装単位は製剤見本の目的に応じた最小包装単位とする。
1）下記剤型（標準４剤型）の製剤見本の包装単位は次の表のとおりとする。

剤型	製剤見本
錠，カプセル，膠球，トローチ等	6個以下
散，末，顆粒，細粒，ドライシロップ等	5g又は5包以下
注射剤（点滴用輸液を除く）	2管以下あるいは1瓶
軟膏，クリーム	商品の最小単位以下の1本

製剤見本において剤型の特徴を示すため等の特別な理由があり，上記記載の包装単位を超

える必要が生じた場合，申請に基づき公正取引協議会にて定めるものとする。

2）表に記載してある標準4剤型以外の剤型に関し，その包装単位を定める必要がある場合は，申請に基づき公正取引協議会にて定めるものとする。

3）包装単位の申請は「製剤見本の包装単位に関する申請書」（様式1）により行う。

(2) 提供量は，製剤見本の目的に応じた必要最少限度とする。

1）「必要最少限度」の提供量は，医療担当者1名に対して1～2個（包装）とする。

2）反復提供を行わない。

3）卸売業者を経由して提供する場合は，提供先医療機関等を指定し，製剤見本が当該医療機関等に確実に渡される方法を取ること。

(3) 包装形態は，製剤見本については任意とする。

(4) 製剤見本の表示は次のとおりとする。

1）製剤見本であることを明示するため，缶，瓶，チューブ，袋等に貼付するラベル及び外函に，「製剤見本」と表示する。

2）外函のない製剤見本については，直接の容器又はそのラベルに必ず「製剤見本」と表示する。

3）外函のある製剤見本については，直接の容器又はそのラベルに「製剤見本」という表示を省略することができる。

2．臨床試用医薬品

(1) 臨床試用を行おうとする医師の書面による要請があった場合に限って提供する。

1）「医師の書面による要請」は公正取引協議会において定める「臨床試用医薬品試用書」（様式2）によるものとする。

2）臨床試用医薬品の試用の可否を薬事審議会等の審議を経て決定している医療機関にあっては，「医師の」を「医療機関の」と読み替えることができる。ただし，この場合にあっては，試用診療科名と当該診療科における試用日数・試用症例数・試用量の明細を付してもらうものとする。

3）提供に際しては，医療機関からの受領書を必ず入手するものとする。「受領書」の様式は，製造販売業者の任意とする。

(2) 医師が所属医療機関において臨床試用を行うために提供するものであり，したがって薬局に対して提供しない。

(3) 製造販売業者の医薬情報担当者が医療機関に対する情報提供に伴って自ら提供するものであり，したがって卸売業者を経由する提供はしない。

(4) 包装単位は，当該商品の最小包装単位以下とする。

(5) 提供期限は，次のとおりとする。

1) 新たに薬価基準に収載される医療用医薬品の場合：薬価基準収載後1年以内

2) 薬価基準に既に収載されている医療用医薬品であって，下記の効能追加等の承認を取得した場合：効能追加等の承認後1年以内

① 再審査期間が付された効能追加，用法・用量追加

② 同一成分・同剤型で初めて承認された効能追加

(6) 提供量は，臨床試用の目的に応じた必要最少限度とする。

1) 提供量は「一日用量」×「試用日数」×「試用症例数」により算出され，一日用量，試用日数及び試用症例数の「必要最少限度」の範囲は次のとおりとする。

①〔一日用量〕　医療用医薬品の承認されている用法・用量の範囲とする。

②〔使用日数〕　効果が比較的短期間において確認できる医療用医薬品の場合は14日以内，長期間の場合は30日以内，屯服用に使われる医薬品の場合は3～4回分とする。

③〔試用症例数〕　診療所においては1施設当たり3症例を限度とする。病院においては，1施設当たり20症例を限度とする。

(7) 包装形態は次のとおりとする。

1) 臨床試用医薬品については，缶，瓶，チューブ，袋等に貼付するラベル及び外函を白地又は無地とし，商品と明確に判別できるものとする。

2) 臨床試用医薬品で，患者の目にふれると不都合があると考えられる直接の容器及びこれに貼付するラベルについては，例外として白地又は無地にすることを要しない。

(8) 表示は次のとおりとする。

1) 臨床試用医薬品であることを明示するため，缶，瓶，チューブ，袋等に貼付するラベル及び外函に，「臨床試用医薬品」と表示する。

2) 外函のない臨床試用医薬品については，直接の容器又はそのラベルに必ず「臨床試用医薬品」と表示する。

3) 外函のある臨床試用医薬品のうち，通常そのまま患者の目にふれるとみられる直接の容器又はそのラベルについては，「臨床試用医薬品」という表示を省略することができる。

(9) 当該医療用医薬品を既に採用している医療機関に対しては提供を行わない。

(10) 効能追加等の場合，臨床試用医薬品の提供は，あくまで追加承認された効能等についての試用に限定して提供できるものである。

ただし，この場合においても，既に当該商品が採用されている医療機関に対しては提供してはならない。

(11) 他社品，自社品を問わず，既に同一成分及び同剤型の医療用医薬品が採用されている医療

機関に対する提供については，臨床試用医薬品本来の目的から逸脱しないように十分留意するものとする。

第３　企業内管理

製造販売業者は，試用医薬品の管理に関する総括責任者として「試用医薬品管理責任者」１名を任ずるとともに，各事業所に「試用医薬品管理者」を置き，試用医薬品に関する計画立案，保管，配分，提供の各段階における適正な管理を行う。

（様式１）　（A4 版）

年　月　日

医療用医薬品製造販売業
公正取引協議会　御中

（　会 社 名　　㊞　）

「製剤見本の包装単位に関する申請書」

掲題について運用基準Ⅲ－３第２－１．－(1）に基づき，下記のとおり申請いたします。

記

１．会社名

２．事業者別商品名
　　剤型
　　規格・単位
　　商品の最小包装単位

３．製剤見本の包装単位

４．申請理由

５．試用医薬品管理責任者の役職，氏名，電話番号，FAX 番号

（添付資料）

・添付文書等（効能・効果，用法・用量，商品の包装が判るもの），及び剤型を確認できる写真や図等を添付すること。
・上記用紙に記入しきれない場合は別紙を添付すること。

（様式2）

臨床試用医薬品試用書

年　月　日

＿＿＿＿＿＿＿＿＿＿＿＿＿＿＿＿殿

所　在　地
医療機関名
科　　　名
氏　　　名　　　　　㊞

品名・規格・容量	数量	1日(回)用量	試用日(回)数	症例数	試用量

"公正競争規約施行規則及び運用基準"

●臨床試用医薬品の定義：医師が当該医療用医薬品の使用に先立って，品質，有効性，安全性，製剤的特性等について確認，評価するために臨床試用することを目的とするもの。

●提供量算出基準：〔一日用量〕×〔試用日数〕×〔試用症例数〕

〔一日用量〕　承認用法・用量の範囲

〔試用日数〕　①効果確認　比較的短期間でできるもの　14日以内
②　〃　長期間かかるもの　30日以内
③頓服用に使われる医薬品の場合　3～4回分

〔試用症例数〕　診療所　……3症例限度
病院　………1病院当り20症例限度

医療用医薬品製造販売業公正取引協議会

「体外診断用医薬品企業活動倫理要綱」及び「試用体外診断用医薬品に関する管理基準」改訂の件連絡

（平成20年10月22日　臨薬協発20第64号
会員各位あて　（社）日本臨床検査薬協会通知）

平素は臨薬協の活動にご理解とご尽力いただき誠にありがとうございます。

先の第78回理事会（平成20年9月19日開催）におきまして「体外診断用医薬品企業活動倫理要綱」及び「試用体外診断用医薬品に関する管理基準」の改訂案が承認されましたので，ご案内いたします。主な改訂点は下記の通りです。

記

Ⅰ．主な改訂点

1．用語の統一

「臨床検査薬」には「体外診断用医薬品」，「体内診断用医薬品」及び「検査用試薬」が含まれており，臨薬協で対象とするものは「体外診断用医薬品」と「検査用試薬」である。今回，「体外診断用医薬品」を前提に倫理要綱及び試用品の管理基準を制定し，これを「検査用試薬」にも適用する事とし，全てをカバーする表現とした。

2．企業倫理要綱での改訂点

1）新たに研究開発努力と性能の確保の項目を設けた。

・研究開発の文言を加えた。

2）倫理基準の詳細の説明は省略し，関連法令等の遵守とした。

・要綱では大筋の表現に止めた。

3．試用品の管理基準での改訂点

1）体外診断用医薬品の外観表現を見直した。

（「剤型」の表現は医薬品に多く見られる）

・「剤型見本」→「形状見本（剤型見本）」

・剤型及び色，におい→形状，構造（剤型及びにおい）

2）企業内管理の内容の見直し。

・企業内管理の実務を，薬事法に基づく医薬品販売管理者が行う事となっているが，この表現では全ての業務を管理薬剤師が行うことと解釈される。管理薬剤師は全体の把握は必要であるが，実務は一般職員で問題ない。

Ⅱ．送付資料

1）「体外診断用医薬品企業活動倫理要綱」（改訂版）　【資料1】

2）「試用体外診断用医薬品に関する管理基準」（改訂版）　【資料2】

以上

【資料 1】

体外診断用医薬品企業活動倫理要綱

（社）日本臨床検査薬協会は，体外診断用医薬品が，国民医療の中で果たしている重要な使命を認識し，優れた体外診断用医薬品の開発・生産・供給を通じ健康で豊かな社会の発展に貢献していることを自覚し，更に体外診断用医薬品が正しい情報活動により適正に使用されることを目的として，ここに会員会社の総意に基づき「体外診断用医薬品企業活動倫理要綱」を策定する。

会員会社はこの倫理要綱の策定意義を理解し，会員会社相互の信頼と協調の精神に基づき，本要綱により企業活動を行うものとする。

なお，本要綱は体外診断用医薬品に該当しないが臨床検査に用いる検杏用試薬にも適用するものとする。

1.研究開発努力と性能の確保

会員会社は医学・薬学等の科学の進歩に対応し，研究開発に努力するとともに，製品の性能の確保に努める。

2.品質保全

会員会社は品質の優れた体外診断用医薬品の生産に努めるのはもちろんのこと，流通過程における輸送・保管管理等においても品賀が保全されるよう努める。

3.安定供給

会員会社は体外診断用医薬品を安定的に供給することの重要性を認識し，その態勢の整備に努める。

4.情報の収集・伝達

会員会社は体外診断用医薬品が医療機関等において適正に使用されるために，的確な情報の収集・伝達が重要であることを認識し行動する。

5.倫理基準

会員会社の行うプロモーションは，いついかなる場合においても，関連法令等を遵守し，かつ体外診断用医薬品の信用を損なうようなものであってはならない。

6.臨床検査薬情報担当者

臨床検査薬惜報担当者は，各人がその所属する会社を代表するものである。したがって，会員会社は適切な者を臨床検査薬情報担当者に任ずるとともに，その教育研修に努めるべきである。その目的のため（社）日本臨床検査薬協会は教育研修委員会を設置し運営する。

7.印刷物・広告

会員会社はプロモーション用印刷物および広告が情報伝達の重要手段であることを認識し，

記載内容および表現の適正化に努める。

8.試用体外診断用医薬品

会員会社は試用体外診断用医薬品が体外診断用医薬品の適正な使用のための重要な手段であることを認識し，本来の目的に従って使用する。

（社）日本臨床検査薬協会は「試用体外診断用医薬品に関する管理基準」を策定し，会員会社はこれを尊重する。

9.公正な競争原理に基づく販売姿勢

会員会社は体外診断用医薬品の販売にあたっては，公正な競争秩序を確保するために「医療用医薬品製造業における景品類の提供の制限に関する公正競争規約」の趣旨を尊重する。

10.　実施年月日

昭和62年7月1日より実施する。

平成20年10月1日改訂実施する。

【資料2】

試用体外診断用医薬品に関する管理基準

社団法人日本臨床検査薬協会は，体外診断用医薬品の特殊性を考慮した具体的実践指針として「試用体外診断用医薬品に関する管理基準」を会員会社の総意に基づき自主的に策定する。会員会社は試用体外診断用医薬品が体外診断用医薬品の適正使用のための重要手段であるとの認識に基づき本基準を尊重する。

なお，本管理基準は体外診断用医薬品に該当しないが臨床検査に用いる検査用試薬にも適用するものとする。

1.試用体外診断用医薬品の定義と区分

試用体外診断用医薬品とは，人体外で臨床検査を目的として試用されるもので臨床的滋義が確立されかつ汎用されており，その分析方法の分析学的評価が得られており，その結果が必要な正確性，再現性が得られるもの，すなわち体外診断用医薬品であって次に掲げるものをいう。

1）　体外診断用医薬品形状見本（剤型見本）（以下形状見本という）

検査担当者が当該体外診断用医薬品の使用に先立って形状，構造(剤型，色及びにおい)など外観的特性について確認することを目的とするもの。

2）　体外診断用医薬品試用品（以下試用品という）

検査担当者が当該体外診断用区薬品の使用に先立って，その正確性，再現性などについての確認評価に資するために試用することを目的とするもの。

2.包装形態および包装容量

1）包装形態：商品と明確に区別できるような形態または表示とする。

2）包装容量：剤型見本は当該商品の最少包装容最を超えないもの，試用品は当該商品の包装容最を超えないものとする。

3.表示

試用体外診断用医薬品はその目的であることを明示する為容器に貼付するラベルまたは外函等に「形状見本」（又は「剤型見本」）又は「試用品」と表示する。

4.品質保全

試用体外診断用医薬品の品質保全については商品と同じく十分に留意する。

5.提供基準

試用体外診断用医薬品の提供は当該体外診断用医薬品に関する情報を必ずともなうものとし，その提供基準を次のとおり定める。

1）形状見本（剤型見本）

ア．提供量はその目的により必要な最少量とする。

イ．臨床検査薬情報担当者が直接提供するものとする。ただし，新発売時または形状（剤型）変更時などの場合は卸を通じて提供できるが，その提供量は必要最少量とする。尚，いずれの場合も反復提供を行わない。

2）試用品

ア．臨床検査薬情報担当者が直接提供するものとする。

イ．当該体外診断用医薬品をすでに使用している医療機関等に対しては，品質上のクレーム発生，ロット間のチェック等の場合を除き，当該体外診断用医薬品の試用品の提供は行わない。ただし提供する場合は必要最少量とする。

ウ．提供期限は特に定めないが，提供期間は，当該体外診断用医薬品についての試用目的を十分確認の上，それに必要な最短期間とする。

エ．提供量は試用目的・試用方法・試用検体数・試用期間を十分確認の上，それに必要な最少量とする。

オ．提供に際しては医療機関等からの受領書を必ず入手する。

カ．既に同一成分，同一剤型，同一方法論の体外診断用医薬品が使用されている医療機関等に対するこの試用品の提供についは，その本来の目的から逸脱しないよう十分留意する。

3）適用範囲

試用体外診断用医薬品の提供基準の適用範囲は医療機関および臨床検査を行う機関とする。

6.企業内管理

会員会社は試用体外診断用医薬品の提供に関する計画立案，記録，保管，分配，提供の各段階を適切に管理すること。

7. 実施期日

この「管理基準」は昭和 62 年 7 月 1 日から実施する。

平成 12 年 12 月 15 日改訂実施する。

平成 20 年 10 月 1 日改訂実施する。

医薬品の承認申請等に関する質疑応答集（Q & A）について

（平成28年10月27日　事務連絡
各都道府県衛生主管部（局）薬務主管課あて　厚生労働省医薬・生活衛生局医薬品審査管理課）

医薬品（体外診断用医薬品を除く。以下同じ。）の承認申請等に関する質疑応答集（Q&A）を別添のとおりとりまとめたので，貴管下関係業者に対し周知願います。

別添

医薬品の承認申請等に関する質疑応答集（Q&A）

本Q&Aは，軽微変更届出の対象となる事例の一部を示したものであり，これらの事例以外にも該当する事例はあることから，必要に応じ審査当局に相談すること。また，軽微変更届出の対象とされた場合であっても，事前に変更前後の試験法及び結果に問題がないことを確認しておく必要があり，資料については，審査当局からの求めに応じて提出できるよう，適切に保管しておくこと。

また，本Q&Aにおいて，「日本薬局方」を「日局」，「日本薬局方外医薬品規格」を「局外規」，「医薬品医療機器法第14条第9項の規定に基づく承認事項の一部変更承認申請」を「一変申請」，「医薬品医療機器法第14条第10項の規定に基づく承認事項の軽微な変更に係る届出」を「軽微変更届出」，とそれぞれ略する。

〈医薬品共通〉

Q1　日局で定められている「点眼剤の不溶性異物検査」を追加する場合，どのような手続きが必要か。

A1　軽微変更届出で差し支えない。

Q2　製造工程において使用している「水」を，日局に収載されている製薬用水のいずれかに変更する場合は，軽微変更届出で良いか。

A2　良い。ただし，医薬品製造用の水としては，製薬用水の中から使用目的に応じて，最終製品の品質が保証され，製造過程で支障をきたさないものを選択すること。

Q3　添加剤の変性アルコールを無変性アルコールに変更する場合は，軽微変更届出で良いか。

A3　「アルコール事業法施行に伴う医薬品等の承認申請の取扱いについて」（平成12年12月26日付医薬審第1803号，医薬監第196号通知）の記の1の（1）のア及びウ又はイ及びウの条件を満たす場合は，軽微変更届出で差し支えない。

Q4　規格及び試験方法のうち，試液名のみの変更であり，試液の調製方法等他に変更がない場合は，軽微変更届出で良いか。

A4　試液名のみ記載整備する場合は，軽微変更届出で差し支えない。

〈医療用医薬品〉

Q5　製剤見本（有効成分を含有する臨床試用医薬品は除く。）は「医療用医薬品製造販売業における景品類の提供の制限に関する公正競争規約施行規則（平成23年1月21日改正）」において，「医療担当者が当該医療用医薬品の使用に先立って，剤型及び色，味，におい等外観的特性について確認することを目的とするもの」とされているが，当該製品は有効成分を含有しないため，製造する製造所を製造販売承認申請書に記載する必要があるか。

A5　製造販売承認申請書に記載する必要はない。なお，既に製剤見本について記載している場合には，別途，軽微変更届出時に当該記載を削除することで差し支えないこと。

Q6　生物学的製剤等の「包装（二次包装）・表示・保管」のみに係わる製造所については，軽微変更届出により変更又は追加しても良いか。

A6　良い。ただし，追加又は変更する製造所については，適切な変更管理が行われていることを事前に製造販売業者として確認すること。

〈要指導・一般用医薬品〉

Q7　要指導・一般用医薬品において，プレミックス原薬の製造方法の変更は，軽微変更届出で良いか。

A7　良い。ただし，規格及び試験方法に変更がなく，適切な変更管理が行われていることを事前に製造販売業者として確認すること。

Q8　要指導・一般用医薬品において，製法が規定されている漢方エキス，生薬エキスの製造所の変更は，軽微変更届出で良いか。

A8　良い。ただし，製法を含む規格及び試験方法に変更がなく，適切な変更管理が行われていることを事前に製造販売業者として確認すること。

Q9　要指導・一般用医薬品において，漢方エキス，生薬エキスの含量規格の変更は，軽微変更届出で良いか。

A9　一変申請に該当する。ただし，現在の規格の幅を狭める場合は，軽微変更届出で差し支えない。

Q10　要指導・一般用医薬品において，原薬の製造方法に記載している貯蔵容器の変更は，軽微変更届出で良いか。

A10　良い。ただし，当該変更が，品質に影響を与えないことを事前に製造販売業者として確認すること。

Q11　要指導・一般用医薬品における定量法の試料溶液の調製において，ろ過処理を追加する場合，軽微変更届出で良いか。

A11　製造販売業者において変更前後での試験結果に影響がないことを確認した上であれば，軽微変更届出で差し支えない。

Q12　要指導・一般用医薬品において，公定書等で適当な賦形剤との混合にて製したものとされている原薬（局外規ラクトミン等）の製造方法に倍散調製を加える旨の変更をする場合，軽微変更届出で良いか。

A12　原薬に倍散調製を行っても規格に適合する場合は，軽微変更届出で差し支えない。

第四部
製薬企業における GDP 関連活動事例

GDPにおける品質システムの考え方

2018年12月28日付事務連絡として,「医薬品の適正流通(GDP) ガイドライン」が発出された。本ガイドラインは，厚生労働省が広く周知することで，卸売販売業者等における自主的な取組みを促していくことを目的として発出されたもので，2018年度厚生労働行政推進調査事業「GMP, QMS，GCTPのガイドラインの国際整合化に関する研究」分担研究「医薬品流通にかかるガイドラインの国際整合性に関する研究」(分担研究者　木村和子）の成果物として，PIC/S GDPをベースとして，日本の医薬品流通の状況を考慮して策定された「日本版GDP」である。

本ガイドイランは品質システムに基づいており，その対応には，品質システムを考慮した体制を構築する必要がある。

1. 品質システムとは

品質システムは，品質マネジメントシステム（Quality Management System）とも呼ばれ，ISO 9001（2000年版）から採用された考え方であり，製品や提供するサービスの品質を管理・監督するための仕組み（システム）である。その特徴は，経営トップのコミットメントに基づいた製品や提供するサービスの品質，さらには品質システム自身の継続的な改善のための組織的な活動であり，それによる顧客満足の達成である。

日本において，GQP，GMPに関する品質システムガイドラインとして,「医薬品品質システムに関するガイドラインについて」(2010年2月19日，厚生労働省医薬食品局審査管理課長および監視指導・麻薬対策課長通知，以下，本稿内では「本ガイドライン」とする）[1] が知られている。これは日米EU医薬品規制調和国際会議（現　医薬品規制調和国際会議，以下，ICH）にて，科学的なリスク評価およびリスクマネジメントに基づいた統合化された新たなアプローチにより，企業における品質システム，および規制当局による審査・査察の継続的な品質改善の達成を目指して，採用されたトピックであり，2008年6月にStep 4文書として日米EU（三極）合意され，2010年2月19日に発出された。

GDP対応体制の整備において，本ガイドラインを理解することで，より適切な品質システムを構築することが可能となると思われる。

2. 医薬品品質システムの概要

医薬品品質システムの構成を**図 4-1** に示した。

以降，ICH Q10の概要について，具体的に見てみたい。

2.1「第1章　医薬品品質システム」の概要

2.1.1 はじめに

本章には本ガイドラインの基本的な考え方が記載されている。本章の抜粋を**図 4-2** に示した。本ガイドラインはISOの品質概念に基づいていること，各国に適用されるGMPを包含するものであること，ICH Q8（製剤開発），Q9（品質リスクマネジメント）を補完し，包括的な品質システムのモデルであると記述されている。

1.　医薬品品質システム
　1.1 はじめに
　1.2 適用範囲
　1.3 ICH Q10と各極のGMP要件，ISO規格及びICH Q7との関連
　1.4 ICH Q10と薬事上のアプローチとの関連
　1.5 ICH Q10の目的
　1.6 達成のための手法：知識管理及び品質リスクマネジメント
　1.7 設計及び内容に関する考慮点
　1.8 品質マニュアル
2.　経営陣の責任
　2.1 経営陣のコミットメント
　2.2 品質方針
　2.3 品質計画
　2.4 資源管理
　2.5 内部の情報伝達
　2.6 マネジメントレビュー
　2.7 外部委託作業及び購入原材料の管理
　2.8 製品所有権における変更の管理
3.　製造プロセスの稼働性能及び製品品質の継続的改善
　3.1 ライフサイクルの各段階の目標
　3.2 医薬品品質システムの要素
　　3.2.1 製造プロセスの稼働性能及び製品品質のモニタリングシステム
　　3.2.2 是正措置及び予防措置（CAPA）システム
　　3.2.3 変更マネジメントシステム
　　3.2.4 製造プロセスの稼働性能及び製品品質のマネジメントレビュー
4.　医薬品品質システムの継続的改善
　4.1 医薬品品質システムのマネジメントレビュー
　4.2 医薬品品質システムに影響を与える内的及び外的要因のモニタリング
　4.3 マネジメントレビュー及びモニタリングの成果
5.　用語

図4-1　医薬品品質システム（ICH Q10）の構成

✓ ISOの品質概念に基づき，適用される**GMPを包含**し，**ICH Q8及びICH Q9を補完**する，包括的な品質システムモデル。
✓ ICH Q10の内容のうち，**GMP要件に付加的な部分の実施は任意**である。
✓ 製品ライフサイクルの全期間にわたりICH Q10を実施することは，**イノベーションと継続的改善を促進**し，医薬品開発と製造活動の連携を強化するものでなければならない。

ICH Q10の目的

図4-2　はじめに（抜粋）

すなわち，本ガイドラインの記載内容だけでは，実効的な品質システムを構築することはできず，各国のGMPやICH Q8，Q9と合わせることで初めて実効的な品質システムの構築が可能となる。当然GDPにおいてはGDPガイドラインに規定される各要件を考慮して品質システムを構築することが必要である。

さらに，本ガイドラインの内容のうちGMPやGDP要件に付加的な部分の実施は任意であり，イノベーションと継続的改善を促進し，開発と製造活動の連携を強化するものでなければならないと記述されている。すなわち，本ガイドラインの規定内容そのものは法的な規制対象ではないものの，本ガイドラインを実践することで，イノベーションと継続的改善の促進や，開発，製造および流通の連携強化につなげることを意図したものと考えることができる。

2.1.2 適用範囲

本ガイドラインの適用範囲である製品ライフサイクル全般とは，具体的には医薬品開発，技術移転，商業生産，製品の終結の4つの段階に分けて考えることができる。

本ガイドラインで示された適用範囲の概要を**図4-3**に示した。「医薬品開発」においては，原薬及び製剤開発や治験薬の製造，（製造）プロセスの開発等，医薬品の（製造）プロセス開発の全般が対象となり，試験法の開発等も含まれる。「技術移転」では，医薬品開発から商業生産への移行時の技術移転だけでなく，すでに商業生産の段階にある製品における製造ラインの変更や，自社の他の製造所，製造委託のための他社製造所への製造移管もその対象と考えることができる。また「商業生産」においても，原材料等の調達や，ユーティリティ，生産，品質管理，品質保証等のすべての生産活動が対象となる。GDPにおいては，施設や設備の設計や輸送方法の検討，初期の適格性確認等は「技術移転段階」に相当し，実際の保管管理や輸送の業務は「商業生産」の段階に相当すると考えることができよう。

また，「製品の終結」においては，文書記録やサンプル保管，製品の継続的評価・報告等が対象となる。

なお，GDPにおいては「製造プロセス」は「GDPに規定された各業務プロセス」，また「製品」

○製品のライフサイクル全期間にわたり適用する。
○各段階に適切かつ釣り合ったレベルで適用される。

医薬品開発 ＞ 技術移転 ＞ 商業生産 ＞ 製品の終結

◆医薬品開発
原薬開発，処方開発，治験薬製造，製造プロセスの開発等

◆技術移転
開発から製造への期間における新規製品の技術移転
市販品の，製造所内および製造所間の技術移転

◆商業生産
原材料等の調達，ユーティリティ，生産，品質管理，品質保証等

◆製品の終結
文書記録の保管，サンプル保管，製品の継続的評価・報告

図4-3　適用範囲

は「サービス」とも言い換えたほうが理解しやすいと思われることから，本稿では以降「(製造)プロセス」,「製品（サービス)」と表記する。

2.1.3 ICH Q10と各極のGMP要件等との関連

1.3章においては本ガイドラインと各極のGMP（GDP）要件等との関連が記述されている。その概要を**図 4-4** に示したが, ICH Q7（原薬GMPのガイドライン）を含む各極のGMP (GDP) およびISO9001品質システムが基盤となり，その上に本ガイドラインに記述された経営者の責任や品質システムの要素を上乗せする形で，品質システムが構築され，また品質リスクマネジメントや知識管理を活用することで，より一層本ガイドラインの目的を達成可能なシステムとすることができる。日本版GDPにおいては，すでに第一章に「品質マネジメント」として品質システムの骨子が記述されている。GDPに規定された各要件を基盤として，その遵守をより確実なものとするためにも，品質マネジメントシステムの活用が求められる。

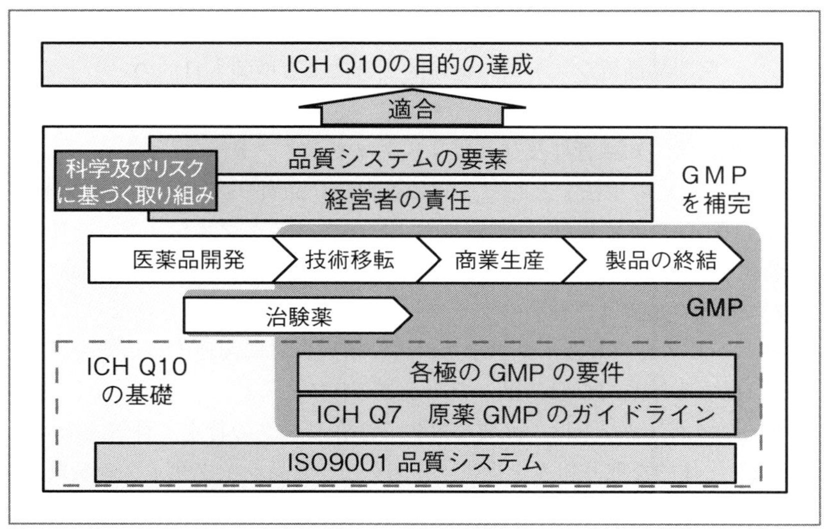

図 4-4　ICH Q10と各極のGMP要件等との関連

2.1.4 ICH Q10の目的

1.5章には本ガイドラインの目的として「1.5.1 製品実現の達成」および,「1.5.2 管理できた状態の確立及び維持」,「1.5.3 継続的改善の促進」が規定されている。

この中で最終的な目的は「1.5.1 製品実現の達成」であって，それを達成するための副次的な目的が「1.5.2 管理できた状態の確立及び維持」であり，さらに「1.5.3 継続的改善の促進」があるものと考えられる。その概要を**図 4-5** に示した。

すなわち，患者や医療関係者のニーズに適合する，適切な品質特性を有する製品（サービス）を安定的に供給するために，品質システムが適切に維持管理されていることが必要であり，そのためには（製造）プロセスや品質試験,（製造）環境が管理できた状態を確立することが求められる。(製造）プロセス及び製品（サービス）品質をモニタリングし，管理された状態であることを確実にするとともに，課題等が発見されれば改善につなげていく。さらにその継続的改善を

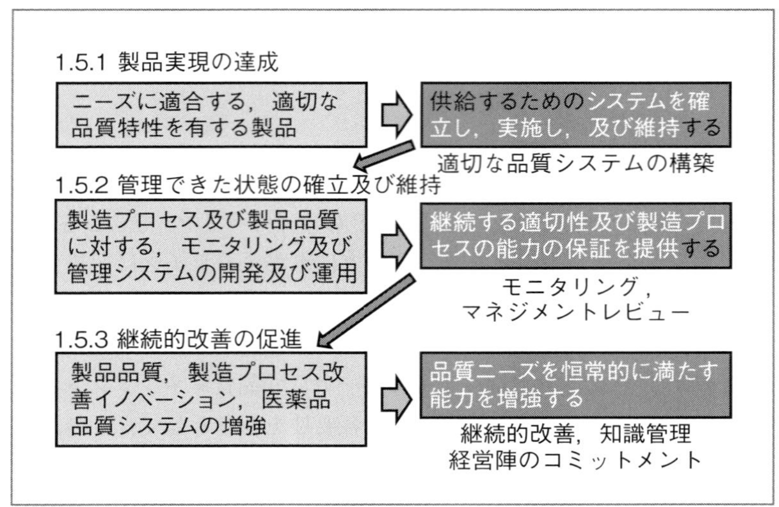

図4-5　ICH Q10の目的

確実にするために，医薬品品質システムの継続的改善による増強も目的の一つとなる。

2.1.5 達成のための手法：知識管理及び品質リスクマネジメント

1.6章には「達成のための手法」として，知識管理及び品質リスクマネジメントが記述されている。本章の概要は**図4-6**に示した。知識管理および品質リスクマネジメントを使用することで，ICH Q10が実効化し，1.5章に述べた目的の達成を促進するとしたうえで，製品（サービス）および（製造）プロセスの知識は，製品のライフサイクルを通して管理されなければならない。知識管理は，製品(サービス)，（製造）プロセスおよび構成資材に関連する情報を獲得し，分析し，保管し，および伝播する体系的な取り組みであるとされている。

また，品質リスクマネジメントは，品質に対する潜在リスクの特定，科学的な評価およびコントロールに対して，主体的な取り組みを提供するもので，製品ライフサイクル全期間にわたり(製造）プロセスの稼働性能及び製品(サービス）品質の継続的改善を促進するとされている。なお，品質リスクマネジメントの手法としてICH Q9[2] が紹介されているが，知識管理に関しては具体的な方法の記載はない。個々の業務において必要な知識を明らかにし，今後の活用に向けて蓄積

1.6.1 知識管理

知識管理は，製品，製造プロセス等に関する情報を獲得し，分析し，保管し，及び伝播する体系的な取り組み。

知識：既存の知識，医薬品開発研究，技術移転活動，プロセスバリデーション，製造経験，イノベーション，継続的改善及び変更マネジメント活動等

1.6.2 品質リスクマネジメント

品質に対する潜在リスクの特定，科学的な評価及びコントロールに対する，主体的な取り組み。

品質リスクマネジメントは**製造プロセスの稼働性能及び製品品質**の継続的改善を促進(**品質システムの設計，管理戦略の構築**等にも活用，ICH Q9を参照)。

図4-6　達成のための手法：知識管理及び品質リスクマネジメントの概要

し，必要なときはすぐに活用できるように適切に管理することが求められる。GDPにおいては，例えば保管施設のバリデーションやクオリフィケーションおよび温度マッピングの方法や結果，輸送起因の品質情報等が，管理すべき知識としてあげられる。

2.1.6 設計及び内容に関する考慮点

1.7章には「設計及び内容に関する考慮点」として，品質システムを企業内又は製造所内に構築する場合には，品質システムの組織及び文書は明快であること，ICH Q10の各要素は，各段階に釣り合ったレベルで適用されること，品質システムには「外部委託作業及び購入原材料の質の保証」のためのプロセスを含むこと，経営陣の責任は医薬品品質システムの中で特定されること，品質システムの要素には「製造プロセスの稼働性能及び製品品質のモニタリング」，「是正措置及び予防措置」，「変更マネジメント」及び「マネジメントレビュー」を含むこと，プロセスの有効性のモニターには「業績評価指標」を使用すること等が示されている（**図4-7**）。

すなわち，品質システムの対象は直接の生産活動だけでなく，外部委託作業や購入原材料の質の保証をするためのプロセス等も品質システムの対象として，継続的改善に結びつける必要がある。また品質システムの要素として本ガイドライン3.2章に示された「製造プロセスの稼働性能及び製品品質のモニタリング」，「是正措置及び予防措置」，「変更マネジメント」および「マネジメントレビュー」を含む必要があるとされているが，本来の品質システムの要素としてはこの4つだけでは不十分であり，GDPにおいては，保管や輸送，施設管理等の業務の結果や顧客からの苦情，教育訓練，自己点検，文書や記録の管理等のGMP（GDP）等に規定された各要素も含まなければならない。また，システムやプロセスのモニタリングに際しては，漫然と確認するのではなく，あらかじめ業績評価指標として確認すべきポイントや判断基準を定めておくことで客観的なモニタリングが可能となる。なお業績評価指標には，なるべく数値化可能なパラメータを定めておくことで，より客観性が確保できる。

また，これらの活動内容を設計する際には，企業規模や複雑さも考慮することが好ましく，そのためには品質リスマネジメントの活用も有用であることも記述されている。初めから重装備の品質システムを構築するのではなく，例えば最初は対象範囲を品質リスクの高い組織や業務に限

(b)　ICH Q10の要素は，**各段階に釣り合ったレベルで適用**される。
(d)　品質システムは，「外部委託作業及び購入原材料の質の保証」のためのプロセスを含む
(e)　経営陣の責任は，医薬品品質システムの中で特定される。
(f)　品質システムの要素は「**製造プロセスの稼働性能及び製品品質のモニタリング**」，「**是正措置及び予防措置**」，「**変更マネジメント**」及び「**マネジメントレビュー**」を含む
(g)　プロセスの有効性のモニターには「**業績評価指標**」を使用する

↑

(c)　当該企業の**規模及び複雑さが考慮**され，設計には**リスクマネジメント**を取り入れる。

図4-7　設計及び内容に関する考慮点の概要

定してスタートする等の方法も考えられる。

2.1.7 品質マニュアル

1.8 章には「品質マニュアル」についての記載がある。品質マニュアルとは医薬品品質システムの基本となる文書であり，また品質システムの目的や適用範囲，組織，責務等を規定し，品質システムを運営するための基本方針である「品質方針」等を規定する文書であり，品質システムに関するポリシー文書と考えることができる。

本ガイドラインに記述された品質マニュアルへの記載事項を**図 4-8** に示したが，具体的な記載事項の内容については，厚生労働省 医薬品・医療機器等レギュラトリーサイエンス政策研究

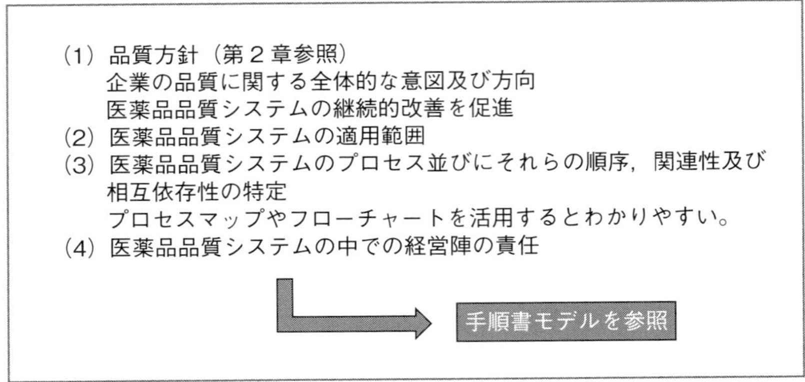

図 4-8　品質マニュアルへの記載事項

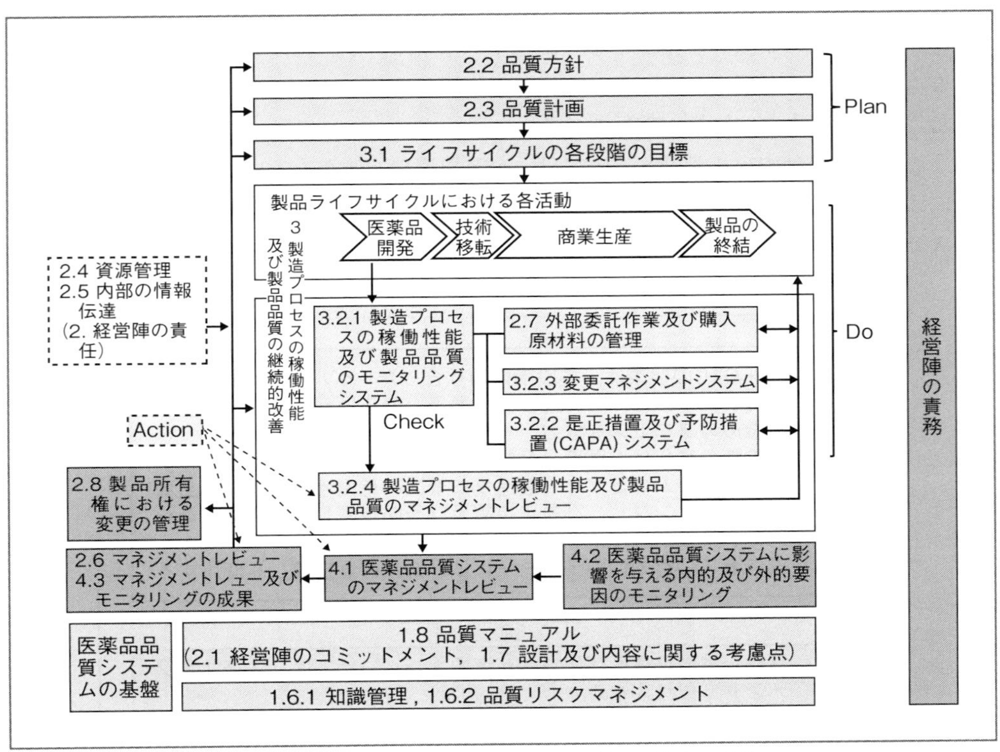

図 4-9　ICH Q10 ガイドライン各項目の関連および相互依存（例）

事業，GMP，QMS，GTP及び医薬品添加剤のガイドラインの国際整合化に関する研究「品質リスクマネジメント及び医薬品品質システムの浸透について」(研究代表者 医薬品医療機器総合機構 櫻井信豪)，2016年度分担研究の手順書モデルも参考になる[3)]。

また，本ガイドラインでは品質マニュアルに，「医薬品品質システムのプロセス並びにそれらの順序，関連性及び相互依存性の特定」を記載することが求められているが，一般的な製造所を想定した，医薬品品質システムのプロセスの相互関連性の一例を**図 4-9** に示した。このような図を作成すると，各プロセスの意義やプロセス間の相互連携を理解するのに役立つ。GDP業務においても，簡単な図でよいので，このような図を作成することで，品質システム上のGDP業務間のプロセスの連携の理解に役立つと思われる。

2.2 経営陣の責務

第2章には「経営陣の責務」が記述されている。

本ガイドラインでは「経営陣」と「上級経営陣」と分けてその責務が記述されており，第5章「用語」には，「上級経営陣」は「企業又は製造サイトに対して，その企業又は製造サイトの資源を動員する責任と権限を持ち，最高レベルで指揮し，及び管理する人（々）。」と定義されているが，「経営陣」についての定義はない。このことから，経営陣とは，例えば製造所であれば製造部長や品質部門長，あるいは工場長レベル，研究所であれば研究室長や部長，研究所長レベルの実務上の管理職が相当し，上級経営陣とは社長や本部長等の事業所間の資源配分の決定ができるレベルの経営層が相当すると考えられよう。ただしこれは一例であって，当該企業の組織形態や，医薬品品質システムの対象，範囲に応じて，上述の役割を考慮して適切に決定する必要がある。日本版GDPでは「経営陣」のみ規定されているが，ここでいう経営陣とは，ICH Q10でいう「上級経営陣」と「経営陣」を合わせたものとして考えることでよい。

本章においては，「経営陣のコミットメント」，「品質方針」，「品質計画」，「資源管理」，「内部の情報伝達」，「マネジメントレビュー」，「外部委託作業及び購入原材料の管理」等の各項に経営陣の責務が記述されているため，**図 4-10** および**図 4-11** にこれを抜粋して示した。具体的には上級経営陣には，品質方針を確立するとともに，品質目標が確実に伝達され，医薬品品質システムが有効に機能できるような環境の整備，さらにはマネジメントレビューを通じた品質システムの統括管理が求められる。また，経営陣に対しては品質システムの設計，実施，モニタリングおよび維持への参画とともに，品質システムの組織全体における実施を確実にすること，品質に関する有効な情報伝達および上申プロセスを維持すること，品質システムに関連する役割，責任，

(1) 品質方針を確立する。
(2) 品質目標が規定され，及び伝達されることを確実にする。
(3) 医薬品品質システムが有効に機能していることを確実にする。
(4) マネジメントレビューを通じ，品質システムを統括管理する。

(参考)　PIC/S GMP 医薬品品質システム
1.5　上級経営陣のリーダーシップ及び医薬品品質システムへの積極的な参加が必須である。

図 4-10　経営陣の責任　－上級経営陣の責務－

(1) 品質システムの設計，実施，モニタリング及び維持に参画する。
(2) 品質システムの組織全体における実施を確実にする。
(3) 品質に関する有効な情報伝達及び上申プロセスを維持する。
(4) 品質システムに関連する役割，責任，権限及び相互関係を規定する。
(5) 品質マネジメントレビューを実行し，レビュー結果を評価する。
(6) 継続的改善を推奨する。
(7) 品質システムを維持し，十分かつ適切な資源を決定し提供する。

図4-11　経営陣の責任　−経営陣の責務−

権限および相互関係を規定すること，品質マネジメントレビューの実施とレビュー結果の評価，継続的改善の推奨，品質システムの維持と十分かつ適切な資源の提供等があげられ，上級経営陣と比べ，より自らが積極的に参画することが求められる。

2.3 製造プロセスの稼働性能及び製品品質の継続的改善

本ガイドラインの第3章には品質システムの具体的な構成要素である「製造プロセスの稼働性能及び製品品質の継続的改善」が記述されている。

2.3.1 ライフサイクルの各段階の目標

本ガイドライン3.1章には「ライフサイクルの各段階の目標」として，「医薬品開発」，「技術

表4-1　ライフサイクルの各段階の目標

各段階	目標	補足
医薬品開発	製品及び意図した稼働性能を一貫して供給するための製造工程を設計すること並びに患者及び医療従事者のニーズ並びに規制当局及び内部顧客の要求事項を満たすことである。	製剤開発への取り組みはICH Q8に記述されている。探索及び臨床開発研究の結果は，本ガイダンスの適用範囲外であるが，医薬品開発のインプット因子である。
技術移転	製品実現を達成するために，開発部門と生産部門の間及び製造サイト内又はサイト間で製品及び製造プロセスの知識を移管することである。	この知識は，製造プロセス，管理戦略，プロセスバリデーションの取り組み及び続行していく継続的改善の基礎を形成する。
商業生産	製品実現の達成，管理できた状態の確立及び維持並びに継続的改善の促進	医薬品品質システムは，望まれる製品品質が恒常的に満たされ，適切な製造プロセスの稼働性能が達成され，一連の管理が適切であり，改善の機会が特定及び評価され，並びに知識の蓄積が継続して拡大されることを保証しなければならない
製品の終結（使用終了まで）	製品のライフサイクルの終末期を実効的に管理することである。	製品の終結については，規制要件に従った文書記録及びサンプルの保管，並びに継続的な製品の評価（例えば，苦情処理及び安定性試験）及び報告のような活動を管理するために，あらかじめ規定された取り組みがなされなければならない。

移転」,「商業生産」,「製品の終結」の各段階における品質システムの目標が示されている（**表4-1**）。医薬品開発段階での目標は「製品（サービス）及び意図した稼働性能を一貫して供給するための製造工程を設計すること並びに患者及び医療従事者のニーズ並びに規制当局及び内部顧客の要求事項を満たすこと」と記載されているが，GDPにおいては設備設計や運転条件の検討に置き換えて考えることができる。技術移転では「製品（サービス）実現を達成するために，開発部門と生産部門の間及び製造サイト内またはサイト間で製品（サービス）及び（製造）プロセスの知識を移管することである」と記述されているが，これはGDPにおいては開発段階で設計した設備や運転条件を実際の設備に実装する段階である。一方，商業生産段階での目標は「製品（サービス）実現の達成，管理できた状態の確立及び維持並びに継続的改善の促進」であり，その指標とすべきは『製品実現』であることが理解できる。

ここでいう製品実現はGDPにおいては「サービスの実現」と置き換えて考えることで，目標を明確化することができる。

2.3.2 医薬品品質システムの要素

本章においては，医薬品品質システムの要素として，「製造プロセスの稼働性能及び製品品質のモニタリングシステム」,「是正措置及び予防措置（CAPA）システム」,「変更マネジメントシステム」,「製造プロセスの稼働性能及び製品品質のマネジメントレビュー」の4つがあげられている。2.1.1でも述べたが，本ガイドラインはISO 9001や各極のGMPを補足する形で作成されており，ここに示された要素以外にも，本ガイドライン1.7項（d）に示された「外部委託作業及び購入原材料の質の保証を提供するためのプロセス」や従来のGMP（GDP）に規定される文書管理や教育訓練，自己点検等も医薬品品質システムの重要な要素である（**図4-12**）。

2.3.2.1 製造プロセスの稼働性能，及び製品品質のモニタリングシステム

第3.2.1章では，医薬品品質システムの要素の一つとして「製造プロセスの稼働性能及び製品品質のモニタリングシステム」があげられている。本章に示されている事項を**図4-13**に整理した。

本章に示されるモニタリングシステムとは，『(製造) プロセスの稼働性能及び製品(サービス)品質』をモニタリングするためのシステムを意味し，その目的は『管理できた状態が維持されていること』を保証することである。そのためには，まず原薬，原材料，資材等の受入れ規格値や，設備及び装置の運転条件，工程管理値，製品（サービス）の規格等，製品（サービス）実現に向

3.2.1	製造プロセスの稼働性能及び製品品質のモニタリングシステム
3.2.2	是正措置及び予防措置（CAPA）システム
3.2.3	変更マネジメントシステム
3.2.4	製造プロセスの稼働性能及び製品品質のマネジメントレビュー
	＋
1.7（d）	外部委託作業及び購入原材料の質の保証を提供するために，適切なプロセス，資源及び責任を含まなければならない。
自己点検，教育訓練も品質システムの要素となり得る	

図4-12　医薬品品質システムの要素

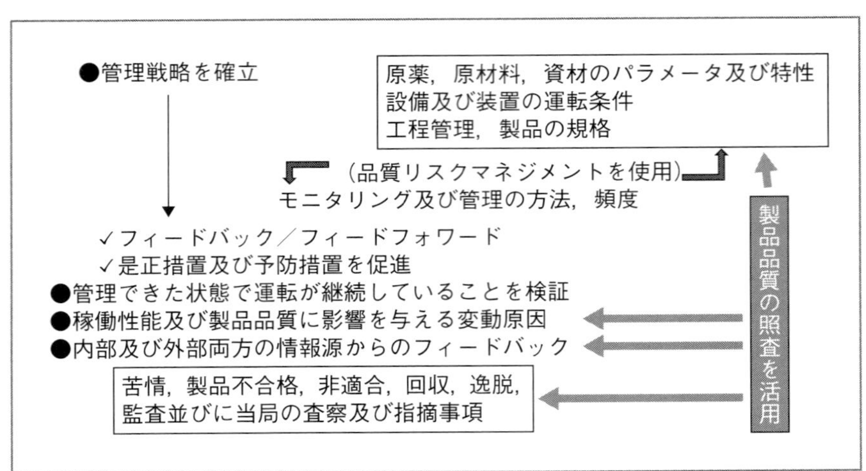

図 4-13　製造プロセスの稼働性能及び製品品質のモニタリングシステム

けて有効なパラメータについて，モニタリングや管理の方法，頻度を決定する。GDPにおいては，施設や機器の温度や環境管理，適格性確認の状況，文書化の状況，仕入れ先や委託先の評価や製品保管，苦情対応，回収，外部委託管理，輸送等があげられ，これらの項目について適切なモニタリング項目を設定することが求められる。次に，それらの測定方法や解析の方法を決定することが必要である。それには品質リスクマネジメントを活用することが有効であるとされている。

そして，前述のモニタリングシステムには，管理できた状態で運転が継続していることを検証するための分析，変動の低減や継続的改善のために，製品（サービス）の品質に影響を与え得る変動要因の特定，さらに苦情や製品不合格，逸脱等の製品（サービス）品質に関する内部・外部からの情報のフィードバック等を含むことが求められる。

2.3.2.2　是正措置及び予防措置（CAPA）システム

本章に記述されるCAPAシステムの概要を**図 4-14**に示した。CAPAはモニタリングの結果検出された不都合を改善するためのシステムであり，継続的改善の出発点ともいえる。CAPAにおいては根本原因を追究するために構造化された取り組みが求められるとともに，是正措置及び予防措置の立案には，製品（サービス）及び（製造）プロセスの理解が必要である。

2.3.2.3　変更マネジメントシステム

変更マネジメントシステムは，前章のCAPAシステムの結果としての改善策を実行に移す段階である。本章に述べられた変更マネジメントシステムの概要を**図 4-15**に示したが，本図からも明らかなように，変更のトリガーとなるのはCAPAだけでなくイノベーションや継続的改善，（製造）プロセスの稼働性能や製品（サービス）品質のモニタリングのアウトプットも変更管理のトリガーとなり得る。変更の評価にあたってはリスクマネジメントを利用することで効率的，効果的な運用が可能となる。また評価にあたっては関連する分野の専門家の参加も有効であるとされている。また変更の実施後には，その変更が有効であったかどうかの評価も求められる。

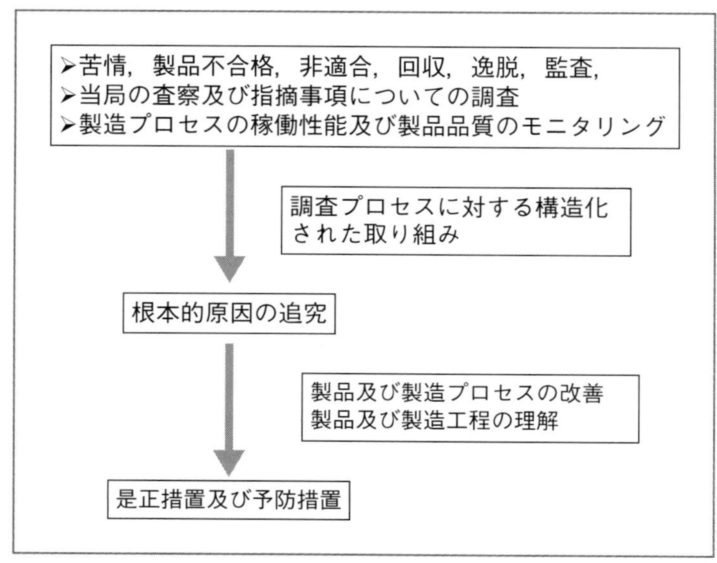

図 4-14　是正措置及び予防措置 (CAPA) システム

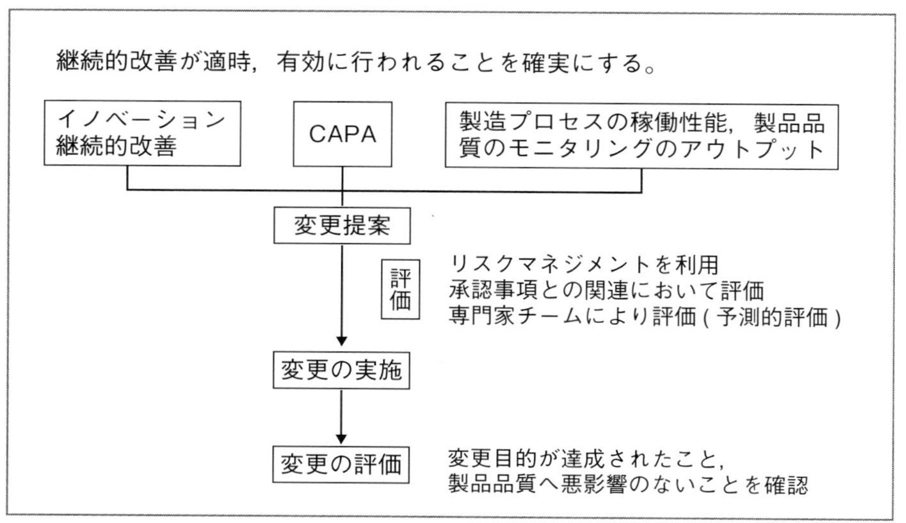

図 4-15　変更マネジメントシステム

2.3.2.4 製造プロセスの稼働性能及び製品品質のマネジメントレビュー

本ガイドラインには二つのマネジメントレビューが記述されている。一つは本章の「製造プロセスの稼働性能及び製品品質のマネジメントレビュー」であり，もう一つは 4.1 章の「医薬品品質システムのマネジメントレビュー」である。**図 4-16** に示した通り，「製造プロセスの稼働性能及び製品品質のマネジメントレビュー」の目的は（製造）プロセスの稼働性能及び製品（サービス）品質がライフサイクル全般にわたり管理されていることを保証することであり，「医薬品品質システムのマネジメントレビュー」の目的は医薬品品質システムを定期的にレビューするための正式なプロセス」である。この二つのマネジメントレビューの関係を**図 4-17** に示した。「製造プロセスの稼働性能及び製品品質のマネジメントレビュー」は医薬品品質システムの一つの要

3.2.4 製造プロセスの稼働性能及び製品品質のマネジメントレビュー
- マネジメントレビューは，**製造プロセスの稼働性能及び製品品質がライフサイクルにわたり管理されていること**を保証しなければならない。

4.1 医薬品品質システムのマネジメントレビュー
- 経営陣は，**医薬品品質システムを定期的にレビュー**するための正式なプロセスを持たなければならない

図 4-16　製造プロセスの稼働性能及び製品品質のマネジメントレビューと品質システムのマネジメントレビュー

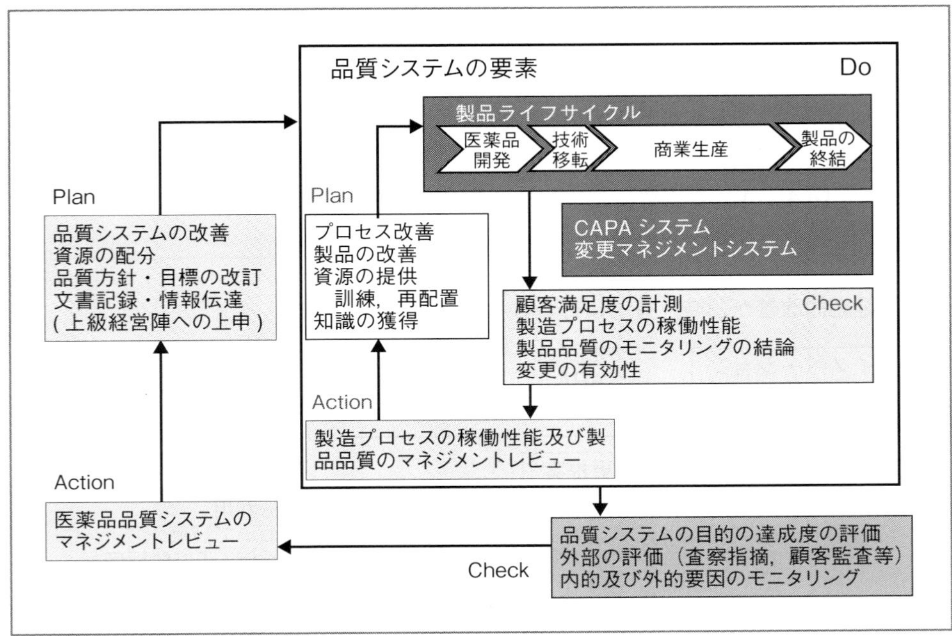

図 4-17　製造プロセスの稼働性能及び製品品質マネジメントレビューと品質システムのマネジメントレビュー

素として，「医薬品品質システムのマネジメントレビュー」でのレビュー対象となる。この二つのマネジメントレビューについては，しっかりとその目的とレビュー内容を区別して理解しておかねばならないが，マネジメントレビューの実施にあたっては同時に開催することも可能である。

GDP においては，マネジメントレビューにおけるレビュー対象として，施設や機器の温度・環境管理および適格性確認の状況，ならびに文書化の状況，仕入れ先や委託先の評価，製品保管，苦情対応，回収，外部委託管理，輸送等の業務の結果，さらには，自己点検結果や教育訓練の実施状況，変更管理や CAPA の結果の評価等が考えられる。

2.4 医薬品品質システムの継続的改善

本ガイドラインの第 4 章においては，医薬品品質システムそのもののマネジメントレビューが記述されている。

前述のとおり医薬品品質システムのマネジメントレビューは上級経営陣の責務であり，「マネジメントレビューを通じて医薬品品質システムの統括管理に責任を有する」ことが求められており，経営陣に対しても，マネジメントレビュー結果の評価が求められている。

表4-2および**表4-3**には，（製造）プロセスの稼働性能及び製品（サービス）品質のマネジメントレビュー，および医薬品品質システムのマネジメントレビューにおけるインプットとしてレビューすべき事項，ならびにアウトプットとして経営陣が改善指示を検討すべき事項の代表例を示した。

2.5 本ガイドラインに基づいた医薬品品質システムの手順書モデル

本ガイドラインは，ガイドラインに書かれた文章だけ読んでも，具体的な手順書の作成や，（製造）プロセスの稼働性能，及び製品（サービス）品質のモニタリングの方法，品質マネジメントレビューの進め方等，イメージしにくい点も多い。

厚生労働科学研究「GMP，QMS，GTP及び医薬品添加剤のガイドラインの国際整合化に関する研究」（研究代表者：独立行政法人医薬品医療機器総合機構 櫻井信豪）における研究成果として，品質システムの手順書モデル[3]が公開されている。本手順書モデルはPMDAのホームページからもダウンロードすることができるので，参考にされたい。

表4-2　マネジメントレビュー（MR）におけるレビュー対象の例

3.2.4　製造プロセスの稼働性能及び製品品質のMR	4.1　医薬品品質システムのMR
○レビュー対象 ✓当局査察結果，他社監査の評価の結果，そのコミットメント ✓製品品質に関する苦情及び回収のような顧客満足度の計測 ✓（製造）プロセスの稼働性能及び製品（サービス）品質のモニタリングの結論 ✓（製造）プロセス及び製品（サービス）の変更の有効性 ✓前回のマネジメントレビューからのフォローアップ措置	○レビュー対象 ✓医薬品品質システムの目的の達成に関する評価 ✓苦情，逸脱，CAPA及び変更マネジメントプロセス ✓外部委託作業のフィードバック ✓自己評価プロセス ✓当局査察，顧客監査等の外部評価 ○モニタリング対象 ✓規制，ガイダンス及び品質 ✓イノベーション ✓ビジネスの環境及び目的の変更

表4-3　マネジメントレビュー（MR）におけるアウトプット例

3.2.4　製造プロセスの稼働性能及び製品品質のMR	4.1　医薬品品質システムのMR
○措置の特定（アウトプット） ✓（製造）プロセス及び製品（サービス）への改善 ✓資源の提供，訓練及び／又は再配置 ✓知識の獲得及び伝播	○MRの成果（アウトプット） ✓医薬品品質システム及び関連するプロセスの改善 ✓資源の配分もしくは再配置及び／又は人員の訓練 ✓品質方針及び品質目標の改訂 ✓上級経営陣へ上申 マネジメントレビューの結果 措置に関する文書記録 適時で実効的な情報伝達

3．最後に

医薬品の流通においても，今回「日本版GDP」が発出されたことをきっかけとして，品質システムの浸透が進んでいくと思われる。まずは実践していくことが重要である。PDCAによる継続的改善に結びつけることで，効率的な改善が可能となる分野も多い。各社が医薬品品質システムを活用し，効率的・効果的なGDPシステムを構築することに期待したい。

参考文献

1）厚生労働省医薬食品局審査管理課長，厚生労働省医薬食品局監視指導・麻薬対策課長，医薬品品質システムに関するガイドラインについて，薬食審査発0219第1号，薬食監麻発0219第1号，平成22年2月19日

2）厚生労働省医薬食品局審査管理課長，厚生労働省医薬食品局監視指導・麻薬対策課長，品質リスクマネジメントに関するガイドラインについて，薬食審査発第0901004号，薬食監麻発091005第，平成18年9月1日

3）厚生労働科学研究「GMP，QMS，GTP及び医薬品添加剤のガイドラインの国際整合化に関する研究」（研究代表者 独立行政法人医薬品医療機器総合機構 櫻井信豪），成果物，「品質マネジメントレビュー手順書」
https://www.pmda.go.jp/review-services/gmp-qms-gctp/gmp/0001.html

職員（組織図および職務要件）

1．はじめに

医薬品のGDPは，それにかかわる人々に依存する。高水準の品質保証維持と医薬品の流通過程での完全性を保証するためには，すべての流通業務に関する手順を明確に定義し，それらを確実に実行しなければならない。そのためには，各企業は，GDPに係る業務を確実に実行できる組織を構築しなければならず，さらに，各職員の職務要件を明確にしなければならない。医薬品の適正流通（GDP）ガイドラインでは，「2.2.2 卸売販売業者等は組織体制を組織図に記載し，全ての職員，責任及び相互関係を明確に指定すること」，「2.2.3 卸売販売業者等は重要な地位の職員を任命し，その役割と責任を職務記述書に記載すること。尚，代行者も同等とする」と規定されている。

本稿では，複数の営業所を有する卸売販売会社を想定して，組織図および職務記述書の一例を示す。

2．組織図

GDPに係る組織は，企業規模等に応じて柔軟に構築されるべきである。しかし，医薬品の完

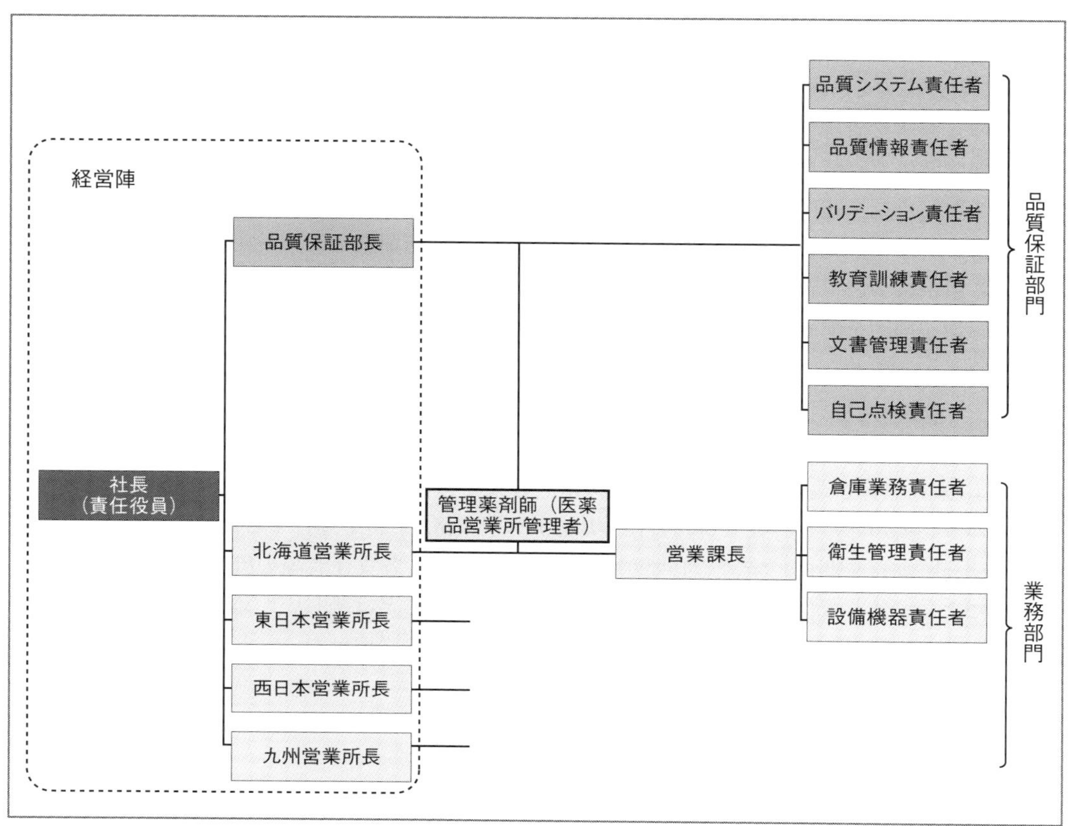

図4-18　組織図の例

全性を保証するためには，経営責任を持つ経営陣，製品の品質保証に責任を持つ品質保証部門，実際のオペレーションを実施する業務部門，薬機法で規定されている管理薬剤師等の組織上の位置づけと責任を明確にする必要がある。GDP組織においても品質保証部門および業務部門の役割を考慮すれば，GMPと同様に両組織は独立している必要がある。

経営陣は経営方針と品質システムに対する責務があり，GDPに関する業務を適切に遂行するために適切な資源配分ができる権限を有する必要がある。**図 4－18** に示す組織図では，これらの権限および責務を有する者として，社長（責任役員），品質保証部長，および営業所長を経営陣と位置づけている。

品質保証部門は品質システムおよび製品品質を保証する部門である。GMPでは製造所ごとに品質保証部門を設置する必要がある。一方，GDPでは営業所ごとに品質保証部門を設置せず，会社単位で設置することでも可能である。ただし，この場合は，企業の責任で適正な医薬品管理を確実にする仕組みを定める必要がある。図 4－18 の組織図では，その責任者として品質保証部長を設け，その下に品質保証業務に関する各責任者を配している。図 4－18 の例では，営業所ごとに品質部門を設置していないが，品質保証部長のレポートラインに各営業所の管理薬剤師を入れることで医薬品適正管理を確実にできる仕組みとしている。

業務部門は流通に関するオペレーションを実施する部署である。図 4－18 では，業務部門として各営業所を位置づけている。営業所ごとに責任者として営業所長を設け，その下に倉庫業務に関する責任者を配している。

管理薬剤師については，薬機法第 35 条において「卸売販売業者は，営業所ごとに，薬剤師を置き，その営業所を管理させなければならない。ただし，卸売販売業者が薬剤師の場合であって，自らその営業所を管理するときは，この限りでない」と，第 36 条 2 において「医薬品営業管理者は，保健衛生上支障を生ずるおそれが無いように，その営業所の業務につき，卸売販売業者に対して必要な意見を述べなければならない」と規定されている。すなわち，管理薬剤師は経営陣である営業所長に意見を上申する必要がある。また，管理薬剤師は営業所における品質システムに関する事項について責任を持つ必要がある。したがって，図 4－18 の組織図では，営業所長の直下に管理薬剤師を配すとともに，品質保証部長にも意見を上申できるようにレポートラインを設けている。

3．職務要件

GDPに係る業務を適切に実施するためには，各業務に従事する責任者および作業者の職務要件を定める必要がある。各従業員の責任，実施すべき職務，業務を遂行するために必要な要件（知識および経験等）を明確に定める必要がある。**表 4－3** に，各責任者等の職務要件を示す。組織の規模によっては，責任者が自らすべての業務を実施することは難しいため代行者を任命する場合もあるが，代行者に求められる要件は必ずしも同等である必要はない。しかし，責任者を代行するために必要な条件を各社で明確に規定する必要がある。

表4-3　各責任者等の職務要件

役職	責務	権限	要件
社長(責任役員)	• 全社における経営および品質マネジメントの総括責任	• 全社の経営方針の策定と決定 • 全社で必要な経営資源(要員，設備，資金)の確保と配分 • 品質システムの構築維持の総括責任業務 • マネジメントレビューの総括責任業務 • 品質保証部長および営業所長の任命	• 医薬品に関する広い知識および経験 • 薬事規制関連法規(薬機法，医薬品の適正流通ガイドライン等)に関する知識 • 品質マネジメントシステムに関する知識
品質保証部長	• 全社における製品品質および品質システムの維持管理の責任	• 品質保証部門の運営方針の策定と決定 • 品質保証部門で必要な経営資源(要員，設備，資金)の確保と配分 • 品質システムの構築維持の責任業務 • マネジメントレビューの責任業務 • GDPに係る業務の手順の確立および実行に関する責任業務 • GDP組織の承認 • 仕入れ先および販売先の適格性評価に関する責任業務 • 外部委託業務(配送を含む)に関する責任業務 • 品質保証部門の各責任者の任命	• 薬事規制関連法規(薬機法，医薬品の適正流通ガイドライン等)に関する知識 • 品質マネジメントシステムに関する知識 • GDP/GMP/GQPに関する5年以上の業務経験 • 担当業務に係る手順書等の教育
品質システム責任者	• 品質システムに関する責任	• 変更管理システムに関する責任業務 • 逸脱に関する責任業務 • CAPAに関する責任業務 • マネジメントレビューの事務局	• GDP/GMP/GQPに関する3年以上の業務経験 • 担当業務に係る手順書等の教育
品質情報および苦情責任者	• 医薬品の品質情報および流通に関する苦情処理に関する責任	• 医薬品の品質情報および流通に関する苦情処理(調査／措置／製販への連絡等)に関する責任業務	• GDP/GMP/GQPに関する3年以上の業務経験 • 担当業務に係る手順書等の教育
バリデーション責任者	• バリデーションおよびキャリブレーション活動に関する責任	• バリデーションに関する活動(マスタープラン，年間計画書と報告書，個別計画書と報告書等)の責任業務 • キャリブレーションに関する活動(年間計画書，実施記録，対象設備機器リスト等)の責任業務	• バリデーションに関する知識 • GDP/GMP/GQPにおけるバリデーションに関する3年以上の業務経験 • 担当業務に係る手順書等の教育

役職	責務	権限	要件
コンピュータ化システム責任者	• コンピュータ化システムに関する責任	• コンピュータ化システム（GDPに関するシステムの導入／維持／CSV等）に関する責任業務	• ITに関する3年以上の業務経験 • 担当業務に係る手順書等の教育
文書管理責任者	• GDP文書（手順書および入出庫記録等の記録書等で電子媒体を含む）の管理に関する責任	• GDP活動の記録（作業記録，入出庫記録等）に関する責任業務 • GDP文書の管理（版数／配布および回収／複写／保管／廃棄等）に関する責任業務	• GDP/GMP/GQPに関する3年以上の業務経験 • 担当業務に係る手順書等の教育
教育訓練責任者	• 職員の教育訓練に関する責任	• 教育訓練年間計画の立案および進捗管理の責任業務 • 教育訓練の実施（教育内容および講師，実施記録等）に関する責任業務を確認する	• GDP/GMP/GQPに関する3年以上の業務経験 • 担当業務に係る手順書等の教育
自己点検責任者	• 自己点検に関する責任	• 自己点検年間計画の立案および進捗管理に関する責任業務 • 自己点検チームの編成（自己点検リーダーおよび実施者の任命）に関する責任業務 • 自己点検の実施（記録／不備のフォローアップ／責任者への報告等）に関する責任業務	• GDP/GMP/GQPに関する3年以上の業務経験 • 自己点検リーダーの2回以上の経験 • 担当業務に係る手順書等の教育
品質保証部員	• 品質保証部に関する実務	• 品質システムに関する実務の遂行 • 品質情報および苦情に関する実務の遂行 • バリデーションおよびキャリブレーション活動に関する実務の遂行 • GDP文書の管理に関する実務の遂行 • 教育訓練に関する実務の遂行 • 自己点検に関する実務の遂行	• 担当業務に係る手順書等の教育
営業所長	• 営業所の運営および品質マネジメントの総括責任	• 営業所の運営方針の策定と決定 • 営業所に必要な経営資源（要員，設備，資金）の確保と配分 • 品質システムの構築維持の責任業務 • マネジメントレビューの責任業務 • 業務部長および管理薬剤師の任命	• 医薬品に関する広い知識および経験 • 薬事規制関連法規（薬機法，医薬品の適正流通ガイドライン等）に関する知識 • 品質マネジメントシステムに関する知識 • 担当業務に係る手順書等の教育

役職	責務	権限	要件
医薬品営業所管理者（管理薬剤師）	• 物流センターの構造設備および医薬品の品質に関する管理監督	• 営業所のGDPに係る業務の管理監督 • 営業所の品質システムに関する責任業務（レベル分類と品質保証部門への連絡等） • 営業所における医薬品の受領および供給に関する責任業務 • 医薬品の品質等に重大な影響がある場合の措置 • 品質保証部長および営業所長への意見具申	• 薬剤師 • 薬事規制関連法規（薬機法，医薬品の適正流通ガイドライン等）に関する知識 • 品質マネジメントシステムに関する知識 • 担当業務に係る手順書等の教育
業務課長	• 倉庫および保管作業に関する統括	• 倉庫および保管作業に関する責任業務 • 倉庫業務責任者，衛生管理責任者，および設備機器責任者の任命	• 薬事規制関連法規（薬機法，医薬品の適正流通ガイドライン等）に関する知識 • 品質マネジメントシステムに関する知識 • GDP/GMP/GQPに関する5年以上の業務経験 • 担当業務に係る手順書等の教育
倉庫業務責任者	• 倉庫業務（入出庫，保管）に関する責任	• 製品の入出庫に関する責任業務 • 製品の保管および出納管理に関する責任業務	• GDP/GMP/GQPに関する3年以上の業務経験 • 担当業務に係る手順書等の教育
衛生管理責任者	• 衛生管理（清掃／防虫防そ／作業者の衛生状況）に関する責任	• 衛生管理（GDP区域の清掃／防虫防そ，GDP作業者の衛生状況，実施記録等）に関する責任業務	• GDP/GMP/GQPに関する3年以上の業務経験 • 担当業務に係る手順書等の教育
設備機器責任者	• 設備機器に関する責任	• 設備機器（GDPに関する設備機器の日常点検／定期点検／メンテナンス，倉庫の温湿度モニタリング，実施記録等）に関する責任業務 • バリデーション計画に従ったバリデーション作業に関する責任業務 • キャリブレーション計画に従ったバリデーション作業に関する責任業務	• GDP/GMP/GQPに関する3年以上の業務経験 • 担当業務に係る手順書等の教育
営業所員	• 営業所における業務	• 倉庫業務に関する実務の遂行 • 衛生管理業務に関する実務の遂行 • 設備機器に関する実務の遂行	• 担当業務に係る手順書等の教育

新設物流センターにおける温度マッピング実施事例紹介

1. はじめに

GDPにおける重要な要件の一つとして，品質マネジメントシステムの構築，外部委託業務の管理，盗難や偽造医薬品の正規流通経路への混入防止等と並び，施設および機器の適切な管理と保管，輸送の実施がある。患者に対して優れた品質の医薬品を提供するためには，流通過程における医薬品の完全性を保証することが重要である。

医薬品は貯法が厳密に規定されており，その医薬品を保管する倉庫では庫内の温度について常時モニタリングを行い，適切な保管環境であることを保証する必要がある。これに先立ち，温度のマッピングスタディーを実施し，適切な管理を行いうる環境であるかを確認するとともに，温度センサーの設置箇所の妥当性を検証しておく必要がある。温度マッピングについては，WHOのGDPガイドライン[1)]，欧州GDPガイドライン[2)]，およびPIC/SのGDPガイドライン[3)]等にその実施や最低限度の要件が規定され考慮すべき項目が記載されているが，詳細な定義や実例は記載されていない。

本稿では，新設物流センターにおいて温度マッピングを実施したので，その手法や結果から得られた知見などについて以下に紹介する。

2. 物流センターにおける温度マッピング

温度マッピングは医薬品を保管する倉庫や輸送設備のバリデーション項目の一つとして実施される。新設の倉庫の場合には，適格性評価として，設備や機器の設計，据付，運用開始前後等（開発段階）での仕様がそれぞれ実現されていることを設計時適格性評価（Design Qualification：DQ），据付時適格性評価（Installation Qualification：IQ）で評価するとともに，運転時適格性評価（Operational Qualification：OQ）として庫内に物品が搬入されていない無負荷状態での性能評価と，稼働性能適格性評価（Performance Qualification：PQ）として物品搬入後の有負荷状態での性能評価が必要となる。また，庫内温度は外気温の影響を受けること，欧州およびPIC/SのGDPガイドラインに季節変動およびその他の変動要因を考慮する必要性が述べられていることから，夏季および冬季での検証が必要と考えられる。気候上，温帯湿潤気候区または冷帯湿潤気候区に分類されるわが国においては，特に夏季と冬季における性能評価が重要である。

今回の温度マッピングにあたっては，上記の前提に基づき，WHOのTechnical Report Series, No. 961, 2011[4)]，国際製薬技術協会（ISPE）のガイド[5)]，米国薬局方（USP）[6),7)]等を参考としてバリデーション計画書を作成して実施，報告書としてまとめた。

2.1 温度マッピングの方法

温度マッピングは校正された温湿度ロガーを用い，OQおよび冬季でのPQ，夏季でのPQを実施した。温度マッピングに用いるロガーについてはWHOのTechnical Report Series, No. 961, 2011やUSPに記載があるように，トレーサブルであり，少なくとも1年に1回の校正が必要となる。新規物流センターの運用開始は1月であったことから，OQを実施後，引き続き冬季のPQを実施した。また，夏季のPQは7月に実施した。実施期間については，倉庫の環境動態を反映することができるよう運用状況に応じて決定する必要があるが，稼働状況および広さを考慮し，当該倉庫においては各々１週間の測定を行うこととした。WHO の GDP ガイドラインによれば，測定間隔は少なくとも１時間あたり６回，すなわち10分以下とする必要があり，今回は５分間隔での測定とした。測定対象は室温倉庫および冷蔵倉庫とし，室温倉庫に設置されている毒劇物保管庫(ロッカー）も対象とした。温湿度ロガーは，搬入する物品の保管を考慮し，ラックの最上部と最下部の他，ラックの高さに応じて中央部にも設置することとした。設置するポイントについては，空調機からの吹き出し口や風向き，施設の窓ガラス付近等，気流や外気温の影響等のリスクを考慮して決定したが，送風機や冷凍庫等の熱源や通行が頻繁に行われる箇所があれば，これらについても考慮する必要がある。湿度については参考値とした。また，温度ロガーを内部に搭載した百葉箱をセンター外部に設置して外気温の測定も行い，参考値とした。

OQ，PQ の成立基準としては，室温倉庫においては国内製品を対象とした物流倉庫であることを考慮し，測定箇所すべてにおいて１～30℃内であること，冷蔵倉庫においては測定箇所すべてにおいて２～５℃内であることとした。成立基準は，保管対象となる製品の貯法に基づき決定することとなる。また，WHO の GDP ガイドラインにおいて，庫内の温度を常時モニタリングするためのセンサーは，温度マッピングにより特定されたワーストポイント（ホットポイント，コールドポイント）に設置することと規定されており，両ポイント，および最高，最低温度の差が最も大きいポイントであるワイドポイントについても測定結果に基づき特定することとした。ホットポイントおよびコールドポイントは，測定中に最高あるいは最低温度を記録した回数が最も多いポイントとしたが，WHO の Technical Report Series, No. 961, 2011 では，算術平均より求めた最大値あるいは最小値とされており，各ポイントの差異確認も行った。

2.2 温度マッピングの結果

2.1 に従って実施した，OQ および冬季の PQ と夏季の PQ の結果概要を**表 4-4** に示す。当該倉庫において，冷蔵倉庫の空調設備は下限 2.5℃および上限 3.5℃で冷凍機のスイッチがオフ，あるいはオンとなるよう，設定されている。また，室温倉庫では，１～30℃を保つべく，冬季

表 4-4　温度マッピングの結果（OQ および冬季 PQ と夏季 PQ）

	2階冷蔵倉庫（2～5℃）	2階室温倉庫（1～30℃）	3階室温倉庫（1～30℃）
OQ	温度幅：2.6～5.1℃ HP：平均4.5℃ CP：平均3.8℃ WP：温度差2.2℃	温度幅：12.3～19.2℃ HP：平均18.5℃ CP：平均13.2℃ WP：温度差3.9℃	温度幅：12.4～18.2℃ HP：平均17.8℃ CP：平均13.3℃ WP：温度差3.7℃
PQ 冬季	温度幅：2.5～5.5℃ HP：平均4.6℃ CP：平均3.4℃ WP：温度差2.4℃	温度幅：12.6～20.6℃ HP：平均19.9℃ CP：平均13.5℃ WP：温度差4.0℃	温度幅：12.2～22.5℃ HP：平均18.9℃ CP：平均13.6℃ WP：温度差4.7℃
PQ 夏季	温度幅：2.1～5.1℃ HP：平均4.4℃ CP：平均3.0℃ WP：温度差1.6℃	温度幅：18.8～24.0℃ HP：平均22.3℃ CP：平均19.4℃ WP：温度差3.7℃	温度幅：21.1～24.8℃ HP：平均22.4℃ CP：平均21.6℃ WP：温度差3.7℃

HP：ホットポイント，CP：コールドポイント，WP：ワイドポイント
基準値2～5℃における許容範囲：1.5～5.4℃
基準値1～30℃における許容範囲：0.5～30.4℃

では18℃，夏季では20℃前後に温度を設定し空調機を稼働している。このため，冷蔵倉庫における冬季と夏季の平均温度には大きな差異はないが，室温倉庫の平均温度では季節間での差異が生じている。

表4-4に示すように，冷蔵倉庫における冬季のPQの測定中，基準上限である5℃（5.4℃）を超えた測定ポイントが認められた。また，基準値は満たしていたものの，3階室温倉庫における冬季のPQにおいて，2階室温倉庫やそれまでの傾向と比較して明らかに異常な，急激な温度上昇が認められ，最高で22.5℃となった事象も認められた。これらの温度逸脱および異常については，本稿の2.3に記載するような原因調査および措置を行った。温度逸脱および異常に対する措置が適切に行われたこと，およびその他のポイントにおいてはすべてあらかじめ設定された基準値を満たす結果であったことから，今回の温度マッピングがバリデーション／クオリフィケーションとして成立したことを確認した。

温度マッピングにより特定された，室温倉庫におけるホットポイント，コールドポイントおよびワイドポイントについて，**図4-19**および**図4-20**に示す。数字はロガー設置箇所の管理番号であり，Hはラック最上部，Mはラック中央部，Lはラック最下部である。OQとPQの結果において，ホットポイント，コールドポイントの位置の違いが認められ，このことから庫内の温度分布は製品が保管されたことによる気流の変動の影響を受けることが改めて示された。したがって，倉庫内のラック等レイアウトを変更する場合や空調設備の更新等が生じた場合には，変更管理による評価を行い，必要に応じて再度温度マッピングを実施する必要がある。

また，冬季と夏季におけるPQの結果の違いから庫内の温度分布は季節変動による外気温の影響を受けること，保管エリアによってもホットポイント，コールドポイントおよびワイドポイントが異なることが改めて確認された。当該倉庫においては，冬季および夏季各々で確認されたホットポイントおよびコールドポイントでの常時温度モニタリングを行うこととしたが，倉庫における常時温度モニタリングは，冬季および夏季を通じて最もワーストであると考えられる，冬季コールドポイント，夏季ホットポイントにおいて，最低限保管エリアごとに実施する必要があると考えられる。

図4-19および図4-20には室温倉庫において特定されたホットポイント，コールドポイントおよびワイドポイントを示しているが，冷蔵倉庫におけるこれらのポイントについても，上述と同様の考察結果が得られている。

本稿の2.2冒頭に記載したように，温度マッピングはクオリフィケーション項目の一つであり，定期的に実施し，検証された状態が維持されていることを確認しなければならない。近年わが国においては冬季の寒波や夏季の異常高温が頻発しているが，リスクベースで冬季および夏季の温度マッピングの実施の頻度を決定する必要がある。

2.3 温度マッピングにおける逸脱への対応

2.2.2に記載したように，冷蔵倉庫における冬季のPQとして実施した温度マッピングにおいて，基準上限である5℃（5.4℃）を超えた測定ポイントが認められた。基準値上限を上回ったのは1回のみであった。

原因について調査を行ったところ，参照のために行った外気温測定の結果より，逸脱が発生した当日はマイナス10℃に達する急激な気温の低下があったことが確認された。このことから，

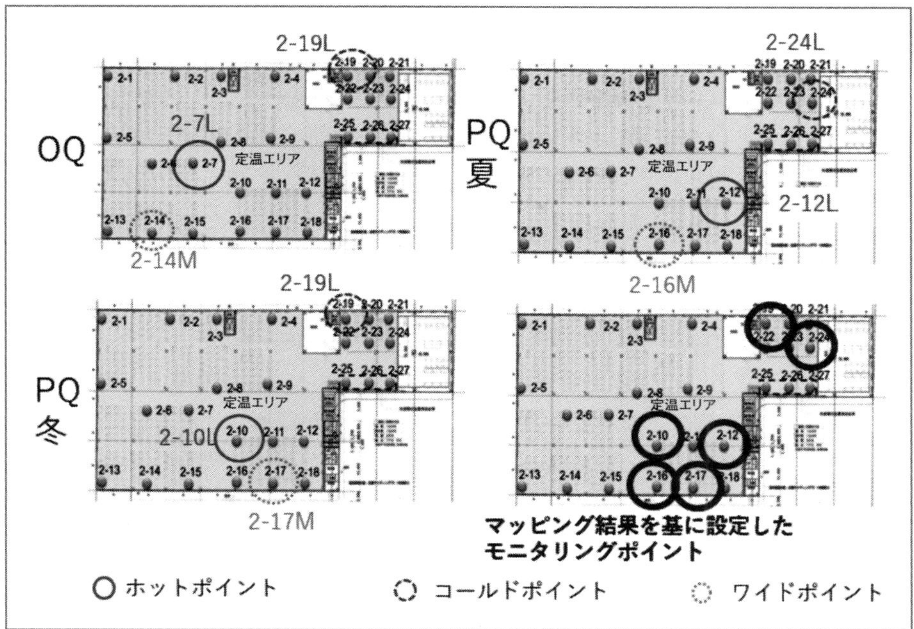

図4-19　2階室温倉庫におけるワーストポイントおよびワーストポイントに基づいたセンサー設置箇所

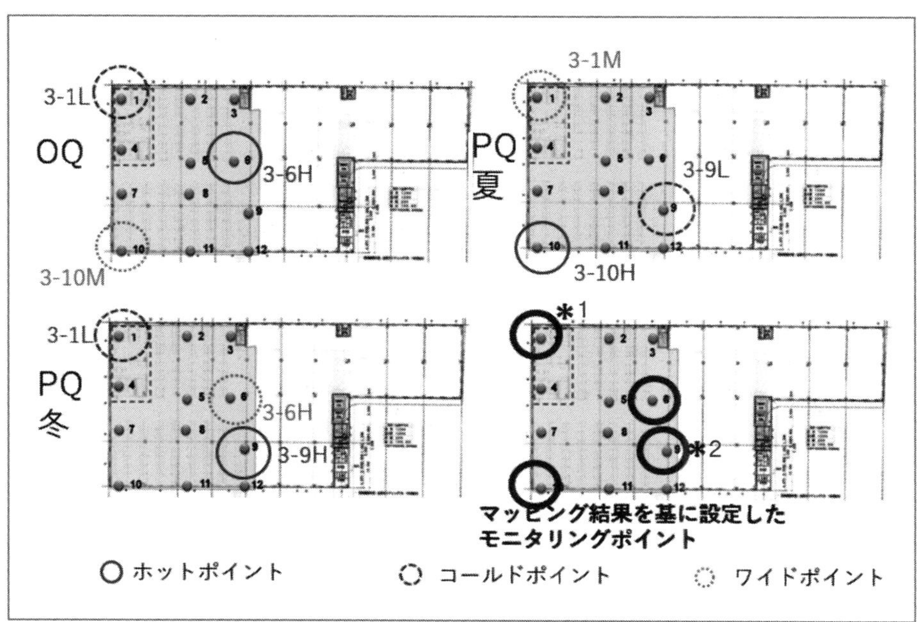

図4-20　3階室温倉庫におけるワーストポイントおよびワーストポイントに基づいたセンサー設置箇所
＊1：LとM，＊2：LとHにロガーを設置

設備内部を循環する冷媒が冷却されて圧力差がなくなり，冷凍機が正常に作動しなかったことが判明した。

調査の結果を受けて，①冷媒の圧力をマイナス15℃でも耐えうるように変更，②2機の冷凍機を用いて2時間ごとの交互運転を行っていたが，停止期間中に冷媒が冷却されて圧力低下を引き起こす一因となったと考えられるため，業者の助言に基づき48分ごとの交互運転に変更，③風による冷気の吹き込みも冷媒温度を低下させる原因と考えられたため，室外機にカバーを設置する（夏季は熱がこもることを防止するため，カバーは取り外す），の3点の措置を講じた。上記の措置により，同様の逸脱は以降再発していない。

同様に，2.2.2に記載した，3階室温倉庫における急激な温度上昇についても原因調査を実施した。図4-20に示すように3階室温倉庫はフロアの半分のスペースを倉庫として使用しており，他方については将来スペースとなっている。急激な温度上昇が認められた当日には，将来スペース側に業者の立ち入りが行われ，空調機の設定温度を上げたため，一時的に庫内温度が上昇したことが判明した。空調機の温度設定盤については許可されたもののみが設定，変更可能となるよう，ロックをかける予定であったが，業者の立ち入り時点でこの対応がなされていなかった。ロックをかけて以降は同様の事象は発生していない。

異常逸脱は事前準備が十分な場合であっても発生しうる。温度マッピング実施時においても，バリデーション計画書に逸脱および異常発生時の対応方法を定め，上述のように異常逸脱が発生した場合には，原因調査を行った上で措置を講じることが求められる。原因調査や措置，措置による効果の検証結果については，すべて文書化し，適切に保管する必要がある。

3. おわりに

既述のとおり，GDPは各国あるいは各地域において法制化が進み，GMPを補完する規制として重要性が増してきている。GDPを対象とした海外当局からの査察やライセンス元企業からの監査が行われるケースも増えてきており，医薬品の製造および流通のグローバル化に伴い，国内だけでなく，海外の規制も考慮したプロアクティブな対応が必要である。

保管および輸送中の品質管理はGDPの要件の一つであるが，その一手段として倉庫の常時温度モニタリング，さらにはモニタリングセンサーの設置箇所を特定するための温度マッピングが必要であることは各国の規制にも記載されている。欧州およびWHOのガイドラインにおいても詳細な手法や基準等の記載はないが，国内医薬品の保管を行う物流倉庫について温度マッピングを実施する場合の，温度管理基準，センサーの設置箇所や校正の基準，ホットポイント，コールドポイントおよびワイドポイントの特定方法等を，新設した物流センターでの温度マッピングの事例により示した。温度マッピングに関する記録類，施設および用いた機器類が適切に管理されていることを示す記録類，従業員の教育訓練記録等も適切に保管する必要がある。製薬企業のみならず，医薬品のサプライチェーンに関わる流通業者においても，GDPの遵守に向けた対応を進めていくとともに，本事例が参考になることを期待したい。

参考文献

1） World Health Organization, WHO Technical Report Series, No. 957, 2010, Annex 5 WHO good distribution practices for pharmaceutical products

2) Good Distribution Practice (GDP) of Medicinal Products for Human Use (2013/C 343/01).
3) PIC/S GUIDE TO GOOD DISTRIBUTION PRACTICE FOR MEDICINAL PRODUCTS PE 011-1, 1 June 2014
4) World Health Organization, WHO Technical Report Series, No. 961, 2011, Annex 9 Model guidance for the storage and transport of time- and temperature-sensitive pharmaceutical products
5) International Society for Pharmaceutical Engineering, Good practice guide Cold Chain Management
6) United States Pharmacopoeia, General Chapter<1079> Good storage and shipping practices for drug products
7) United States Pharmacopoeia, General Chapter<1118> Monitoring devices—time, temperature and humidity

仕入先・販売先の適格性評価事例紹介

1．はじめに

卸売販売業者等は，医薬品の同一性が失われることなく，医薬品の仕入，保管および供給業務が外装に表示された情報（取扱い上の注意等）に従って実施されていることを確実にすることが求められている。偽造医薬品が正規流通経路に混入する危険性を排除することを実現するためには，卸売販売業者等が適切な仕入先から医薬品を仕入れること，また，適切な販売先に販売することは，流通過程における医薬品の完全性を保証することにおいて重要な要素である。

日々の仕入，販売が適切であることを保証するために，仕入先および販売先の適格性評価は，あらかじめ定めた手順に従って評価し，その記録を残すことが求められる。

2．仕入先の適格性評価

2.1 新たな仕入先の適格性評価

新たな仕入先と取引を開始する際は，次ページに示す**様式 1** のチェックリストに基づき，新たに取引開始する仕入先が適切であるか評価を行い，その結果を記録すること。

評価にあたっては，医薬品の取り扱い内容に応じた必要な許可を有していること，GDP ガイドラインの遵守状況等を確認し，仕入先における当該医薬品の取り扱いの状況，レギュレーションへの理解や取り組み等総合的に確認し判断すること。

2.2 定期的な仕入先の適格性評価

既存の仕入先であっても，管理状態が維持されているとは限らないため，実績等のリスクに応じて定期的に適格性を評価する。定期的な評価の頻度および時期は，前回の評価結果に基づき定め，計画的に実施する。

2.3 リスクに応じた定期的な評価

適格性を評価した際に，当該仕入先の管理状態が，医薬品の同一性が失われるリスク，すなわち保管・流通過程において偽造医薬品の混入リスクがどの程度であるか，また，仕入・保管・供給の業務において取り扱い上の注意等に応じた管理がなされているか，次に示すレベルで評価を行う（A：適切　B：おおむね適切　C：改善を要する。改善確認が必要　D：不適切）。また，そのレベルに応じて，定期的な確認の頻度を決定する。

なお，同一法人の製造販売業者が GMP 適合性確認を行っている製造業者が仕入先である場合や，GQP や GMP 省令により供給者として評価されている場合等は，仕入先として評価されたものであるため，その情報をもって評価不要とする。

様式 1

［□新規・□定期　仕入先適格性評価チェックリスト］

<table>
<tr><td>項目</td><td colspan="2">評価内容，結果</td><td>備考</td></tr>
<tr><td>仕入先名称</td><td colspan="2"></td><td></td></tr>
<tr><td>仕入先住所</td><td colspan="2"></td><td></td></tr>
<tr><td>新規・定期</td><td colspan="2">□新規
□定期（前回承認日：　　　年　月　日，前回結果：　　）</td><td></td></tr>
<tr><td>仕入先の業許可の有無</td><td colspan="2">許可の種類
□卸売販売業者
□医薬品製造販売業者（当該製品の製造販売承認を保有するか）
□医薬品製造業者（製造販売業者の指定したもの）
名称：
許可番号：
許可の有効期限：
許可証写しの添付：　有　・　無</td><td>仕入先が医薬品製造業者の場合は，GDPガイドライン遵守状況の確認は不要</td></tr>
<tr><td>過去実績に基づく監査の要否</td><td colspan="2">□過去3年間に大きな問題はなかった
□過去3年間に大きな問題があった
遵守状況の確認</td><td>□要
□否</td></tr>
<tr><td rowspan="12">GDPガイドライン遵守状況</td><td colspan="2">確認方法　□実地（　　年　月　日）
□書面調査
□その他</td><td></td></tr>
<tr><td colspan="2">順守状況の確認</td><td>□要</td></tr>
<tr><td rowspan="10">確認結果詳細</td><td>品質マネジメントシステム
特記：</td><td>□問題なし
□懸念あり</td></tr>
<tr><td>施設および機器
特記：</td><td>□問題なし
□懸念あり</td></tr>
<tr><td>文書管理
特記：</td><td>□問題なし
□懸念あり</td></tr>
<tr><td>オペレーション
特記：</td><td>□問題なし
□懸念あり</td></tr>
<tr><td>苦情，返品，不正の疑いのある医薬品および回収
特記：</td><td>□問題なし
□懸念あり</td></tr>
<tr><td>外部委託業務
特記：</td><td>□問題なし
□懸念あり</td></tr>
<tr><td>自己点検
特記：</td><td>□問題なし
□懸念あり</td></tr>
<tr><td>教育訓練
特記：</td><td>□問題なし
□懸念あり</td></tr>
<tr><td>組織
特記：</td><td>□問題なし
□懸念あり</td></tr>
<tr><td>輸送
特記：</td><td>□問題なし
□懸念あり</td></tr>
</table>

<table>
<tr><td rowspan="5">特別事項(1)</td><td colspan="2">ⅰ. 当該仕入先の評判または信頼度
取引実績，業界での評判等</td><td>□問題なし
□懸念あり
＿＿＿＿＿＿</td><td></td></tr>
<tr><td colspan="2">ⅱ. 偽造医薬品である可能性が高い製品の供給の申し出であるか／過去にあった</td><td>□問題なし
□懸念あり
＿＿＿＿＿＿</td><td></td></tr>
<tr><td colspan="2">ⅲ. 一般に入手可能な量が限られている医薬品の大量の供給の申し出である／過去にあった</td><td>□問題なし
□懸念あり
＿＿＿＿＿＿</td><td></td></tr>
<tr><td colspan="2">ⅳ. 仕入先により取り扱われる製品の多様性
供給の安定性・偏り，
種類の不安定さ，その他</td><td>□問題なし
□懸念あり
＿＿＿＿＿＿</td><td></td></tr>
<tr><td colspan="2">ⅴ. 価格の妥当性
・想定外の価格ではないか
・過大な値引き等はないか</td><td>□問題なし
□懸念あり
＿＿＿＿＿＿</td><td></td></tr>
<tr><td>特記事項(2)</td><td colspan="2"></td><td></td><td></td></tr>
<tr><td>評価結果</td><td>□適

□不適</td><td colspan="2">□A：適切
□B：おおむね適切
□C：改善を要する。改善確認が必要
□D：不適切</td><td>評価結果は，確認事項をスコアリング等により適正に評価すること。
定期的確認頻度決定の根拠とする。</td></tr>
<tr><td>定期的確認の頻度</td><td colspan="3">□1年毎　□2年毎　□3年毎　□その他</td><td></td></tr>
<tr><td>次回確認時期</td><td colspan="3">年　月　頃</td><td></td></tr>
<tr><td colspan="5">作成日　　年　月　日　　　氏名＿＿＿＿＿＿
○○部　　　　　　　　　　○○

照査日　　年　月　日　　　氏名＿＿＿＿＿＿
○○部　　　　　　　　　　○○

承認日　　年　月　日　　　氏名＿＿＿＿＿＿
○○部　　　　　　　　　　○○長</td></tr>
</table>

3. 販売先の適格性評価

3.1 新たな販売先の適格性評価

新たな販売先と取引を開始する際は，次ページの**様式 2** のチェックリストに基づき，取引開始する販売先が適切であるか評価を行い，その結果を記録する。

具体的には，医薬品の販売先が，薬局開設者，医薬品の製造販売業者もしくは販売業者または病院，診療所もしくは飼育動物診療施設の開設者，その他厚生労働省令で定める者であることを確認する。

3.2 定期的な販売先の適格性評価

販売先の許可の有効期限に応じて，販売先の許可が継続されていることを，許可証の写しを入手する，または国の規制に準拠した適格性または資格を示す証拠の提示等をもって確認する。

3.3 その他

医薬品の横流しまたは不適正使用の可能性があると思われる異常な販売パターンが見られる場合は調査し，必要な場合は所轄当局に報告する。

様式 2

[□新規・□定期　販売先適格性評価チェックリスト]

<table>
<tr><th>項目</th><th>評価内容，結果</th><th>備考</th></tr>
<tr><td>販売先名称</td><td></td><td></td></tr>
<tr><td>販売先住所</td><td></td><td></td></tr>
<tr><td>新規・定期</td><td>□新規
□定期（前回確認日：　　　年　月　日，前回結果：　　）</td><td></td></tr>
<tr><td>販売先の業許可の有無</td><td>許可の種類
□薬局開設者　□医薬品販売業者　□医薬品製造販売業者
□病院，診療所，飼育動物診療施設の開設者
□その他厚生労働省令で定める者
名称：
許可番号：
許可の有効期限：
許可証写しの添付：　有　・　無</td><td>国の規制に準拠した適格性または資格を示す証拠の提示等があるか</td></tr>
<tr><td>特別事項（1）</td><td>医薬品の横流しまたは不適正使用の可能性があると思われる異常な販売パターンがないか
＊異常な販売パターンが見られる場合は調査し，必要な場合は所轄当局に報告すること
□問題なし
□懸念あり
＿＿＿＿＿＿＿＿＿＿＿＿＿＿＿＿＿＿＿＿</td><td></td></tr>
<tr><td>評価結果</td><td>□適
□不適</td><td></td></tr>
<tr><td>次回確認時期</td><td>　　　年　　月　頃</td><td></td></tr>
<tr><td colspan="3">作成日　　　年　　月　　日　　　　　　氏名＿＿＿＿＿＿＿＿
　　　○○部　　　　　　　　　　　　　　　○○

照査日　　　年　　月　　日　　　　　　氏名＿＿＿＿＿＿＿＿
　　　○○部　　　　　　　　　　　　　　　○○

承認日　　　年　　月　　日　　　　　　氏名＿＿＿＿＿＿＿＿
　　　○○部　　　　　　　　　　　　　　　○○長</td></tr>
</table>

スタビリティバジェットの管理手法について

1. はじめに

冷蔵保存（2 ～ 8℃）等特別な温度管理を求められる医薬品は，製造から顧客に提供されるまで，定められた温度管理下で製造し，輸送することを保証しなければならない。しかしながら，製造・包装工程中，製品の入出庫，保管や輸送中を含め，多くの工程を経る製品では，すべての工程において常に冷蔵保存（2 ～ 8℃）を徹底することは難しい。

本稿では，安定性試験データに基づき，製品が製造されてから顧客に提供されるまで，温度逸脱できる最大時間をあらかじめ定め，これをスタビリティバジェット（温度逸脱許容時間）として定義する。そして，各工程に対してスタビリティバジェットを割り当て，一時的な温度逸脱に対して，科学的知見に基づきサプライチェーン全体として製品の品質を保証する手法について，以下のとおり事例を紹介する。

2. A 製品におけるスタビリティバジェットの設定事例

A 製品は，バイオ医薬品（注射剤）であり，保存条件は冷蔵保存（2 ～ 8℃）で 2 年間の使用期間を保証している。

スタビリティバジェットとして，A 製品の安定性試験データに基づき，25℃以下で最大 10 日間の温度逸脱であれば，定められた温度条件下（2 ～ 8℃保存）で有効期間 2 年間の品質を保証できることを確認している。根拠となる安定性試験では，5℃と 25℃のサイクルテスト（製品特性と想定リスクに応じて回数と時間は異なる）を行った後，24 カ月間の長期保存試験（保存条件：5℃）を実施した。

A 製品は，製剤の製造工程から保管まで，約 5,760 分間（約 4 日間）は 25℃以下の管理下で作業されることがわかっている。また，顧客では，室温下にて製品の取り扱いに 1 日間，そして安全確保のための時間として余分に 2 日間のスタビリティバジェットを割り当てた（**表 4-5**）。このため，製剤製造所（A 国）の出庫から最終出荷先までの輸送を含めた各工程におけるスタビリティバジェットを算出し，**表 4-6** に示した。なお，最大10日間のスタビリティバジェットを確保するため，その合計が 3 日間（4,320 分間）となるよう設定した。これらのスタビリティバジェットを各工程の手順に反映し，スタビリティバジェット内の温度逸脱であれば製品品質に影響しないと判断している。

3. スタビリティバジェット設定の利点

A 製品のように，25℃以下の温度逸脱が起こりうる工程を洗い出し，あらかじめスタビリティバジェットを各工程で規定しておくことで，短期的な温度逸脱を個々に評価する必要がなくなる。また，ある工程でスタビリティバジェットを超えた場合があったとしても，前工程の温度逸脱時間を算出し，後工程でのスタビリティバジェットを短縮することにより，サプライチェーン全体としてロットをリジェクトせずに品質を保証することが可能となる。

4. おわりに

以上のように，冷蔵保存品等特別な温度管理を求められる医薬品に対して，特に輸入品などの複雑なサプライチェーンを経ている製品について，スタビリティバジェットの管理手法を用いれば，製造工程を含めたサプライチェーン全体として温度逸脱に対する製品品質への影響を科学的な知見に基づき適切に行うことが可能である。

表 4-5　A 製品の 25℃以下までのスタビリティバジェット

	日	分（時間）
冷蔵保存（2～8℃）時のスタビリティバジェット	10	14,400（240）
A.　製剤製造所（A 国）（製造～保管）	4	5,760（96）
B.　包装製造所（B 国）～最終出庫先（日本）	3	4,320（72）
C.　顧客	1	1,440（24）
D.　安全確保時間	2	2,880（48）

表 4-6　製剤製造所（A 国）の出庫～最終出庫先までの各工程におけるスタビリティバジェットの算出

No.	工程（From）	工程（To）	作業	逸脱許容時間 分（時間）
1	製剤製造所の倉庫（A 国）	包装製造所の倉庫（B 国）	1）搬入 2）輸送 3）搬出	60（1）
2	包装製造所の倉庫（B 国）		保管	60（1）
3	包装製造所の包装工程（B 国）		1）倉庫から包装エリアへの移動 2）組み立て，包装工程 3）外観検査 4）包装エリアから倉庫への移動	960（16）
4	包装製造所の倉庫（B 国）	国内製造所 C（日本）	1）搬入 2）輸送・輸入手続き 3）搬出	480（8）
5	国内製造所 C（日本）	国内製造所 C の倉庫（日本）	外観検査 保管	60（1）
6	国内製造所 C の倉庫（日本）	国内保管倉庫 D（日本）	1）搬入 2）輸送 3）搬出	360（6）
7	国内保管倉庫 D（日本）		保管	60（1）
8	国内保管倉庫 D（日本）	卸売販売業者倉庫 E（日本）	1）搬入 2）輸送 3）搬出	480（8）
9	卸売販売業者倉庫 E（日本）		保管	720（12）
10	卸売販売業者倉庫 E	顧客	出庫	1,080（18）
			合計	**4,320（72）**

【前提条件】
A 製品：バイオ医薬品　注射剤
保存条件：冷蔵保存（2～8℃）
スタビリティバジェット：25℃以下，10 日間*
＊：安定性試験データに基づき，25℃以下で 10 日間の温度逸脱であれば，定められた条件下（2～8℃保存）で有効期間内では品質を保証できることを確認している。

偽造医薬品真贋判定および当局連携手順事例紹介

1. はじめに

偽造医薬品の発生が世界的に大きな問題となっている昨今，2017年1月にC型肝炎治療薬「ハーボニー配合錠」の偽造医薬品の正規流通経路への混入が発覚したことを踏まえ，同年3月「医療用医薬品の偽造品流通防止のための施策のあり方に関する検討会」[1)]が，偽造医薬品の混入防止や偽造医薬品を含む品質の疑わしい医薬品の検知体制の整備を図るために発足した。その最終とりまとめを反映させ，「医薬品，医療機器等の品質，有効性及び安全性の確保等に関する法律施行規則の一部を改正する省令」（2017年厚生労働省令第106号）等が2017年10月5日に公布され，2018年1月31日に施行された[2),3)]。そして，2018年12月28日，「医薬品の適正流通（GDP）ガイドライン」（以下，本ガイドライン）[4)]が厚生労働省医薬・生活衛生局総務課および医薬・生活衛生局監視指導・麻薬対策課事務連絡として発出されるに至り，偽造医薬品の正規流通経路への混入防止が通知された。これらにより，患者に有効かつ安全な医薬品を届けるための流通における施策が整備されてきたところである。

偽造医薬品に関し，本ガイドラインの第6章6.4項には「偽造医薬品又は偽造の疑いのある医薬品が発見された場合，直ちに製造販売業者に通知し，検体を確保・送付すること。製造販売業者は保管品保存品と目視等により真贋判定を行う。偽造の可能性の高い場合は，その当該ロットを隔離するとともに，速やかに所轄当局に通知し，以後の対応策を協議すること。」と記載されている。偽造の疑いのある医薬品を発見した場合の技術的な方法論についてはAnnex 5, WHO guidance on testing of “suspect” falsified medicines[5)]に記載されてはいるが，詳細なプロセスを記述した資料はない。本稿では，調査，真贋判定，さらには当局連携手順のプロセスを一例としてまとめたので紹介する。偽造の疑いのある医薬品を入手してしまった場合の参考になれば幸いである。

2. 偽造医薬品又は偽造の疑いのある医薬品の発見

偽造医薬品又は偽造の疑いのある医薬品を市場で発見したら，発見者は直ちに販売および輸送を中断し，製造販売業者に通知する。発見者は，可能な限り，当該医薬品の外観の写真および発見時の状況を記録し，外観を傷つけたり変形させたりしないよう，また，輸送中に梱包内での衝撃や動きが最小限となるよう注意深く梱包し，製造販売業者に送付する。輸送中の紛失を防ぐため，トラッキングシステムサービスを有する輸送業者に依頼するとよい。

3. 調査および真贋判定

製造販売業者は，偽造医薬品又は偽造の疑いのある医薬品（以下，検体）を受領したら，まず隔離保管し，他の製品との混在を避けなければならない。次に，目視により二次包装の外観検査を行い，正規品との相違の有無を観察する。もし，偽造医薬品対策として隠し文字，マイクロ文字，ホログラム等*の技術を用いているならば，技術部門と連携して調査を進める。検体が一次包装資材であった場合は試験研究施設にて検査を行う。

二次包装資材の外観検査が終了したら，試験研究施設に検体を移し，一次包装の外観検査を行う。検査場所は，他の製品や資材と混合しない隔離された場所で実施する。その際，β-ラクタム，セファロスポリン等の高感作性物質や他の高生理活性物質が検査員あるいは周囲の環境に暴露されないように注意すること。

次に，有効成分の含量試験を実施する。使用する機器としては，FT-IR，UV，融点，X線回折，各種クロマトグラフィー，さらにMS検出器を連結させたGC/MS，LC/MS，あるいはICP/MS等を用いるとより検出力が高まるであろう[5)]。また，標準物質との比較時には，標準物質への汚染には十分気をつける。必要な場合は添加剤の種類および含量の試験も実施する。

検査結果はすべて記録に残し，検体には識別可能な保管番号をつける。まず非破壊検査を進め，次に破壊検査を行うことも留意すべきことである。

*主な偽造防止技術

- 隠し文字：背景色と文字色を一緒にすることで，文字を見えなくするもの。
- ホログラム：ホログラフィーによる干渉縞を記録したもの。物体に光を当てたその反射光に，同じ光源の光を別の角度から干渉させてできる干渉縞を記録した感光材料を指す。
- マイクロ文字：ごく微小な文字を線部や図柄の一部等に入れ込む。ルーペを使って確認することができるが，肉眼で識別することも可能である。

4．当局連携手順

製造販売業者は前述のような調査および真贋判定の結果，偽造医薬品であると結論づけたときには，ただちに所轄当局へ連絡する（**図4-21**）。製品名，ロット番号，真贋判定の結果，一連の調査結果，影響範囲等をまとめ，要求されたらすぐに提出できるようにしておく。

また，偽造医薬品と判定された検体は，二次包装資材を含め可能な限り保管し，今後の参考試

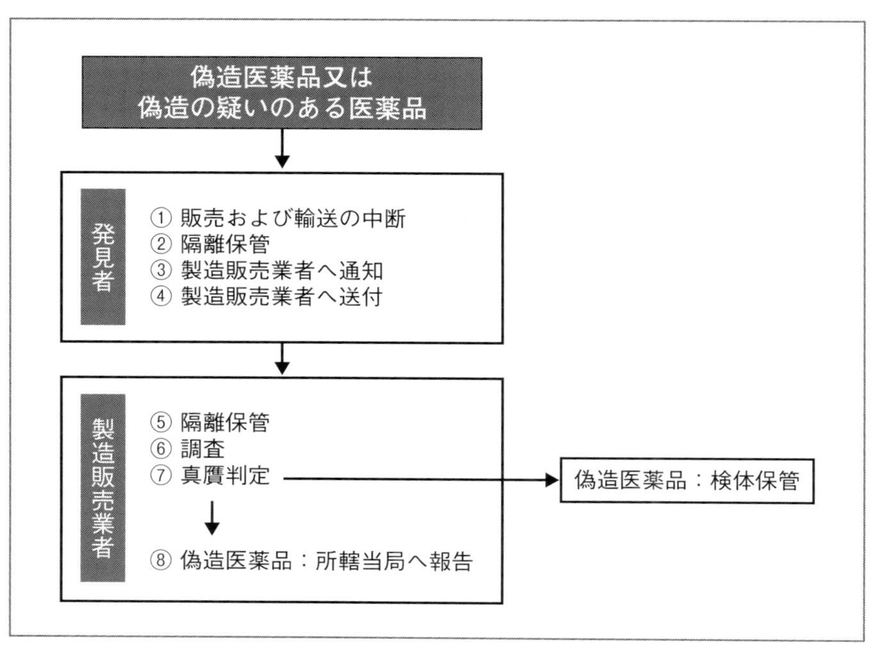

図4-21　偽造医薬品又は偽造の疑いのある医薬品の発見から真贋判定まで

料とする。保管にあたっては，含有成分等が検査員あるいは周囲の環境に曝露されないよう，チャックつきのポリ袋等に入れ，開封口を封印することが望ましい。

5．おわりに

関連省令やガイドラインの徹底により，偽造医薬品が正規経路へ混入されないよう整備されてきた。もし混入した場合には，速やかに製造販売業者へ第一報を通知し，製造販売業者に至っては，偽造か否かの調査を至急実施し，偽造と判断されたら所轄当局に連絡することが必要である。行政とともに偽造医薬品の拡散を防止し，患者が安心して服用できる環境を維持していくことがわれわれ医薬品を流通させる責任を負う者の責務である。将来的には，最小販売単位のすべてに特異的な番号をつけ，流通に関わる全機関が読み取ることができるようなシリアライゼーションの展開も必要と考える。

参考文献

1）医療用医薬品の偽造品流通防止のための施策のあり方に関する検討会，厚生労働省医薬・生活衛生局総務課
2）医薬品，医療機器等の品質，有効性及び安全性の確保等に関する法律施行規則の一部を改正する省令等の施行について，薬生発1005第1号　平成29年10月5日付厚生労働省医薬・生活衛生局長
3）偽造医薬品の流通防止に係る省令改正に関するQ＆Aについて，平成30年1月10日付厚生労働省医薬・生活衛生局総務課，監視指導・麻薬対策課及び医政局総務課医療安全推進室事務連絡
4）医薬品の適正流通（GDP）ガイドラインについて，平成30年12月28日付厚生労働省医薬・生活衛生局総務課及び監視指導・麻薬対策課事務連絡
5）World Health Organization, WHO Technical Report Series, No. 1010, 2018, Annex 5 WHO guidance on testing of "suspect" falsified medicines

輸送リスクアセスメント実施事例紹介

1. はじめに

GMPで製造した優れた品質の医薬品を患者に届けるまでの一貫した管理が必要である。倉庫での「保管」に係る品質保証も重要だが，倉庫出荷後あるいは着荷前の陸路，空路，海路等の「輸送」という工程の製品品質を保証するシステムを考えることは極めて難しい印象を与える。「輸送」という工程中の品質リスクを細かく特定し，それを低減するために何をすべきかを立案し，証明することはGMP下で製造した製品の優れた品質を損なうことなく，サプライチェーンを通じて患者に届けるための重要なアプローチである。End to Endで監視できる仕組みを構築し，それを定期的に見直すことは医薬品を提供する側として重要な役目の一つである。2018年12月に発出された本邦の医薬品の適正流通（GDP）ガイドライン[1)]（以下，本ガイドライン）では，医薬品の完全性の確保および偽造医薬品の正規流通経路への混入防止が主な柱とされた。輸送という工程のどこにリスクがあるかを評価するICH Q9を取り入れたリスクベースドアプローチによって，品質保証の仕組みを構築していくことが求められている。しかしながら，欧州GDPガイドライン[2)]およびWHOのガイドライン[3)]においてもこれらの詳細な手法や事例等の記載はない。

そこで本稿では，本ガイドライン第9章で求められている輸送に関する評価方法（輸送リスクアセスメント）およびそのリスクの低減方法，さらにはライフサイクルとしての運用事例を紹介する。リスク評価方法は各種さまざまな手法があるため，本紹介事例がすべてではないが，これにより，患者に製品を提供する側の具体的な活用方法の一つとして参考になれば幸いである。

2. 輸送リスクマネジメントとは

輸送リスクマネジメントとは，医薬品の市場出荷後，薬局，医薬品販売業，医療機関に渡るまでの医薬品の仕入，保管および供給業務における流通経路において，医薬品の温度や環境条件あるいはセキュリティ等，医薬品の完全性を損なう恐れのあるリスクを特定するためのアセスメントである。医薬品の完全性を維持するために必要な管理事項を特定するために実施する。原則として，供給を開始するまでにリスク低減策を実行する必要があるが，回顧的に実施し，適用することも可能である。気候や輸送環境の変化に対応するため，必要に応じて見直すことをライフサイクルを通して組み込み，また，流通経路内で計画されている変更が，医薬品の完全性に関係する場合には輸送リスクアセスメントを見直すことも必要である。製品や規制当局の要求事項の変更にも対応するべきである。

3. 輸送リスクアセスメントの方法論

3.1 製品の要求事項の確認

まず，輸送リスクアセスメントを実施する前に，第一ステップとして実施しておくことがある。それは対象とする製品の要求事項および予定されている輸送方法の詳細を確認することである。承認された保管条件，加速および長期安定性試験データ，さらには温度逸脱許容時間，輸送中の梱包方法等の輸送形態，あるいは，どのような車両によりどのルートで輸送するのか等，輸送方法や輸送ルート等の情報を収集することにより，製品を輸送する条件が把握可能となる。基本的には製品単位で考えるが，保管条件，輸送形態，輸送ルートや輸送方法等により製品群にグルーピングして行うことも可能である。事例を**表4－7**に示す。

表4－7　輸送に供する製品の要求事例（保管条件，使用期間，安定性データ，輸送形態，輸送方法等）

製品名	承認された保管条件	使用期間	安定性データ	輸送形態
保冷品A	5℃以下	3年	長期，加速，苛酷試験 輸送中の温度逸脱許容時間：<25℃，25h 凍結許容	包装形態：バイアル 輸送形態：専用保冷ボックス 輸送方法：保冷車両
保冷品B	2～8℃	3年	長期，加速，苛酷試験 輸送中の温度逸脱許容時間：<25℃，25h 凍結厳禁	包装形態：アンプル 輸送形態：外装箱（段ボール） 輸送方法：保冷車両
室温品C	1～30℃	3年	長期，加速，苛酷試験	包装形態：PTP包装 輸送形態：外装箱（段ボール） 輸送方法：通常車両

例えば，保冷品Aは5℃以下の温度条件で3年間の使用期間が承認された製品である。安定性データとして，長期，加速，苛酷試験データにより経時的変化を客観視することができ，温度逸脱許容時間を設定することにより，逸脱した場合の製品品質への影響を評価することが可能となる。また，包装形態，輸送形態および輸送方法は，輸送中の外気温からの影響をリスク評価する上で重要な要素である。

3.2 輸送プロファイルの作成

製品の要求事項を収集したら，次に，実際の輸送ルートを描き出す。対象となる起点から終点までのすべての輸送ルートを描き出すことにより，リスク評価の抜けがなくなる。さらに，輸送ルートを，出発点での積荷，出発点から次の中継点までの輸送，中継点での一時保管，その中継点から着荷点までの輸送，着荷点の積下ろしという具合に，輸送工程を分割し，各工程で想定される作業，従事者，作業時間をすべて書き出し，輸送プロファイルを完成させる。具体例を**図4－22**に示す。

この例は，市場出荷した製造所を工程1とし，製造所から配送センターまでの輸送を工程2，配送センターでの一時保管を工程3，配送センターから着荷点までの輸送を工程4，着荷点となる卸業者の倉庫での荷下ろしを工程5とした。工程1における製造所での出荷時の積荷に必要な作業として，出荷準備，温度記録計準備，荷室温度設定，伝票照合，積荷の割り出し，倉庫作業者および運転手により積荷にかかる平均作業時間を1時間未満と概算したものである。工程2以降も同様に考え，細分化した。これらは単純に作業項目や作業者を列挙することにより完成できるものである。これにより，当該輸送ルートの中でいつ，どこで，誰が，何をどのくらいの時間をかけているか明確となり，次のリスクアセスメントを実現可能なものとする。

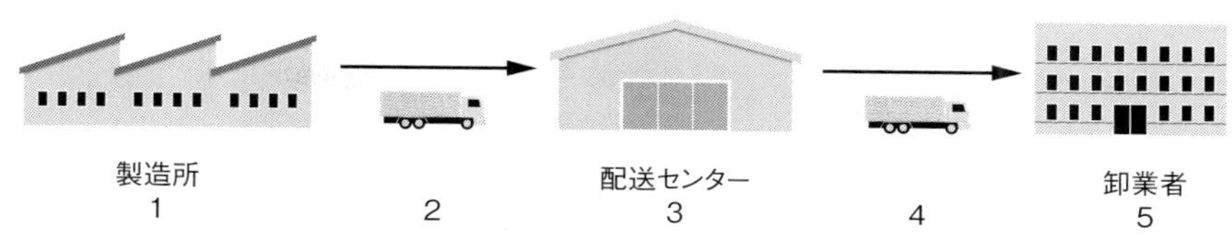

No.	工程	作業	従事者	平均作業時間
1	製造所出荷 積荷	・出荷準備 ・温度記録計準備 ・荷室温度設定 ・伝票照合 ・積荷	倉庫作業者 運転手	積荷：＜1時間
2	輸送	・陸送	運転手	1日
3	配送センター 荷下ろし 一時保管 積荷	・荷下ろし ・伝票照合 ・受入れ ・保管 ・温度データ印刷 ・積荷	運転手 倉庫作業者	荷下ろし：＜1時間 保管期間：1～21日 積荷：＜1時間
4	輸送	・陸送	運転手	1～3日
5	卸業者着荷 荷下ろし	・荷下ろし ・伝票照合 ・受入れ	運転手	荷下ろし：＜1時間

図 4-22　輸送プロファイルの作成

3.3 リスクアセスメントの実施

作成した輸送プロファイルを工程ごとにリスクアセスメントしていく。リスクを特定していく上で考慮すべきポイントの例としては，空港や港も含めた一時保管を行う倉庫については，自己点検や監査が実施されているか，倉庫を取り巻く外部環境に塵埃は多いか，温度マッピングは実施したのか，防虫・防そシステムは機能しているか，設備のセキュリティは配備されているか，停電や火事等の非常時対策はあるか，最新版の手順書が整備され，必要なときに作業者による閲覧が可能か等があげられる。輸送車両に関しては，車両や荷室のデザイン，バリデーション等による適格性評価の有無，温度管理能力，扉の施錠，使用する機器に関する保守や校正等が考えられ，また，作業者への教育や作業能力，作業者の代行者がいるかどうかもリスクとして考慮すべき点である。

リスクアセスメントに用いる手法としては，欠陥モード影響解析（FMEA）等複数あるので，詳細についてはICH Q9 品質リスクマネジメント ブリーフィング・パック[4]や他の参考書を参照されたい。施設や設備に関するリスクアセスメントにはFMEAを用いることが多いので，ここではその事例を**表 4-8** に紹介する。

表 4-8　輸送リスクアセスメント一例（FMEA）

No	工程	潜在的故障モード	故障の影響	現状の管理方法	重大性	発生確率	リスクスコア	低減方法
1	製造所出荷 積荷	1. 作業者は担当作業の教育を受けていない	誤出荷，製品損傷	教育実施済	2	1	2	許容
		2. 作業を代行できる作業者がいない	輸送遅延	代行者への教育実施済	2	1	2	許容
		3. 輸送車／荷室の設定温度を間違える	温度逸脱，製品廃棄	作業手順書あり	3	1	3	許容
		4. 準備中に温度記録計が故障する	温度逸脱	定期点検あり	2	1	2	許容
		5. パレットの積載方法を間違える	製品損傷	作業手順書あり	3	1	3	許容
		6. 正しい内容明細が貼付されていない	製品損傷	作業手順書あり	3	1	3	許容
		7. 出荷管理がされていない	誤出荷，欠品	SAP の使用	3	1	3	許容
2	輸送 運転	1. 輸送車が故障する	輸送遅延	車両の定期点検あり	2	1	2	許容
		2. 輸送中に物理的に製品が損傷する	製品損傷	運転者への安全教育実施済	3	1	3	許容
		3. 輸送車／荷室の温度記録計が故障する	温度逸脱	温度計の定期点検あり	2	1	2	許容
		4. 荷室内の温度がばらつく	温度逸脱，回収	温度記録計設置済	2	3	6	車両温度マッピングの実施
		5. 問題発生時に連絡が来ない	製品損傷，廃棄	品質取決めなし	4	2	8	品質取決めの締結
3	配送センター 荷下ろし 保管 積荷	1. 作業者は担当作業の教育を受けていない	誤出荷，製品損傷	教育プログラムあり	3	1	3	許容
		2. 作業を代行できる作業者がいない	輸送遅延	代行者への教育実施済	2	1	2	許容
		3. 荷下ろし・積荷中に雨にぬれる	製品廃棄，回収	適切な構造設備	3	1	3	許容
		4. 扉開閉時間が長い	温度逸脱	温度逸脱許容時間設定済	3	1	3	許容
		5. 虫が多い，塵埃が多い	回収	防虫防そ，清掃手順あり	3	1	3	許容
		6. 部外者が倉庫内に立ち入りできる	盗難，偽造品	一部セキュリティなし	3	3	9	セキュリティカード設置
		7. 停電時に温度管理されない	逸脱，製品廃棄	バックアップ電源あり	3	1	3	許容
		8. 保管中に温度逸脱が発生する	温度逸脱。製品廃棄	温度マッピング実施済	3	1	3	許容

No	工程	潜在的故障モード	故障の影響	現状の管理方法	重大性	発生確率	リスクスコア	低減方法
4	輸送 運転	1. 輸送車が故障する	輸送遅延	車両の定期点検あり	2	1	2	許容
		2. 輸送中に物理的に製品が損傷する	製品損傷	運転者への安全教育実施済	3	1	3	許容
		3. 輸送車/荷室の温度記録計が故障する	温度逸脱	温度計の定期点検あり	2	1	2	許容
		4. 荷室内の温度がばらつく	温度逸脱，回収	温度マッピング未実施	2	3	6	車両温度マッピングの実施
		5. 問題発生時に連絡が来ない	製品損傷，廃棄	品質取決めなし	4	2	8	品質取決めの締結
5	着荷 荷下ろし	1.作業者は担当作業の教育を受けていない	誤出荷，製品損傷	教育プログラムあり	3	1	3	許容
		2. 作業を代行できる作業者がいない	輸送遅延	代行者への教育実施済	2	1	2	許容
		3. 手順書に従った作業ができない	逸脱	自己点検実施済	2	1	2	許容
		4. 荷下ろし中に雨にぬれる	製品廃棄，回収	適切な構造設備	3	1	3	許容
		5.扉開閉時間が長い	温度逸脱	温度逸脱許容時間設定済	3	1	3	許容

まず，工程ごとに割り出した個々の作業について潜在的な故障モードを想定する。例えば，工程1では積荷に関する出荷準備という作業の中で，作業者は作業に関連する教育を受けていない，というのが潜在的故障モードである。その故障が発生した場合の影響を想定すると，誤出荷あるいは製品の損傷が考えられる。それに対し，現状教育を実施していることが確認できたことから，潜在的故障モードが発生するリスクは低いと考えられる。リスクはICH Q9でも推奨されている通り定量的な評価が必要である。この場合，重大性および発生確率を5段階に分類し，それらを乗じることによりリスクスコアを算出し，リスクスコア4以下を低リスク，5～9を高リスク，10以上を極めて高リスクとして上層部へ報告すべき案件と定義した。詳細を**表4-9**に示す。作業者への教育については，重大性2，発生確率1，リスクスコア2となることから低減策不要の低リスクとしてこれを許容した。高リスクとして特定されたものは，工程2の輸送中の車両荷室内の温度変動，問題発生時の連絡方法が決まっていないこと，工程3では倉庫のセキュリティ，工程4の輸送でも輸送中の車両荷室内の温度変動が高リスクと特定された。

表 4-9　リスク定量化の例

	重大性				
発生確率	殆ど影響ない 1	軽微 2	中程度 3	重大 4	壊滅的 5
殆どいつでも 5	5	10	15	20	25
よく起こる 4	4	8	12	16	20
起こりうる 3	3	6	9	12	15
稀に起こる 2	2	4	6	8	10
起こりそうにない 1	1	2	3	4	5

10≦リスクスコア≦25：重大なリスク。リスクスコアが9以下となるように短期的リスク低減計画を実施する。さらに，リスクスコアが5以下となるように長期的リスク低減計画を実施する。
5≦リスクスコア≦9：リスクスコアが5以下となるようにリスク低減計画を実施する。
1≦リスクスコア≦4：許容可能なリスク。低減策は実施せず，現状を維持する。

3.4 リスク低減計画の実施

輸送リスクアセスメントの結果，複数の低減すべき高リスクが特定された。これらは一例であるが，リスク内容を考慮して低減計画を立案することが望ましい。まず，個々のリスクの記述を行ってみる。リスクは事象内容自体ではなく，事象内容から発生が想定される恐れを念頭に記述することが必要である。例えば，倉庫のセキュリティについて，セキュリティが確立されていないという事実に対し，それによって部外者が侵入し，偽造医薬品が故意に施設内ですり替えられる恐れがあると捉える。盗難も然りである。この場合，その低減計画として入口にセキュリティカードの設置を決定した。MIV は低減後のリスクスコアを意味するが，リスクの重大性は変わらないので，低減計画により部外者が侵入する頻度が減ることから発生確率が 1 に減少すると評価できる。つまり，セキュリティカードを設置することによりリスクスコアが 9 から 3 に減少する結果となった。これらを一覧としたものが**表 4-10** である。

リスクの記述およびリスクスコア，低減計画および低減後のリスクスコアを一覧とすることにより，低減計画の進捗管理やマネジメントレビューにも応用可能である。低減後の証明として，適切にデータを保管しておくことが必要である。

4. ライフサイクルマネジメント

リスク低減は一過性で実施するのではなく，ライフサイクルマネジメントとして定期的に見直すことが必要である（例えば 2 年ごと）。法や省令の改正，新たなガイドラインや通知の発出等外部環境の変化にも対応し，承認事項一部変更承認による製品への要求事項の変更，新製品発売による輸送プロファイルの変更，また，新規輸送業者の採用により車両の追加や輸送ルートの変更が発生する可能性もある。これらのイベントごとに，定期的な見直し以外の変化に対応してリスクを見直すことで，常に最新のリスクアセスメントに基づいた管理が可能となっていることを証明できる。

表4-10　リスク低減計画一覧

DRA管理番号	リスクの記述	RIV*1			リスク低減計画	MIV*2		
		重大性	発生確率	リスクスコア		重大性	発生確率	リスクスコア
3-6	配送センターにおいて部外者が倉庫内に立ち入ることができてしまう状況であることから，盗難の発生や偽造医薬品にすり替えられるリスクがある	3	3	9	配送センターの入口にセキュリティカードを設置する	3	1	3
2-5	製造所→配送センターへの輸送中に逸脱が発生しても製販に連絡が来ず，製品が損傷したり，製品を廃棄するリスクがある	4	2	8	輸送業者と品質取決めを締結する	4	1	4
4-5	配送センター→卸業者への輸送中に逸脱が発生しても製販に連絡が来ず，製品が損傷したり，製品を廃棄するリスクがある	4	2	8	輸送業者と品質取決めを締結する	4	1	4
2-4 4-4	車両温度マッピングを実施していないことから，荷室内の温度がばらつき，製品の逸脱や回収が発生するリスクがある	2	3	6	車両の温度マッピングを実施する	2	1	2

＊1 Risk Index Value　低減前のリスクスコア
＊2 Mitigation Index Value　低減後のリスクスコア

5. おわりに

輸送リスクアセスメントは流通品質を担保する一連のプロセスの中で重要なステップの一つである。

しかしながら，車両荷室のバリデーションや温度モニタリング等まだ現実的に完全な実装が難しい状況であることも否めない。また，これまで管理が進んでいなかった室温医薬品の輸送には今後温調車を利用するケースも増えてくると予想されるが，現状は台数が限定的であり，またコストも割高になるため，現実的に利用するためのハードルは高い。将来的に少しでもギャップを減らす努力を医薬品業界として行っていきたいと考える。本ガイドラインの発出に伴い，実装に向け一歩が踏み出されている中，輸送に関する業界横断的な情報の共有が一層望まれる。本事例が参考になることを期待したい。

参考文献

1) 医薬品の適正流通（GDP）ガイドラインについて，平成30年12月28日付厚生労働省医薬・生活衛生局総務課及び監視指導・麻薬対策課事務連絡
2) Good Distribution Practice (GDP) of Medicinal Products for Human Use (2013/C 343/01).
3) World Health Organization, WHO Technical Report Series, No. 957, 2010, Annex 5 WHO good distribution practices for pharmaceutical products
4) ICH Q9 品質リスクマネジメント ブリーフィング・パック
5) PIC/S GUIDE TO GOOD DISTRIBUTION PRACTICE FOR MEDICINAL PRODUCTS PE 011-1, 1 June 2014

保冷ボックスの取り扱いについて

1. はじめに

国内の夏期の輸送では，輸送車両荷室内の温度は外気よりも20℃以上高くなると言われており，医薬品の輸送および保管において保冷ボックスの活用が広がっている。適切な保冷ボックスを用いることで，医薬品の市場出荷後，薬局，医薬品販売業，医療機関に渡るまでの医薬品の仕入，保管および供給業務における流通経路の輸送および保管における品質管理が比較的容易に行える。現在，保冷ボックスの種類は，リターナブルなものからワンウェイ等さまざまな製品が市販されており，必要とする管理条件に沿った適切なものを選定することができる。また，より高度な品質管理のために，保冷ボックスと組み合わせて通信装置付の計測器（温度ロガーやGPS発信機）を設置して，常時モニタリングを実施することが行われている。本稿では，保冷ボックスの選定および運用の実例を紹介する。

2. 低温管理医薬品 A の保冷ボックスの選定

保冷ボックスの選定にあたっては，実際の使用条件を考慮して，ボックス内の温度バラツキおよび蓄冷剤の種類および設置場所，外気温と保冷時間等の項目についてあらかじめ評価を行うことが重要である。

1）低温管理医薬品 A は，冷凍（－ 15℃以下）の温度管理が必要な製品である。

2）蓄冷剤（－ 25℃タイプを選定）は，冷凍庫で保管し完全凍結させたものを使用する（冷凍庫条件：－ 40℃以下，48 時間以上を設定した）。

3）蓄冷剤は，事前の保冷性評価データから保冷ボックス内に 6 個（側面 5 個，天面 1 個）を配置する。

4）選定した保冷ボックスおよび蓄冷剤では，－15℃以下の保冷庫内の温度状態を外気温 5℃環境下では 150 時間，40℃環境下では 40 時間保持できることが確認された。

5）保冷ボックスは保冷車輸送による物流センターから卸業者までの品質を担保する仕様とし，卸業者での一時保管や卸業者から得意先への流通での使用を目的としないことを定めた。

3. 低温管理医薬品 A の保冷ボックスの運用

保冷ボックスを正しく使用するための運用方法を以下にまとめる。

1）保冷ボックスの輸送形態は，輸送時の品質を確保するための以下の形態とする。

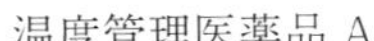
温度管理医薬品 A

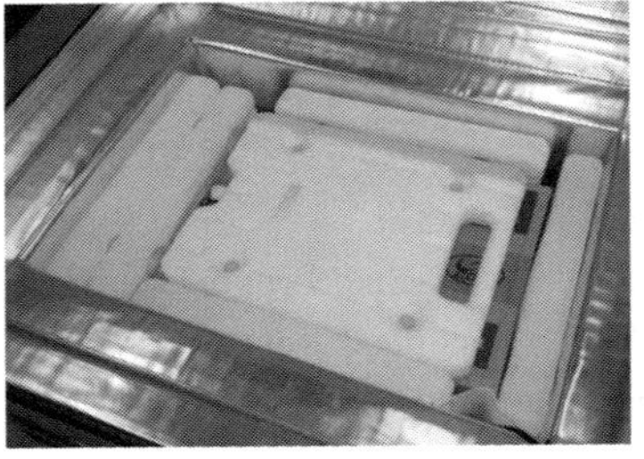
蓄冷剤での保冷

保冷ボックスでの輸送

2）保冷ボックスの保冷性能に基づき，輸送車両荷室内温度が40℃に達した場合であっても，保冷ボックス内は－15℃以下を40時間以上保持される。懸念される温度異常の原因として，製品の卸業者等への納品までに保冷ボックスの蓋が開けられる等によって，保冷ボックス内に外気が流入することがある。そのため出荷前の梱包の完全性については，封緘シールを貼付して問題ないことを確認する運用とする。

封緘シール

3）保冷ボックスの温度状態を常時モニタリングするために，温度管理付き追跡システム（以下「ロガー」）を積載し，温度情報と位置情報をリアルタイムに管理端末を用いてWeb上で確認できる運用とする。温度情報は電話局の基地局，位置情報はGPS発信機を利用するため，電波状態が不安定になると，リアルタイムの情報が確認できなくなることがある。しかし，各情報は蓄積する仕様であるため，蓄積されていた各情報は納品後に確認が行える。なお，空路については，航空法により「ロガー」の電波発信が禁止されているため，温度情報のみの取得を行う。

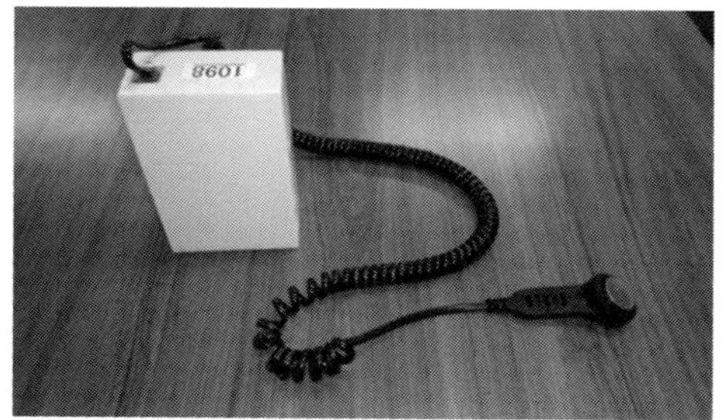

ロガー

4）「ロガー」は異常検知機能（温度異常とセンサー異常）を作動させる。
「ロガー」に異常が生じた場合には，異常検知メールが配信される仕様とし，メールの送信先は物流センターのパソコンおよび担当者の携帯電話とする。また，送信先を複数登録することで異常検知の見逃しの防止を図った。

5）保冷ボックスを使用する際には，出荷前に梱包の完全性を保証するため以下の項目につきチェックシートを準備して記録を行う。

①　保冷ボックス本体に穴あき等の破損がないこと
②　蓄冷剤が指定温度で指定時間凍結されていること
③　保冷ボックス内に蓄冷剤が指定数量挿入されていること
④　「ロガー」の充電がフル充電で挿入時に正常に測定されること

⑤　低温管理医薬品A専用の段ボールケースに製品が適切に梱包されていること
⑥　保冷ボックス蓋部に封緘シールが貼付されていること
⑦　保冷ボックス単位で梱包完了時間を確認すること

6）製造所または物流センターから卸業者までの保冷ボックスの輸送は保冷車とする。保冷ボックスの保冷性能が十分に保持できる時間内で卸業者まで輸送する。また原則，保冷車での輸送とするが，保冷車が手配できない場合等には，輸送方法について製造販売業者と協議して決定することとする。

7）運送会社は卸業者の担当者に保冷ボックスの外装異常がないこと，および保冷ボックスの封緘シールの剥離や切れがないことを確認いただき，保冷ボックスから低温管理医薬品A専用の段ボールケースを取出し納品する。蓋の封緘シールは4箇所に貼付してあり，その内1箇所でも正常な状態であれば納品を可とする。

8）卸業者に納品の際に保冷ボックス外装異常や封緘シール異常（4箇所すべて）が確認された場合には，卸業者および運送会社は製造販売業者へ連絡して指示に従い対応を行う。

9）物流センターは，受渡書回収後に記載されている卸業者納品時間を確認する。「ロガー」のデータから温度逸脱のないことを確認する。

10）温度異常を検知した場合，以下の対応とする（業務時間内）。

①　物流センターは運送会社へ連絡し可能な限り保冷ボックスの蓋開けや破損，車両状態（温度）を確認する。
②　物流センターは製造販売業者へ保冷ボックス内温度と運送会社からの入手情報を報告する。
③　製造販売業者は卸業者へ連絡を入れ，卸業者と対応を協議する。
卸業者納品停止や回収，代替品出荷など，すべての判断は製造販売業者が行う。

11）温度異常を検知した場合，以下の対応とする（深夜早朝）。

①　物流センターは運送会社に連絡し，温度異常発生をドライバーへ伝達する。
また，翌朝出社までに可能な限り保冷ボックスの蓋開けや破損，車両状態（温度）等の情報入手を行う。
②　卸業者納品までにドライバーへ情報伝達できた場合，ドライバーは温度異常が発生している旨を卸業者担当者に伝え一旦納品する。ドライバーへ情報伝達が間に合わなかった場合，そのまま卸業者へ納品とする。
③　物流センターは翌朝出社後，製造販売業者へ温度異常発生の第一報を入れる。製造販売業者から卸業者へ連絡を入れ，製品保留等の緊急的な対応を依頼する。
④　物流センターは製造販売業者へ保冷ボックス内温度と運送会社からの入手情報を報告する。
⑤　製造販売業者から卸業者へ連絡を入れ，卸業者と対応を協議する。回収や代替品出荷等すべての判断は製造販売業者が行い，物流センターは製造販売業者からの指示に従う。

12）「ロガー」がセンサー異常，本体故障，電波不良となった場合，以下の対応とする。

①　温度情報がWeb上で確認できない状況になるが，「梱包記録」に問題がなく，卸業者や運送会社から外装異常や封緘シール異常の連絡がなければ，温度担保データを適用し，継続して流通・納品を可とする。深夜早朝に発生した場合，翌朝出社後に「梱包記録」を確

認する。

② 保冷ボックス回収後，蓄積されている温度データを取得し温度逸脱の有無を事後確認する。

③ 温度逸脱が確認された場合には，物流センターは製造販売業者に報告する。その後の対応は製造販売業者からの指示に従う。

13）物流センターから卸業者納品までの保冷ボックスすべての温度データを 5 年間保存する。物流センターでのデータ保存媒体は特に指定しない。

14）保冷ボックスは外気温 20℃の場合は 3 年で 20％性能劣化し，外気温 30℃の場合は 1 年で 20％性能劣化する。可能な限り性能劣化を抑えるため，物流センターでの保冷ボックス保管は冷所（15℃以下）で行う。

15）納品当日に保冷ボックスの回収を基本とする。

4．おわりに

低温での温度管理が必要となる医薬品を適切に輸送するためには，保冷ボックスの使用が簡便であり，今後，拡大していくことが予測される。一方，保冷ボックスの使用にあたっては，使用目的にあわせた適切な保冷ボックスおよび蓄冷剤を選定し，実際の輸送経路を想定した温度条件のバリデーションが必要である。また，物流センターや運送会社等と細かな運用方法を定めて，輸送中の品質が適切に管理できるような工夫が必要である。

5．参考情報

保冷ボックス内のホットポイント調査結果および保冷ボックスの温度モニタリング結果を以下に示す。

1）ホットポイント調査結果

保管条件　25℃・60%RH（常温条件）× 96hr（4日間）

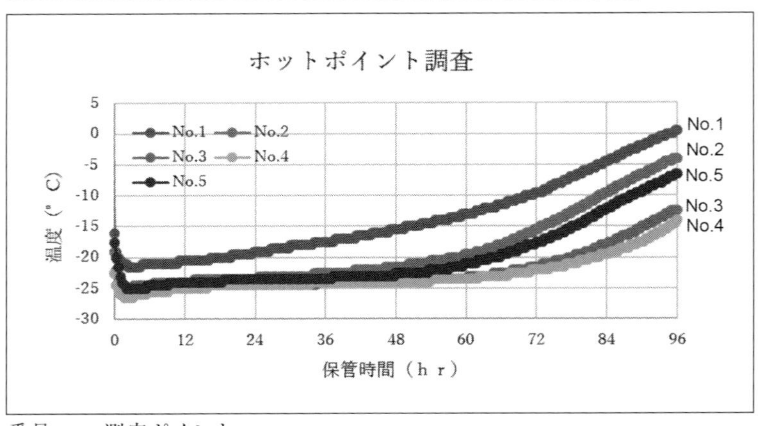

番号	測定ポイント
No.1	X-BOX上部角部，蓄冷剤と蓋の間
No.2	X-BOX上部中央部，蓄冷剤の下（サイドの蓄冷剤1つ）
No.3	X-BOX上部中央部，蓄冷剤の下（サイドの蓄冷剤2つ）
No.4	X-BOX下部中央部
No.5	X-BOX中央部

2）保冷ボックスを用いた温度データの確認

保管条件　25℃・60%RH（常温条件）× 96hr（4日間）

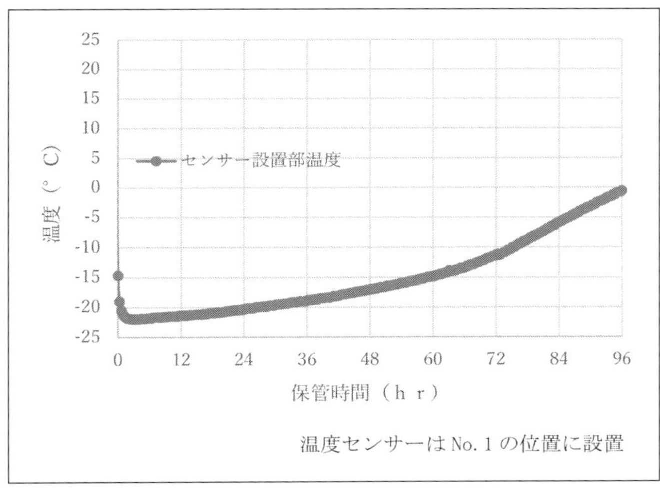

3）保冷ボックスを用いた温度データの確認

保管条件　40℃・75%RH × 96hr（4 日間）

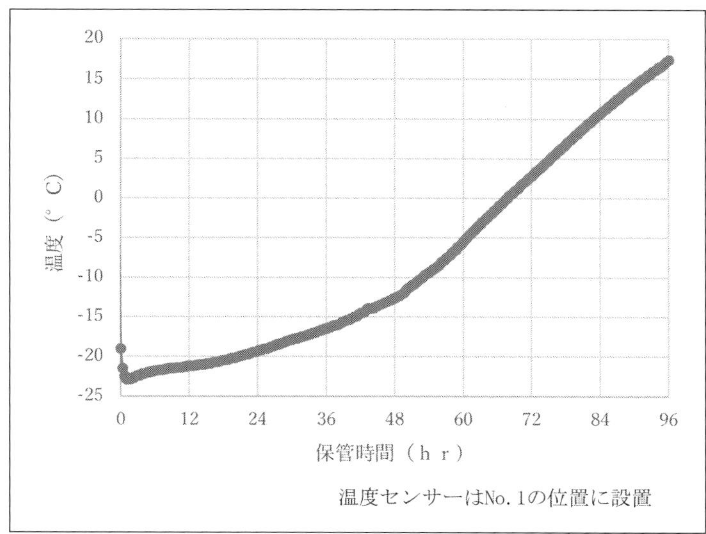

倉庫および車両・コンテナの温度モニタリングと温度マッピング手法（参考情報）

1．はじめに

2018 年 12 月 28 日付で厚生労働省医薬・生活衛生局総務課，厚生労働省医薬・生活衛生局監視指導・麻薬対策課から事務連絡「医薬品の適正流通（GDP）ガイドラインについて」（以下，GDP ガイドライン）が発出され，GDP 対応は医薬品業界に課せられた大きな課題となった。GDP の実装に際し，医薬品製造販売業者が個別に取り組みを進めると 3 PL（サードパーティロジスティクス）・輸送業者への要求事項・レベルも多様となり，保管・輸送業者にとっては一律に運用管理できない複雑なものとなり，コストおよび労力の負担が著しく増大することが容易に推察された。医薬品製造販売業者にとっても保管・輸送業者との運用は多様なものとならないよう，一般化した運用を目指し，可能な限りコストを抑制した GDP の実装を実現することが求められたことから，日本製薬団体連合会傘下の日本製薬工業協会会員企業，および関連製薬企業の調達部門，サプライチェーン部門および品質保証部門等が自主的に集まり，医薬品流通課題検討会＊1）を設立し，GDP 実装の課題解決に取り組んだ次第である。

※ 1）　医薬品流通課題検討会：本参考情報作成時（2020 年 1 月）の参加企業 16 社。
<旭化成ファーマ（株），アステラス製薬（株），エーザイ（株），小野薬品工業（株），協和キリン（株），グラクソ・スミスクライン（株），塩野義製薬（株），シオノギファーマ（株），第一三共（株），第一三共プロファーマ（株），大日本住友製薬（株），武田テバファーマ（株），武田テバ薬品（株），田辺三菱製薬（株），鳥居薬品（株），日本新薬（株）（五十音順）>

医薬品流通課題検討会では，医薬品業界の GDP に対する取り組みを信頼性の高いものとするためには，メーカーのみならず，3 PL・輸送業界も協力体制（課題の共有，共同化）を図ることで，特定のメーカーや物流業者に偏らないフラットな取り組みとなると考え，コストの応分負担による Win-Win 体制の構築を目指し，医薬品流通は競争ではなく協力体制（課題の共有，共同化）を構築することにより，患者さんへの安全・安心・安定的な供給を達成することは，医薬品業界全体の最も重要なミッションとした。

以上の考え方を基本として，医薬品流通課題検討会では速やかに解決しなければならない課題をリスクベースで抽出し，業務効率化を図るため，業務・手順の標準化を常に考慮に入れながら，具体的な手法を文献や各社の実例をもとに順次作成し，各社へ共有している。

今般，GDP に対する取り組みで最も共有・共同化が早期に必要と思われる「倉庫の温度モニタリングと温度マッピング」および「車両およびコンテナの温度モニタリングおよびマッピングの手法」について，WHO Technical Report Series，No.992，Annex 5，Supplement 8 の「Temperature mapping of storage areas Technical supplement to WHO Technical Report Series，No. 961，2011」（以下，WHO Technical Report）や USP<1079>等の文献を参考に具体的な手法を討議し，作成した。なお，WHO Technical Report については，GDP 研究班で翻訳し公表されているので，必要に応じて参照されたい。

また，本手法を厚生労働行政推進調査事業 GDP 研究班に紹介し，内容を GDP 研究班でも確認いただき，今後のGDP社会実装に向けた参考情報として，厚生労働行政推進調査事業成果報告会（2020年1月27日）で「倉庫及び車両・コンテナの温度マッピングと温度モニタリング手法（参考情報）」と題して公開した。

本手法はあくまで参考情報であり，本件採用・不採用または当該基準以上の対応も各メーカーの判断で行われるものであるが，卸売販売業者等のGDPに対する取り組みの参考になれば幸甚である。なお，本文書に記載された機器や手法は今後の方向性を示したものであり，現状を否定するものではない。

2. 倉庫の温度管理

2.1 倉庫の温度モニタリング手法

① 目　的

GDPガイドライン3.1に「特に，施設は清潔で乾燥し，許容可能な温度範囲に維持すること」および，3.3.1に「医薬品を保管する環境を管理するための適切な手順を定め，必要な機器を設置すること。考慮すべき因子として，施設の温度，照明，湿度および清潔さを含む」と規定されている。本項では物流センターでの医薬品保管区域における温度モニタリングの手法について解説することを目的とする。

② モニタリングの実施範囲および項目

医薬品の保管場所すべてを対象として，環境を管理するため，保管温度をモニタリングするとともに医薬品の貯法に準じた温度にコントロールする必要がある。

通例，医薬品の貯法には温度のみが規定され，湿度変化が医薬品の品質に影響を与える場合は防湿包装することにより，湿度コントロールなし（なりゆき湿度）の保管で問題はない。

③ 温度モニタリングポイントおよび機器

夏季および冬季に外気温が大きく変動した場合にも，医薬品の保管場所はその影響を受けず

➢モニタリングポイントおよび機器

外気温が大きく変動した場合にも，医薬品の保管場所はその影響を受けず温度コントロールができていなければならない。そのため温度モニタリングの実施ポイントは，ワーストケースを想定した温度マッピングの結果に従って下記の場所に設置する

・ホットポイント：マッピング時の測定温度の算術平均*が最も高い場所
・コールドポイント：マッピング時の測定温度の算術平均*が最も低い場所
（ワイドポイント（温度マッピング時の測定温度の高低差が最も大きい場所）でモニタリングを実施する場合もある）
* WHO Technical Report Series, No.992, Annex5, Supplement 8

✓ 設置するモニタリング機器は少なくとも年1回校正を行うこと
✓ 機器の故障等に備えバックアップの機器を設置することを推奨
✓ モニタリング機器の設置場所は，定期的な温度マッピングの実施の都度，その結果に従って新たなホット・コールドポイントに変更する

図4-23　倉庫の温度モニタリング（モニタリングポイントおよび機器）

温度コントロールができていなければならない。そのため温度モニタリングの実施ポイントは，ワーストケースを想定した温度マッピングの結果に従って下記の場所に設置する。

・ホットポイント：温度マッピング時の測定温度が最も高い場所

・コールドポイント：温度マッピング時の測定温度が最も低い場所

モニタリングした温度を保証するために，設置するモニタリング機器は少なくとも年 1 回校正を行っていること（**図 4－23**）。

WHO Technical Report のセクション 2.1 に記載されているように，すべてのデータロガーはトレースできる国家標準による 3 点校正が完了しており，各校正点での誤差が± 0.5℃以下である必要がある。試験に使用する各データロガーの有効な校正証明書をマッピング報告書に記載する必要がある。バッテリーが内蔵され，その寿命が限られている一部のデータロガーは，再校正するように設計されていないので注意すること。それ以外の場合は，年 1 回校正を実施すること。データロガーの校正に使用する校正温度ポイントは，試験対象区域ごとに必要な温度範囲を網羅すること。通常，範囲の下限を下回る校正ポイントが 1 つ，範囲の中央にある校正ポイントが 1 つ，範囲の上限を上回る校正ポイントが 1 つとすること。

例えば，管理温度が 1 ～ 30℃の場合，中央校正ポイントは 15℃，下限を下回る校正ポイントは－15℃，上限を上回る校正ポイントは 45℃のように設定する。また，一貫性を確保するため，マッピング試験ごとに 1 種類の機器のみを使用することが望ましい。

モニタリング機器の設置場所の変更は，定期的な温度マッピングの実施の都度，その結果に従って新たなホットポイント，コールドポイントに変更する。なお，モニタリング機器を移動できない（固定式）場合は，上記ポイントと温度モニタリング実施ポイントとの温度差を考慮した上で温度モニタリングを実施することで差し支えない。本取り扱いについて，具体例を以下に示す。

具体例：
ワーストポイント（夏季）：26℃
固定測定ポイント（夏季）：23℃
ワーストポイント（冬季）：13℃
固定測定ポイント（冬季）：14℃

倉庫の管理温度が 1 ～ 30℃の場合は，固定測定ポイントにおける管理温度を 2 ～ 27℃に設定する（**図 4－24**）。

④　モニタリング方法

a）　モニタリングの方法

モニタリング方法は，具体的には次に示す 2 つの方法がある。導入されている設備に応じてモニタリング手順を確立する必要がある。

1）　連続モニタリング：集中管理システム等で連続モニタリングする（計測間隔は 5～15分）。

2）　非連続モニタリング：集中管理システムに接続されず，装置単独で温度を測定し，表示するタイプのデータロガーや電気式温度計の場合，担当者が定期的（例えば午前と午後の定められた時間帯で 1 日 2 回）に目視確認する。

いずれの場合であっても，手順に 1．誰が，2．何を，3．どれくらいの頻度で，4．どのように行うかを規定しておくこと（**図 4－25**）。

b）モニタリングデータ・記録の保管

測定した記録は関係法令の規定に従い保管する。特定生物由来製品や人血液由来原料製品等，特定の製品に対して規定された記録については当該製品の規定により保管する（例：特定生物由来製品　有効期限＋30 年等）。それ以外の温度記録等の特定の製品に限られない記録については，取り扱い品目のうちの最長保管期間に合わせることになる。

➢モニタリングポイントおよび機器

温度モニタリング機器を移動できない（固定式）場合は，ホット・コールドポイントと温度モニタリングポイントとの温度差を考慮した上で温度モニタリングを実施することで差し支えない

・具体例：
ワーストポイント（夏季）：26℃
固定測定ポイント（夏季）：23℃
ワーストポイント（冬季）：13℃
固定測定ポイント（冬季）：14℃

固定測定ポイントが 3℃低い
⇒測定ポイントが 30℃の場合，
ワーストポイントは 33℃

固定測定ポイントが 1℃高い
⇒測定ポイントが 1℃の場合，
ワーストポイントは 0℃

⇒倉庫の管理温度が 1～30℃の場合は，固定測定ポイントにおける管理温度を 2～27℃に設定する等の対応が必要（上限は 3℃下げ，下限は 1℃上げる）

図 4－24　倉庫の温度モニタリング（モニタリングポイントが固定の場合）

➢モニタリングの方法

モニタリング方法は，具体的には次に示す２つの方法がある。導入されている設備に応じてモニタリング手順を確立する必要がある

① 連続モニタリング：
集中管理システム等で連続モニタリング
（計測間隔は５～15 分）

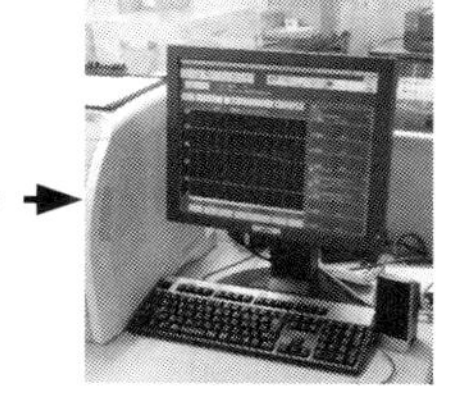

② 非連続モニタリング：
集中管理システムに接続されず装置単独で温度を測定し表示するタイプのデータロガーや電気式温度計の場合，担当者が定期的に目視確認する
（例：午前と午後の定められた時間帯で１日２回）

※いずれの場合であっても，手順に 1．誰が，2．何を，3．どれくらいの頻度で，4．どのように行うか，を規定しておくこと

図 4－25　倉庫の温度モニタリング（モニタリングの方法）

c）データのバックアップ

温度監視システム等に蓄積されたデータは定期的に抽出し，サーバ等にバックアップを取る。バックアップデータは元データを保管するサーバ等から物理的に隔離された場所に保管することが望ましい。

⑤ 温度逸脱時の対応

a）アラームの発報基準（設定温度）

医薬品の保管条件を基に定めた管理範囲から温度が逸脱した場合，直ちにアラームを発報すること。医薬品の品質確保の観点から，保管条件から逸脱することは回避すべきであり，そのために事前の対処を行う必要がある。よって，この管理範囲は保管条件の上下限温度の内側で設定することが望ましい。またアラームは，当該施設の管理責任者もしくは定められた担当者へ確実に伝達される必要があり，連絡網等を作成・管理すべきである（**図 4-26**）。

非連続モニタリング装置のように，装置単独で温度を測定している場合は，無線中継装置等を用いてアラームを直接管理責任者等へ伝達する方法を検討すること。それもできない場合は，休日を含め，定期巡回等によるモニタリング頻度を増やし，温度逸脱を速やかに検知し，伝達する体制構築が必要である。

b）アラーム発報時の対応

アラームが発報された場合，当該保管設備の温度状況およびその原因を速やかに調査し，適切な処置により管理範囲へ早期復旧する必要がある。また管理範囲を逸脱した場合には，調査結果を基に，当該期間に保管設備を使用した製品への影響評価を実施する。影響評価は該当製品の製造販売業者と連携して実施すること。調査結果によっては，CAPAの作成および効果検証が必要である。なお，アラーム発報時の事実・状況・対処等は書面にて記録する必要がある。

温度逸脱時の対応
➢アラームの発報基準（設定温度）

✓ 管理範囲から温度が逸脱した場合，直ちにアラームを発報すること
✓ 医薬品の品質確保の観点から，保管条件から逸脱することは回避すべきであり，そのために事前の対処を行う必要がある
⇒管理範囲は保管条件の上下限温度の内側で設定することが望ましい
（例：保管条件：1～30℃ vs 管理範囲：2～29℃等）
アラームは，当該施設の管理責任者若しくは定められた複数担当者へ速やかにかつ確実に伝達される必要がある

✓ 非連続モニタリング装置のように，装置単独で温度を測定している場合は，無線中継装置等を用いてアラームを直接管理責任者等へ速やかに伝達する方法を検討すること
✓ 対応できない場合は，休日を含め，定期巡回等によるモニタリング頻度を増やし，温度逸脱を速やかに検知し，伝達する体制構築が必要

図 4-26　倉庫の温度モニタリング（アラームの発報基準）

c） アラームシステムの定期点検

設定温度逸脱時にアラームが正しく発報されることを少なくとも年 1 回確認する（**図 4－27**）。

2.2 倉庫の温度マッピング手法

① 目 的

GDP ガイドライン 3.3.2 に「保管場所の使用前に，適切な条件下で温度マッピングを実施すること。温度モニタリング機器（例えばデータロガー）は，温度マッピングの結果に従って適切な場所に設置すること」と規定されている。保管場所における日常的な温度モニタリングを行う場所は事前の温度マッピングによりその妥当性を示すことが必要となる。本稿では物流センターでの製品保管区域における温度マッピング試験の手法について解説することを目的とする。

② 温度マッピングを行う必要がない区域

一般的に，製品を保管する区域については，温度マッピングによる日常的なモニタリング個所を設定する必要がある。一方で，GDP ガイドライン 3.3.2 では「数平方メートル程度の小規模な施設の室温については，潜在的リスク（例えば，ヒーターやエアコン）の評価を実施し，その結果に応じて温度センサーを設置すること」とある。これは EU GDP でも PIC/S GDP でも同様の規定があるため，世界的に認められた手法であると考えられる。

また，荷捌室のような，設備内ではあるが，厳格な温度管理を行っていない区域（入出荷エリア，温度管理区域の手前部分を含む）については，その保管時間によっては製品品質に与える影響が低いため，マッピングに基づいて正確に温度モニタリング箇所を設定することまでは不要と考える。参考までに，European GDP Association では，一時保管の定義に関する FAQ を提供しており，欧州は国別に 24 ～ 72 時間を一時保管としており，それ以上保管する場合は業許可を取得する必要があると述べている（https://www.good-distribution-practicegroup.org/good-distribution-practices-faq.html）（**図 4－28**）。

➢ アラーム発報時の対応

✓ 当該保管設備の温度状況および発生原因を速やかに調査，適切な処置により管理範囲へ早期復旧する
✓ 管理範囲を逸脱した場合には，調査結果を基に，当該期間に保管設備を使用した製品への影響評価*を実施し，調査結果によっては，CAPA の作成及び効果検証が必要
✓ アラーム発報時の事実・状況・対処等は書面にて記録する
　＊影響評価は該当製品の製造販売業者と連携して実施すること

➢ アラームシステムの定期点検

設定温度逸脱時にアラームが正しく発報されることを年 1 回確認する

図 4－27　倉庫の温度モニタリング（アラーム発報時の対応および定期点検）

③　温度マッピングの実施頻度

保管場所の使用前に実施し，稼働後は概ね3年ごと*2) または大規模改修を行った際に実施する。定期的な温度マッピングの目的は設備の経時的な能力低下による温度分布の変化を捉えることである。温度分布に影響を与える改修，設備の交換等を行った場合には，ワーストポイントが変わる可能性があるため，再実施を検討する必要がある。

＊2）過去のアンケート実態調査結果において，マッピング実施頻度は毎年，3年ごと，5年ごとに分かれていた（厚生労働行政推進調査事業GDP研究班2017年度）。毎年夏季，冬季に実施するのが理想的であるが，空調設備の老朽化や気象変動の影響が認められにくいため，概ね3年ごとの定期的に，夏季と冬季に実施するとした（**図4-29**）。

④　マッピングの試験条件

最近の施設であれば，OQで無負荷状態でのマッピングが実施されている。一方，PQまた

➢温度マッピングを行う必要がない区域

GDPガイドライン3.3.2：
「数平方メートル程度の小規模な施設の室温については，潜在的リスク（例えば，ヒーターやエアコン）の評価を実施し，その結果に応じて温度センサーを設置すること。」
⇒ EU GDP，PIC/S GDPでも同様の規定があり世界的に認められた手法

荷捌室のような，設備内ではあるが，厳格な温度管理を行っていない区域（入出荷エリア，温度管理区域の手前部分を含む）：
保管時間によっては製品品質に与える影響が低いため，**マッピングに基づいて正確に温度モニタリング個所を設定することまでは不要**と考える

（参考）一時保管の定義：具体的にリスクを考慮する必要があるが，最大24時間程度の滞留
European GDP AssociationではGDPに関するFAQを提供しており，欧州の業界としては24～72時間を一時保管としている。それ以上保管する場合は業許可を取得する必要があると述べている

図4-28　倉庫の温度マッピング（温度マッピングを行う必要がない区域）

➢マッピング試験の実施頻度

✓ 保管場所の**使用前＋稼働後は3年ごと*または大規模改修時**実施
✓ 定期的なマッピングの目的は設備の経時的な空調機の能力低下による温度分布の変化を捉えること
✓ 温度分布に影響を与える改修，設備の交換等を行った場合には，ワーストポイントが変わる可能性があるため，再実施を検討する必要がある

＊過去のアンケート実態調査結果において，マッピング実施頻度は毎年2回（夏・冬），3年ごと2回，5年ごと2回等に分かれていた（厚生労働行政推進調査事業GDP研究班2017年度）
毎年夏季，冬季に実施するのが理想的であるが，空調設備の老朽化や気象変動の影響が認められにくいため，定期的（概ね3年ごと）に，夏季と冬季に実施するとした

図4-29　倉庫の温度マッピング（マッピング試験の実施頻度）

➢ マッピングの試験条件

✓ PQ（Performance Qualification）または定期マッピングとしては<u>有負荷状態</u>で実施
（最近の施設であれば，OQ（Operational Qualification）で無負荷状態でのマッピングが行われている可能性がある）
✓ 荷物の配置条件・保管効率等については，安定在庫を常時保有する医薬品の倉庫という観点から，特に<u>物量調整は行わず，通常の状態で実施</u>すること

図 4-30　倉庫の温度マッピング（マッピングの試験条件）

は定期マッピングは有負荷状態で実施される。荷物の配置条件・保管効率等については，諸説あるが，医薬品の倉庫は在庫を安定的に常時保有するという観点から，特に物量調整等は行わず，通常（成り行き）の状態で実施すること（**図 4-30**）。

⑤　試験時期

一般倉庫：USP<1079>で規定されているように，極端な気候（例えば，夏季と冬季の 2 回）で実施する。

保冷品倉庫：温度管理された環境内に設置されている保冷品倉庫については，初回は夏季と冬季で実施し，大きな差が認められない場合には，定期的に夏季 1 回の実施に軽減することが可能である。その場合には，初回のデータをまとめた上で，定期温度マッピングの頻度を減らすことの妥当性を報告書にまとめておくこと。

⑥　試験期間

OQ は倉庫の空調および温調システム等の操作プログラムが一巡した後，一定の時間を付加した期間で実施すればよい。例えば，空調および排気システムがそれぞれ 2 系統あり，交互に切り替わる場合，それぞれの組み合わせが一通り終わる時間に 12 時間程度を付加した時間で実施する。

PQ は USP<1079>の規定に従うと，1 週間で通常業務の 1 サイクルが終わり，その後は当該業務サイクルの繰り返しであるため，概ね最低 1 週間で行うこととなる。

また，WHO Technical Report のセクション 2.2.6 には，「マッピング試験の正式な期限はない。通常，倉庫およびその他の環境保管場所については，5 営業日および週末 2 日を含む最低 7 日間，連続で実施すること。周囲温度の日内変動または季節変動の影響を大きく受けない（例えば空調設備が整備されている倉庫内に設置された）温度制御装置付きの機器（冷凍室，冷蔵室等）のマッピング試験は，24 ～ 72 時間，または正当な理由があればそれ以上実施すること。部屋に二系列の冷蔵ユニットが取り付けられている場合，自動切り替えの有無にかかわらず，別々に作動する両ユニットの操作期間にわたって温度マッピングを実施することが不可欠である。（例えば冷蔵ユニットが 24 時間周期で交互に運転している場合は 48 時間または正当な理由があれば 48 時間等）同様の期間での実施が望ましい。」との記載があり参考とされたい。

保冷ボックスを使用して保管している場合には，そのボックスの保冷性能試験を実施すること（**図 4-31**）。

➢試験時期

✓ 一般倉庫：極端な気候（**夏季と冬季の2回**）で実施（USP<1079>, WHO Technical Report Series, No.992, Annex5, Supplement 8で規定）

✓ 保冷品倉庫：**初回は夏季と冬季で実施**し，**大きな違いが認められない場合には，定期的に夏季に1回の実施に軽減することが可能**。その場合には，初回のデータをまとめた上で，定期温度マッピングの頻度を減らすことの妥当性を報告書にまとめておく

➢試験期間

✓ OQ：**倉庫の空調および温調システム等の操作プログラムが一巡した後，一定の時間を付加した期間**で実施すればよい。例えば，空調および排気システムがそれぞれ2系統あり，交互に切り替わる場合，それぞれの組み合わせが一通り終わる時間に12時間程度を付加した時間で実施

✓ PQ：1週間で通常業務の1サイクルが終わり，その後は当該業務サイクルの繰り返しであるため，**試験は1週間**で実施（USP<1079>, WHO Technical Report Series, No.992, Annex5, Supplement 8で規定）

✓ 保冷ボックスを使用して保管している場合には，そのボックスの保冷性能試験を実施する

図4-31　倉庫の温度マッピング（温度マッピングの試験時期および期間）

⑦　マッピングポイントの設定

WHO Technical Reportのセクション2.2.6にマッピング試験に関する具体例が紹介されており，これを参考にすることで，基本的なマッピング試験が実施できるものと考える。最初に，マッピングを実施する施設の実地調査，具体的には，施設の長さ，幅および高さ，空間の均一な加熱や冷却に影響を及ぼし，温度の安定性に影響を及ぼす可能性のある棚やパレットラック等の要素を示す各区域の図面。棚またはパレットラックを使用してデータロガーを配置するため，これらの構成部品を正確に記録することが重要である。通気口および／または天井ファンを含む，加熱及び冷却構成部品の場所，既存の温度記録センサーおよび温度制御センサーの位置等の調査を行う。

次に，データロガーの配置場所を実地調査から決定する。垂直方向については，天井の高さが3.6メートル以下の場合は，データロガーを中高レベルで上下に配置（例えば，床，1.2メートル，3メートルの3点に配置）する。棚の製品最上位の高さが3.6メートルを超える場合は，下部，中央（複数），上部に縦に並べて配置（例えば，高さ6メートルの保管域の場合，EDLM（Electronic Data Logging Monitor；データロガー）は各グリッド位置の高さ0.3メートル，1.8メートル，3.6メートル，および5.4メートルを目途に各棚製品上部4点に配置）する。データロガーは一般的には倉庫の幅と長さに沿って格子状に配置する必要がある。通常5～10メートルの間隔でデータロガーの場所を指定する（大規模な倉庫は20から30メートルの間隔で設定する）。

空調制御用のセンサー（固定の場合）の隣にもデータロガーを設置する。結果によっては設定温度の変更を考慮するための情報になる。なお，初回は上述した方法で実施するが，その後の定期的なマッピングにおいては過去のデータを用いてポイントを間引くことを検討できる。また，温度マッピング実施時に外気温を測定し，倉庫内温度と比較すると有用な情報を得られ

ることが多い。倉庫外データロガー等の測定機器を日射から遮蔽するとともに雨や雪から保護するための装置（箱）を設置し，外気温を測定することが望ましい（**図 4－32**）。

WHO Technical Report のセクション 2.2.6 に記載されている設置個所の例を示す（**図 4－33，4－34**）。

⑧　データロガーの打点間隔

上述した WHO の Technical Report のセクション 2.2.6，ステップ 7 に，保管条件により 1 ～ 15 分の間隔で記録することと記載されている。実施期間が 1 週間程度であれば，5 ～ 10

➢マッピングポイントの間隔

WHO Technical Report Series, No.992, Annex5, Supplement 8の「Temperature mapping of storage areas Technical supplement to WHO Technical Report Series, No. 961, 2011」

- 天井の高さが3.6メートル以下の場合：データロガーを中高レベルで上下に配置（例：床，1.2メートル，3メートルの3点に配置）
- 天井の高さが3.6メートルを超える場合：下部，中央（複数），上部に縦に並べて配置（例：高さ6メートルの保管域の場合，各グリッド位置の高さ0.3メートル，1.8メートル，3.6メートル，および5.4メートルの4点に配置）
- データロガーは一般的には倉庫の幅と長さに沿って格子状に配置
- 通常5～10メートルの間隔でデータロガーの場所を指定（100メートル級の大規模な倉庫は20から30メートルの間隔で設定）
- 空調制御用のセンサーの隣にもロガーを設置。結果によっては設定温度の変更を考慮するための情報になる
- 温度マッピング実施時に外気温を測定し，倉庫内温度と比較すると有用な情報を得られることが多い。倉庫外温度ロガー等の測定機器を日射から遮蔽するとともに雨や雪から保護するための装置（箱）を設置し，外気温を測定することが望ましい

※初回は上述した方法で実施するが，その後の定期的なマッピングにおいては過去のデータを用いてポイントを間引くことを検討できる

図 4－32　倉庫の温度マッピング（マッピングポイントの間隔）

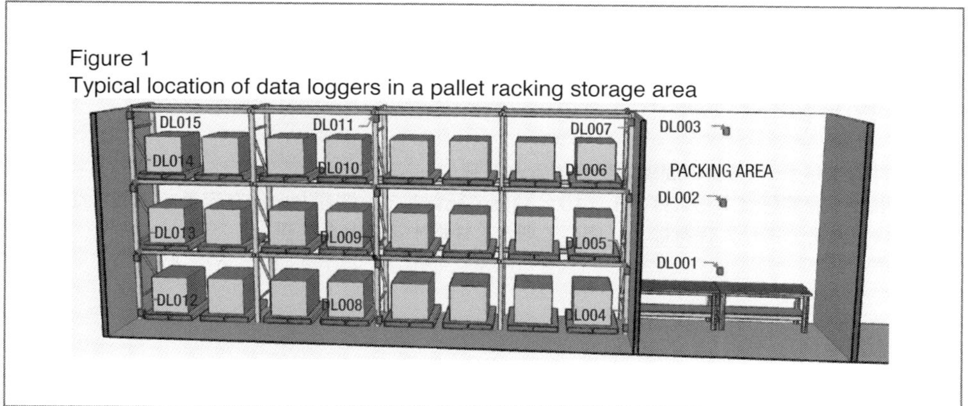

図 4－33　倉庫の温度マッピング（パレットラックにおけるロガー設置例）

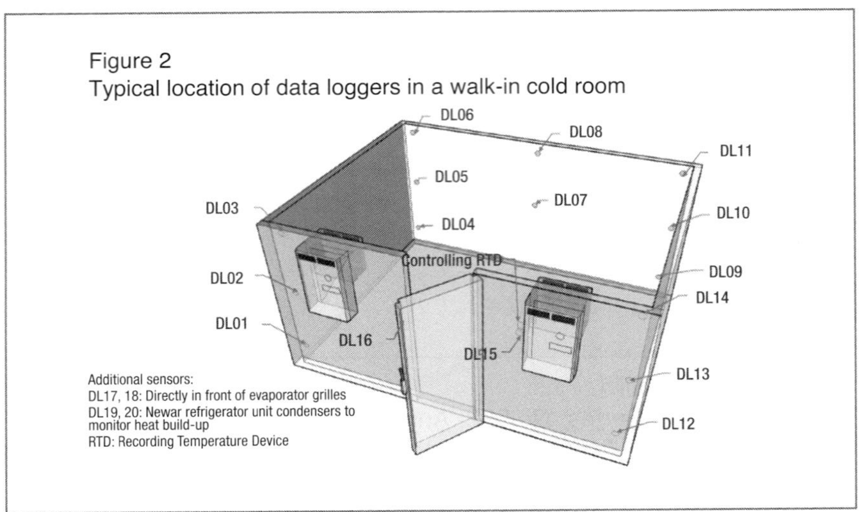

図 4-34　倉庫の温度マッピング（低温室におけるロガー設置例）

分間隔で記録しても問題ない保存容量を搭載したデータロガーがほとんどであり，メモリ容量に応じて細かく採取することを推奨する。

⑨　使用するデータロガーの仕様

トレーサビリティがとれる方法で校正された機器を使用すること（**図 4-35**）。

3. 輸送の温度管理

3.1 車両およびコンテナの温度モニタリング手法

①　目　的

GDP ガイドライン 9.1.1 に「輸送中の温度条件を許容可能な範囲に維持することは卸売販売業者等の責任である」および 9.2.5 に「どこで温度管理が必要とされるかを決めるために，輸送ルートのリスクアセスメントを用いること。輸送中の車両及び／又は容器内の温度モニタ

➢ロガーの打点間隔

WHO Technical Report Series, No.992, Annex5, Supplement 8の「Temperature mapping of storage areas Technical supplement to WHO Technical Report Series, No. 961, 2011」

✓ 保管条件により1～15分の間隔で記録すると記載
✓ 実施期間が1週間程度であれば，**5～10分間隔**で記録しても問題ない保存容量を搭載したデータロガーがほとんどであり，保存能力に応じて細かく採取することを推奨

➢使用するデータロガーの仕様

✓ トレーサビリティがとれる校正された機器を使用

図 4-35　倉庫の温度マッピング（ロガーの打点間隔）

リングに使用する機器は，定期的に保守及び校正すること」と規定されている。本項では車両およびコンテナの温度モニタリングおよびそのポイントを選定するための温度マッピングの手法について解説することを目的とする。

② モニタリングの実施範囲および項目

輸送中においても，その行程のすべてを対象として，環境を管理するため，輸送中の温度をモニタリングするとともに医薬品の貯法に準じた温度にコントロールする必要がある。

一般的な室温品の輸送においては，通例 1 ～ 30℃にて管理されていることが求められる。

③ モニタリングポイントおよび機器

夏季および冬季に外気温が大きく変動した場合にも，輸送中その影響を受けず温度コントロールができていなければならない。そのため温度モニタリングの実施ポイントは，倉庫同様，ワーストケース（最も暑い時期や寒い時期）を想定した温度マッピングの結果に従って下記の場所に設置する。

・ホットポイント：温度マッピング時の測定温度が最も高い場所
・コールドポイント：温度マッピング時の測定温度が最も低い場所

モニタリングした温度を保証するために，設置するモニタリング機器は少なくとも年 1 回校正を行っていること。また，空調機器の故障等に備え，輸送に対するリスク分析を行い，日常点検項目の見直し，整備工場ネットワーク構築，バックアップ空調機設置の是非等を含めたハード，ソフト面での対応策を検討し，文書化しておくこと。

モニタリング機器の設置場所の変更は，定期的な温度マッピングの実施の都度，または空調機等品質に影響の高い変更が実施された場合で，その結果に従って新たなホットポイント，コールドポイントに変更する。

なお，モニタリング機器を移動できない（固定式）場合は，倉庫同様，上記ポイントと温度モニタリング実施ポイントとの温度差を考慮した上で温度モニタリングを実施することで差し支えない。

なお，1 台のトラックの温度を 2 ～ 8℃（設定温度 5℃前後），15 ～ 25℃（設定温度 20℃前後），1 ～ 30℃（設定温度 20 ～ 25℃前後）等都度変更する場合や前後 2 層の荷室で異なる温度設定で運用する場合には各々の設定温度で荷室の温度マッピングを行い設定温度の違いによる影響を評価し，ワーストケースの位置にモニタリング機器を設置すること（各層，設定温度ごとに夏季および冬季のホットポイントおよびコールドポイント各 4 点）。

また，温度マッピング実施時に外気温を測定し，倉庫内温度と比較すると有用な情報を得られることが多い（**図 4－36**）。

④ モニタリング方法

a） モニタリングの方法

車両の温度モニタリング方法は，荷物の積み下ろし，移動時の気象状況等により大きく変動する可能性があるため，基本的には連続モニタリング（計測間隔は 5～ 15 分）を推奨する。

➢モニタリングの実施範囲および項目

輸送中においても温度をモニタリングするとともに医薬品の貯法に準じた温度にコントロールする必要がある
一般的な室温保管品の輸送においては，通例1℃～30℃に管理されていることが求められる

➢モニタリングポイントおよび機器

温度モニタリングポイントは，ワーストケースを想定した温度マッピングの結果に従ってホット・コールドポイントに設置（倉庫と同様）
✓空調機器の故障等に備え，輸送に対するリスク分析を行い，日常点検項目の見直し，整備工場ネットワーク構築，バックアップ空調機設置の是非等を含めたハード・ソフト両面での対応策を検討し文書化しておくこと
✓1台のトラックの温度を2-8℃，15-25℃等都度変更する場合や前後2層の荷室で異なる温度設定で運用する場合には空調機の能力等を鑑み，設定温度の違いによる影響を考慮する

図4-36　輸送の温度モニタリング（モニタリングの実施範囲，項目，ポイントおよび機器）

➢モニタリング方法

車両の温度モニタリング方法は，荷物の積み下ろし，移動時の気象状況等により大きく変動する可能性があるため，基本的には連続モニタリング（計測間隔は5～15分）を推奨する。ただし，車両及びコンテナに導入されている設備・機器に応じてモニタリング手順等を確立する必要がある

➢モニタリングデータ・記録の管理

測定した記録や記録の保管に関しては倉庫と同様の管理を行うこと

図4-37　輸送の温度モニタリング（モニタリングの方法，データの記録および保管）

ただし，車両およびコンテナに導入されている設備・機器に応じてモニタリング手順等を確立する必要がある。

b）　モニタリングデータ・記録の管理

測定した記録や記録の保管に関しては倉庫と同様の管理を行うこと（**図4-37**）。

3.2 車両およびコンテナの温度マッピング手法

①　目　的

GDPガイドライン9.2.1に「外装又は包装に記載された保管条件が輸送中も維持されていること」，さらに9.4.4「温度制御装置付きの車両を使用する場合，輸送中に使用する温度モニタリング機器を，定期的に保守及び校正すること。代表的な条件下で温度マッピングを実施し，必要であれば，季節変動要因も考慮すること」と規定されている。輸送車両およびコンテナの日常的な温度モニタリングを行う場所は倉庫同様，事前の温度マッピングによりその妥当

性を示すことが必要となるので，その手法について解説することを目的とする。

② マッピング試験の実施頻度

輸送車両およびコンテナの使用前に実施し，使用後は倉庫同様，概ね 3 年に 1 回または空調機等の大規模改修を行った際に実施する。定期的なマッピングの目的は設備の経時的な空調機の能力低下および気象変動による荷室内温度分布の変化を捉えることである。

③ マッピングの試験条件（含試験時期，試験期間およびマッピングポイント等）

温度マッピングを実施する輸送車両およびコンテナの試験条件は以下の通りとする。

・輸送車両及びコンテナは，日々積載方法，荷量，移動ルートや輸送時間が変動するため，試験の再現性を考慮して無負荷（製品積載なし）で実施する。
・温度マッピングはすべてのトラックおよびコンテナに対して要求するのではなく，荷室（箱）と冷凍（空調）機が同じ型式であれば代表 1 台で実施し，すべてを対象に実施する必要はない。
・試験実施に際しては，走行状態，停車状態，どちらでも可とする。これまでの各社の実績では，走行時と停車時で試験結果に大きな差異はないとの報告があり，フレキシブルな対応が可能と考えられる。また試験時間（期間）は通常の走行時間で実施する。
・実施時間は，トラックおよびコンテナ内の温度が設定温度で安定後 2 時間実施する。測定間隔は測定時間が短いので 5 ～ 10 分間隔で記録すること。
・試験時期は倉庫同様，極端な気候（例えば，夏季と冬季の 2 回）で実施する（**図 4－38**）。
・温度マッピングのポイント数は以下のポイント数とする。

4 t トラック：11 ポイント，10t トラック：17 ポイント，なお，2 層式（室温，保冷）：18 ポイントについても本ポイント数と外気 1 ポイントを基本とする。コンテナに関しては，上記トラックの荷室の大きさを参考にポイント数を設定すること（**図 4－39 ～ 4－41**）。

➢ マッピング試験の実施頻度

輸送車両の使用前＋使用後は倉庫同様概ね３年ごとまたは空調機等の大規模改修を行った際に実施する。定期的なマッピングの目的は設備の経時的な空調機の能力低下及び気象変動による車両・コンテナ内温度分布の変化を捉えること

➢ マッピングの試験条件

✓ 無負荷（製品積載なし）にて実施。日々積載方法，荷量，移動ルートや輸送時間が変動するため，試験の再現性を考慮
✓ 荷室（箱）と冷凍（空調）機が同じ型式であれば代表１台で実施し，全車両の実施は不要
✓ 走行状態，停車状態，どちらでも可。これまでの実績では，走行時と停車時で試験結果に大きな差異は無いことから，フレキシブルな対応が可能。試験時間は通常の走行時間で実施する
✓ 測定間隔は測定時間が短いため，５～１０分間隔で記録すること
✓ 試験時期は倉庫同様，極端な気候（例：夏季と冬季の２回）で実施

図 4－38 輸送の温度マッピング（マッピング試験頻度および条件）

なお，図 4－39 ～ 4－41 に記載の吹出し口（4 t トラック：⑩，10t トラック：⑮，2 層式：⑮，⑰）については，ホットポイント（デフロスト時）にもコールドポイント（通常時）にもなりうるので，冷凍機の能力（温度の幅）を把握するためマッピング時には測定するが，温度モニタリングの実施ポイントとしては除外する。

④　輸送温度データの蓄積

輸送車両およびコンテナの温度モニタリングおよびマッピングについては，先に触れたとおり，その構造や空調機の機差，気候，積載量，積載方法等によってばらつきが発生するため，すべての条件を網羅することは難しく，上記に示したモニタリングやマッピングは，あくまで現時点での基礎となる手法である。今後データをさらに蓄積，可能な範囲で共有し，必要に応じて参考情報を改定する等，現実に即した活動を継続する予定である。

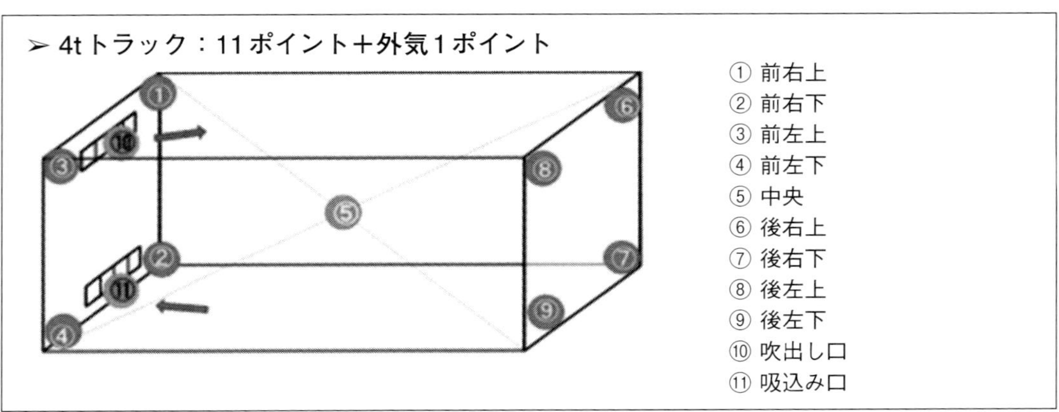

図 4－39　輸送の温度マッピング（4t トラックマッピングポイント）

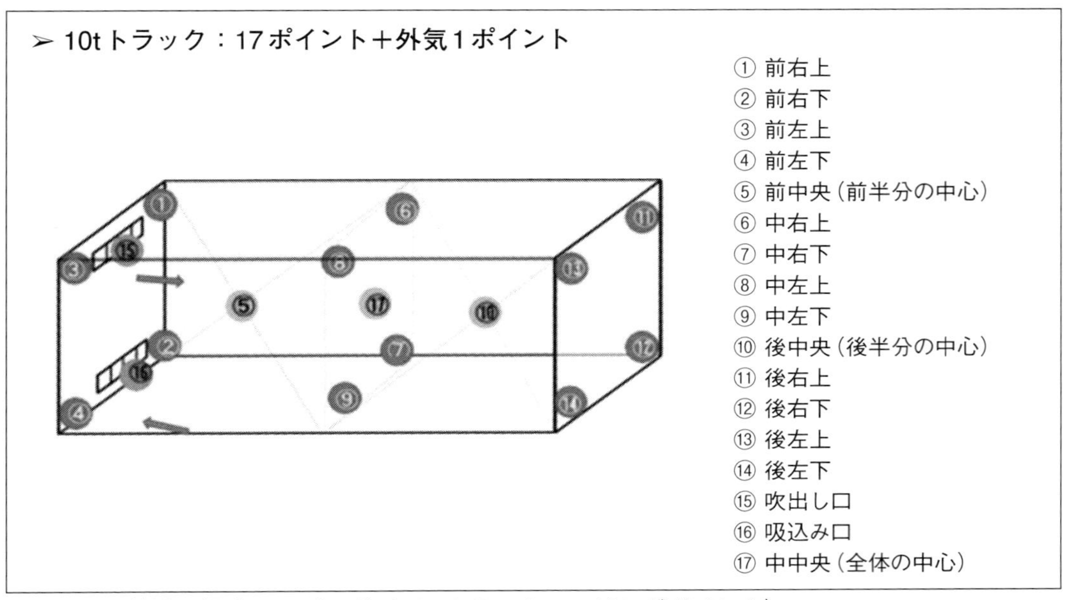

図 4－40　輸送の温度マッピング（10t トラックマッピングポイント）

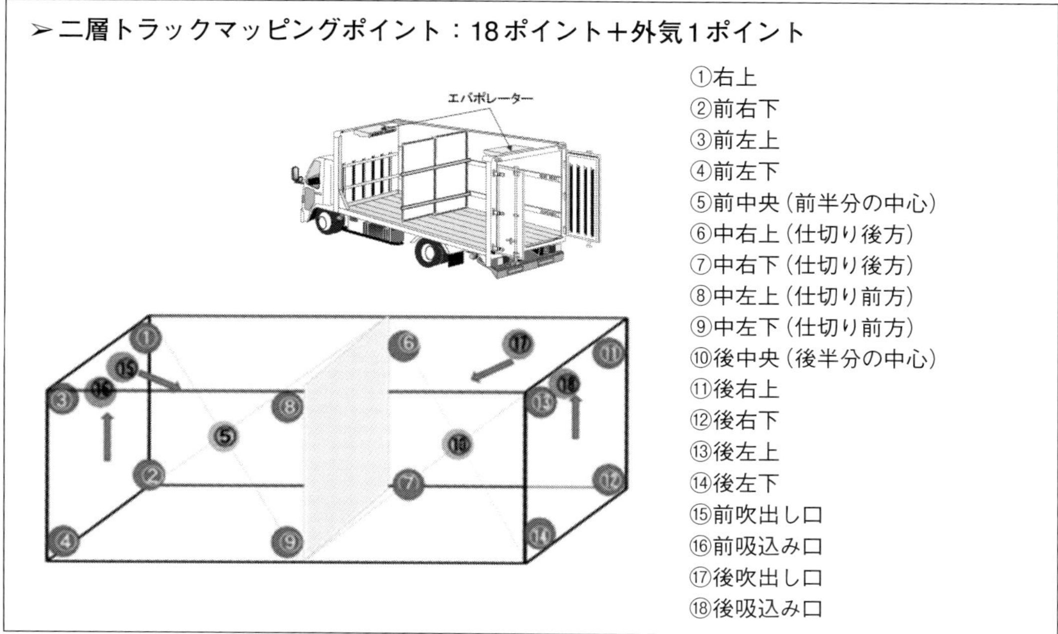

図 4-41　輸送の温度マッピング（二層式トラックマッピングポイント）

第五部
GDP 関連モデル文書

文書管理手順書

文書No.：○○○

○○○○会社

○○部

作成年月日：　　　　　年　　月　　日
作成者：山田　太郎
（署名）山田　太郎

承認年月日：　　　　　年　　月　　日
承認者：佐藤　次郎
（署名）佐藤　次郎

施行年月日：　　　　　年　　月　　日

<table>
<tr><td rowspan="2">文書管理手順書</td><td>文書No.</td><td>施行年月日</td><td>版</td><td>頁</td></tr>
<tr><td></td><td></td><td></td><td></td></tr>
</table>

〔改訂履歴〕

版	施行年月日	改訂事項・理由

<table>
<tr><td rowspan="2">文書管理手順書</td><td>文書No.</td><td>施行年月日</td><td>版</td><td>頁</td></tr>
<tr><td></td><td></td><td></td><td></td></tr>
</table>

〔配付先〕

配付 No.	配付部署
1	
2	
3	
4	
5	
6	
7	
8	
9	
10	

文書管理手順書	文書No.	施行年月日	版	頁

目　次

文書管理手順書	文書№	施行年月日	版	頁

1. 目的

本手順書は，「医薬品の適正流通（GDP）ガイドライン」及び関連法規等により要求されるGDP業務の遂行に当たり，医薬品の受領，供給に関する各種文書及び関連記録を適切に管理するために必要な手順を定めることを目的とする。

2. 適用範囲

○○○○会社が有する医薬品製造販売業許可又は医薬品卸売販売業許可の下，保管・出荷する製品を他の卸売販売業者に納品するまでのGDP業務に関わる全ての文書管理に適用する。

3. 用語の定義

本手順書で用いる用語は，「GDPガイドライン」の用語の定義による。

4.役割と責任

・センター長は，GDP業務を遂行するために必要な文書管理の業務を行う者（以下，「文書責任者」という）をあらかじめ選任する。なお，文書責任者は，代行者を任命してもよい。

・文書責任者は，本手順書を遵守して業務を行い，文書及び記録を適切に管理する責務を有する。適切な管理とは，以下に示すものの他，文書の容易な入手，回収可能な状態を維持することを含める。

5. GDP業務に関わる文書の管理

5.1 手順書等の制定，改訂，又は廃止

センター長は，当該業務を熟知したものを手順書等の文書を作成する者を指名する。指名されたものは，本手順書に従い文書を作成し，センター長の承認を受ける。文書を改訂する場合も同様とする。

(1) 手順書等（手順書，指図書，記録様式）を作成し，又は改訂したときは，当該文書の承認，配付，保存等を行うこと。
(2) 手順書等を制定又は改訂する際にはその日付（発効日）及び改訂履歴を明記して保存すること。
(3) 手順書等の文書類には，当該文書を識別するための文書番号を付番すること。
(4) 手順書等の文書を制定又は改訂し，配付する場合は配付先の情報を記録すること。
(5) 手順書等の文書は改訂又は廃止した場合は，旧文書が誤って使用されないようにするため，旧文書への適切な表示，手順書等の回収又は廃棄等のシステムを構築すること。
(6) 手順書等は3年ごとにレビューされ，最新の状態が保たれること。また，照査記録等によりレビュー結果を記録すること。
(7) 手順書等を改訂廃止（使用しなくなった）する際には，その日付を記録し廃止文書であることを識別できるようにすること。

5.2 文書及び記録の作成

(1) 文書及び記録は，原則として予め定められた様式を用いて作成すること。
(2) 文書及び記録は，文書は必要に応じて責任者が承認し，署名，及び日付を記入すること。
(3) 文書は手書きにしないこと。ただし，必要な場合には，手書きによる記入のための十分なスペースを設けること。
(4) 文書及び記録は，複写を作成する場合，複写であることが判別できる表示を行うこと。

5.3 GDP業務に関わる文書の保存

(1) GDP業務に関わる文書は，国の規制に定められた期間保存すること。なお，手順書等は有効でなくなった日を起算することを考慮すること。
(2) GDP業務に関わる文書（原本）は，予め定められた施錠できる場所に保管すること。

文書管理手順書	文書No.	施行年月日	版	頁

6. 記録の作成において考慮すべき事項

6.1 記録の方法

(1) 筆記用具は，原則，黒色又は青色で且つ，経時的に退色やにじみが少なく，明瞭に記述できるものを使用すること。鉛筆，退色性インク，修正液等のマスキング用品を使用してはならない。

(2) 捺印については，原則，朱肉等の赤色インクを使用する。また，サインの場合は（1）と同様とする。

(3) 手書きによる記録は，その作業を実施した本人が，同時的に記録すること。

(4) 文字，数字は，第三者が容易に正しく判読理解出来る様に記録すること。

(5) 日付は特に定めのない限り西暦を用い，左から年，月，日の順に記入すること。

(6) 作成者，責任者，作成年月日等を明記すること。

6.2 記録の訂正

記録の訂正は，適切な手順によってのみ変更されること。何かしらの変更を加える場合，署名及び日付を記入すること。変更に当たっては，原情報が読めること。

(1) 訂正が必要な部分の上に横線，又は二重線を引くこと。この際，前の記録内容が判別できること。

(2) 訂正した者が署名（又は捺印），年月日を記入すること。

(3) 訂正理由を記載すること。

以上

変更管理手順書

文書No.：〇〇〇

〇〇〇〇会社

〇〇部

作成年月日：　　　　　　年　　月　　日
作成者：山田　太郎
　　　　（署名）山田　太郎

承認年月日：　　　　　　年　　月　　日
承認者：佐藤　次郎
　　　　（署名）佐藤　次郎

施行年月日：　　　　　　年　　月　　日

変更管理手順書	文書No.	施行年月日	版	頁

〔改訂履歴〕

版	施行年月日	改訂事項・理由

変更管理手順書	文書№	施行年月日	版	頁

〔配付先〕

配付 No.	配付部署
1	
2	
3	
4	
5	
6	
7	
8	
9	
10	

変更管理手順書	文書No.	施行年月日	版	頁

目　次

変更管理手順書	文書No.	施行年月日	版	頁

1. 目的

本手順書は，「医薬品の適正流通（GDP）ガイドライン」及び関連法規等により要求されるGDP業務の遂行に当たり，医薬品の受領，供給に関する全ての変更事項を適切に管理するために必要な手順を定めることを目的とする。

2. 適用範囲

○○○○会社が有する医薬品製造販売業許可又は医薬品卸売販売業許可の下，保管・出荷する製品を他の卸売販売業者に納品するまでのGDP業務に関わる全ての変更管理に適用する。

3. 役割と責任

- センター長は，GDP業務を遂行するために変更の業務を行う者（以下，「変更責任者」という）をあらかじめ選任する。なお，変更責任者は，代行者を任命してもよい。
- 変更責任者は変更業務を統括し，円滑に変更業務が行われるようこれを管理する。
- 変更責任者は手順書等に基づき，当該変更による製品の品質への影響を評価し，その評価の結果をもとに変更を行うことについて，その記録を作成し，これを保管する。
- センター長は，変更責任者から変更の起案から結果の確認までの報告を受け，変更が適切に実施されたことを確認する。

4. 変更管理の手順

4.1 変更の起案

変更を起案する部署は，具体的な変更の内容及び変更理由とその妥当性を示し申請を行う（様式-1）。

4.2 変更の照査

(1) 変更内容を照査し，申請内容の妥当性及び品質への影響を評価し，結果を記録すること。

(2) 法規制に対する影響の有無や，登録事項，承認事項に対し齟齬が発生しないかを評価すること。また，製造販売業者又は委託元に影響を及ぼす変更は，契約書又は取決め書等に記載されている内容を十分確認すること。

(3) 申請された変更が，(2) の事項に影響する場合，適切な手続きが取られるよう所要の措置を講じること。

4.3 変更の連絡

申請された変更が，製造販売業者又は委託元に影響する場合は，契約書又は取決め書の記載に応じて，変更の内容を連絡すること。

4.4 変更の決定・承認

変更管理の最終判断は，変更責任者により決定・承認される。また，最終の評価結果についてはセンター長へ報告する。

4.5 変更の実施

当該の変更が承認された後，申請した内容の変更を実施する。

<table>
<tr><td rowspan="2">変更管理手順書</td><td>文書No.</td><td>施行年月日</td><td>版</td><td>頁</td></tr>
<tr><td></td><td></td><td></td><td></td></tr>
</table>

4.6 変更結果の確認

(1) 起案部署は変更を実施又は導入した後，当該変更の妥当性又は適格性を確認し，結果を報告する（様式-2）。

(2) 変更責任者は，実施内容を確認し，当該変更が適切に導入されたことを確認し，その結果をセンター長へ報告する（様式-2）。

以上

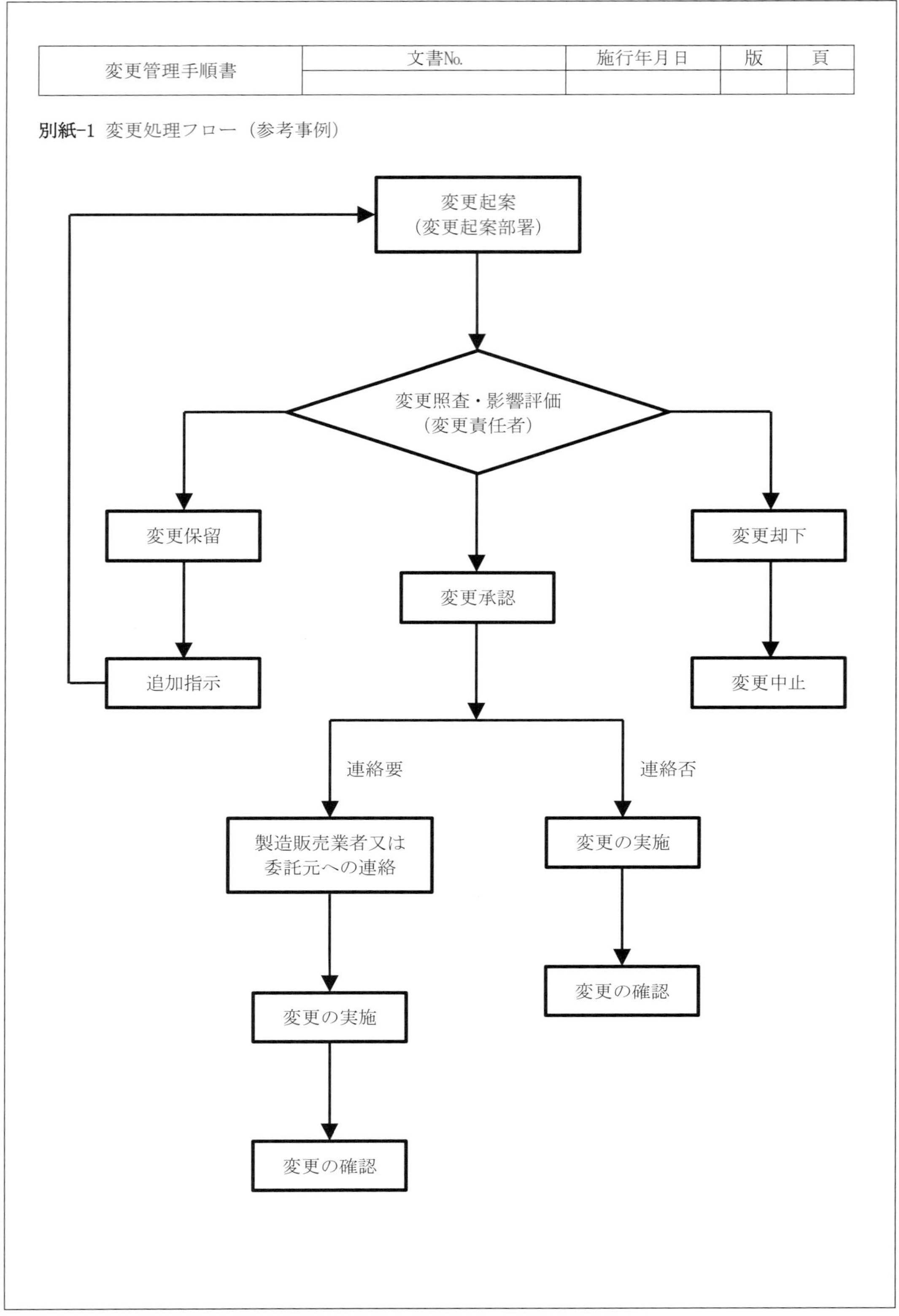

変更管理手順書	文書No.	施行年月日	版	頁

別紙-1 変更処理フロー（参考事例）

変更管理手順書	文書No.	施行年月日	版	頁

様式-1

変更管理番号	

変更提案・評価結果書

【起案部署】

申請年月日	
件名	
変更の概要	
影響範囲	
上記の通り変更を申請しましたので報告します。 変更申請者＿＿＿＿＿＿＿＿	

【評価部署】

評価年月日	変更責任者＿＿＿＿＿＿＿＿
評価結果	 □承認　□保留　□却下
追加指示の必要性	□不要 □必要（連絡日：　年　月　日） 追加の指示事項
影響評価	□製品品質への影響の可能性なし □製品品質への影響の可能性あり その他への影響
製造販売業者又は委託元への連絡の必要性	□不要 □報告（連絡日：　年　月　日）

【報告】

センター長＿＿＿＿＿＿＿＿

変更管理手順書	文書No.	施行年月日	版	頁

様式-2

変更管理番号	

変更実施結果報告書

【報告部署】

報告年月日	
件名	
実施結果の報告	

上記の通り変更を実施しましたので，結果を報告します。

変更申請者＿＿＿＿＿＿＿＿＿＿＿＿

【確認部署】

確認年月日	変更責任者＿＿＿＿＿＿＿＿＿＿＿＿
実施結果の確認	

【報告】

センター長＿＿＿＿＿＿＿＿＿＿＿＿

逸脱管理手順書

文書No.：〇〇〇

〇〇〇〇会社

〇〇部

作成年月日：　　　　　年　　月　　日
作成者：山田　太郎
（署名）山田　太郎

承認年月日：　　　　　年　　月　　日
承認者：佐藤　次郎
（署名）佐藤　次郎

施行年月日：　　　　　年　　月　　日

逸脱管理手順書	文書No.	施行年月日	版	頁

〔改訂履歴〕

版	施行年月日	改訂事項・理由

逸脱管理手順書	文書No.	施行年月日	版	頁

〔配付先〕

配付 No.	配付部署
1	
2	
3	
4	
5	
6	
7	
8	
9	
10	

逸脱管理手順書	文書No.	施行年月日	版	頁

目　次

逸脱管理手順書	文書No.	施行年月日	版	頁

1. 目的

本手順書は，「医薬品の適正流通（GDP）ガイドライン」及び関連法規等により要求されるGDP業務の遂行に当たり，医薬品の受領，供給に関する全ての逸脱事項を適切に管理するために必要な手順を定めることを目的とする。

2. 適用範囲

○○○○会社が有する医薬品製造販売業許可又は医薬品卸売販売業許可の下，保管・出荷する製品を他の卸売販売業者に納品するまでのGDP業務に関わる全ての逸脱事項に適用する。

3. 役割と責任

・センター長は，GDP業務を遂行するために逸脱の業務を行う者（以下，「逸脱責任者」という）をあらかじめ選任する。なお，逸脱責任者は，代行者を任命してもよい。
・逸脱責任者は逸脱業務を統括し，円滑に逸脱処理が行われるようこれを管理する。
・逸脱責任者は手順書等に基づき，当該逸脱による製品の品質への影響を評価し，必要に応じて所要の処置を講ずる。
・センター長は，逸脱責任者から逸脱発生から処置の終了までの報告を受け，逸脱処理が適切に実施されたことを確認する。

4. 逸脱処理の手順

4.1 逸脱の検出と報告

(1) 逸脱が発生した場合，逸脱を発生した部署又は発見した部署は速やかに逸脱責任者へ報告すること（様式-1）。

なお，逸脱とは，定められた手順から外れた場合，輸送条件，保管条件から外れた場合，製品が汚染や破損した場合，数量に過不足が発生した場合，偽造医薬品混入の可能性がある場合，等のことを指す。

4.2 逸脱の照査と措置の決定

(1) 逸脱責任者は，報告された逸脱を照査し，逸脱が製品品質等へ及ぼす影響を科学的に考察し，措置を決定すること。

(2) 逸脱責任者は，製造販売業者又は委託元への報告の必要性を判断すること。
（製品品質に影響を及ぼす可能性がある逸脱，例：温度異常，偽造医薬品混入の疑い等）

(3) 逸脱により，製品品質に対する影響及び範囲を評価すること。

4.3 製造販売業者への連絡

(1) 製造販売業者又は委託元と締結した契約書の内容，製品品質に影響を及ぼす可能性のある逸脱は，速やかに決められた連絡先へ報告すること。

<table>
<tr><td rowspan="2">逸脱管理手順書</td><td>文書No.</td><td>施行年月日</td><td>版</td><td>頁</td></tr>
<tr><td></td><td></td><td></td><td></td></tr>
</table>

4.4 逸脱の調査

(1) 逸脱の原因調査に当たっては，逸脱が発生した部署及び関係者と協力して原因を調査すること。また，当該部署以外にも追加調査が必要な場合，関連する部門に調査を依頼すること。

4.5 逸脱の終結

(2) 当該逸脱の影響範囲の措置が完了したら，逸脱を終結する。全ての逸脱処理が終結した時点で，逸脱責任者はセンター長へ結果を報告すること（様式-2）。

また，再発防止のための是正措置，予防措置（CAPA）については，「是正措置及び予防措置（CAPA）手順書」に従うこと。

以上

逸脱管理手順書	文書No.	施行年月日	版	頁

別紙-1　逸脱処理フロー（参考事例）

【逸脱発生部署：発見者】
・逸脱を発生又は発見した部署は，逸脱発生報告書を作成し，逸脱責任者へ報告する
・発生原因を調査し，逸脱調査報告書にて逸脱責任者へ報告する
・追加調査等を逸脱責任者から指示された場合，追加の調査を実施し，逸脱責任者へ報告する

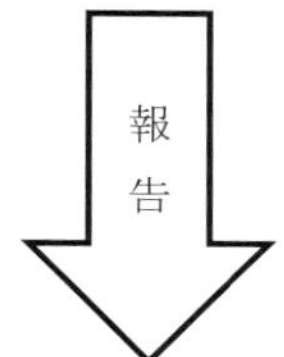

【評価部署：逸脱責任者】
・逸脱責任者は，逸脱発生報告書又は逸脱調査報告書を照査する
・逸脱責任者は，製造販売業者又は委託元と締結した契約内容及び製品品質に影響を及ぼす可能性を評価し，連絡の要否を判断する
・逸脱責任者は，必要に応じて発生部署又は関係部署への追加調査を指示する
・逸脱責任者は，追加調査の結果について照査する
・逸脱責任者は，全ての逸脱処理が終結したら，結果をセンター長へ報告する

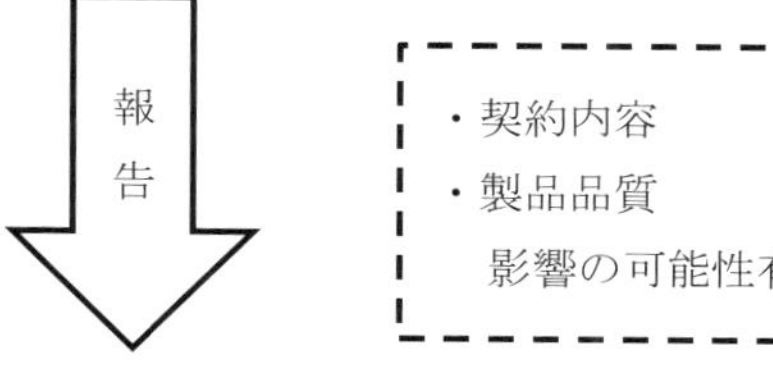

【製造販売業者又は委託元】

逸脱管理手順書	文書No.	施行年月日	版	頁

様式-1

逸脱管理番号	

逸脱発生報告書

【発生部署】

報告年月日		発生（発見）年月日	
製品名		製造販売業者	
件名			
逸脱の概要			
影響範囲			
応急措置			
逸脱の原因			
上記の通り逸脱が発生しましたので報告します。 発生（発見）部署＿＿＿＿＿＿＿＿			

【評価部署】

評価年月日	逸脱責任者＿＿＿＿＿＿＿＿
評価結果	 □製品品質への影響の可能性なし □製品品質への影響の可能性あり
製造販売業者又は委託元への連絡の必要性	□不要 □報告（連絡日：　　　　年　　月　　日）
追加調査の必要性	□不要 □必要（連絡日：　　　　年　　月　　日） 追加調査の指示事項

【報告】

センター長＿＿＿＿＿＿＿＿

逸脱管理手順書	文書No.	施行年月日	版	頁

様式-2

逸脱管理番号	

逸脱調査報告書

【発生部署・関係部署】

調査年月日	
件名	
逸脱の概要	
調査結果	
上記の通り，調査結果を報告します。 調査部署	

【評価部署】

評価年月日	逸脱責任者
評価結果	

【報告】

センター長

衛生管理手順書

文書No.：〇〇〇

〇〇〇〇会社

〇〇部

作成年月日：　　　　　　年　　月　　日
作成者：山田　太郎
　　　　（署名）山田　太郎

承認年月日：　　　　　　年　　月　　日
承認者：佐藤　次郎
　　　　（署名）佐藤　次郎

施行年月日：　　　　　　年　　月　　日

<table>
<tr><td rowspan="2">衛生管理手順書</td><td>文書No.</td><td>施行年月日</td><td>版</td><td>頁</td></tr>
<tr><td></td><td></td><td></td><td></td></tr>
</table>

〔改訂履歴〕

版	施行年月日	改訂事項・理由

衛生管理手順書	文書No.	施行年月日	版	頁

〔配付先〕

配付 No.	配付部署
1	
2	
3	
4	
5	
6	
7	
8	
9	
10	

<table>
<tr><td rowspan="2">衛生管理手順書</td><td>文書No.</td><td>施行年月日</td><td>版</td><td>頁</td></tr>
<tr><td></td><td></td><td></td><td></td></tr>
</table>

目　次

衛生管理手順書	文書No.	施行年月日	版	頁

1. 目的

本手順書は，「医薬品の適正流通（GDP）ガイドライン」及び関連法規等により要求されるGDP業務の遂行に当たり，医薬品の受領，供給に関して構造設備及び職員に対する衛生管理のために必要な手順を定めることを目的とする。

2. 適用範囲

○○○○会社が有する医薬品製造販売業許可又は医薬品卸売販売業許可の下，保管・出荷する製品を他の卸売販売業者に納品するまでのGDP業務に関わる全ての衛生管理に適用する。

3. 役割と責任

・センター長は，GDP業務を遂行するために必要な衛生管理の業務を行う者（以下，「衛生管理責任者」という）をあらかじめ選任する。なお，衛生管理責任者は，代行者を任命してもよい。
・衛生管理責任者は衛生管理を統括し，職員及び構造設備の日常的な衛生管理が適切に行われるようこれを管理する。

4. 構造設備の衛生管理

4.1 清掃すべき構造設備の設定

各作業室等の清掃すべき場所を規定する。また，各作業室で使用する設備，器具（保管・運搬容器を含む）についても洗浄が必要なものを規定する。

4.2 構造設備の清掃間隔

清掃・消毒すべき間隔，使用する用具を規定する。

4.3 清掃の記録

構造設備を清掃した際は，清掃記録（作業者，日付，時間，清掃場所）を記載する。

5. 職員の衛生管理

5.1 職員の健康状態の把握

朝礼時等，日常的に職員の健康状態を把握すると共に，職員からの自己申告により確認する。また，確認した結果を記録する。

なお，健康状態により作業を行わせることに支障があると判断された時は，当日の担当作業の中止又は変更等，適切な措置を取る。

5.2 職員の服装の管理

職員は定期的に作業服を交換し，清潔なものを着用する。

5.3 入室・退出の手順

職員の作業室内への入室・退室については，更衣も含めた手順を定める。また，入退室にあたり手洗い等が必要な場合には，手洗い等の手順についても定める。

5.4 その他，必要な事項

(1) 喫煙，休憩，飲食及び食品の貯蔵は，作業室から隔離された所定の場所に限定する。作業室内へは責任者が認めたもの以外持ち込まない，また衛生管理上好ましくない行為を禁止する。
(2) 感染症の流行やパンデミック等の対応処置が指示された場合には，その指示に従って適切に対処する。

衛生管理手順書	文書No.	施行年月日	版	頁

6. 立ち入りの制限

職員以外の作業室への立ち入りを制限する。保守，清掃等で部外者の立ち入りを認める場合には，立会者を立て，その指示に従うようにする。

また，入室時の服装は，原則として手順に従う。但し，専門業者（保守点検等）が入室する際に，責任者が必要と認めた場合には，この限りではない。

なお，部外者が作業室へ立ち入る際には，入室記録（氏名，所属，日付，時間，健康状態等）を記載する。

7. 防虫防その管理

作業室における衛生環境を適切に維持し，昆虫類や鼠族による製品への汚染を未然に防止するために必要な防虫防鼠の管理手順を定める。

以上

苦情処理手順書

文書No.：〇〇〇

〇〇〇〇会社

〇〇部

作成年月日：　　　　　　　年　　月　　日
作成者：山田　太郎
　　　　（署名）山田　太郎

承認年月日：　　　　　　　年　　月　　日
承認者：佐藤　次郎
　　　　（署名）佐藤　次郎

施行年月日：　　　　　　　年　　月　　日

<table>
<tr><td rowspan="2">苦情処理手順書</td><td>文書No.</td><td>施行年月日</td><td>版</td><td>頁</td></tr>
<tr><td></td><td></td><td></td><td></td></tr>
</table>

〔改訂履歴〕

版	施行年月日	改訂事項・理由

苦情処理手順書	文書No.	施行年月日	版	頁

〔配付先〕

配付 No.	配付部署
1	
2	
3	
4	
5	
6	
7	
8	
9	
10	

苦情処理手順書	文書No.	施行年月日	版	頁

目　次

1. 目的
2. 適用範囲
3. 役割と責任
4. 苦情処理の手順

別紙-1 苦情の伝達経路
様式-1 苦情調査依頼票
様式-2 苦情処理記録書

苦情処理手順書	文書No.	施行年月日	版	頁

1. 目的

本手順書は,「医薬品の適正流通（GDP）ガイドライン」及び関連法規等により要求されるGDP業務の遂行に当たり，医薬品の受領，供給に関する苦情処理を適切に管理するために必要な手順を定めることを目的とする。

2. 適用範囲

○○○○会社が有する医薬品製造販売業許可又は医薬品卸売販売業許可の下，保管・出荷する製品を他の卸売販売業者に納品するまでのGDP業務に関わる全ての苦情処理に適用する。

3. 役割と責任

3.1 苦情責任者

・センター長は，GDP業務を遂行するために苦情処理の業務を行う者（以下,「苦情責任者」という）をあらかじめ選任する。なお，苦情責任者は，代行者を任命してもよい。

・苦情責任者は自らの職責において，苦情処理の重要度及び緊急性を判断すると共に苦情処理業務を迅速かつ適切に行う。

・苦情責任者は苦情処理業務全般の進捗管理を行う。また，発生苦情の内容に応じて，適切な部門へ発生苦情に関する原因調査を依頼し，調査結果をセンター長及び管理薬剤師に報告した上で，苦情申出者への調査報告を行う。

3.2 調査部門

・調査依頼を受けた担当者は，発生苦情の原因究明と調査結果の報告（苦情処理記録の作成）を行う。

4. 苦情処理の手順

4.1 苦情の受領

(1) 苦情責任者は苦情の報告を受けた際，適切な部門へ調査を依頼する場合には,「苦情調査依頼票」（様式-1）を発行し，可能な限り苦情現品を添付する。

(2) 苦情に関する情報伝達及び報告経路は別紙1の通りとする。

4.2 苦情の調査

(1) 調査手順

①苦情責任者から苦情製品に関する調査依頼を受けた部門は，苦情原因が物流センターでの

苦情処理手順書	文書No.	施行年月日	版	頁

作業や流通過程に起因すると考えられる場合，調査を実施する。

②当該苦情の原因究明に外部業者の調査が必要と考えられる場合は，外部業者に当該苦情の原因調査と改善対策を文書にて要請し，報告を求める。

③各調査部門は，必要に応じ相互に情報交換し，適切な調査を実施する。

(2) 調査事項

①入出庫・保管記録，作業指示確認記録，衛生管理に関する記録，バリデーションに関する記録等

②苦情現品がある場合は現品の不良状況の調査及び必要に応じた試験検査

③苦情品と同一製品の在庫の調査及び試験検査

④温度の影響を受けやすい製品に関しては流通過程を含めた温度管理状況

⑤偽造医薬品による発生の可能性

⑥根本原因からの，品質不良のもたらすリスク及び他製品を含めた発生範囲

⑦その他，苦情の原因究明に必要な事項

(3) 苦情品の保管

苦情品の保管については以下の通りとする。

①保管管理：苦情責任者の管理下

②保管期間：処理が終了してから３ヶ月以上

③保管条件：室温又は，必要に応じた保管条件

(4) 苦情の記録及び報告

①苦情処理記録の作成

当該苦情に係わる調査部門は，調査結果を基に「苦情処理記録書」（様式-2）を作成する。本記録は原則として以下の内容を記載する。

ｉ）苦情内容

イ．苦情品の名称，ロット番号又は製造番号

ロ．苦情の内容

ハ．苦情管理番号

ⅱ）原因究明の結果

イ．苦情に係わる製品の調査結果（調査した市場名，流通状況，使用状況等）

ロ．製造記録，製品保管記録及び製造管理，衛生管理に関する記録等の調査結果

苦情処理手順書	文書No.	施行年月日	版	頁

ハ．苦情該当ロットの製造数量，等

ニ．過去に報告された同様な苦情

iii）判定と措置

イ．他ロット，他製品に影響が及ぶ場合はその範囲を記載

ロ．原因の結果に基づく判定

ハ． 改善措置の状況

iv）「是正措置及び予防措置（CAPA）手順書」に従い，改善措置及び予防措置を提案する。

(5) 苦情調査結果の承認，報告及び確認

①各担当者は，苦情処理記録から苦情処理内容の妥当性を適切に評価し，確認する。

②苦情責任者は，当該苦情に関する調査結果を承認した後，センター長及び管理薬剤師に報告する。

③報告期限（苦情の受付日から苦情処理記録の承認日）は，原則として，実稼働日で〇日間とする。

但し，調査に時間を要する場合は，上記期限に従い報告（中間報告）するとともに，調査の進行に従い続報を作成し報告する。

④承認後の苦情処理記録は，調査実施部門へ確認，回覧する。

4.3 苦情の措置

(1) 苦情申出者への対応は，苦情責任者が行う。

(2) センター長及び管理薬剤師は，苦情処理記録に基づき各担当部門に再発防止に対する改善措置を講ずるよう指示し，必要に応じ適切な措置を講ずる。

(3) 苦情責任者は，定期的に対策の進捗状況を確認し，改善処置が適切に実施されていることを確認し，未実施の場合には指示を行う。

4.4 製造販売業者への報告

管理薬剤師は，苦情に関する調査結果を取決めに従い報告書にとりまとめ，製造販売業者へ報告する。

以上

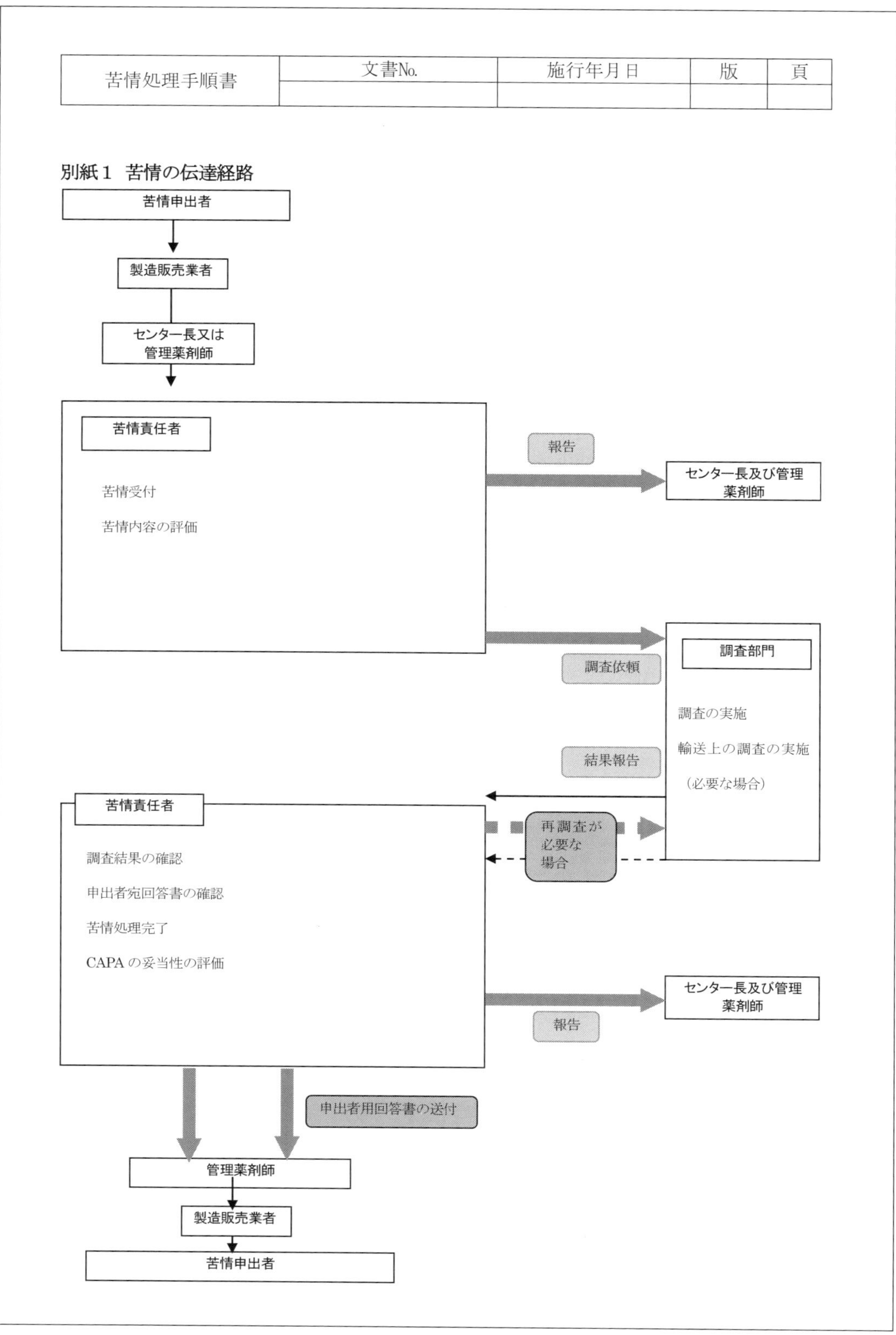

苦情処理手順書
文書No.
施行年月日
版
頁
別紙1　苦情の伝達経路
苦情申出者
製造販売業者
センター長又は
管理薬剤師
苦情責任者
苦情受付
苦情内容の評価
報告
センター長及び管理
薬剤師
調査依頼
調査部門
調査の実施
輸送上の調査の実施
（必要な場合）
結果報告
苦情責任者
調査結果の確認
申出者宛回答書の確認
苦情処理完了
CAPAの妥当性の評価
再調査が
必要な
場合
報告
センター長及び管理
薬剤師
申出者用回答書の送付
管理薬剤師
製造販売業者
苦情申出者

苦情処理手順書	文書No.	施行年月日	版	頁

様式-1

年　月　日

苦情責任者：○○

苦情調査依頼票

下記の通り，顧客より品質苦情が報告されました。

つきましては，当該品質苦情の原因を調査の上，xx 月 xx 日までに調査回答をお願い致します。

調査依頼部門：

苦情管理番号：

製品名：

苦情現品の添付有無：

対象苦情個数(内，現品個数)：

苦情概要：

以上

苦情処理手順書	文書No.	施行年月日	版	頁

様式-2

苦情処理記録書

苦情内容

製品名：

ロット番号又は製造番号：

苦情の内容：

苦情管理番号：

原因究明の結果

判定と措置

改善措置及び予防措置の提案

作成		確認 (必要な場合)	承認	承認	
調査担当者	調査担当部 門責任者	苦情業務 担当者	苦情責任者	センター長	管理薬剤師
/	/	/	/	/	/

回収手順書

文書No.：〇〇〇

〇〇〇〇会社

〇〇部

作成年月日：　　　　　年　　月　　日
作成者：山田　太郎
　　　　（署名）山田　太郎

承認年月日：　　　　　年　　月　　日
承認者：佐藤　次郎
　　　　（署名）佐藤　次郎

施行年月日：　　　　　年　　月　　日

<table>
<tr><td rowspan="2">回収手順書</td><td>文書No.</td><td>施行年月日</td><td>版</td><td>頁</td></tr>
<tr><td></td><td></td><td></td><td></td></tr>
</table>

〔改訂履歴〕

版	施行年月日	改訂事項・理由

回収手順書	文書No.	施行年月日	版	頁

〔配付先〕

配付 No.	配付部署
1	
2	
3	
4	
5	
6	
7	
8	
9	
10	

<table>
<tr><td rowspan="2">回収手順書</td><td>文書No.</td><td>施行年月日</td><td>版</td><td>頁</td></tr>
<tr><td></td><td></td><td></td><td></td></tr>
</table>

目　次

回収手順書	文書No.	施行年月日	版	頁

1. 目的

本手順書は，「医薬品の適正流通（GDP）ガイドライン」及び関連法規等により要求されるGDP業務の遂行に当たり，医薬品の受領，供給に関する回収を適切に管理するために必要な手順を定めることを目的とする。

2. 適用範囲

○○○○会社が有する医薬品製造販売業許可又は医薬品卸売販売業許可の下，保管・出荷する製品を他の卸売販売業者に納品するまでのGDP業務に関わる全ての回収手順に適用する。

3. 役割と責任

・センター長は，GDP業務を遂行するために回収処理の業務を行う者（以下，「回収処理責任者」という）をあらかじめ選任する。なお，回収処理責任者は，代行者を任命してもよい。

・回収処理責任者は，回収に係る以下の業務について統括する。

(1) 製造販売業者への報告
(2) 回収に関わる記録の保管
(3) 回収の着手から回収した製品の廃棄に至る過程の管理

4. 回収の実施手順

回収処理責任者は，センター長の指示に従い，回収等の処理を行う。

4.1 回収決定の連絡

センター長は，製造販売業者から回収決定の連絡(FAX，Eメール等)を受けた後，回収処理責任者に回収処理を指示する。回収処理責任者は，医療機関及び卸売販売業者等の関係者へその旨連絡する。

4.2 回収着手報告書作成のための関係書類(写)の送付

回収処理責任者は，製造販売業者が回収着手報告書を作成する為に必要な関係書類(写)を製造販売業者へ送付する。

(1) 対象品目の販売名，数量，製造番号または製造記号及び製造年月日
(2) 製造所の名称，所在地，当該業態番号，当該業態許可年月日
(3) 報告書添付資料
　イ．当該業態許可証の写し
　ロ．作業指示確認記録(製造記録)，製品試験記録，出荷判定一覧表の写し
　ハ．その他，製造販売業者が要求する資料

4.3 製造販売業者への回収状況等の報告

(1) 回収処理責任者は，回収状況等を定期的にセンター長，管理薬剤師，及び製造販売業者へ報告する。
(2) 製造販売業者の回収終了の判断の連絡を受けて，最終保管数量をセンター長，管理薬剤師，及び製造販売業者へ報告する。

<table>
<tr><td rowspan="2">回収手順書</td><td>文書No.</td><td>施行年月日</td><td>版</td><td>頁</td></tr>
<tr><td></td><td></td><td></td><td></td></tr>
</table>

5. 製品の出荷停止

センター長は，回収指示(回収依頼書或いはそれに準ずる文書)，又は回収決定する前であって製造販売業者からの出荷止め連絡があった場合は当該製品の出荷を停止する。

6. 回収の調査

回収処理責任者は，必要に応じて製造販売業者の指示に従い回収の起因となった原因について調査する。

7. 回収製品の保管

回収処理責任者は，以下を含む出納記録を作成すること。

(1)品目，ロット，数量，製品の回収日，製品を回収した機関等。

(2)回収責任者は，回収製品が処分されるまでの間，他の製品と区分して保管する。

(3)その他，回収処理責任者の指示により適切な処理を講じる。

8. 改善の措置

回収処理責任者は，製造販売業者の指示に従い必要に応じ適切な措置を講じる。改善措置の内容については，製造販売業者へ報告する。

以上

是正措置及び予防措置（CAPA）手順書

文書No.：○○○

○○○○会社

○○部

作成年月日：　　　　　　年　　月　　日
作成者：山田　太郎
（署名）山田　太郎

承認年月日：　　　　　　年　　月　　日
承認者：佐藤　次郎
（署名）佐藤　次郎

施行年月日：　　　　　　年　　月　　日

是正措置及び予防措置(CAPA)手順書	文書No.	施行年月日	版	頁

〔改訂履歴〕

版	施行年月日	改訂事項・理由

是正措置及び予防措置（CAPA）手順書	文書No.	施行年月日	版	頁

〔配付先〕

配付 No.	配付部署
1	
2	
3	
4	
5	
6	
7	
8	
9	
10	

是正措置及び予防措置(CAPA) 手順書	文書No.	施行年月日	版	頁

目　次

是正措置及び予防措置(CAPA)手順書	文書No.	施行年月日	版	頁

1. 目的

本手順書は，「医薬品の適正流通（GDP）ガイドライン」及び関連法規等により要求される GDP 業務の遂行に当たり，医薬品の受領，供給に関する是正措置及び予防措置（CAPA）を適切に管理するために必要な手順を定めることを目的とする。

2. 適用範囲

○○○○会社が有する医薬品製造販売業許可又は医薬品卸売販売業許可の下，保管・出荷する製品を他の卸売販売業者に納品するまでの GDP 業務に関わる全ての是正措置及び予防措置（CAPA）に適用する。

3. 役割と責任

- センター長は，GDP 業務を遂行するために CAPA の業務を行う者（以下，「CAPA 責任者」という）をあらかじめ選任する。なお，CAPA 責任者は，代行者を任命してもよい。
- CAPA 責任者は，医薬品等の保管及び輸送における CAPA（計画，実施状況，進捗状況等）を統括し，適切な措置が行われるよう管理する。
- センター長は，CAPA 責任者から CAPA の起案から終結までの報告を受け，CAPA が適切に実施されたことを確認する。

4. 是正措置及び予防措置（CAPA）の手順

4.1 CAPA の起案

(1) 検知された不適合又は望ましくない状況*に対し，当該発生部署は是正措置を講ずること。

(2) また，CAPA 責任者は，再発防止策や水平展開の必要性について判断し，必要と判断された場合，当該部署部門は CAPA を実施する。

＊不適合または望ましくない状況の例：逸脱，苦情，指摘事項（規制当局，製販又は顧客からの監査・自己点検）等

4.2 CAPA 計画の立案と評価

(1) CAPA 実施が必要と判断した部署は，速やかに CAPA 計画を立案する。CAPA 計画の内容については CAPA 責任者がその妥当性を評価し，承認する。また，CAPA 責任者は，承認した CAPA 計画の内容をセンター長へ報告する（様式-1）。

4.3 CAPAの実行

(1) 当該部署は，承認された CAPA 計画に従い，CAPA を実行する。

(2) CAPA 実行に際して，手順書をはじめとする各種文書の制定／改訂や設備の導入等が必要な場合には，変更管理の必要性について検討する。

是正措置及び予防措置(CAPA) 手順書	文書No.	施行年月日	版	頁

4.4 CAPAの終結

（1）当該部門の責任者はこれを照査し，計画に従った全ての措置が実行されたことを確認する。また，CAPA の実施結果は全て文書化されること。

（2）CAPA責任者は，全ての実施結果に対する妥当性を評価し，承認する。また，CAPA責任者は，全ての実施結果について，センター長へ報告する（様式-2)。

4.5 CAPAの有効性

（1）すべての重大な逸脱又は不適合に関連して実施された CAPA の有効性について，製品品質照査，自己点検やマネジメントレビュー等において評価し，確認する。

5. その他

5.1 是正措置(Corrective Action)：

検知された不適合又は他の望ましくない状況の原因を除去する措置。予防措置は発生を防止するために講じられるのに対し，是正措置は再発を防止するために講じられる。

5.2 予防措置(Preventive Action)：

起こり得る不適合又は他の望ましくない起こり得る状況の原因を除去する措置。是正措置は再発を防止するために講じられるのに対し，予防措置は発生を防止するために講じられる。

以上

是正措置及び予防措置(CAPA)手順書	文書No.	施行年月日	版	頁

様式-1

CAPA 管理番号	

CAPA 実施計画書

【起案部署】

申請年月日	
件名	
CAPA 計画	
関連案件	（件名・管理番号等）
上記の通り CAPA を計画しましたので報告します。 起案者＿＿＿＿＿＿＿＿	

【確認部署】

承認年月日	CAPA 責任者＿＿＿＿＿＿＿＿
計画の承認	 □承認　□保留　□却下
製造販売業者又は委託元への連絡の必要性	□不要 □報告（連絡日：　　年　　月　　日）

【報告】

センター長＿＿＿＿＿＿＿＿

是正措置及び予防措置(CAPA)手順書	文書No.	施行年月日	版	頁

様式-2

CAPA 管理番号	

CAPA 実施報告書

【報告部署】

報告年月日	
件名	
CAPA 実施 結果報告	
関連案件	(件名・管理番号等)
上記の通り CAPA を実施しましたので報告します。 報告者＿＿＿＿＿＿	

【評価部署】

評価年月日	CAPA 責任者＿＿＿＿＿＿
評価結果	
製造販売業者又は委託元への連絡の必要性	□不要 □報告（連絡日：　　　年　　月　　日）

【報告】

センター長＿＿＿＿＿＿

自己点検手順書

文書No.：〇〇〇

〇〇〇〇会社

〇〇部

作成年月日：　　　　　　年　　月　　日
作成者：山田　太郎
（署名）山田　太郎

承認年月日：　　　　　　年　　月　　日
承認者：佐藤　次郎
（署名）佐藤　次郎

施行年月日：　　　　　　年　　月　　日

自己点検手順書	文書No.	施行年月日	版	頁

〔改訂履歴〕

版	施行年月日	改訂事項・理由

自己点検手順書	文書No.	施行年月日	版	頁

〔配付先〕

配付 No.	配付部署
1	
2	
3	
4	
5	
6	
7	
8	
9	
10	

自己点検手順書	文書No.	施行年月日	版	頁

目　次

<table>
<tr><td rowspan="2">自己点検手順書</td><td>文書No.</td><td>施行年月日</td><td>版</td><td>頁</td></tr>
<tr><td></td><td></td><td></td><td></td></tr>
</table>

1. 目的

本手順書は，「医薬品の適正流通（GDP）ガイドライン」及び関連法規等により要求されるGDP業務の遂行に当たり，医薬品の受領，供給に関する自己点検を適切に管理するために必要な手順を定めることを目的とする。

2. 適用範囲

○○○○会社が有する医薬品製造販売業許可又は医薬品卸売販売業許可の下，保管・出荷する製品を他の卸売販売業者に納品するまでのGDP業務に関わる自己点検に適用する。

3. 役割と責任

・センター長は，GDP業務を遂行するために自己点検を行う者（以下，「自己点検責任者」という）をあらかじめ選任する。なお，自己点検責任者は，代行者を任命してもよい。

・自己点検責任者は以下の責任を負う。

✓ 定期自己点検実施計画書を作成し，自己点検のスケジュールを調整する。

✓ 自己点検の実施／サポートを行う。

✓ 改善実施計画書の調整及び改善実施状況をフォローアップする。

✓ 自己点検結果及びフォローアップ結果を自己点検実施結果報告書として作成し，被監査部門およびセンター長に報告する。

・センター長は，自己点検実施計画書および自己点検実施結果報告書 及び 改善実施計画書を承認する責任を負う。

4. 手順

4.1 自己点検の種類

物流センターで実施される自己点検は次のものがある。

(1) 定期自己点検

GDP レベルの向上を図るために，実施計画書に基づき年に 1 回実施されるもの。

(2) 臨時自己点検

臨時自己点検実施は，重大な品質またはコンプライアンス上の問題が発生したとき等，センター長若しくは管理薬剤師が必要性を判断して決める。臨時自己点検は，項目を限定して行うこともある。

4.2 自己点検実施計画書の作成

自己点検責任者は，実施する自己点検に関し，「自己点検実施計画書」（様式-1）を作成し，センター長が承認する。なお，自己点検責任者は予め監査員を指名する。

4.3 自己点検の実施方法及び項目

自己点検責任者は，自己点検実施にあたって予め実施日時を監査員および被監査部門と調整し，業務への影響が少なく且つ効率的に自己点検が実施できる日を選ぶこと。

<table>
<tr><td rowspan="2">自己点検手順書</td><td>文書No.</td><td>施行年月日</td><td>版</td><td>頁</td></tr>
<tr><td></td><td></td><td></td><td></td></tr>
</table>

＜GDP 自己点検について＞

✓ 自己点検は，自己点検責任者および監査員を含んだ複数メンバーにより実施することを原則とする。

✓ 自己点検ではチェックリストを作成しそれを活用して網羅無く実施するのが望ましい。チェックリストは適宜改訂し最新の品質要求を満たすようにすること。

4.4 実施記録の作成と報告

自己点検については，自己点検責任者は原則として 2 週間を目処に監査員と実施状況を協議し，総合的かつ公正な評価を行い「自己点検実施結果報告書 及び 改善実施計画書」(様式-2)を作成し，センター長に報告する。

4.5 改善が必要とされた場合の措置

(1) 指摘事項のクラス分け

①Critical (C) : 緊急に対応が必要な指摘事項

②Major (M): 製品品質に影響を与える可能性がある

③minor (m): 製品品質に影響を与える可能性はないが，改善が必要な事項

④Recommendation (R): 推奨事項として提案する事項

(2) 改善措置

【定期自己点検の場合】

①センター長は，「自己点検実施結果報告書 及び 改善実施計画書」(様式-2) を確認し，指摘事項について，被監査部門長に対策立案を指示する。

②被監査部門長は原則として 2 週間以内に「自己点検実施結果報告書 及び 改善実施計画書」(様式-2) に改善案及びスケジュールを記載し，自己点検責任者及び監査員に提出する。

③被監査部門長は，改善実施後「改善結果報告書」(様式-3) を作成し，自己点検責任者及び監査員に提出する。

【緊急の対応が必要な指摘を受けた場合】

①緊急の対応が必要な指摘事項に関して，自己点検責任者は，センター長に報告する。被監査部門長は，早急に改善または経過措置を取ると共に，改善措置の手順に従い，原則として 2 週間以内に「自己点検実施結果報告書 及び 改善実施計画書」(様式-2) に改善案及びスケジュールを記載し，自己点検責任者及びセンター長に提出する。

②被監査部門長は，必要に応じてリスクアセスメントを行い，CAPA を計画する。

③被監査部門長は，CAPA の進捗状況を定期的に確認する。

4.6 改善結果の確認

自己点検責任者及び監査員は，GDP 自己点検においては「自己点検実施結果報告書 及び 改善実施計画書」(様式-2) 及び「改善結果報告書」(様式-3) を確認し，センター長へ報告する。

以上

自己点検手順書	文書No.	施行年月日	版	頁

様式-1

20○○年○○月○○日

　　　　　　　　殿

自己点検責任者
物流　太郎

自己点検実施計画書

医薬品・医療機器品質管理業務に関しての自己点検を下記にて実施致します。

対象部署	1	2	3	4	5	6	7	8	9	10	11	12
保管グループ											●	
入出庫グループ											●	

作成者		サイン	作成年月日
自己点検責任者	物流　太郎		年　月　日
承認者		サイン	承認年月日
センター長	保管　花子		年　月　日

自己点検手順書	文書No.	施行年月日	版	頁

様式-2

自己点検実施結果報告書 及び 改善実施計画書

To:　物流センター長

20XX年XX月XX日実施の〇〇物流センターGDP自己点検について，その結果を以下の「実施結果報告」欄に記載し報告します。〇〇物流センターに改善対策立案指示のうえ，2週間以内に改善実施計画案を提出くださいますようお願いいたします。

20XX年YY月YY日　自己点検責任者：　物流 太郎

To:　自己点検責任者及び監査員

20XX年XX月XX日実施のGDP自己点検により改善指示を受けた事項について，以下の「改善実施計画」の通り改善対策を計画しましたので報告します。

20XX年YY月ZZ日　倉庫課長：　倉庫 桜子

No.	評価ランク	実施結果報告 指摘箇所	実施結果報告 指摘事項	改善実施計画			備考
				対策	担当者	期限	
1							
2							
3							
4							
5							

評価ランク；C: 緊急に対応が必要な指摘事項，M: 製品品質に影響を与える可能性がある，m: 製品品質に影響を与える可能性がない，R: 推奨事項として提案する事項

自己点検手順書	文書No.	施行年月日	版	頁

様式-3

改善結果報告書

To:　自己点検責任者

20XX年XX月XX日実施のGDP自己点検により改善指示を受けた事項について，下記の通り改善を実施しましたので報告します。

20XX年ZZ月ZZ日　倉庫課長：　保管 桜子

指摘 No.	改善状況	担当者	完了日 未完の場合は予定日	確認 / 日付 自己点検責任者	確認 / 日付 センター長
1					/　/
2					/　/
3					/　/
4					/　/
5					/　/

教育訓練手順書

文書No.：○○○

○○○○会社
○○部

作成年月日：　　　　　　年　　月　　日
作成者：山田　太郎
（署名）山田　太郎

承認年月日：　　　　　　年　　月　　日
承認者：佐藤　次郎
（署名）佐藤　次郎

施行年月日：　　　　　　年　　月　　日

教育訓練手順書	文書No.	施行年月日	版	頁

〔改訂履歴〕

版	施行年月日	改訂事項・理由

教育訓練手順書	文書No.	施行年月日	版	頁

〔配付先〕

配付 No.	配付部署
1	
2	
3	
4	
5	
6	
7	
8	
9	
10	

教育訓練手順書	文書No.	施行年月日	版	頁

目　次

<table>
<tr><td rowspan="2">教育訓練手順書</td><td>文書No.</td><td>施行年月日</td><td>版</td><td>頁</td></tr>
<tr><td></td><td></td><td></td><td></td></tr>
</table>

1. 目的

本手順書は，「医薬品の適正流通（GDP）ガイドライン」及び関連法規等により要求されるGDP業務の遂行に当たり，医薬品の受領，供給に関する教育訓練を適切に管理するために必要な手順を定めることを目的とする。

2. 適用範囲

○○○○会社が有する医薬品製造販売業許可又は医薬品卸売販売業許可の下，保管・出荷する製品を他の卸売販売業者に納品するまでのGDP業務に関わる全ての教育訓練に適用する。

3. 役割と責任

・センター長は，以下に示す教育訓練の業務を行う者（以下，「教育訓練責任者」という）をあらかじめ選任する。教育訓練の責任者は，代行者を任命してもよい。
・教育対象者への教育訓練が計画的或いは必要に応じて随時実施されていること，及びその記録が作成されていることを確認する責任を有する。
・教育訓練責任者は，以下のGDP教育の実務を行うものとする。

◆GDP実施部門の従業員への教育

各人に応じて必要な教育が計画的及び必要に応じて随時実施されるよう管理し，その記録を作成する。ここでの「必要に応じて随時実施」とは，変更管理に伴う変更や品質管理業務手順及びマニュアルの変更等，速やかに周知が必要とされる場合に実施される教育訓練をいう。

具体的には，教育訓練に関する以下の業務を遂行する責任を有する。

・実施及び進捗の管理
・記録の運用管理
・教育に必要な支援
・欠席若しくは十分に理解できなかった者等へのフォローアップ教育の管理

4. 要件

4.1 教育の種類と区分

◆GDP実施部門の従業員への教育

(1) 導入教育

新入社員，或いは他部門からの異動者を対象とし，業務を遂行する上で最低限必要な知識を習得するための教育である。

必要に応じて，監督指導の下，OJTにて習得することも含める。

なお，必要な教育が終了し，記録がされるまで，監督指導がある場合を除き業務に従事してはならない。

教育訓練手順書	文書No.	施行年月日	版	頁

(2) 継続的に行う教育

GDP業務のスキルの維持・向上のために行う教育。GDP実施部門の全ての人を対象とする。品質管理手順書等の変更時に関する教育も含む。

(3) フォローアップ教育

欠席者若しくは十分に理解できなかった者に対して必要に応じて行う教育。

◆GDP業務に関係する或いはGDP区域に出入りする外部委託業者等への教育。

(1) 一般教育

外部委託業者等が当該委託業務を遂行する上で必要な品質管理及び安全の教育

4.2 教育訓練の計画

教育訓練責任者は，年初に年間の「教育訓練計画書」（様式-1）を作成し，センター長が承認する。教育訓練責任者は，対象者に実施時期，教育内容，場所等の連絡を行う。

なお，必要に応じ，計画内容や順序の変更，又は計画書に記載されていない教育を実施しても構わない。

4.3. 教育訓練の記録と報告

(1) 教育訓練の記録

【従業員の場合】

教育訓練が実施された場合は，教育訓練実施者或いは教育訓練責任者が「教育訓練実施記録」（様式2）を作成し，各受講者が「教育訓練個人記録」（様式-3）を作成する。

【外部委託業者等の場合】

教育を受講する外部業者に対しては教育訓練実施者或いは教育訓練責任者が「教育訓練実施記録」（様式-2）を作成する。

なお，外部委託業者等の場合，「教育訓練個人記録」（様式-3）は不要とする。

(2) 教育訓練記録のフォーム

各記録用紙は以下のものを用いる。

①GDP教育訓練

次の記録用紙を用いる。

- 「教育訓練実施記録」：様式-2
- 「教育訓練個人記録」：様式-3

<table>
<tr><td rowspan="2">教育訓練手順書</td><td>文書No.</td><td>施行年月日</td><td>版</td><td>頁</td></tr>
<tr><td></td><td></td><td></td><td></td></tr>
</table>

(3) 教育訓練記録の作成，報告，確認，及び評価

①個々の教育訓練について

ⅰ）教育訓練実施記録（様式-2）

教育の都度，教育訓練実施者が作成し，受講者が理解度及びサインの記入を行う。理解度は以下の2段階とする。

- 「A」理解できた
- 「B」理解できなかった

重要な教育についてはテストにより評価してもよい。予め設定された点数以上で合格と判定する。

教育訓練後，教育訓練実施者及び教育訓練責任者が確認し，センター長に報告する。受講対象者で未受講者がいる場合は「未」と記入し，後日受講の際に改めて教育訓練実施記録を作成し記録すること。

ⅱ）教育訓練個人記録（様式-3）

受講者は「教育訓練個人記録」（様式-3）に教育内容や時間，また，前項と同様に理解度等を記載する。

受講者は，「教育訓練個人記録」（様式-3）を所属長に提出し，確認を得る。 所属長は従業員の出欠状況及び「教育訓練個人記録」（様式-3）の自己評価を確認し，受講者の理解度が充分でないと判断した場合（「B」の場合）には，教育訓練実施者にフォローアップ教育を要請する。

②教育訓練の実績報告，評価について

教育訓練責任者は，年1回は「教育訓練実施実績報告書」（様式-4）を作成し，センター長が実績を評価のうえ承認する。

以上

教育訓練手順書	文書No.	施行年月日	版	頁

様式-1

年度 教育訓練実施計画書

〔　　　　部署名〕

作成日	年　　月　　日
作成者	
承認年月日	年　　月　　日
教育訓練責任者	

実施予定日	区分	教育内容	実施対象者	講師

教育訓練手順書	文書No.	施行年月日	版	頁

様式-2

教育訓練実施記録

教育訓練実施者	所属： 氏名： サイン：		
教育訓練対象	□従業員 □外部委託業者等		
教育訓練区分	□導入，継続 □フォローアップ □その他（ ）		
教育訓練内容			
講師／所属	／	添付資料	□無 □有 （ ）
実施日時	年 月 日（ ）		
実施場所			

No.	所属	氏　名	理解度	受講者サイン	No.	所属	氏　名	理解度	受講者サイン
1					21				
2					22				
3					23				
4					24				
5					25				
6					26				
7					27				
8					28				
9					29				
10					30				
11					31				
12					32				
13					33				
14					34				
15					35				
16					36				
17					37				
18					38				
19					39				
20					40				

備考

教育訓練実施者		教育訓練責任者		センター長	

理解度：A＝理解できた・B＝理解できなかった　(B⇒再教育要)

注）教育対象者で未受講の場合は「未」と記入し，別の日時に受講し別途記録すること。

教育訓練手順書	文書No.	施行年月日	版	頁

様式-3

教育訓練個人記録

所属（　　　　　　　　　）
氏名（　　　　　　　　　）

確認欄*2

実　施 月　日	内　　容 （資料名）	時　間 （分）	理解度*1	教育訓練者名等	備考*2
／					
／					
／					
／					
／					
／					
／					
／					
／					
／					
／					
／					

*1：理解度：A＝理解できた・B＝理解できなかった

*2：確認欄は直属長或いは教育訓練責任者がサイン。
理解度Ｂの場合，必要に応じて備考欄にコメントを記入する。理解度Ｂの場合は再教育要

教育訓練手順書	文書No.	施行年月日	版	頁

様式-4

年度 教育訓練実施報告書

〔　　　　部署名〕

作成日	年　月　日
教育訓練責任者	
承認年月日	年　月　日
センター長	

実施日	区　分	教育内容	実施対象者	講　師

品質マネジメントレビュー手順書

文書No.：〇〇〇

〇〇〇〇会社

〇〇部

作成年月日：　　　　　　　　年　　月　　日
作成者：山田　太郎
　　　　（署名）山田　太郎

承認年月日：　　　　　　　　年　　月　　日
承認者：佐藤　次郎
　　　　（署名）佐藤　次郎

施行年月日：　　　　　　　　年　　月　　日

品質マネジメントレビュー手順書	文書No.	施行年月日	版	頁

〔改訂履歴〕

版	施行年月日	改訂事項・理由

品質マネジメントレビュー手順書	文書No.	施行年月日	版	頁

〔配付先〕

配付 No.	配付部署
1	
2	
3	
4	
5	
6	
7	
8	
9	
10	

<table>
<tr><td rowspan="2">品質マネジメントレビュー
手順書</td><td>文書No.</td><td>施行年月日</td><td>版</td><td>頁</td></tr>
<tr><td></td><td></td><td></td><td></td></tr>
</table>

目　次

品質マネジメントレビュー手順書	文書No.	施行年月日	版	頁

1. 目的

本手順書は，「医薬品の適正流通（GDP）ガイドライン」及び関連法規等により要求されるGDP業務の遂行に当たり，医薬品の受領，供給に関する品質マネジメントレビューを適切に実施するために必要な手順を定めることを目的とする。

2. 適用範囲

○○○○会社が有する医薬品製造販売業許可又は医薬品卸売販売業許可の下，保管・出荷する製品を他の卸売販売業者に納品するまでのGDP業務に関わる品質マネジメントレビューに適用する。

3. 役割と責任

3.1 上級経営陣（本手順書において，上級経営陣は社長，○○本部長，○○本部長とする）

上級経営陣は，全社における「品質マネジメントレビュー」に責任を有し，物流センターにおける品質マネジメントレビューを実施し，必要に応じて改善を指示する。

3.2 センター長

センター長は，物流センターにおける品質マネジメントレビューに責任を有し，物流センター内の品質マネジメントレビューを実施し，改善の指示を行う。

また，品質マネジメントレビューの結果（指示事項含む）を上級経営陣に報告するとともに，上級経営陣からの改善指示事項を確実に実行する。

3.3 品質マネジメントレビュー事務局

(1) 品質マネジメントレビュー事務局は，品質マネジメントレビューの運営を行う。

(2) 品質マネジメントレビュー事務局は品質マネジメントレビュー報告事項を取りまとめ，品質マネジメントレビューのための会議を開催する。また，センター長及び上級経営陣からの指示事項を取りまとめ，物流センター内各部署に伝達する。

4. 品質マネジメントレビューの実施

品質マネジメントレビューは，原則として年2回開催する。

5. 品質マネジメントレビューでの検討事項

品質マネジメントレビューでは，物流センター内各部門からの報告に基づき，適切性，妥当性，有効性の観点から検討し，センター長は改善のための指示事項を決定する。

マネジメントレビューへの報告項目例及び改善指示事項の項目例を以下に示す。品質目標に業績評価指標が設定されている場合は，達成度についても報告するものとする。

品質マネジメントレビュー手順書	文書No.	施行年月日	版	頁

(1) 品質システム（GDPに基づく業務）の目標達成評価
- 製品品質に関する顧客満足度（苦情，回収，返品等）
- 品質管理（トレンド解析を含む）の結果と考察
- 変更管理，逸脱管理及びCAPAの状況
- 変更およびCAPAの有効性評価
- 外部委託作業の状況
- リスクアセスメントの状況

(2) 品質システムに影響を与える要因
- 新たな規制やガイドラインの発出
- 品質問題（自社内，外部環境）の状況
- ビジネス環境の変化
- 技術革新の状況

(3) 社外監査および自己点検の結果
(4) 前回のマネジメントレビューからのフォローアップ措置

6. 品質マネジメントレビューの実施手順

6.1 品質マネジメントレビュー事務局は，物流センター内各部門からの報告事項及び改善案を収集し，取りまとめ，検討資料を作成する。

6.2 品質マネジメントレビュー事務局は，品質マネジメントレビューを開催する。

6.3 センター長は各部門からの報告事項に基づき，品質マネジメントシステムの実行状況を確認し，品質マネジメントシステムの改善方針を検討し，改善の指示を出す。改善方針には以下を含める。

(1) 流通・保管プロセス及び製品への改善指示
(2) 品質システムの改善指示
(3) 必要な知識の共有化
(4) 資源配分（見直し），教育訓練の指示
(5) 品質目標の改訂
(6) 上級経営陣への報告，マネジメントレビュー結果の共有化（効果的な水平展開）

6.4 品質マネジメントレビュー事務局は品質マネジメントレビューの結果（指示事項含む）を報告書にまとめる。

6.5 品質マネジメントレビューの結果については，センター長が上級経営陣に報告する。

7. 品質目標の策定と継続的改善の推進

センター長は，品質マネジメントレビューの結果，及び上級経営陣から示された改善方針（品質システムの改善，資源の配分・再配置等）に基づいて，次年度の品質目標を策定する。

物流センター内各部門は品質目標に基づいて，計画的に改善を推進する。

以上

<u>業務委託先管理手順書</u>

文書No.：〇〇〇

〇〇〇〇会社

〇〇部

作成年月日：　　　　　　　　　年　　月　　日
作成者：山田　太郎
　　　　（署名）山田　太郎

承認年月日：　　　　　　　　　年　　月　　日
承認者：佐藤　次郎
　　　　（署名）佐藤　次郎

施行年月日：　　　　　　　　　年　　月　　日

業務委託先管理手順書	文書No.	施行年月日	版	頁

〔改訂履歴〕

版	施行年月日	改訂事項・理由

業務委託先管理手順書	文書No.	施行年月日	版	頁

〔配付先〕

配付 No.	配付部署
1	
2	
3	
4	
5	
6	
7	
8	
9	
10	

<table>
<tr><td rowspan="2">業務委託先管理手順書</td><td>文書No.</td><td>施行年月日</td><td>版</td><td>頁</td></tr>
<tr><td></td><td></td><td></td><td></td></tr>
</table>

目　次

<table>
<tr><td rowspan="2">業務委託先管理手順書</td><td>文書No.</td><td>施行年月日</td><td>版</td><td>頁</td></tr>
<tr><td></td><td></td><td></td><td></td></tr>
</table>

1. 目的

本手順書は，「医薬品の適正流通（GDP）ガイドライン」及び関連法規等により要求される GDP 業務の遂行に当たり，医薬品の受領，供給に関する業務委託先を適切に管理するために必要な手順を定めることを目的とする。

2. 適用範囲

○○○○会社が有する医薬品製造販売業許可又は医薬品卸売販売業許可の下，保管・出荷する製品を他の卸売販売業者に納品するまでの GDP 業務に関わる全ての業務委託先の管理に適用する。

3. 役割と責任

・センター長は，GDP 業務を遂行するために業務委託先の評価を行う者（以下，「業務委託責任者」という）をあらかじめ選任する。なお，業務委託責任者は，代行者を任命してもよい。

・業務委託責任者は，業務を委託した業者を管理する責任を負う。

4. 業務委託先の管理手順

4.1 業務委託先の評価及び契約の締結

業務を委託するにあたっては，業務委託先の適格性を，リスク評価，監査等の手法を用いて評価する。また，業務委託を開始するにあたっては，契約書を締結する。なお，委託した業務を実施するために必要な情報を委託先へ提供する。

対象範囲：輸送業者，防虫管理業者等，製品の品質に影響を及ぼす業務の委託先

4.2 業務委託先の監査

(1) 委託先リストの作成

業務委託先のリスト（様式-1）を作成し，業者名，委託業務の内容，連絡窓口等を管理する。

(2) 定期的な監査の実施

定期的に業務委託先を監査し，委託先としての適格性を確認する。なお，監査の実施頻度・方法についてはリスクに基づき決定する。監査の実施に当たっては，実施時期，対象範囲，実施者，その他必要な事項について，予め業務委託先に文書により通知する。

4.3 監査の方法

監査は，以下のいずれか方法又は組み合わせにより実施する。なお，実地及び書面による監査についてはリスクに応じて決定する。

(1) 実地により確認する。

(2) アンケート等，業務委託先から入手した書類により確認する。

<table>
<tr><td rowspan="2">業務委託先管理手順書</td><td>文書No.</td><td>施行年月日</td><td>版</td><td>頁</td></tr>
<tr><td></td><td></td><td></td><td></td></tr>
</table>

4.4 監査の記録の作成及び報告

監査を実施した者は，監査の実施記録を作成し，業務委託責任者が確認し，センター長に報告する（様式-2)。センター長は，報告書を確認し，内容を評価し，結果を記録する。

4.5 業務委託先に対する改善の指示

センター長は，監査の結果若しくはその他の情報等により，改善が必要と認めた場合には，所要の措置を講じるよう業務委託先に対して改善を指示する。

改善の指示に対して，業務委託先より提出された改善報告書をセンター長が確認する。

以上

業務委託先管理手順書	文書No.	施行年月日	版	頁

様式-1

業務委託先リスト

	業者名	業務委託内容	連絡窓口
1			
2			
3			
4			
5			
6			
7			
8			
9			
10			

業務委託先管理手順書	文書No.	施行年月日	版	頁

様式-2

業務委託先監査報告書

【報告部署】

監査業者名	
監査年月日	
監査者	
業務委託内容	
監査目的	
監査結果概要	
評価結果	

【評価部署】

評価結果の確認	センター長
改善の指示	□無 □有（連絡日：　　　年　　月　　日） 指示事項

施設・設備管理手順書

文書No.：○○○

○○○○会社

○○部

作成年月日：　　　　　　年　　月　　日
作成者：山田　太郎
（署名）山田　太郎

承認年月日：　　　　　　年　　月　　日
承認者：佐藤　次郎
（署名）佐藤　次郎

施行年月日：　　　　　　年　　月　　日

施設・設備管理手順書	文書No.	施行年月日	版	頁

〔改訂履歴〕

版	施行年月日	改訂事項・理由

施設・設備管理手順書	文書No.	施行年月日	版	頁

〔配付先〕

配付 No.	配付部署
1	
2	
3	
4	
5	
6	
7	
8	
9	
10	

<table>
<tr><td rowspan="2">施設・設備管理手順書</td><td>文書No.</td><td>施行年月日</td><td>版</td><td>頁</td></tr>
<tr><td></td><td></td><td></td><td></td></tr>
</table>

目　次

施設・設備管理手順書	文書No.	施行年月日	版	頁

1. 目的

本手順書は，「医薬品の適正流通（GDP）ガイドライン」及び関連法規等により要求されるGDP業務の遂行に当たり，医薬品の受領，供給に関する施設及び設備を適切に管理するために必要な手順を定めることを目的とする。

2. 適用範囲

○○○○会社が有する医薬品製造販売業許可又は医薬品卸売販売業許可の下，保管・出荷する製品を他の卸売販売業者に納品するまでのGDP業務に関わる全ての施設及び設備の管理に適用する。

3. 役割と責任

・センター長は，GDP業務を遂行するために施設・設備の管理業務を行う者（以下，「施設・設備責任者」という）をあらかじめ選任する。なお，施設・設備責任者責任者は，代行者を任命してもよい。
・施設・設備責任者は，倉庫内の温度管理の業務を統括し，医薬品を保管する環境を管理するとともに，適切な温度条件下で製品が保管される責任を負う。

4. 施設の管理

4.1 定期点検

センターの施設の点検は，原則として１年に１回，「施設定期点検記録書」（様式-1）に付随する点検表に基づき実施する。但し，罹災時等は，施設・設備責任者の判断で臨時点検を行うこととする。また，必要に応じて外部へ委託することができる。

4.2 記録

施設・設備責任者は，点検の結果を「施設定期点検記録書」（様式-1）に記録する。

施設・設備責任者は，点検の結果について，問題点及び対策案を検討し，「施設定期点検記録書」（様式-1）に記載し，管理薬剤師に提出する。

管理薬剤師は，必要に応じて「施設定期点検記録書」（様式-1）にコメントを記載し，内容を確認し，センター長へ報告する。

4.3 施設の保守

施設・設備責任者は，定期点検において製品品質に影響を及ぼす施設の異常を確認した場合には，管理薬剤師や製造販売業者と協議の上，適切に異常箇所の保守を実施する。点検の結果，施設に何らかの変更を行う必要がある場合は，変更管理手順書に従い，変更を行う。

施設・設備管理手順書	文書No.	施行年月日	版	頁

5. 設備の管理

5.1 設備一覧表の作成

センターで管理する設備は，「設備一覧表」（様式-2）に登録する。また，各設備の点検の頻度についても，当該一覧表に別途規定する。

5.2 定期点検

施設・設備責任者は，「設備一覧表」（様式-2）に登録した設備について，前年年度末（3月末）に「設備定期点検計画書兼報告書」（様式-3）に定期点検の実施予定時期を記載し，管理薬剤師に提出する。定期点検実施後は，「設備定期点検計画書兼報告書」（様式-3）に実施日を記録し，年度末に管理薬剤師に提出する。業者により定期的に点検が必要な設備については，遅延なく点検を実施する。

5.3 記録

施設・設備責任者は，点検の結果を「設備定期点検記録書」（様式-4）に記録し，管理薬剤師に提出する。業者により定期点検を受けた場合，業者の点検結果報告書を「設備定期点検記録書」（様式-4）に添付することができる。なお，定期点検計画日より実施が遅れた場合は，その旨を「設備定期点検記録書」（様式-4）に記載する。

管理薬剤師は，「設備定期点検記録書」（様式-4）に必要に応じてコメントを記載し，内容を確認し，センター長へ報告する。

5.4 設備の保守

施設・設備責任者は，定期点検において異常を確認した場合には，管理薬剤師や製造販売業者と協議の上，修理などの対応を実施する。修理中の設備には，その旨を表示し，誤って使用しないようにする。

点検の結果，設備を変更する必要がある場合は，変更管理手順書に従い，変更を行う。

以上

様式-1

【施設定期点検記録書】

施 設 名 称 ：

施設所在地 ：

点検実施日 ：

点検実施者 ： 施設・設備責任者

項目	内容
評価	
問題点	
対策案	
管理薬剤師 コメント	
保守結果	（業者による保守報告書の添付:　有　・　無　）

施設・設備責任者	管理薬剤師	センター長

施設・設備管理手順書	文書No.	施行年月日	版	頁

様式-2

【設備一覧表】（例示）

NO	設備	点検頻度	備考
1	空調設備点検	1 回/年	業者実施
2	中央監視設備保守点検	1 回/年	業者実施
3	消防用設備点検	1 回/年	業者実施
4	非常用発電設備点検	1 回/年	業者実施
5	垂直搬送機点検	1 回/年	業者実施
6	貨物用エレベーター点検	1 回/年	業者実施
7	フォークリフト点検	1 回/年	業者実施
8			
9			

施設・設備管理手順書	文書No.	施行年月日	版	頁

様式-3

【設備定期点検計画書兼報告書】

実施予定月	設備名	実施状況/ 実施日	実施者

計画作成者: 施設・設備責任者	計画承認者: 管理薬剤師

報告作成者: 施設・設備責任者	報告承認者: 管理薬剤師

施設・設備管理手順書	文書No.	施行年月日	版	頁

様式-4

【設備定期点検記録書】

設　備　名　:

点検実施日　:

※点検計画日より実施が遅れた場合は理由を記載:

点検実施者　:

（業者実施の場合は業者名を記載）

項目	内容
点検内容	（業者による点検報告書の添付:　有　・　無　）
異常の有無	有　／　無
異常有の場合（異常の箇所）	
対策案	
管理薬剤師 コメント	
修理結果	（業者による修理報告書の添付:　有　・　無）

施設･設備責任者	管理薬剤師	センター長

入出庫・保管業務手順書

文書No.：

○○○○会社

○○部

作成年月日：　　　　　　年　　月　　日
作成者：山田　太郎
（署名）山田　太郎

承認年月日：　　　　　　年　　月　　日
承認者：佐藤　次郎
（署名）佐藤　次郎

施行年月日：　　　　　　年　　月　　日

入出庫・保管業務手順書	文書No.	施行年月日	版	頁

〔改訂履歴〕

版	施行年月日	改訂事項・理由

入出庫・保管業務手順書	文書No.	施行年月日	版	頁

〔配付先〕

配付 No.	配付部署
1	
2	
3	
4	
5	
6	
7	
8	
9	
10	

入出庫・保管業務手順書	文書No.	施行年月日	版	頁

目　次

入出庫・保管業務手順書	文書No.	施行年月日	版	頁

1. 目的

本手順書は，「医薬品の適正流通（GDP）ガイドライン」及び関連法規等により要求されるGDP 業務の遂行に当たり，医薬品の受領，供給に関して入出庫及び保管業務を適切に管理するために必要な手順を定めることを目的とする。

2. 適用範囲

○○○○会社が有する医薬品製造販売業許可又は医薬品卸売販売業許可の下，保管・出荷する製品を他の卸売販売業者に納品するまでの GDP 業務に関わる全ての入出庫及び保管業務に適用する。

3. 役割と責任

・センター長は，入出庫及び保管の業務を行う者（以下，「入出庫・保管責任者」という）をあらかじめ選任する。なお，入出庫・保管責任者は，代行者を任命してもよい。

・入出庫・保管責任者は，製品の入出庫・保管の業務を統括し，製品の入出庫管理を適切に維持する責任を負う。

4. 入庫

4.1 入庫受入，検数，検品作業

(1) 製品が到着したら運送会社が持参する納品書と作業内容との照合を行い，事前に連絡を受けている製造元と相違ないことを確認する。

(2) 製品に損傷を与えないように適切な手段を用いて作業を行う。

(3) 作業マニュアル等文書化された手順に従って入庫予定情報と現品との照合を行い，併せて外装の汚破損の有無を確認し記録する。（照合項目：品名コード，品名，ロット番号，使用の期限，数量）

(4) 検数・検品結果を記録する。

4.2 製品の格納

(1) 製品は，パレット単位等でラベルを貼付し，保管庫に格納する。

(2) 入庫検品作業時に外装の汚破損が発見された製品については，良品と明確に識別できる形で表示，保管する。

(3) 原則として，製品の保管は，同じパレットに同製品，同ロット番号での積載とする。

(4) 特別な条件が必要とされる製品（麻薬や向精神薬等）については，速やかに所定の保管庫に格納する。

4.3 入庫処理

(1) 検数・検品結果と入庫予定情報を照合し，合致していることを確認した後，入出庫管理システム等にて入庫処理を行う。

入出庫・保管業務手順書	文書No.	施行年月日	版	頁

5. 保管

5.1 在庫管理

入出庫管理システム等により，製品のステータス管理，ロケーション管理，在庫数量の管理等を行う。在庫は使用の期限順先出し又は先入れ先出しの原則に従って管理する。

5.2 製品ステータス

システムにおける製品のステータスの区分を設定すること。

※ステータス区分の一例

(1) 良品：引き当て可能な製品

(2) 保留品：期限切迫等の理由により在庫引き当ての対象外となる製品

(3) 返品：販売先からの返送された製品

(4) 不良品：配送途上に発生した事故品，製造不良品

(5) 廃棄品：保留品，返品，不良品等より荷主の指定により廃棄が予定されている製品

5.3 保管区分

倉庫内における保管区分を設定すること。

※保管区分の一例

(1) 規制区分

・一般薬

・麻薬及び向精神薬（「麻薬及び向精神薬取扱いガイドライン」に従う）

・毒薬

・劇薬

・放射性医薬品

・火災又は爆発の特別な安全上のリスクがある製品（例，医療用ガス等）

5.4 保管エリア，ロケーション

(1) 保管エリアは，温度，湿度，光や他の外的要因からの危害を受けないような構造設備とする。

(2) 保管エリアは，外部からの侵入を防ぐ構造とする。

(3) 保管設備等は，清潔な状態を保ち，保管エリア内に設置するものとする。

(4) 製品は，床に直接置かず，パレット，フローラック，棚等に積載し保管する。

(5) 製品は，関連法令の区分，保管条件等を遵守し，良品，不良品等のステータス別に決められた場所に保管する。

5.5 棚卸

(1) 定期的に在庫の棚卸を実施する。

(2) 在庫の異常は調査，記録し，必要な場合は所轄当局に報告する。

入出庫・保管業務手順書	文書No.	施行年月日	版	頁

5.6 廃棄

(1) 廃棄については，廃棄物処理法等に従い，荷主と協議の上，適切に対応する。

6. セキュリティ

無許可の者が，保管エリア及び事務所に立ち入ることを防ぎ，安全，確実で効率的な作業環境を維持するため，次の事項を実施する。

(1) 保管エリアに立ち入ることができる者を特定すること。

(2) 従事者以外が入室する場合は，「外来者入退室記録書」（様式-1）に記録する。

7. 出庫

7.1 出庫作業

(1) 文書化された手順に従ってピッキングリスト等に基づき作業し，検品する。

(2) 製品は品名，剤形，ロット番号，数量を確認の上，ラベルを貼付する。

(3) 不良品等の異常品を発見した場合は，速やかに管理薬剤師に報告し，指示を仰ぐ。

(4) 出庫作業が完了したら，運送会社ごとにパレットに積載し，荷渡しする梱包数を検数し，出庫作業を完了する。

(5) 保冷品，向精神薬，毒薬等の出庫作業の場合は，製品ごとに指定の場所で作業を行い，完了後集荷車輌到着まで，指定の保管庫に戻し保管を行う。（必要に応じて作業時間を計測し，記録を残す）

7.2 運送会社への荷渡し

(1) 許可証や身分証等によりドライバーの身元を確認の上，引渡しを実施する。

(2) 運送会社へ貨物受け渡しリストと送り状を渡し，受け渡し数量に問題が無いことを確認し，荷渡しを行う。

(3) 必要に応じて，送り状の控えに押印をもらい，受け渡しを完了する。

(4) 保冷品，向精神薬，毒薬等の荷渡しは，集荷車輌が到着後，それぞれ指定の保管庫より搬送し，荷渡しを行う。

(5) 特別な条件が必要とされる製品（麻薬や向精神薬等）の荷渡しについては，別途受渡しリスト等を用いて荷渡しを行う。

以上

入出庫・保管業務手順書	文書No.	施行年月日	版	頁

様式-1

【外来者入退室記録書】

年　　月度

センター名：

日付	貴社名	氏名	健康状態 異常有無	入室時刻	退室時刻	確認印・署名
／			有 ／ 無	：	：	
／			有 ／ 無	：	：	
／			有 ／ 無	：	：	
／			有 ／ 無	：	：	
／			有 ／ 無	：	：	
／			有 ／ 無	：	：	
／			有 ／ 無	：	：	
／			有 ／ 無	：	：	
／			有 ／ 無	：	：	
／			有 ／ 無	：	：	
／			有 ／ 無	：	：	
／			有 ／ 無	：	：	
／			有 ／ 無	：	：	
／			有 ／ 無	：	：	
／			有 ／ 無	：	：	
／			有 ／ 無	：	：	
／			有 ／ 無	：	：	
／			有 ／ 無	：	：	
／			有 ／ 無	：	：	

庫内温度管理手順書

文書No.：

○○○○会社

○○部

作成年月日：　　　　　　　年　　月　　日
作成者：山田　太郎
　　　　（署名）山田　太郎

承認年月日：　　　　　　　年　　月　　日
承認者：佐藤　次郎
　　　　（署名）佐藤　次郎

施行年月日：　　　　　　　年　　月　　日

庫内温度管理手順書	文書No.	施行年月日	版	頁

〔改訂履歴〕

版	施行年月日	改訂事項・理由

庫内温度管理手順書	文書No.	施行年月日	版	頁

〔配付先〕

配付 No.	配付部署
1	
2	
3	
4	
5	
6	
7	
8	
9	
10	

庫内温度管理手順書	文書No.	施行年月日	版	頁

目　次

<table>
<tr><td rowspan="2">庫内温度管理手順書</td><td>文書No.</td><td>施行年月日</td><td>版</td><td>頁</td></tr>
<tr><td></td><td></td><td></td><td></td></tr>
</table>

1. 目的

本手順書は，「医薬品の適正流通（GDP）ガイドライン」及び関連法規等により要求される GDP 業務の遂行に当たり，医薬品の受領，供給に関して庫内温度を適切に管理するために必要な手順を定めることを目的とする。

2. 適用範囲

○○○○会社が有する医薬品製造販売業許可又は医薬品卸売販売業許可の下，保管・出荷する製品を他の卸売販売業者に納品するまでの GDP 業務に関わる全ての庫内温度の管理に適用する。

3. 役割と責任

・センター長は，GDP 業務を遂行するために必要な庫内温度管理の業務を行うもの（以下，「施設・設備責任者」という）をあらかじめ選任する。なお，施設・設備責任者は，代行者を任命してもよい。

・施設・設備責任者は，倉庫内の温度管理の業務を統括し，医薬品を保管する環境を管理するとともに，適切な温度条件下で製品が保管される責任を負う。

4. 方法

4.1 温度管理

庫内の温度管理は，自記温度記録計又はデジタル温度データロガー等の適切な温度計を用いて管理する。

4.2 管理温度の設定

原則として，管理温度は製造販売業者と協議の上，個々に設定する。

4.3 警報温度の設定

保冷庫内の温度に連動して作動する警報機を設置する。警報機は指示温度から逸脱した場合，警報を発報するよう設定する。

なお，警報装置は，自動的に通報される構造としておき，営業時間外への対応も考慮する。

また，原則 1 年に 1 回，警報機の作動点検を実施し，その記録を保管する。

4.4 温度の管理

(1) 日常管理

設備・施設責任者は，営業日の始業時並びに終業時の 1 日 2 回，温度記録の作動確認並びに温度計の温度表示を目視し，「庫内温度記録表」（様式-1）に記録する。なお，異常が発見された際は，速やかに管理薬剤師及びセンター長へ連絡する。

<table>
<tr><td rowspan="2">庫内温度管理手順書</td><td>文書No.</td><td>施行年月日</td><td>版</td><td>頁</td></tr>
<tr><td></td><td></td><td></td><td></td></tr>
</table>

(2)月次管理

センター長は，日常管理が適切に行われていることを月に 1 回確認し，「庫内温度記録表」（様式-1）の所定欄に押印する。管理薬剤師も同様に内容を確認の上，所定欄に押印する。

5. 設定温度の調整

設備・施設責任者は，日常管理における温度記録の確認時に，温度推移が管理温度の中心を上下許容範囲内で推移していることを確認し，上下いずれかに偏っている場合には，空調機の設定温度の調整等，適切な措置を行う。設定温度の変更を行った場合は，その内容を庫内温度記録表（様式：庫内温度管理 000-01）へ記載する。

6. 異常発生時の処置

6.1 営業時間内

設備・施設責任者は，庫内温度計に連動する警報機の作動により温度異常を感知した場合，管理薬剤師及びセンター長へ報告する。設備・施設責任者は，扉の開閉に基づくものでないことを確認の上，温度計，冷凍機，主制御サーモ又は電気系統の何れの異常等，原因を調査・確認し，関係各所に連絡をとる。

6.2 営業時間外

夜間，休日及び祝祭日の場合には，警備会社より緊急連絡網により通報を受け，設備・施設責任者は状況に応じ，適宜措置を講じる。

6.3 避難措置

設備・施設責任者は，温度異常が速やかに復旧しないと判断した場合には，管理薬剤師，センター長及び製造販売業者と相談の上，保管製品を退避する等の措置を講じる。

措置後，製造販売業者への報告を行う。

7. 温度計校正

設備・施設責任者は，原則 1 年に 1 回，温度計の校正を実施し，その記録を保管する。

8. 温度マッピング

設備・施設責任者は，稼働前及び毎年夏季及び冬季に以下の手順に従い，倉庫内の温度マッピングを実施する。

8.1 温度マッピングの計画

設備・施設責任者は，温度マッピングを実施する前に，温度マッピング計画書を作成する。計画書には，実施予定時期，計測期間，計測対象，計測器及び計測ポイントを記載する。計測ポイントは倉庫の大きさに従い，約○m毎に，必要に応じ，高さも考慮（上・中・下等）

庫内温度管理手順書	文書No.	施行年月日	版	頁

して設置する。温度マッピング計画書は，センター長が承認する。

8.2 温度マッピングの実施及び報告

設備・施設責任者は，温度マッピング計画書に従い，温度マッピングを実施する。温度マッピングの結果をセンター長に報告する。

8.3 温度マッピングの評価及び報告

センター長は，温度マッピングの結果から，庫内の温度分布が管理範囲に入っていることを確認する。もし，管理範囲外であった場合は，関係部署と協議の上，必要な措置を講じる。また，夏季及び冬季のホットポイント（最も温度の高いポイント）及びコールドポイント（最も温度の低いポイント）をそれぞれ選定し，日常管理の温度測定ポイントを選定する。定期的に温度マッピングを実施し，その結果により，日常管理の温度測定ポイントを見直す。

以上

庫内温度管理手順書	文書No.	施行年月日	版	頁

様式-1

【庫内温度記録表】

年　　月　　　　　　　　　　　　　　　　センター名：

日付	曜日	記録時間	温度計 1	温度計 2	温度計 3	温度計 4	温度計 5	温度計 6	温度計 7	温度計 8	温度計 9	温度計 10	作動確認	記録者

※作動確認を実施し，作動確認欄にチェックマークを記入する。

※設定温度を変更した場合は，庫内温度記録表枠外に，変更した旨を記載する。

設備・施設責任者	管理薬剤師	センター長

運送管理手順書

文書No.：○○○

○○○○会社

○○部

作成年月日：　　　　　　年　　月　　日
作成者：　山田　太郎
（署名）　山田　太郎

承認年月日：　　　　　　年　　月　　日
承認者：　佐藤　次郎
（署名）　佐藤　次郎

施行年月日：　　　　　　年　　月　　日

運送管理手順書	文書No.	施行年月日	版	頁

〔改訂履歴〕

版	施行年月日	改訂事項・理由

運送管理手順書	文書No.	施行年月日	版	頁

〔配付先〕

配付 No.	配付部署
1	
2	
3	
4	
5	
6	
7	
8	
9	
10	

運送管理手順書	文書No.	施行年月日	版	頁

目　次

運送管理手順書	文書No.	施行年月日	版	頁

1. 目的

本手順書は，「医薬品の適正流通（GDP）ガイドライン」及び関連法規等により要求される GDP 業務の遂行に当たり，医薬品の受領，供給に関する運送を適切に管理するために必要な手順を定めることを目的とする。

2. 適用範囲

○○○○会社が有する医薬品製造販売業許可又は医薬品卸売販売業許可の下，保管・出荷する製品を他の卸売販売業者に納品するまでの GDP 業務に関わる全ての運送管理に適用する。

3. 役割と責任

・センター長は，GDP業務を遂行するために運送管理の業務を行う者（以下，「運送管理責任者」という）をあらかじめ選任する。なお，運送管理責任者は，代行者を任命してもよい。
・運送管理責任者は，医薬品を破損，品質劣化及び盗難から保護し，輸送中の温度条件を管理する責任を負う。

4. 運送管理の手順

4.1 運送業者への引き渡し

運送管理責任者は運送会社が集荷する際，以下事項を遵守し，集荷漏れや製品の破損等防止に努める。

(1) 出荷梱数の確認

運送管理責任者は，照合用のリスト等を用い，梱数を確認する。

(2) 引き渡しの手順

①運送会社への引渡しについては，許可証や身分証等によりドライバーの身元を確認の上，引き渡しを実施する。
②製品を引き渡す際には，ドライバーによる梱数の確認を受ける。

(3) 車両への積み込み

運送管理責任者は，運送会社が製品をトラックへ積込む際，製品の破損等防止の為，以下を実施しているか確認する。

①外装箱のケースケアマーク等への注意
②製品の複数持ち，挟み持ち等，破損が発生しやすい荷扱いの禁止
③荷崩れによる破損等を防止するための養生
④段積み制限・重量物の上段積載禁止
⑤製品の外装異常の有無の確認

4.2 輸配送

(1) 配送の記録

製品の配送にあたっては，下記の記録事項等を記載した「送り状」や「納品書」等を作成し，保管する。

①発送年月日
②運送会社の名称
③納品先の名称，住所
④製品の名称，ロット，数量，使用期限

但し，卸売販売業者に課される医薬品の譲受時及び譲渡時の書面記載事項は，「民間事業者等が

運送管理手順書	文書No.	施行年月日	版	頁

行う書面の保存等における情報通信の技術の利用に関する法律」において，書面の保存に代えて電磁的記録の保存を行うことができる。

(2) 輸配送時の事故防止・注意事項
①使用する車両を含む輸配送の方法は慎重に選択する。
②温度管理を必要とする製品の輸配送は，適用される輸配送条件に従って行う。
③車両にはハンドルロックを設置し，製品の積卸し時以外は，車両の荷台は施錠する。
④輸配送中，車両から離れる場合は，車両の全ての扉を施錠する。
⑤輸配送中に，逸脱に気づいた場合は，速やかにセンターに報告し，指示に従う。
⑥汚染等を防止するため，製品のこぼれはできる限り早急に清掃する。
⑦助手席など荷台以外の場所への製品の積載は禁止する。

(3) 麻薬及び向精神薬の輸配送
麻薬及び向精神薬の輸配送については，以下事項を遵守する。
①施錠管理が可能なトラックで輸配送する。
②麻薬及び向精神薬の輸送には，「4.1 運送業者への引き渡し手順」に加え，追加の管理手順を備えること。
③盗難，紛失等が発生した場合の手順を定めること。

4.3 納品
(1) 荷卸しの手順
①納品先の指示に従い荷卸し・納品を行う。
②荷卸し時，外装異常がないか確認する。製品に異常があった場合（汚破損・過不足・保冷品の温度逸脱等）には，運送会社は速やかにセンターへ連絡を取ると共に納品先に指示を仰ぐ。

(2) 納品完了の確認
①運送会社は送り状と製品の数量を確認後，納品先から受領印が押印された受領書を受け取る。
②運送管理責任者は，全ての配送先に納品が完了しているか運送会社に確認を実施する。
（※Web上の追跡システムでの確認も可能とする。）
③運送管理責任者は，必要に応じて輸配送時の温度記録を回収・確認する。

4.4 管理
(1) セキュリティ管理
運送管理責任者は，センター・ターミナル・車両での製品の盗難及びその他の不正使用を防止する為，下記事項を実施する。
①運転手の身元確認
②関係者以外の車両への入室制限
③輸配送経路の特定

(2) 衛生管理
製品の輸配送に使用する車両は，下記事項に従って衛生管理を行う。
①運送管理責任者は，運送会社に対し，トラック荷台及びターミナルが常に清掃され清潔な状態を保つよう指導を行う。
②運送管理責任者は，運送会社に対し，ドライバーの健康管理に努めるなど，業務に支障がでないよう指導を行う。

以上

輸配送温度管理手順書

文書№.：〇〇〇

〇〇〇〇会社
〇〇部

作成年月日：　　　　　　年　　月　　日
作成者：　山田　太郎
　　　（署名）　山田　太郎

承認年月日：　　　　　　年　　月　　日
承認者：　佐藤　次郎
　　　（署名）　佐藤　次郎

施行年月日：　　　　　　年　　月　　日

輸配送温度管理手順書	文書No.	施行年月日	版	頁

〔改訂履歴〕

版	施行年月日	改訂事項・理由

<table>
<tr><td rowspan="2">輸配送温度管理手順書</td><td>文書No.</td><td>施行年月日</td><td>版</td><td>頁</td></tr>
<tr><td></td><td></td><td></td><td></td></tr>
</table>

〔配付先〕

配付 No.	配付部署
1	
2	
3	
4	
5	
6	
7	
8	
9	
10	

<table>
<tr><td rowspan="2">輸配送温度管理手順書</td><td>文書No.</td><td>施行年月日</td><td>版</td><td>頁</td></tr>
<tr><td></td><td></td><td></td><td></td></tr>
</table>

目　次

輸配送温度管理手順書	文書No.	施行年月日	版	頁

1. 目的

本手順書は，「医薬品の適正流通（GDP）ガイドライン」及び関連法規等により要求される GDP 業務の遂行に当たり，医薬品の受領，供給に関して輸配送温度を適切に管理するために必要な手順を定めることを目的とする。

2. 適用範囲

○○○○会社が有する医薬品製造販売業許可又は医薬品卸売販売業許可の下，保管・出荷する製品を他の卸売販売業者に納品するまでの GDP 業務に関わる全ての輸配送の温度管理に適用する。

3. 役割と責任

・センター長は，GDP 業務を遂行するために必要な運送管理の業務を行うもの（以下，「運送管理責任者」という）をあらかじめ選任する。なお，運送管理責任者は，代行者を任命してもよい。
・運送管理責任者は，医薬品を破損，品質劣化及び盗難から保護し，輸送中の温度条件を管理する責任を負う。

4. 輸配送温度管理

原則として，輸配送は，個々の医薬品の貯法（保管条件）に従うこととする。具体的な輸配送の方法については，製造販売業者又は顧客と協議の上，設定する。

なお，輸配送中の車両庫内の温度については，推移を確認すること。

5. 運送会社の管理

運送管理責任者は，使用する運送会社の拠点等で温度管理の手順等が適切に整備されていることを確認する。

6. 保冷品の輸配送管理

保冷品を輸配送する場合については，以下事項を遵守する。

(1) 管理温度で輸配送するための保冷機および温度記録機器を搭載したトラックで運送すること。但し，保冷ボックス等を用いる場合は，管理温度が保証されていることを事前に確認する。

(2) トラックは積込前に必ず予冷し，トラック荷室内の温度が管理温度帯で安定している状態を確認してから，積込を行う。

(3) 積込，仕分け，荷卸しは可能な限り短時間で行い，トラック荷室内の温度を保つように努める。

(4) トラックの走行中または駐停車時も，トラック荷室内の温度が適切に保たれていることを確認する。

(5) トラック荷室内の温度測定機器は，少なくとも 1 年に 1 回校正が行われ，その記録が作成，保存されていることを確認する。

7. 異常発生時の処置

7.1 営業時間内

運送管理責任者は，運送会社より異常発生の連絡を受けた場合，センター長及び管理薬剤師へ報告すると共に，運送会社に対し，適宜必要な措置を講じる。

<table>
<tr><td rowspan="2">輸配送温度管理手順書</td><td>文書No.</td><td>施行年月日</td><td>版</td><td>頁</td></tr>
<tr><td></td><td></td><td></td><td></td></tr>
</table>

7.2 営業時間外

夜間，休日及び祝祭日に異常が発生した場合，緊急連絡網に従い連絡する。運送管理責任者又はセンター長は関係部署に連絡するとともに，対象の運送会社に対し，適宜必要な措置を講じる。

8. 輸配送中の温度調査

運送管理責任者は，運送会社に対し，出荷から目的地への着荷までの過程の，車両庫内の温度分布及び温度推移の測定を実施するよう要請する。運送会社は夏季及び冬季のワーストケースを考慮し，原則それぞれ１年に１回の頻度で実施する。

また，輸配送中の温度管理については，輸送ルートのリスクアセスメントを用いて決定すること。

以上

監査チェックリスト

文書No.：○○○

○○○○会社

○○部

作成年月日：　　　　　　年　　月　　日
作成者：山田　太郎
　　　　（署名）山田　太郎

承認年月日：　　　　　　年　　月　　日
承認者：佐藤　次郎
　　　　（署名）佐藤　次郎

施行年月日：　　　　　　年　　月　　日

〔活用にあたっての注意点〕

本チェックリストは，医薬品の保管を行う倉庫業者，輸配送業者に対し，「医薬品の適正流通（GDP）ガイドライン」で規定された各項目に対しての遵守状況を確認することを目的に作成した。

実際には，書面監査時の質問票として用いる場合や，監査の実施に先立ち，倉庫業者，輸配送業者に送付・記載頂き，その回答を基に監査を行う場合等を想定している。

本チェックリストは一例であり，各社で保有している質問票，チェックリストを基に「医薬品の適正流通（GDP）ガイドライン」への遵守状況を確認することでもよい。

また，種々の外部委託業者については，委託している業務が適切に遂行されていることを年次レビューや監査等で定期的に確認すべきであり，監査の頻度や手法についてはリスクベースで決定することが望ましい。

※書籍収載にあたりチェックリストのサイズを縮小しているので，付録 CD の電子ファイルも参照されたい。

1. 先ず，右端のカラムより監査対象が保管を行う業者であるか輸配送の業者であるかを選択する。保管及び輸配送共に委託する業者の場合には選択する必要はない。
2. 各項目について該当する回答を 1 つ選択し，■とする。ラベル表示項目の確認等では記載される内容全てについて■とする。

人数等の確認結果については数値を記載し，特記すべき事項がある場合には備考欄に記載する。

監査チェックリスト	文書No.	施行年月日	版	頁

〔改訂履歴〕

版	施行年月日	改訂事項・理由

監査チェックリスト	文書No.	施行年月日	版	頁

〔配付先〕

配付 No.	配付部署
1	
2	
3	
4	
5	
6	
7	
8	
9	
10	

監査チェックリスト	文書No.	施行年月日	版	頁

項目	確認ポイント	内容	詳細結果	評価	保管	輸送
緒言	業許可有無	□ 製造業　□ 卸売販売業　□ 所持していない			○	○
目的					○	○
適用範囲	業務内容	□ 保管　□ 輸送			○	○
1 品質マネジメント					○	○
1.1 原則					○	○
1.2 品質システム					○	○
1.2.2	文書体系図（階層化されているか）	□ あり　□ なし			○	○
1.2.6	変更管理手順	□ あり　□ なし			○	○
1.2.7	経営陣の責任	□ 規定あり　□ 規定なし			○	○
1.2.7	逸脱管理手順	□ あり　□ なし			○	○
1.2.7	CAPA（是正措置及び予防措置）手順	□ あり　□ なし			○	○
1.3	外部委託業務の有無	□ あり　□ なし			○	○
1.3	委託業務レビュー **委託業務なければ不要**	□ 実施　□ 未実施			○	○
1.3	レビュー項目 **レビュー未実施であれば不要**	□ 業許可取得更新状況　□ 取決め締結状況　□ 委託先業務レビューの実施			○	○
1.4 マネジメントレビュー及びモニタリング					○	○
1.4.1	経営陣によるレビュー	□ 実施　□ 未実施			○	○
1.4.1	レビュー項目 **レビュー未実施であれば不要**	□ 苦情，回収，返品，逸脱等でのKPI評価　□ 外部委託業務レビュー			○	○
		□ 規制及びガイダンス等の情報管理　□ 自己点検			○	○
		□ 規制当局による査察実施有無及び結果　□ リスク評価			○	○
		□ 販売先からの監査実施有無及び結果　□ その他			○	○
1.4.2	マネジメントレビュー記録・報告書	□ あり　□ なし			○	○
1.4.2	記録・報告書承認者 **報告書がなければ不要**	承認者職位を記載：			○	○
1.5 品質リスクマネジメント					○	○
1.5.1	リスク評価	□ 全プロセスで実施　□ 一部で実施　□ 未実施			○	○
2 職員					○	○
2.1 原則					○	○
2.2 一般					○	○
2.2.1	職員人数	人数：			○	○
2.2.1	品質管理担当者数	人数：			○	○
2.2.2	組織図	□ あり・経営陣を含む　□ あり・経営陣を含まない　□ なし			○	○
2.2.3	職務記述書（全般）役割と責任の明記	□ あり　□ なし			○	○
2.2.3	職務記述書（全般）代行者に関する規定	□ あり　□ なし			○	○
2.3 責任者の任命					○	○
2.3.1	責任者の要件 能力/教育/経験	□ 規定あり　□ 規定なし			○	○
2.3.2	非常時の連絡体制 連絡手段	□ 規定あり　□ 規定なし			○	○
2.3.3	各責任者の職務記述書 責務/権限の明記	□ 規定あり　□ 規定なし			○	○
2.3.5	責任者の責務	□ 品質マネジメントシステムの維持管理　□ 権限が与えられた業務の管理　□ 権限が与えられた業務の記録の定期的確認			○	○
		□ 回収業務に関する規定　□ 苦情処理に関する規定　□ 業許可の保有に関する保証			○	○
		□ 外部業者への委託の内容，及び記録の確認　□ 自己点検，及びそれに伴う是正措置の実施　□ 回収品等の処理の決定			○	○
		□ 偽造品処理の決定　□ 返却品を販売在庫に戻す際の承認　□ 法令順守			○	○
2.4 教育訓練					○	○
2.4.1	教育実施手順(書)	□ あり　□ なし			○	○
	教育計画・報告	□ あり　□ なし			○	○
	GDPに関する教育	□ あり　□ なし			○	○
2.4.2	継続的教育の実施	□ あり　□ なし			○	○
	経営陣への教育有無	□ あり　□ なし			○	○
2.4.3					○	○
2.4.4	特別教育の実施 毒劇物，特殊医薬品等	□ 必要・実施あり　□ 必要・実施無し　□ 不要			○	○

監査チェックリスト	文書No.	施行年月日	版	頁

2.4.5	教育記録	□ あり　□ なし				○	○
	有効性の検証	□ あり（テストによる検証）　□ あり（テスト以外）　□ なし				○	○
2.5 衛生手順書	職員の衛生管理手順	□ あり　□ なし				○	○
	健康管理の規定 **手順がある場合**	□ あり　□ なし				○	○
	衛生管理の規定 **手順がある場合**	□ あり　□ なし				○	○
	更衣の規定 **手順がある場合**	□ あり　□ なし				○	○
3 施設及び機器						○	○
3.1原則						○	○
3.2施設						○	○
3.2.1	保管施設の広さ	保管施設：　　　㎡				○	○
	保管施設の照明	□ 適切　□ 不十分				○	○
	保管施設の換気	□ 適切　□ 不十分				○	○
3.2.2	外部施設の利用	□ あり　□ なし				○	○
	外部施設との取り決め書 **外部施設なければ不要**	□ あり　□ なし				○	○
	外部施設の卸売販売業の確認 **外部施設なければ不要**	□ あり　□ なし				○	○
3.2.3	保管場所の分離	□ 実施　□ 未実施				○	○
	保管区域の明確な識別	□ あり（場所・パレット・棚・その他　　　）　□ なし				○	○
	保管区域への立ち入り制限	□ 実施　□ 未実施				○	○
	入退館記録	□ あり　□ なし				○	○
	在庫（保管場所）管理のシステム	□ あり　□ なし				○	○
	上記のコンピュータシステムバリデーション	□ あり　□ なし				○	○
3.2.4	隔離保管に関する手順	□ あり　□ なし				○	○
	隔離保管品の専用保管場所	□ あり　□ なし				○	○
	隔離保管	□ 物理的（表示，施錠等）　□ 電子的				○	○
3.2.5	麻薬・向精神薬の取り扱い	□ あり　□ なし				○	○
	麻薬・向精神薬の施錠管理	□ 実施　□ 未実施				○	○
3.2.6	放射性物質及びその他の有害な製品	□ あり　□ なし				○	○
	火災または爆発の特別な安全上のリスクがある製品	□ あり　□ なし				○	○
	専用保管	□ 実施　□ 一部実施　□ 未実施				○	○
3.2.7	受入・発送場所気象条件の影響から	□ 保護される　□ 一部保護される　□ 保護されない				○	○
	受入・発送の保管区域との分離	□ 受入・発送区域の分離　□ 区域は同じであるが，作業時間により分離　□ 分離していない				○	○
	入出荷手順書	□ あり　□ なし				○	○
	検品区域の指定	□ 実施　□ 未実施				○	○
3.2.8	無許可の者の立ち入り防止策	□ 鍵管理　□ 生体指紋認証　□ カードキー				○	○
		□ その他（　　　　）　□ 未実施				○	○
	CCTV	□ あり　□ なし				○	○
	侵入感知センサー	□ あり　□ なし				○	○
	警報システム	□ あり　□ なし				○	○
	入退館の管理手順書	□ あり　□ なし				○	○
3.2.9	清掃に関する手順書	□ あり　□ なし				○	○
	清掃に関する記録	□ あり　□ なし				○	○
	排水及び廃棄物管理に関する規定 **手順がある場合**	□ あり・問題なし　□ あり・改善の余地あり　□ なし				○	○
3.2.10	構造設備の欠陥	□ なし　□ あり				○	○
	防虫防鼠管理手順書	□ あり　□ なし				○	○
	防虫防鼠管理記録	□ あり　□ なし				○	○
3.2.11	休憩・手洗場所の分離	□ 実施　□ 未実施				○	○
	保管場所持込制限（飲食，たばこ）	□ 実施　□ 未実施				○	○
3.3温度及び環境管理						○	○

監査チェックリスト	文書No.	施行年月日	版	頁

3.3.1	温度管理に関する手順書	□ あり　□ なし			○	○
	保管場所の定期的な温度確認	□ 実施（　回／日）　□ 未実施			○	○
	照度モニタリング	□ 実施　□ 未実施			○	○
	湿度モニタリング	□ 実施　□ 未実施			○	○
3.3.2	保管場所の夏季・冬季の温度マッピング	□ 実施　□ 夏季・冬季以外に実施　□ 未実施			○	○
	温度モニタリングポイントの妥当性	□ マッピングの結果を考慮　□ 考慮が不十分　□ 考慮していない			○	○
	温度マッピング周期	＿＿年に＿＿回			○	○
3.4.1	メンテナンス計画	□ あり　□ なし			○	○
3.4.2	温度モニタリング機器の定期的な校正	□ 実施 頻度：　年毎　□ 不定期に実施　□ 未実施			○	○
	トレーサビリティ証明	□ あり　□ なし			○	○
3.4.3	管理温度逸脱時の警報システム	□ あり　□ なし			○	○
	警報システムの定期点検	□ 実施　□ 未実施			○	○
3.4.4	機器の修理・保守及び校正に関する手順書	□ あり　□ なし			○	○
	校正時の対応（モニタリングの連続性）手順書	□ あり　□ なし			○	○
	異常時の処理に関する手順書	□ あり　□ なし			○	○
3.4.5	機器の修理・保守及び校正に関する記録	□ あり　□ なし			○	○
	保冷庫，冷蔵庫の修理・保守・校正記録	□ あり　□ なし			○	○
	侵入者探知警報システムの修理・保守・校正記録	□ あり　□ なし			○	○
	入退室管理システムの修理・保守・校正記録	□ あり　□ なし			○	○
	温度モニタリングシステムの修理・保守・校正記録	□ あり　□ なし			○	○
	空調管理システムの修理・保守・校正記録	□ あり　□ なし			○	○
3.5コンピューター化システム					○	○
3.5.1	システム台帳	□ あり　□ なし			○	○
	物流関連システム等のCSV実施	□ 実施　□ 未実施			○	○
3.5.2	システム記述書	□ あり　□ なし			○	○
3.5.3	ユーザ管理（新規，変更，削除）	□ 実施　□ 未実施			○	○
	アクセス権限の管理	□ 実施　□ 未実施			○	○
3.5.4	サーバ室の隔離	□ 実施　□ 未実施			○	○
	データの定期的なバックアップ	□ 実施（周期：　）□ 未実施			○	○
	バックアップメディア保管場所	□ 当該サイトと別の場所　□ 当該サイトと同じ場所			○	○
	バックアップメディア保管セキュリティ	□ あり　□ なし			○	○
3.5.5	システムが故障・機能停止になった際の手順書	□ あり　□ なし			○	○
	データ復元のための手順書	□ あり　□ なし			○	○
3.6適格性評価及びバリデーション					○	○
3.6.1	物流関連システム以外の適格性評価の必要な機器の特定	□ 実施：対象（　）　□ 未実施			○	○
3.6.2	変更時の適格性評価	□ 規定あり　□ 規定なし			○	○
3.6.3	適格性評価の記録	□ あり　□ なし			○	○
	バリデーション時の逸脱，CAPAの記録発生	□ あり　□ なし			○	○
	適格性評価の承認	□ あり　□ なし			○	○
4 文書化					○	○
4.1 原則	記録の同時性	□ 作業時に記録している　□ 作業後に記録している　□ 記録がない			○	○
4.2 一般					○	○
4.2.1	文書の定義	□ 規定あり　□ 規定なし			○	○
	文書とされている対象	□ 手順書　□ 指図書　□ 契約書			○	○
		□ 記録　□ データ　□ その他			○	○
	文書の管理	□ 紙媒体で管理　□ 電子媒体で管理			○	○
	手順書の確認	□ 手順書の所在が明確（作業所に複写あり）　□ 手順書の所在が明確（作業所に複写なし）　□ 所在が不明瞭			○	○
4.2.2	個人データの処理（個人情報保護）	□ 取扱い手順あり　□ 手順なし			○	○

監査チェックリスト	文書No.	施行年月日	版	頁

項番	項目	確認内容				
4.2.3	文書の内容	□ 業務範囲を包括している　□ 業務範囲が包括されていない			○	○
	文書の記載	□ 理解しやすい　□ 理解しづらい			○	○
4.2.4	責任者の承認 **必要な文書のみ**	□ 署名／印及び日付あり　□ 署名／印あり，日付なし　□ 署名／印及び日付なし			○	○
	署名／印の管理	□ 署名や印を登録している　□ 署名や印を登録していない			○	○
	署名／印の管理	□ 印は本人以外使用できないように保管されている　□ 印は本人以外も使用可能な状態			○	○
4.2.5	文書の変更／修正	□ 手順あり　□ 手順なし			○	○
	文書の変更：記録確認	□ 署名／印及び日付あり　□ 署名／印あり，日付なし　□ 署名／印及び日付なし			○	○
		□ 変更前の情報が読める　□ 読めない			○	○
		□ 変更の理由あり　□ 変更の理由なし			○	○
4.2.6	文書の保管期間	□ 規定あり規制に適合 規定：　　年間　□ 規定あるが規制に不適　□ 規定なし			○	○
4.2.7	文書の閲覧 （手順書含む）	□ 随時可能　□ 可能でない			○	○
4.2.8	手順書	□ 全て有効かつ承認済み　□ 一部未承認または無効（教育訓練前，施行前）　□ 全て無効かつ未承認			○	○
	表題，目的等	□ 明確　□ 不明確			○	○
	文書の定期的レビュー	□ 実施 頻度：　　年毎　□ 未実施			○	○
	手順書の版管理	□ あり　□ なし			○	○
	旧・廃版手順書の誤使用防止，撤去と別途保管	□ 手順に規定あり　□ 手順に規定なし			○	○
4.2.9	医薬品の購入・販売，譲受・授与時の記録	□ あり　□ なし			○	○
	記録の形態	□ 購入／販売送り状　□ 納品書　□ その他（　　　　）			○	○
	コンピュータで記録している場合	□ 随時引き出せる　□ 随時引き出せない			○	○
	コンピュータで記録している場合	□ データが保護されている　□ データが保護されていない			○	○
	医薬品の購入・販売，譲受・授与時の記録保管	□ 規定あり規制に適合 規定：　　年間　□ 規定あるが規制に不適　□ 規定なし			○	○
	手書きの場合	□ 明瞭で読み易い　□ 読みづらい			○	○
	手書きの場合	□ 改竄不可能　□ 改竄可能（鉛筆等を使用）			○	○
	医薬品の購入・販売，譲受・授与時の記録の変更／修正	□ 署名／印及び日付あり　□ 署名／印あり，日付なし　□ 署名／印及び日付なし			○	○
		□ 変更前の情報が読める　□ 読めない			○	○
		□ 変更の理由あり　□ 変更の理由なし			○	○
	医薬品の購入・販売，譲受・授与時の記録の記載事項	□ 品名　□ ロット番号又は製造番号，製造記号			○	○
		□ 医薬品の使用の期限　□ 数量　□ 購入等の年月日			○	○
		□ 譲受人（販売先）又は譲渡人（仕入先）の氏名等連絡先			○	○
		□ 連絡先等確認のための提示資料　□ 取引先の適格性確認資料			○	○
5 業務の実施 （オペレーション）					○	○
5.1 原則	外装の表示情報に基づく製品取扱手順	□ あり　□ なし			○	○
	偽造医薬品の危険性排除に関する手順	□ 規定あり　□ 規定なし			○	○
	主要な作業の文書化	□ されている　□ されていない			○	○
5.2 仕入先の適格性評価					○	−
5.2.1	当局許可の確認	□ 許可の確認（定期的） 頻度：　□ 許可の確認（非定期）　□ 未確認			○	−
5.2.2	卸売販売業者の許可確認方法	□ 書面調査　□ アンケート・インターネット等　□ なし			○	−
5.2.3	仕入れ先の適格性評価及び認証	□ 監査等による確認　□ 監査ではないが確認している　□ 未実施			○	−
5.2.3	適格性評価頻度 **実施している場合**	□ 監査結果等を参考にリスクベースで実施　□ 一律に実施 頻度：　　年毎　□ 未実施			○	−
5.2.4	新規取引き 評判又は信頼度	□ 与信調査等　□ HP確認　□ なし			○	−
5.2.4	新規取引き 偽造医薬品防止手段	□ 確認　□ 未確認			○	−
5.2.4	新規取引き 希少製品の取扱量	□ 確認　□ 未確認			○	−
5.2.4	新規取引き 製品多様性	□ 確認　□ 未確認			○	−
5.2.4	新規取引き 不当価格（過大割引等）	□ 確認　□ 未確認			○	−
5.3 販売先の適格性評価					○	−
5.3.1	販売先の確認方法	□ 許可証写し等の確認　□ パンフレット，HPの確認　□ なし			○	−
5.3.2	当局許可の確認	□ 許可の確認（定期的） 頻度：　□ 許可の確認（非定期）　□ 未確認			○	−
5.3.3	不適正使用，異常な販売パターンの確認	□ 常時確認　□ 定期確認　□ なし			○	−

監査チェックリスト	文書No.	施行年月日	版	頁

5.4 医薬品の受領							○	−
5.4.1	受取時の積荷確認	□ 積荷の確認手順あり	□ 積荷の確認（チェックリストのみ）	□ 積荷の確認未実施			○	−
5.4.1		□ 仕入先の確認手順あり	□ 仕入先の確認（チェックリストのみ）	□ 仕入先の確認未実施			○	−
5.4.1		□ 外観の確認手順あり	□ 外観の確認（チェックリストのみ）	□ 外観の確認未実施			○	−
5.4.2	特殊医薬品の優先処理	□ 特別な輸送条件の確認（温度等）	□ その他（実施事項があれば詳細結果欄に記載）				○	−
5.4.2		□ 手順あり	□ 実施するが手順なし	□ 手順なし及び未実施			○	−
5.5 保管							○	−
5.5.1	医薬品の保管	□ 他の製品と区分	□ 区分無し				○	−
5.5.1	特別な医薬品の保管手順	□ 手順あり	□ 対応（手順なし）	□ 手順なし			○	○
5.5.2	梱包に汚染が認められた場合の清浄化手順	□ あり	□ なし				○	○
5.5.2	燻蒸 **実施する場合**	□ 実施しない	□ 実施（影響評価あり）	□ 実施（影響評価なし）			○	○
5.5.3	セキュリティ 該当箇所にチェックする	□ 手順による入室制限 □ 施錠管理 □ 部外者の入退室記録	□ システムによる入室制限 □ セキュリティカメラの設置（データの保管期間　　日） □ 守衛	□ その他			○ ○ ○	○ ○ ○
5.5.4	使用期限順先出または先入れ先出し	□ 手順への規定及び例外に関する記録手順あり	□ 規定あり（例外に関する規定なし）	□ 規定なし			○	−
5.5.5	漏出，破損，汚染及び混同	□ 保管スペース □ 作業エリアの確保	□ 表示，区分 □ 直置きの禁止	□ パレット管理 □ その他			○ ○	○ ○
5.5.6	期限切迫品管理	□ 規定あり	□ 規定なし				○	−
5.5.7	棚卸の調査	□ 規定あり	□ 規定なし				○	−
5.5.7	棚卸頻度	□ 作業単位毎	□ 一日の作業後	□ 定期棚卸のみ（具体的に　　箇月毎）			○	−
5.6 使用期限/保存期間が過ぎた製品の廃棄							○	−
5.6.1	廃棄予定の製品保管	□ 識別，隔離保管	□ システムによる隔離	□ なし			○	−
5.6.2	廃棄製品の取扱い	□ 規定あり	□ 規定なし				○	−
5.6.3	廃棄記録の保管	□ 記録あり 保管期間：　　年間	□ 記録なし				○	−
5.7 ピッキング	手順に規定のある項目	□ 作業表示 □ 電子的Wチェック	□ 記録 □ その他	□ 人為的Wチェック □ 手順なし			○ ○	− −
5.8 供給	製品への同封文書の記載事項	□ 品名 □ 輸送条件 □ 購入・販売等の年月日 □ 電話番号・連絡先等	□ ロット番号（製造記号等 □ 保管条件 □ 購入者等の氏名・名称	□ 使用の期限 □ 数量 □ 住所又は所在地			○ ○ ○ ○	− − − −
5.8 供給	譲受人と輸送先が異なる場合	□ 上記についての全当該情報の記載あり	□ 輸送条件及び保管条件等の一部情報記載あり	□ 情報記載なし			○	−
6 苦情，返品，偽造の疑いのある医薬品							○	○
6.1 原則							○	○
6.2 苦情	手順書	□ 規定あり	□ 規定なし				○	○
6.2.1	苦情に関する記録	□ 原記録を保管している	□ 原記録を保管していない				○	○
6.2.1	品質に関する苦情／流通に関連する苦情	□ 区別している	□ 区別していない				○	○
6.2.1	苦情に関する製造販売業者への通知	□ 通知している	□ 通知していない				○	○
6.2.1	流通に関する苦情の徹底調査	□ 実施している	□ 実施していない				○	○
6.2.2.	他ロットへの影響調査	□ 考慮している	□ 考慮していない				○	○
6.2.3	苦情処理担当者	□ 任命している	□ 任命していない				○	○
6.2.4	CAPA及びフォローアップ措置 **必要時**	□ 実施	□ 規定なしが，実施している	□ 未実施			○	○
6.3 返却された医薬品							○	−
6.3.1	返却品の取扱手順	□ 規定あり	□ 規定なし				○	−
6.3.1	出荷からの時間経過	□ 考慮されている	□ 考慮されていない				○	−
6.3.1	返品に関する契約での規定	□ 契約にて規定あり	□ 契約はなく，都度協議				○	−
6.3.1	返品に関する記録及びリスト	□ 記録，リスト共にあり	□ 記録或いはリストがある	□ 記録，リストなし			○	−
6.3.2	返却医薬品の確認項目に関する規定	□ 手順書による規定あり	□ 手順書による規定なし				○	−
6.3.2	確認項目	□ 未開封であり，損傷がないこと □ 契約で規定された許容期限内（例えば10日以内）の返却 □ 供給履歴に関する合理的証拠（納品書等）	□ 使用期限内であること □ 法に従った輸送，保管等の取扱であったことの証明	□ 回収品でないこと □ 教育訓練を受けた者による検査・評価			○ ○ ○	− − −
6.3.3	保管条件が特殊である医薬品の場合	□ 保管に関する文書あり → 販売在庫可	□ 保管に関する文書なし → 販売在庫不可				○	−
6.3.4	販売可能在庫に戻す場合	□ 使用期限順先出/先入れ先出しが機能している	□ 使用期限順先出/先入れ先出しが機能していな				○	−

監査チェックリスト	文書No.	施行年月日	版	頁

6.3.5	盗難回収品に関する手順	□ あり	□ なし				○	−
6.4 偽造医薬品							○	○
6.4.1	偽造医薬品に関する 手順書での規定の有無	□ 規定あり	□ 規定なし				○	○
6.4.2	製造販売業者への通知	□ 通知することを規定	□ 通知することが規定なし				○	○
6.4.2	所轄当局への通知 **偽造医薬品の可能性が高い場合**	□ 通知することを規定	□ 通知することが規定なし				○	○
6.4.3	偽造医薬品の管理	□ 専用区域で隔離保管される	□ 規定がない				○	○
6.4.3	偽造医薬品であるか否かの調査に関する記録	□ 記録を保管している	□ 記録が保管されていない				○	○
6.4.4	偽造医薬品と特定された以降の調査規定の有無	□ 規定あり	□ 規定なし				○	○
6.4.4	偽造医薬品と特定された以降の調査に関する記録	□ 保管されている	□ 保管されていない				○	○
6.5 医薬品の回収							○	−
6.5.1	回収に関する手順	□ 手順あり	□ 手順なし				○	−
6.5.1	トレーサビリティを保証する文書（納入書，伝票等）と手順	□ 整備されている	□ 整備されていない				○	−
6.5.2	販売先への回収に関する連絡体制	□ 規定あり	□ 規定なし				○	−
6.5.3							○	−
6.5.4	手順の有効性の評価 例：模擬回収の実施	□ 実施	□ 未実施				○	−
6.5.5	回収準備	□ 準備されている（常に対応可能）	□ 準備されていない				○	−
6.5.6							○	−
6.5.7	回収記録	□ 記録様式が規定あり	□ 記録様式が規定なし				○	−
6.5.8	流通に関する記録	□ 記録あり 保管期間：　　年間	□ 記録なし				○	−
6.5.8	記載項目	□ 卸売販売業者等の住所	□ 卸売販売業者等の電話番号	□ メールアドレス			○	−
		□ 医薬品の品名	□ ロット番号または製造番号	□ 使用の期限			○	−
		□ 納入数量	□ その他				○	−
6.5.9	回収状況の報告と記録	□ あり	□ なし				○	−
7 外部委託業務							○	○
7.1 原則	外部委託業務の定義	□ 規定あり	□ 規定なし				○	○
7.1 原則	外部委託業務に関する書面による契約	□ 全ての業者と契約	□ 一部業者と契約	□ 契約なし			○	○
7.1 原則	品質に関する取決め	□ 全ての業務契約について締結	□ 一部の業務契約について締結	□ 締結されていない			○	○
7.2 契約委託者	委託者が契約を受ける者について評価しているかなどを確認する						○	○
7.2.1							○	○
7.2.2	受託者の評価	□ 実地監査	□ 書面監査	□ 評価未実施			○	○
	監査を実施している場合，監査頻度	□ リスクベースで実施	□ 一律に実施 頻度：　　年毎	□ 初回のみ			○	○
7.2.3	受託者への情報提供有無（保管条件等）	□ 提供している	□ 提供していない				○	○
7.3 契約受託者	契約を受けている者が正しく業務を行っているかを確認する						○	○
7.3.1							○	○
7.3.2	受託者が右記を有していることを委託者が確認している	□ 施設，機器類	□ 手順	□ 教育訓練			○	○
		□ 組織，人数	□ その他，特記事項（　　　　　　　）				○	○
7.3.3	受託者が業務再委託を行うことに関する規定	□ 規定あり	□ 規定なし				○	○
7.3.3	業務再委託先への品質に関する情報提供	□ 契約に基づき提供可能	□ 契約上の規定はないが提供している	□ 提供していない			○	○
7.3.4	受託者施設での製品管理	□ 適切である	□ 適切でない	□ 適切か否かを確認していない			○	○
7.3.5	受託者で発生した逸脱情報等	□ 委託者に通知される	□ 委託者への通知がない				○	○
8 自己点検							○	○
8.1 原則							○	○
8.2 自己点検							○	○
8.2.1	自己点検に関する手順	□ あり	□ なし				○	○
8.2.1	実施頻度（最低年1回の実施が望ましい）	□ 実施 （頻度：　　　毎）	□ 未実施				○	○
8.2.2	実施者の適格性評価と任命	□ 実施	□ 未実施				○	○
8.2.2	実施者の担当外を点検	□ 担当外を点検	□ 担当についても点検				○	○
8.2.3	文書化（計画/報告/CAPA）	□ 実施	□ 未実施				○	○
8.2.3	結果の経営陣・関係者への報告	□ 実施	□ 未実施				○	○

監査チェックリスト	文書No.	施行年月日	版	頁

9 輸送							○	○
9.1 原則							－	○
9.1.1	輸送中温度管理	□ 全て保冷･温調車使用	□ 一部温調･保温車あるいは保冷箱使用	□ 全て成行き			－	○
9.1.1	輸送車の施錠	□ 施錠されている	□ 施錠されていない				－	○
9.1.2							－	○
9.2 輸送							－	○
9.2.1	温度以外の輸送条件 **ある場合に評価**	□ 保持されている	□ 保持されていない				－	○
9.2.2	温度逸脱及び製品破損等，逸脱時の対応	□ 卸売販売業者への連絡規定あり	□ 卸売販売業者への連絡規定なし				－	○
		□ 調査に関する規定あり	□ 調査に関する規定なし				－	○
9.2.3 9.2.6	輸送車両及び機器	□ 医薬品専用車，機器	□ 他物品と共通使用であるが，清掃等の管理がされている	□ 他物品と共通使用であり，清掃等の管理がされていな			－	○
9.2.4 9.2.6	輸送車両及び機器	□ 車両，機器共に管理，操作手順がある	□ 一部の管理，操作手順がある	□ 管理，操作手順がない			－	○
9.2.5	輸送ルートのリスク	□ 評価されている	□ 評価されていない				－	○
9.2.5	輸送車のマッピング	□ 導入時及び定期的に実施	□ 導入時のみ実施	□ 実施されていない			－	○
9.2.5	使用する機器（温度計等）の校正	□ 導入時及び定期的に実施，もしくは使い捨て	□ 導入時のみ実施	□ 実施されていない			－	○
9.2.7	納品先確認	□ 手順が規定されており，過去に誤納品がない	□ 手順が規定ありものの，誤納品あり	□ 手順等が整備されていない			－	○
9.2.8	緊急輸送手順	□ あり	□ なし				－	○
9.2.8	輸送の第三者委託	□ なし	□ あり				－	○
9.2.9	業務委託契約 **委託がなければ不要**	□ あり	□ なし				－	○
9.2.9	輸送条件提示 **委託がなければ不要**	□ 文書による提示	□ 明確な提示がない				－	○
9.2.9	輸送ルートでの積み替え	□ ない	□ あるが，温度，清浄度，セキュリティの管理がされている	□ あり，温度，清浄度，セキュリティの管理がされてい			－	○
9.2.10	積み替え地での保管時間 積み替え**がなければ不要**	積み替え地での保管時間を記載：					－	○
9.3	輸送の容器，包装及びラベル表示						○	○
9.3.1	梱包状態	□ 個装の汚破損がないような設計となっている	□ 個装の汚破損がないような設計となっていない				○	○
9.3.1	梱包の保護	□ 補強材や雨除けカバーが使用されている	□ 補強材や雨除けカバーが使用されていない				○	○
9.3.2	輸送梱包のバリデーション**確認できれば**	□ 実施されている	□ 実施されていない	□ 確認できない			○	○
9.3.3	輸送梱包ラベル表示	□ あり	□ なし				○	○
9.3.3	ラベル表示項目 **ラベルがなければ不要**	□ 内容物（製品名）	□ 出荷元	□ 貯法			○	○
9.4 特別な条件が必要とされる製品							－	○
9.4.1	麻薬及び向精神薬	□ 取扱なし	□ 取扱あり				－	○
9.4.1	麻薬及び向精神薬取扱手順**取扱がなければ不要**	□ あり	□ なし				－	○
9.4.1	盗難紛失に関する手順 **取扱がなければ不要**	□ あり	□ なし				－	○
9.4.1	輸送中の施錠 **取扱がなければ不要**	□ あり	□ なし				－	○
9.4.2	高薬理活性物質及び放射性物質	□ 取扱なし	□ 取扱あり				－	○
9.4.2	高薬理活性物質及び放射性物質手順　**取扱がなければ不要**	□ あり	□ なし				－	○
9.4.3	保冷品等温度感受性のある製品	□ 取扱なし	□ 取扱あり				－	○
9.4.3	保冷品等温度感受性のある製品の輸送　**取扱がなければ不要**	□ 全て温調車使用	□ 一部温調及び，保温車あるいは保冷箱使用	□ 全て成行き			－	○
9.4.4	温調車のマッピング	□ 導入時及び定期的に実施	□ 導入時のみ実施	□ 実施されていない			－	○
9.4.4	温調車に使用する温度計の校正	□ 導入時及び定期的に実施，もしくは使い捨て	□ 導入時のみ実施	□ 実施されていない			－	○
9.4.5	温度記録	□ 提供可能	□ 記録がなく，提供できない				－	○
9.4.6	保冷材等の使用	□ なし	□ あり				○	○
9.4.6	保冷材等の使用に関する手順，教育訓練使用している場合	□ 手順があり，教育訓練が行われている	□ 手順及び教育訓練が不十分	□ 手順及び教育訓練の実施がない			○	○
9.4.7	保冷材の保管状況 **使用している場合**	□ 冷却不十分な保冷材が使用されないように手順がある	□ 冷却不十分な保冷材が使用されないような手順がない				○	○
9.4.8	保冷品等温度感受性のある製品**ある場合**	□ リスト化されている	□ リスト化されていない				－	○
9.4.8	保冷品等温度感受性のある製品の輸送　**取扱がなければ不要**	□ 取扱手順あり	□ 対象製品の一部に対する手順あり	□ 手順なし			－	○

物流及び輸送業務に関する品質取決め書

第〇版

締結日　　　　年　月　日

XXXXX 製薬株式会社

YYYYY 株式会社

委託者

住所　　東京都 XX 区 XXXXX
会社名　XXXXX 製薬株式会社
　　　　XXXXX 部　部長
　　　　XX　XX

受託者

住所　　東京都 YY 区 YYYYY
会社名　YYYYY 株式会社
　　　　YYYYY 部　部長
　　　　YY　YY

〔改訂履歴〕

版	施行年月日	改訂事項・理由

〔配付先〕

配付 No.	配付部署
1	
2	
3	
4	
5	
6	
7	
8	
9	
10	

目　次

1. 委託者及び受託者

委託者

XXXXX 製薬株式会社（以下，甲という。）

受託者

YYYYY 株式会社（以下，乙という。）

2. 本取決め書の責任者

甲：XXXXX 製薬株式会社　XXXX 部　部長　XX　XX

乙：YYYYY 株式会社　YYYY 部　部長　YY　YY

3. 適用範囲

本取決め書は，甲及び乙間で　　年　月　　日付で締結する業務委託契約書（以下「原契約」という。）第　条第　項に基づき取り交わすものとする。なお，対象とする製品は，甲を構成する当事者が，乙に委託する製品に関し，別紙１の様式で別途書面（電子メールを含む。）により乙に通知するものとし，対象とする製品の範囲に変更があった場合も同様とする。本取決め書の施行において，乙は本取決め書に記載された要件を遵守するための手順を作成し，甲が承認する。

4. 用語の定義

用語	定義
逸脱	本取決め書の対象となっている活動に関する特定の要件からの一時的な解離。 例：温度逸脱，輸送時の破損，濡れ，汚れ，天災による機器設備の破損，盗難，輸送遅延，標準作業手順書からの逸脱，等
是正措置及び予防措置（Corrective Action and Preventive Action,　CAPA）	是正措置：検知された不適合または他の望ましくない状況の原因を除去する措置。 予防措置：起こり得る不適合または他の望ましくない起こり得る状況の原因を除去する措置。
品質システム	品質をマネジメントするための要素を包含するものであり，製品の品質を保証するために必要な組織体制，手順，プロセス，資源及び活動。
品質リスクマネジメント	製品ライフサイクルを通じて，製品品質に係るリスクについてのアセスメント，コントロール，コミュニケーション，レビューからなる系統だったプロセス。
GDP（Good Distribution Practice）	医薬品の適正流通（GDP）ガイドライン。医薬品の市場出荷後，薬局，医薬品販売業，医療機関に渡るまでの医薬品の仕入，保管及び供給業務に適用する。医薬品の品質が維持されることを保証する品質保証の一部。

物流センター	原契約で規定される本倉庫の　階及び　階エリア。
輸送ターミナル	原契約で規定される本倉庫の　階エリア及び輸送ルートで製品の積み替えを行う各地のターミナル。

5. 一般的な要求事項

5.1 品質マネジメント

(1) 乙は，品質システムについて文書化し，その有効性をモニタリングしなければならない。品質システムに関連する全ての活動は，定義され，文書化されなければならない。

(2) 乙は，甲と協力し，変更管理システムを運用しなければならない。また，当該システムには，品質リスクマネジメントの原理を取り入れなければならない。

(3) 乙は，甲と協力し，逸脱管理システムを運用しなければならない。また，当該システムには，品質リスクマネジメントの原理を取り入れた是正措置及び予防措置（CAPA）を運用しなければならない。

(4) 乙は，原契約に規定される本業務の全てあるいは一部を第三者に再委託する場合，当該第三者との間で品質に関する契約を締結し，本取決め書における乙の義務と同等の義務を当該第三者に遵守させなければならない。また，その再委託先のパフォーマンスをモニタリング及びレビューし，必要であれば改善プロセスを進めなければならず，これは定期的に行わなければならない。これは，再委託先の品質システムも乙の品質システムの一部であるという考えに基づく。

(5) 乙は，自らの品質システムをレビューするため，5.13 定期照査の結果を基に，少なくとも年一回，定期的なマネジメントレビューのプロセスを運用しなければならない。

5.2 従業員

(1) 乙は，主な作業者の責任と役割を明確に規定しなければならない。

(2) 乙は，責任者等の重要な立場にある従業員の業務分掌を規定しなければならない。また，責任者の代行についても同様に規定しなければならない。

(3) 乙は，原契約に規定される本業務に従事する作業者に対して，GDP ガイドラインの要求事項に基づく教育訓練を実施しなければならない。

(4) 乙は，危険品あるいは温度変化の影響を受けやすい製品を扱う作業者に対して，当該作業のための特別な教育訓練を行わなければならない。甲は，特別な教育訓練に必要な製品情報を乙に提供しなければならない。

(5) 乙は，教育訓練の記録を保管し，また，教育の有効性を定期的に評価しなければならない。

(6) 乙は，作業者の衛生管理に関する適切な手順を策定し，維持しなければならない。この手順には，健康，衛生管理及び服装に関する規定が含まれていなければならない。

5.3 施設及び輸送トラック

(1) 乙は，製品毎に規定された保管条件（別紙１）が順守され及び安全性が確保されるよう物流センター及び輸送トラックを運営しなければならない。

(2) 乙は，物流センターにおいて製品の保管場所として明確に区分された場所（物理的分離）に製品を保管しなければならない。また，上記の場所へのアクセスは，権限を与えられた従業員のみに限定されなければならない。

(3) 乙は，出荷保留製品，市場からの回収製品，返品及び偽造医薬品を保管するための専用の場所を物流センター内に確保し，その旨を明確に表示しなければならない。

(4) 乙は，物流センターの荷受け及び出荷エリアを悪天候の影響から製品を保護できる構造にしなければならない。物流センターの荷受け/出荷エリア及び保管エリアは，適切に分離されなければならない。

(5) 乙は，物流センター，輸送トラック及び輸送ターミナルを清潔に保つための清掃プログラム，清掃指図及び清掃記録を維持管理しなければならない。

(6) 乙は，適切な防虫防鼠プログラムを維持管理しなければならない。

(7) 乙は，製品を保管するエリアの環境を管理するための設備及び手順を維持管理しなければならない。

(8) 乙は，物流センターの製品を保管するエリア及び輸送トラックの初回の温度マッピング検証を行うとともに，日常モニタリングセンサー位置の妥当性を検証しなければならない。乙は，品質リスクアセスメントの結果に基づき，定期的に温度マッピングを行わなければならない。乙は，設備に大きな変更があった際は，甲の変更管理評価結果に従って，温度マッピングを行わなければならない。

5.4 設備

(1) 乙は，甲と乙合意の上，製品の保管に影響を与える設備をその使用目的に沿うように設計，設置及び維持しなければならない。乙は，輸送に影響を与える全ての設備をその使用目的に沿うように設計及び維持するよう再委託先に指導しなければならない。

(2) 乙は，保管において，品質リスクアセスメントに基づき規定された間隔（少なくとも1回/年）で，環境の管理及びモニタリングに使用される機器を校正しなければならない。乙は，輸送において，品質リスクアセスメントに基づき規定された間隔（少なくとも1回/年）で，環境の管理及びモニタリングに使用される機器を校正することを再委託先に指導しなければならない。

5.5 コンピュータ化システム

(1) 乙は，コンピュータ化システムを使用する場合，対象とするコンピュータ化システムをシステム管理台帳に規定しなければならない。乙は，コンピュータ化システムが，正確性，一貫性及び再現性をもって要求する仕様通りに稼働することをバリデーションによって検証しなければならない。

(2) 乙は，データを物理的あるいは電子的な手法を用いて，偶然のあるいは不正な修正から保護しなければならない。

(3) 乙は，保管されたデータにアクセスが可能であることを，定期的に検証しなければならない。

(4) 乙は，別の規定がある場合を除き，データを安全な場所に少なくとも5年間保管しなければならない。

5.6 クオリフィケーション及びバリデーション

(1) 乙は，甲と乙同意の上，クオリフィケーションが必要な機器等及びバリデーションが必要なプロセス等を予め規定しなければならない。また，乙は，これらの機器及びプロセスに大きな変更があった場合に，変更管理の一環としてクオリフィケーション及びバリデーションを実施しなければならない。

(2) 乙は，規定の保管条件が輸送中も維持されることを保証しなければならない。乙は，その検証のために，例えば，夏季及び冬季等ワーストケースを考慮した条件下で輸送試験（輸送バリデーションを含む）を実施しなければならない。この場合，輸送試験の範囲は，原契約に基づき実施される輸送を対象とする。

(3) 乙は，上記の輸送試験及び品質リスクアセスメントの結果から，空調設備付きの車両による輸送，特別な輸送梱包（発泡スチロール等）の活用，あるいは車載温度記録計以外に輸送ごとの連続温度記録等の必要性について，甲と乙協議の上，判断しなければならない。

5.7 文書管理

(1) 乙は，手順書，指図，契約，記録及びデータ等を，物理的あるいは電子的に管理しなければならない。乙は，これらの文書（電子データを含む）を，必要時に利用できる状態に維持しなければならない。

(2) 乙は，別の規定がある場合を除き，前項の文書を少なくとも5年間保管しなければならない。

(3) 乙は，保管及び輸送業務の記録に，少なくとも以下の情報を含めなければならない：品名，ロット番号，使用の期限，輸送及び保管条件，数量，購入若しくは譲り受け又は販売若しくは授与の年月日，購入者等の氏名または名称，住所又は所在地及び電話番号その他の連絡先等。

5.8 自己点検

(1) 乙は，本取決め書の順守を確認するため，少なくとも年一回，自己点検を実施しなければならない。

(2) 乙は，自己点検に，外部のコンサルタント等を活用してもよい。

(3) 乙は，自己点検の結果を文書として記録しなければならず，自己点検の報告書を，マネジメント層や関係部門に共有しなければならない。

(4) 乙は，自己点検において改善すべき事項が確認された場合，是正措置及び予防措置（CAPA）を実施しなければならない。乙は，これらの措置を，適切な時期に，かつ有効な方法で完了しなければならない。

5.9 監査

(1) 甲は，乙の本取決め書の順守状況を確認するために，乙及び/あるいは必要に応じて乙の再委託先の監査を実施することができる。甲は，監査の頻度をリスクベースで決定するが，原則，3年に1回の頻度で実施する。

(2) 甲を構成する当事者のいずれかが正当な理由を基に必要と判断する場合，当該当事者は，乙の承諾を得て，随時，臨時的な確認を行うことができる。

(3) 甲が乙に監査報告書を提示後，改善が必要な場合，乙は30日以内に改善報告書または改善計画書を甲に提出しなければならない。

5.10 品質情報（苦情）処理

(1) 乙は，品質情報を入手した場合の処理の手順書を作成しなければならない。乙は，品質情報の範囲を，別途甲と乙合意の上，規定しなければならない。

(2) 乙は，対象とする製品に関する品質情報を入手した場合（甲が報告した場合を除く），1営業日以内に，当該製品を委託する甲を構成する当事者に書面にて連絡しなければならない。

5.11 逸脱処理

(1) 乙は，逸脱が発生した場合の処理の手順書を作成しなければならない。乙は，逸脱の範囲を，別途甲と乙合意の上，規定しなければならない。

(2) 乙は，製品品質に影響を与える逸脱を発見した場合は，甲に速やかに書面にて連絡しなければならない。

5.12 変更管理

(1) 乙は，変更管理に関する手順書を作成しなければならない。乙は，製品品質に影響を与える変更の場合，甲の承認を得た上で，実際の変更を実施しなければならない。

5.13 定期照査

(1) 乙は，定期照査に関する手順書を作成しなければならない。乙は，以下の項目について，少なくとも年一回，定期的な照査を実施し，甲へ報告しなければならない：品質情報（苦情），逸脱，変更管理，是正措置及び予防措置（CAPA）の実施状況（その有効性の確認を含む），監査，規制当局査察及び自己点検の結果。

(2) 乙は，上記項目の発生件数及び発生原因の傾向分析，類似の事象の再発の有無の観点から定期照査を実施しなければならない。

(3) 乙は，定期照査の結果を文書化し，必要な改善措置を実施しなければならない。

5.14 製品回収

(1) 甲及び乙は，対象とする製品に回収の恐れがある場合，直ちに当該製品を委託する甲を構成する当事者及び乙で連絡を取り合い，両者で協力し，速やかに影響範囲を調査する。当該両者は，対象とする製品を回収する場合，協力しなければならない。

(2) 乙は，回収された製品を5.3(3)に定める施設に直ちに隔離保管し，適切に表示しなければならない。

(3) 乙は，全ての関連活動を文書化し，記録を保管しなければならない。

(4) 甲が模擬回収を実施する場合，乙は協力しなければならない。

5.15 偽造医薬品

(1) 乙は，対象とする製品が偽造医薬品と疑われる場合，当該製品の輸送・授受を直ちに中断し，速やかに甲に連絡しなければならない。

(2) 乙は，発見された偽造医薬品を直ちに隔離保管し，適切に表示しなければならない。

(3) 乙は，全ての詳細な原情報を記録し，全ての関連活動を文書化し，記録を保管しなければならない。

5.16 返品

(1) 乙は，卸からの返品の再流通を防止するため，直ちに隔離保管し，適切に表示しなければならない。

(2) 乙は，隔離保管した卸からの返品を，甲の指示に従って，廃棄等の処理を行わなければならない。

6. 有効期間

本取決め書は締結日より発効し，原契約の終了日まで有効とする。なお，5.7.（2）の規定は，本取決め終了後もなお有効に存続する。甲と乙は，本取決め書につき，少なくとも3年に1回の頻度で改定の要否を検討する。

7. その他の事項

本取決めに記載のない事項については，甲及び乙協議の上，決定する。

なお，各委託者固有の要件については，各委託者と乙とが協議し，必要に応じて別途覚書を締結する。

8. 連絡体制

別紙2　コンタクトリストを参照

9. 参照資料

1. European Commission: Guidelines on Good Distribution Practice of medicinal products for human use, 2013/C 343/01
2. PIC/S Guide to Good Distribution Practice for medicinal products, PE011-1, 1 June 2014
3. WHO good distribution practices for pharmaceutical products, WHO Technical Report Series, No. 957, 2010
4. US Pharmacopoeia 〈1079〉 Good storage and distribution practices for drug products, 2015
5. Guidelines on principles of good distribution practice for active substances for medicinal products for human use (2015/C 95/01)
6. 医薬品の適正流通（GDP）ガイドライン　事務連絡（平成30年12月28日）

10. 添付資料

別紙1：本取決め書が適用される製品リスト

別紙2：コンタクトリスト

別紙１　本取決め書が適用される製品リスト

雛形例

番号	製品名	製造所	保管条件	特記事項
1				
2				
3				
4				
5				
6				
7				
8				
9				
10				

別紙 2　コンタクトリスト

連絡方法：電話あるいは e-mail 等を用いて連絡する。必要に応じて詳細な関連情報を文書で連絡する。

連絡体制：各社 2 名以上を予め以下に定め，情報の伝達に遅延・漏れがないようにする。

連絡責任者/連絡副責任者：

甲：

<table>
<tr><td colspan="2">XXXXX 製薬株式会社　XXXX 部（品質部門）
〒　-　　東京都 XX 区 XXXXX</td></tr>
<tr><td>連絡責任者：XX　XX
メールアドレス：xxxxxxx@xxxxx.com
TEL：　-　-</td><td>連絡副責任者：XX　XX
メールアドレス：xxxxxxx@xxxxx.com
TEL：　-　-</td></tr>
<tr><td colspan="2">XXXXX 製薬株式会社　XXXX 部（物流部門）
〒　-　　東京都 XX 区 XXXXX</td></tr>
<tr><td>連絡責任者：XX　XX
メールアドレス：xxxxxxx@xxxxx.com
TEL：　-　-</td><td>連絡副責任者：XX　XX
メールアドレス：xxxxxxx@xxxxx.com
TEL：　-　-</td></tr>
</table>

乙：

<table>
<tr><td colspan="2">YYYYY 株式会社</td></tr>
<tr><td>〒　-
東京都：本社物流センター管理部門</td><td>〒　-
YY 県:物流センター所在地</td></tr>
<tr><td>連絡責任者 YY　YY
メールアドレス：yyyyyyy@yyyyy.com
TEL：　-　-</td><td>連絡副責任者 YY　YY（センター長/管理薬剤師）
メールアドレス：yyyyyyy@yyyyy.com
TEL：　-　-</td></tr>
</table>

―― 索 引 ――

【英数字】

【あ行】

【か行】

【さ行】

【た行】

【な行】

【は行】

【ま行】

【や行】

【ら行】

【わ行】

医薬品の適正流通（GDP）ガイドライン解説 第2版

定価　本体5,400円（税別）

2019年 8 月29日　初版発行
2022年12月25日　第 2 版発行

編　集　日本製薬団体連合会 品質委員会
発行人　武田 信
発行所　株式会社 じほう

101-8421　東京都千代田区神田猿楽町1-5-15（猿楽町SSビル）
振替　00190-0-900481
＜大阪支局＞
541-0044　大阪市中央区伏見町2-1-1（三井住友銀行高麗橋ビル）
お問い合わせ　https://www.jiho.co.jp/contact/

組版　レトラス　　印刷　中央精版印刷(株)

ISBN 978-4-8407-5477-4